L'ÉTAT
DE LA CHINE
ET DE
SES HABITANTS

Sous la direction de Pierre Gentelle

ÉDITIONS LA DÉCOUVERTE
1, place Paul-Painlevé, 75005 Paris, tél. (1) 46 33 41 16

Henri Leuwen, journaliste, *Agence France Presse*; Jean Levi, sinologue, CNRS; Françoise Lemoine, économiste, CEPII; Jacques Lemoine, anthropologue, CNRS; Jean-François Lépine, journaliste, *Radio-Canada*; Jacques Levesque, politologue, Université du Québec, Montréal; Roland Lew, sociologue, Université libre de Bruxelles, EHESS; Corinne Martin; Philippe Massonnet, sinologue; Alexandre de Massue, sinologue, diplomate; Laure Mellerio, sinologue, Comité France-Chine, CNPF; Georges Métailié, sinologue, MHN; Charles Meyer, historien, Université Paris VII; Christine Mollier, sinologue, CNRS; Carole Morgan, sinologue; Valérie Niquet, sinologue; Jacqueline Nivard, sinologue, EHESS; Thierry Pairault, économiste, CNRS; Jean Pasqualini, écrivain; Olivier Pasteur, traducteur, OMS, Manille; Alain Peyraube, linguiste, EHESS; François Picard, ethnomusicologue, Université Paris IV; Odile Pierquin-Tian, sinologue, EHESS; Marie-Claire Quiquemelle, CNRS; Philippe Régnier, socio-économiste, CRAM, Genève; Philippe Richer, ancien ambassadeur, Conseil d'État, Université Paris I; Catherine Rigoir, La Documentation française; Jean-Louis Rocca, sinologue, Université Lyon III; Alain Roux, historien, Université Paris VIII; Françoise Sabban, ethnologue, EHESS; Kristofer Schipper, sinologue, EPHE; Pierre Sigwalt, sinogéographe, Université de Brest; Laurent Simon, géographe, Université Paris I; Michel Strickmann, historien, écrivain Université de Berkeley; Jorge Svartzman, journaliste, *El País*, Madrid; Liliane Terrier, graphiste; Isabelle Thireau, sociologue, CNRS; Pierre Trolliet, sinogéographe, INALCO; Léon Vandermeersch, sinologue, EPHE; Wang Keping, sculpteur; I-chuan Wu-Beyens, démographe, Université catholique de Louvain; Wojtek Zafanolli, sinologue, EHESS; Y.B., sinologue.

CEPII : Centre d'études prospectives et d'informations internationales; CERI-FNSP : Centre d'études et de recherches internationales — Fondation nationale des sciences politiques; CNRS : Centre national de la recherche scientifique; CRAM : Centre de recherche sur l'Asie moderne, Genève; EHESS : École des hautes études en sciences sociales; EPHE : École pratique des hautes études; FEDN : Fondation pour les études de Défense nationale; IFA : Institut français d'architecture; IFRI : Institut français des relations internationales; INALCO : Institut national des langues et civilisations orientales; INRA : Institut national de la recherche agronomique; IRI : Institut des relations internationales, Genève; MHN : Museum d'histoire naturelle.

Cartographie

Réalisation : Études et cartographie, 6/8 rue Léon Trulin, 59800 Lille. Tél. : 20 51 94 95.
Conception : Roger Brunet (p. 303), Pierre Gentelle (p. 25, 29, 36, 37, 59, 347, 351), Jacques Gernet (p. 51 haut), Guillaume Giroir (p. 33).

Fabrication : Monique Mory.

Illustrations
Les illustrations reproduites dans l'ouvrage sont pour la plupart extraites d'almanachs populaires actuels (Hong-Kong, Taïwan). Celles qui figurent au début des grandes sections représentent des motifs de tapis de Chine [E. Gans-Ruedin, *Le Tapis de Chine*, Éditions Vilo © Office du Livre, Fribourg]. Les signes astrologiques sont tirés des *Huit signes de votre destin* [© J.-M. de Kermadec et l'Asiathèque]. Les silhouettes de papiers découpés sont reproduits de *Contes du Yin et du Yang* [© Aux quais de Paris, G. Kogan].
Les deux caligrammes de la couverture, qui signifient « La Chine » (Zhong = Milieu, Guo = Pays), ont été dessinés par Hsiung Ping-ming.

© Éditions La Découverte, Paris, 1989.
ISBN 2-7071-1877-X

Les titres et les intertitres sont de la responsabilité des éditeurs

L'ÉTAT DE LA CHINE

5

L'édition de *L'état de la Chine et de ses habitants* a bénéficié des concours des institutions et sociétés suivantes :

— Ministère de la Recherche et de la Technologie (Département des Sciences de l'Homme et de la Société) ;

— CNRS (Département des Sciences de l'Homme et de la Société, dirigé par Jacques Lautman) ;

— CNRS (Direction de l'Information Scientifique et Technique) ;

— TOTAL Compagnie Française des Pétroles.

LA TRANSCRIPTION DES CARACTÈRES CHINOIS EN FRANÇAIS

L'alphabet phonétique, dit *pinyin* (épellation), a été créé en 1958. Il est destiné à transcrire les sons de la langue chinoise, qui s'écrit en caractères (ou idéogrammes), dont la forme n'indique en rien le sens, ni la prononciation.

La langue chinoise, en effet, ne s'attache pas au côté sonore des mots, mais à la mémorisation de dessins représentant des fractions de mots. D'où l'irréductible différence entre les langues idéographiques et les langues alphabétiques, et la nécessité impérieuse de la transcription : le nom du poète chinois Du Fu (transcription en pinyin) peut s'écrire Tou fou ou autrement encore selon les conventions qui régissent la transcription du son.

Le système pinyin a été conçu d'abord à l'usage des Chinois eux-mêmes, qui ne prononcent pas tous de la même façon les caractères qu'ils écrivent identiquement. C'est pourquoi quelques lettres font problème aux francophones. L'effort est mince pour apprendre à prononcer correctement :
R se prononce comme un J (*Renmin Ribao*, le *Quotidien du Peuple*, se dit Jenmin Jibao)
Q se prononce Tch aspiré (Liu Shao Qi se dit Liou Chao Tchi)
X se prononce comme le Ch doux allemand (Xi, l'ouest, se dit Chi)
J se prononce comme un T suivi rapidement d'un Ch pré-palatal.

D'autres lettres ou associations de lettres peuvent troubler le lecteur francophone, à un moindre degré toutefois :
C se prononce Ts aspiré
H se prononce comme la jota espagnole
Z se prononce Ds
Zh se prononce Dj
U se prononce toujours Ou ; Ui se prononce Ouei.
I se prononce quelque fois E, mais rien ne l'indique au lecteur ordinaire, hélas.

Présentation

L'OPINION *publique internationale a été brutalement choquée par les événements du printemps 1989. Ceux-ci ont montré que la quête d'une modernisation de la société chinoise avait pu faire naître des aspirations populaires à une vie meilleure, plus libre, plus dynamique, mais aussi développer des craintes puissantes chez ceux qui, depuis quarante ans, ont pris en charge les destinées de la Chine. La crise, résolue dans la violence d'État, a conduit au retour de méthodes de répression abandonnées depuis une décennie, mais toujours redoutables et redoutées. Les tendances de l'évolution sur le temps long, exprimées entre 1979 et 1989 par un ensemble de transformations économiques et sociales appelées « ouverture » et « réforme », ont reçu un coup d'arrêt qui suscite les interrogations : pourquoi cette violence, et pour quoi faire ensuite ? Le printemps de 1989 a mis crûment la société chinoise en face des problèmes immenses qu'elle va devoir résoudre dans les années quatre-vingt-dix et au-delà. Mais il n'en a pas donné les clés.*

L'état de la Chine *montre que le dynamisme de la réforme était tellement puissant qu'il échappait en partie, depuis 1985, au contrôle du pouvoir. Mais l'ouvrage tente également de donner au lecteur les moyens de tirer ses propres conclusions à plusieurs niveaux. S'il a été donné une telle place au chapitre sur la civilisation, si l'on trouve dans presque tous les articles des références à la tradition, c'est que la spécificité de la Chine ne peut être appréciée sans cette connaissance. Enfin, l'on constate la prégnance du politique dans tous les domaines abordés par l'ouvrage (vie quotidienne, économie, culture, etc.), et jusque dans le chapitre Civilisation, mais d'autres mouvements méritent également une grande attention : croissance démographique, évolution des comportements sociaux, aspirations nouvelles, etc.*

C'est pourquoi ce livre a été conçu dès le départ comme le produit d'approches nombreuses et de regards croisés. 132 auteurs, spécialistes du pays, observateurs passionnés ou jeunes chercheurs supérieurement formés dans cette discipline vaste et particulière qu'on appelle sinologie, ont apporté chacun leur point de vue sur la Chine d'aujourd'hui.

Le comité de rédaction a veillé tout particulièrement à rendre intelligible l'évolution actuelle de la société chinoise. Pour cela, il a découpé en de nombreux articles, plus de deux cents — qui se font écho —, l'essentiel de ce que nous savons de la Chine, en laissant de côté quelques interprétations discutables. Le lecteur pourra ainsi passer, à sa guise et selon ses besoins, d'un sujet à l'autre sans être obligé de lire l'ensemble de manière continue.

L'état de la Chine *met à la disposition du public le plus large, dans une écriture volontairement très lisible, un extrait des travaux entrepris dans le monde par des centaines de chercheurs de toutes les disciplines des sciences humaines. C'est pourquoi les articles se présentent sous la forme de courtes et denses interprétations, à la pointe de l'information. La somme d'analyses et de points de vue divers qu'ils représentent permettra aux lecteurs de puiser de quoi affiner eux-mêmes leurs propres interprétations, et de compléter leur savoir. Ainsi, cet ouvrage atteindra son objectif.*

Pierre Gentelle

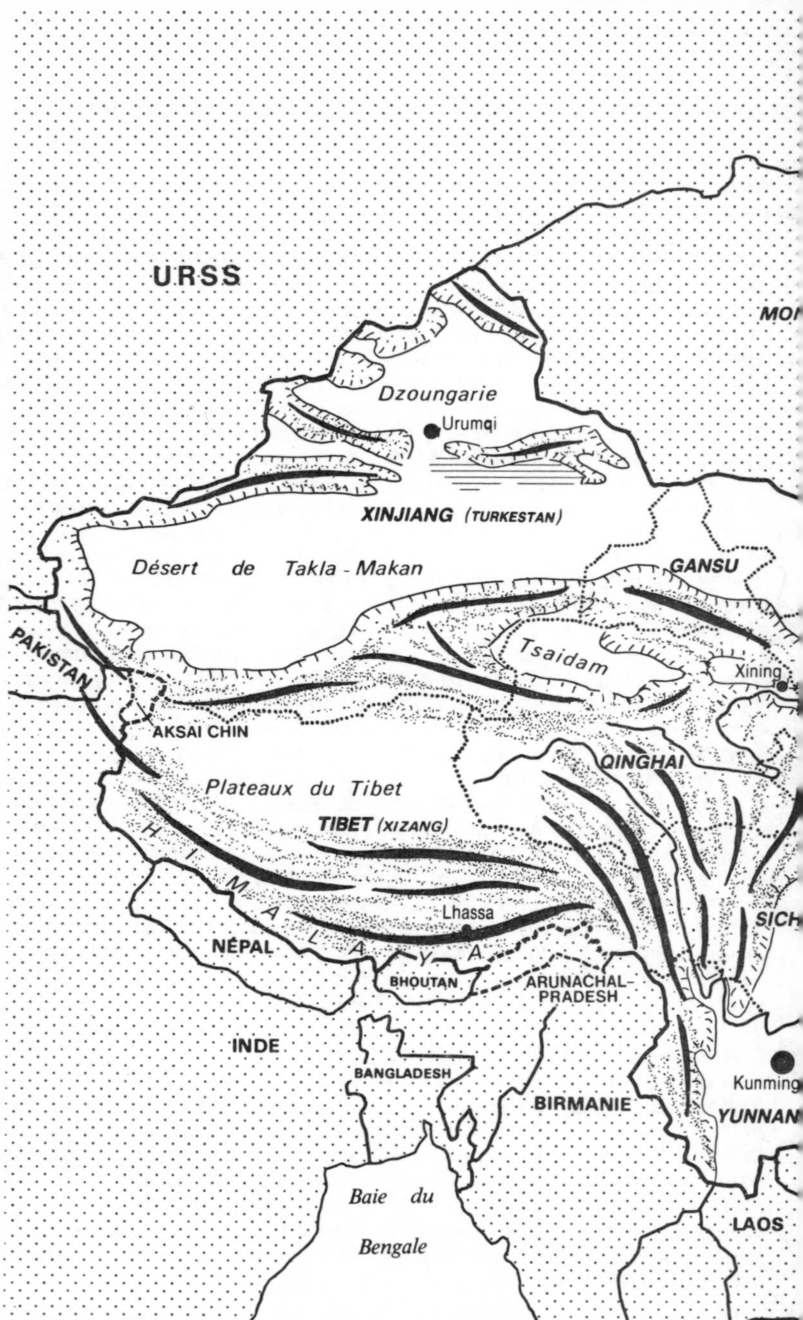

URSS

MON

Dzoungarie
● Urumqi

XINJIANG (TURKESTAN)

Désert de Takla - Makan

GANSU

Tsaidam

PAKISTAN

● Xining

AKSAI CHIN

QINGHAI

Plateaux du Tibet

TIBET (XIZANG)

H
I
M
A
L
A
Y
A

Lhassa

SICH

NÉPAL

BHOUTAN

ARUNACHAL-
PRADESH

INDE

BANGLADESH

BIRMANIE

● Kunming

YUNNAN

Baie du

Bengale

LAOS

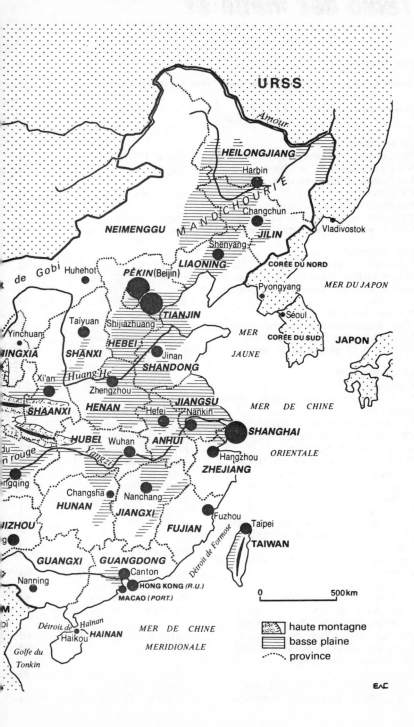

URSS

Amour

HEILONGJIANG

Harbin

MANDCHOURIE

Changchun

NEIMENGGU

JILIN

Shenyang

Vladivostok

de Gobi   Huhehot

PÉKIN (Beijing)

LIAONING

CORÉE DU NORD

Pyongyang

MER DU JAPON

TIANJIN

Séoul

Yinchuan   Taïyuan   Shijiazhuang

MER

CORÉE DU SUD   JAPON

JAUNE

NINGXIA   SHANXI   HEBEI

Jinan

SHANDONG

Xi'an   Huang-He

Zhengzhou

SHAANXI   HENAN   JIANGSU

Hefei   Nankin

MER   DE   CHINE

du
n rouge   HUBEI   Wuhan   ANHUI

SHANGHAI

Yangzi

Hangzhou

ORIENTALE

ngqing

ZHEJIANG

Changsha   Nanchang

HUNAN   JIANGXI

Fuzhou   Taïpei

UIZHOU   FUJIAN   TAIWAN

GUANGXI   GUANGDONG

Nanning   Canton

HONG KONG (R.U.)

MACAO (PORT.)

M
oï   Détroit de   Haïnan

Haikou   HAINAN   MER DE CHINE

Golfe du
Tonkin   MERIDIONALE

0   500 km

haute montagne
basse plaine
province

EᴀC

Table des matières

CONTEXTES

VIE QUOTIDIENNE

L'ÉCONOMIE

CHINE(S) ET CHINOIS

L'ÉTAT DE LA CHINE
TABLE DES MATIÈRES

15

Avant-propos

Après le 4 juin

Les événements du printemps 1989 à Pékin et en Chine ont fait de la nuit du 3 au 4 juin une date chargée de symboles. Une date, comme disent les Chinois, de « retournement ». Après plus d'un mois et demi de manifestations généreuses et pacifiques, d'abord des étudiants, puis des différentes unités de travail de la capitale soutenues par le petit peuple de Pékin, qui demandaient une amélioration des conditions de vie, puis la démission du Premier ministre Li Peng, voire de Deng Xiaoping, un petit groupe de dirigeants du Parti communiste chinois (PCC), contre l'avis du secrétaire général, Zhao Ziyang, trouvait une unité de l'armée, le 27ᵉ corps, pour tirer sur la foule désarmée. Ce massacre qui, le 3, paraissait impensable, devenait une tragique réalité en présence des télévisions étrangères qui étaient venues en Chine pour assister, quelques jours auparavant, à la réconciliation sino-soviétique. Les images causèrent dans le monde entier une émotion considérable. Une décennie de « réformes et d'ouverture » débouchait brutalement sur une période de « répression-ouverture » dont nul ne pouvait connaître la vraie nature ni la durée.

Crise politique profonde, crise sociale généralisée à toutes les grandes villes, les événements de juin ont éclairé d'un jour nouveau les contradictions qui ont marqué la décennie 1979-1988.

L'état de la Chine, dont la réalisation avait été engagée quinze mois avant ces événements, s'était donné pour objectif de fournir une image véridique du pays, signalant les acquis, attirant l'attention sur les problèmes. Voici qu'il se présente maintenant comme un bilan de dix ans. Du fait du retournement, on mesure mieux combien la décennie d'ouverture et de réforme avait fait la part belle à de multiples espérances, quelques-unes peut-être excessives. Ce qui paraissait comme une marche irréversible vers l'économie de marché, la progression de la démocratie, se trouve soudain et violemment confronté à une autre logique qui, en cette fin de XXᵉ siècle, se résume en une question : de quels moyens peut disposer un pays comme la Chine pour devenir un pays moderne ?

Une crise
à trois dimensions

Les causes de ce retournement, liées entre elles, sont de trois ordres : les caractères structurels de la société chinoise, la crise du « monde communiste » et les difficultés de la gestion des réformes engagées, nées de leur relatif succès. Ces réformes, essentiellement économiques, avaient créé en dix ans de fortes tensions sociales correspondant à la fin de l'égalitarisme maoïste, à une transition mal assurée vers l'économie de marché, à l'apparition de l'inflation, à la désagrégation morale du Parti communiste, gangrené à tous les niveaux par la corruption, l'ambition et l'affairisme.

Quand le Premier ministre Li Peng a proclamé que les « événements » du 4 juin ne relevaient que des « affaires intérieures », il n'a fait que reprendre une pratique courante des gouvernements chinois en temps de répression. Cette crise a souligné bien d'autres traits constants de l'histoire politique chinoise. *Plus des quatre cinquièmes de la population — les ruraux — sont restés à l'écart de manifestations dont les enjeux les concernaient pourtant dans leur vie personnelle. La classe intellectuelle, maintenue depuis des siècles dans l'incompétence politique, y compris par le régime communiste, n'a adressé au pouvoir que des critiques essentiellement morales. Une très infime minorité de ceux qu'on peut à peine appeler contestataires parmi les étudiants sont allés au-delà de la simple adjuration en réclamant la liberté de la presse, la démocratie, etc.*

Le recours à la force armée dans les cas ultimes a été constant au cours du XXe siècle. Il s'est toujours effectué au profit d'un clan parmi d'autres, alors que les forces en conflit étaient extrêmement réduites en nombre (révolutions de « palais ») et que la société ne possédait pas de structures institutionnelles ou sociales permettant le dialogue et la négociation. Ce phénomène « cyclique » (ou « classique ») est très clairement réapparu le 4 juin 1989, renforcé par la nature même du régime communiste, lequel ne dispose pas des instruments permettant de régler les conflits internes au pouvoir autrement que par la force. Les Chinois ont été une nouvelle fois contraints à une soumission totale. Comme dans l'Antiquité, celui qui détient le pouvoir est nécessairement inaccessible, puisqu'il assure la médiation entre l'homme, cette poussière de terre jaune, et le Ciel.

Crise proprement chinoise, le printemps de Pékin 1989 peut s'analyser dans le contexte de remise en cause des idéologies communistes et des constructions du « socialisme réel » qui a caractérisé la fin des années quatre-vingt dans le monde. En Chine, le divorce a été gravissime entre une direction du Parti et de l'État assurée par la « vieille garde » saisie d'une peur panique à l'idée de perdre le pouvoir, et les aspirations de l'élite des jeunes formés depuis dix ans sous la réforme de Deng Xiaoping. Mais la forme prise en Chine par cette crise du communisme est très spécifique : alors que dans des pays comme la Hongrie, la Pologne et, dans une moindre mesure, l'URSS, la question est posée de savoir comment sortir du communisme tel qu'il s'est construit, les conservateurs chinois se demandent, eux, comment faire pour ne pas en sortir. Si à Varsovie, Budapest et Moscou, le changement s'est d'abord matérialisé par des réformes politiques, *en Chine, au contraire, les dirigeants se sont convaincus depuis 1978 de la nécessité* de réformer l'économie, *mais ils n'ont pu se résoudre à en accepter les conséquences politiques et sociales parce que celles-ci mettent en cause les structures bureaucratiques profondes de l'État chinois dans lesquelles le régime communiste n'a fait que se glisser.*

La crise, en Chine, est donc née d'une certaine réussite de la réforme économique — que l'URSS est bien loin d'avoir engagée à ce niveau — qui a entraîné deux conséquences opposées : le retour aux pratiques ancestrales de la société chinoise, en particulier chez les paysans et chez les cadres communistes ; le désir d'un changement radical, inspiré de l'Occident, chez les étudiants, pourtant enfants du régime, et chez les intellectuels. Le communisme chinois s'est identifié à une bureaucratie appliquant un totalitarisme de gauche, relayant les structures de la bureaucratie mandarinale de jadis. Les notions de concurrence, initiative privée et individualisme, rentabilité, pluralisme, liberté de parole et d'association ne peuvent pas même être entendues par les oreilles endurcies de vieillards moulés dans leurs certitudes. Dès que l'on sort, en économie, de la triade soviéto-maoïste austérité-égalitarisme-autarcie, et en politique du pouvoir absolu d'un parti unique et omniscient, les fondateurs du régime sentent qu'on approche leur second pied de la tombe. Avec toutes les variantes possibles dans les différents États communistes, c'est la même peur qui saisit partout les apparatchiks conservateurs chaque fois que leur

« idéal » (= dogme) paraît disparaître au profit de la liberté : si l'avenir est libre, alors « tout » peut arriver et il faudra rendre au peuple ce qu'on lui a confisqué, le mouvement, le désir d'autres possibles.

Ce mouvement, c'est bien ce qu'il y avait de neuf dans la crise étudiante de 1989, précédée par la crise de 1986-1987 et le printemps de Pékin de 1979. Pour la première fois, on sortait du cycle contestation/répression/terreur épaisse. La plupart des responsables des coordinations étudiantes ont pu s'échapper grâce à des réseaux de connivence qui ont certainement des ramifications dans l'appareil d'État. Des intellectuels ont réussi à fonder à l'étranger des mouvements politiques sur le terreau que leur a opportunément fourni le régime en envoyant ou laissant 90 000 étudiants, la fine fleur des universités et des enfants d'apparatchiks, s'installer pour plusieurs années en Occident. Bien des contestataires ont dépassé le désir de restauration, qui fut la règle pendant des siècles sous l'Empire.

En 1989, la répression ne se produit plus dans une Chine refermée sur elle-même, comme ce fut le cas pour le massacre des propriétaires fonciers (1950-1952), pour l'envoi en camp des intellectuels critiques lors des Cent Fleurs (1956-1957), pour la mise à l'écart du dernier carré des intellectuels lors de la « campagne d'éducation socialiste de 1962 », pour les assassinats et les expéditions en camp de travail de tous ceux qui n'avaient pas « une bonne origine de classe » lors de la « révolution culturelle » de 1966 à 1969, mais dans un pays qui a cherché pendant dix ans à renouer les liens avec le monde extérieur. Cette bonne image, durement acquise, peut-elle être durablement ternie ?

Une étanchéité problématique

Moins de deux mois après le massacre du 4 juin, les raisons de la cri-se d'avril-mai apparaissaient avec netteté aux auteurs — anonymes — du « Memorandum sur l'écrasement de la rébellion » publié par les principaux journaux chinois le 27 juillet : « Les forces de la réaction internationale ont profité de la politique d'ouverture pour répandre l'individualisme et le mode de vie capitaliste afin de dissoudre le pilier idéologique du communisme. » Cet exercice de langue de bois que le P C C avait presque désappris de manier dans les années quatre-vingt, a confirmé dans son style particulier l'aveu des dirigeants les plus orthodoxes, qui dénonçaient le fait que la corruption ait progressivement gangrené, de 1985 à 1989, tout l'appareil du Parti et ses clients dans les entreprises d'État, au point d'appeler les plus urgentes mesures de propreté.

La Chine de la fin des années quatre-vingt était devenue un vaste chantier de débrouillardise, de recherche du gain, de réactivation de toutes les solidarités traditionnelles. Les Chinois, hors des entreprises d'État, se déchaînaient soudain au travail et l'inflation marquait plus un excès de confiance qu'une amorce de crise. Mais gare à celui qui était seul, pauvre, pas très doué pour les affaires, peu dynamique : les égoïsmes se manifestaient désormais au grand jour, sans même le contrepoids officiel du discours égalitariste. Un an seulement avant les événements de Tian An Men, plein de bonne volonté et poussé par la logique même d'une décennie de bons résultats économiques, le gouvernement avait annoncé à l'Assemblée nationale populaire une marche rapide vers l'économie de marché et de nouvelles réformes, plus profondes, comme la levée du contrôle des prix, la privatisation des entreprises publiques déficitaires, la distribution d'actions, l'accession à la propriété des logements urbains, une décentralisation encore plus poussée.

Mais la vieille garde du Parti, elle, ne voyait dans tout cela que l'avancée du spectre de la « restauration du capitalisme ». Quant à la population, sur un fond d'inflation aux alentours de 30 % l'an, elle avait traduit l'annonce gouvernementale en termes de hausse des prix, mise au chômage, augmentation des loyers, rôle accru des petits chefs provinciaux, régionaux et locaux. Elle s'était précipitée en masse, en août 1988, dans les magasins, pour acheter tout et n'importe quoi, faisant fondre l'épargne privée. Ainsi s'amorçait une crise des finances publiques, incapables de payer aux paysans la totalité de leurs récoltes, renouant au cours de l'été 1988 — et 1989 — avec une pratique funeste du passé qui consiste à donner aux producteurs des bons et non de la monnaie en échange des céréales, huile, thé, soie. Dès octobre 1988, la crise économique avait débordé sur le politique, puisque Zhao Ziyang, alors Premier ministre chargé des réformes, avait été accusé d'«aventurisme» pour n'avoir pas freiné la surchauffe de l'économie, avoir laissé se creuser un déficit budgétaire important, n'avoir pas imposé aux provinces les nécessaires contrôles macroéconomiques. Il allait dès lors être tenu à l'écart des décisions de la politique économique.

En ouvrant la Chine aux influences extérieures, Deng Xiaoping voulait emprunter à l'Occident, aux meilleurs frais — c'est-à-dire gratuitement si possible — des technologies, de préférence les plus récentes, qui ont représenté des investissements très élevés en recherche et développement, création de savoir-faire industriels. Cette politique a largement réussi dans quelques domaines, mais les Chinois ont découvert, avec l'aide de la télévision, que le niveau de vie des Japonais, Américains, Français, Italiens et autres, Taïwanais et Hongkongais compris, était bien supérieur au leur, et que leur liberté d'action et d'information était infiniment plus grande. L'objectif de Deng, qui consistait à tenir le plus étanche possible la cloison entre réformes économiques et réformes politiques était de ce fait difficile à maintenir.

D'abord, la répression : le gouvernement a fait prononcer plu-

sieurs dizaines de condamnations à mort dans les premiers jours, pour créer la terreur et a procédé à des arrestations par milliers. Dans les familles, dénonciation et délation ont été encouragées. Dans la jeunesse non étudiante, des condamnations et exécutions de malfrats accusés soudain d'activités contre-révolutionnaires ont été ordonnées pour discréditer le mouvement étudiant. Emprisonnements, déportations non rendus publics se sont multipliés. Des comptes rendus truqués des événements ont été diffusés puisque l'histoire, de toute façon, est en Chine «affaire d'État».

Le nouveau cours

Le 9 juin, dans un discours obligeamment communiqué à l'extérieur, mais par des voies non officielles, puis le 17 juin à nouveau, Deng Xiaoping a fait connaître la nouvelle stratégie du gouvernement : un centre (l'action du Parti et celle du peuple pour la modernisation) et deux points fondamentaux. Le premier point est constitué par le maintien des «quatre principes» (rôle dirigeant du Parti, voie socialiste, dictature démocratique du peuple, marxisme-léninisme et «pensée-maozedong») ; le second, par le maintien de la politique d'ouverture et de réformes.

À partir de ce «guide de l'action», un train de mesures idéologiques a été mis en place. Dans les universités, des autocritiques écrites ont été demandées aux étudiants, et des cours «punitifs/éducatifs» de marxisme imposés. Comme l'a dit Li Tieying, ministre de l'Éducation : «L'étude du marxisme est plus importante que celle des mathématiques.» À l'université de Pékin, 600 places de nouveaux étudiants ont été supprimées essentiellement dans les sciences humaines, sur les 1 400 prévues. Dans les entreprises, des équipes spéciales de commissaires politiques ont été constituées, pour «renforcer l'éducation collectiviste» et éviter que ne se développent les noyaux ouvriers qui veulent s'organiser en syndicat indépendant du pouvoir sur le modèle de Solidarnosc. Les bureaucrates, qui ne supportaient pas, dans l'économie, de voir se développer un secteur privé qui emploie déjà des dizaines de millions de personnes, ont été confortés dans leur freinage de ce moteur de la croissance des années 1980-1989. Les entreprises d'État ont été encouragées, au détriment de l'industrie rurale, déjà fortement atteinte par les restrictions de crédit. Les intellectuels se sont trouvés en butte à une hostilité constante et ostensiblement accusés de collusion avec les contestataires recherchés par la police. Dans les médias, on a procédé au brouillage de la Voix de l'Amérique, supprimé des programmes de télévision internationaux, interdit à la vente certains journaux étrangers, renforcé les prérogatives de l'Administration d'État des nouvelles et publications (créée en janvier 1987 après les manifestations étudiantes de l'époque) qui orchestre le « travail » des « rédacteurs en chef » communistes des journaux.

Le retour
à l'orthodoxie, et après ?

Les communistes chinois ne représentent que 4,5 % de la population. Parmi eux (47,7 millions de personnes), un sur vingt seulement a adhéré avant 1949. C'est dans ce tout petit groupe de survivants que se situaient en juin 1989 neuf sur dix des dirigeants du pays. La base sur laquelle reposait le pouvoir de Deng Xiaoping en paraissait bien fragile.

En effet, Zhao Ziyang, secrétaire général du Parti, a certes été écarté du pouvoir, le clan des réformateurs les plus hardis mis à l'écart et leurs bastions démantelés

(World Economic Herald dans la presse, Faculté de sciences politiques de Pékin, Académie des Sciences sociales, etc., dans l'enseignement supérieur), mais ceux qui souhaitent une évolution du régime vers plus de liberté demeurent nombreux. Il faudra bien que le gouvernement prenne en charge tous les problèmes économiques et sociaux du pays, qui, en s'aggravant, pèseront lourd lors de la prochaine étape. Les slogans contre la corruption dans le Parti, et les exhortations au travail socialiste ne suffiront pas. Le crédit international acquis par dix années d'ouverture et de réformes n'est perdu que pour les conservateurs ; les hommes d'affaires étrangers n'attendaient, en août 1989, qu'un changement de politique pour revenir avec leurs capitaux. Dans la population, la « perte de face » qu'a connue le régime quand il n'a même pas pu offrir à Mikhaïl Gorbatchev, lors de sa venue à Pékin, en mai 1989, la visite de la place Rouge locale, occupée pendant plus d'un mois par les étudiants, est irrémédiable ; elle s'ajoute au discrédit moral dont souffre le Parti dans son ensemble depuis la période de la « révolution culturelle » (1966-1976). Même si, parmi les réformateurs, il existe encore des irréductibles, comme l'écrivain Liu Binyan ou le politologue Yan Jiaqi, pourtant en exil aux États-Unis, qui veulent croire que le régime communiste doit être maintenu et rénové, une cassure s'est produite. Au sein même du Parti, dans l'armée, dans les universités, dans les grandes entreprises d'État et les corporations qui ont goûté à l'économie de marché, dans les provinces du Sud, à l'étranger enfin avec la formation de mouvements d'opposition, les forces sont nombreuses qui attendent de la disparition de Deng Xiaoping de la scène politique une nouvelle donne.

Pierre Gentelle,
octobre 1989

CONTEXTES

LE TERRITOIRE

Populations diverses, culture unificatrice

Hormis certaines périodes critiques, on cherche souvent — pour des raisons parfois contradictoires — à donner de la Chine une image équilibrée et sereine. L'histoire montre pourtant que les frontières actuelles de ce pays ont été établies par un processus, encore inachevé, de violence, de conquête et d'assujettissement d'autres peuples, dans le cadre d'un État qui fut, pendant plus de deux millénaires et demi, colonisateur et impérialiste.

Que, de 1840 à 1949, la Chine ait été à son tour victime des puissances impérialistes et colonisatrices est indubitable, mais les humiliations subies, qu'il ne faut pas sous-estimer, ont trop souvent servi d'alibi.

Le noyau originel des Han, qui deviendront la composante principale du peuplement actuel, métissages compris, est centré autour des villes de Xi'an et de Luoyang. Près de cette dernière ville, Shuangmiaogou a été daté en 1977 comme le plus ancien site cultivé avec du millet (5000 av. J.-C.). Mais à Hemudu, au Zhejiang, dans une autre culture que celle des Han, on a pu dater aussi de 5000 av. J.-C. les premières traces de culture du riz. Qui sont les Han ? L'anthropologie physique comme l'archéologie leur reconnaissent des traits somatiques et culturels relativement homogènes et repérables dans le temps, avant même les débuts du néolithique (IXe-VIIIe millénaires). Du point de vue somatique, les Han appartiennent à l'ensemble « sinoïde » méridional du groupe « mongoloïde », caractérisé par une faible pilosité, un teint jaune-brun, des yeux sombres, une « bride palpébrale » (ou repli de la paupière supérieure recouvrant l'angle interne de l'œil), des cheveux noirs et raides. Si les Mongols appartiennent à l'ensemble septentrional « toungouse » de ce même groupe mongoloïde, les Tibétains n'en font aucunement partie, non plus que les peuples dits des minorités nationales du sud de la Chine. Du point de vue culturel, l'archéologie a grandement précisé — notamment dans les années soixante-dix et quatre-vingt — les connaissances que l'on possédait.

L'archéologie témoigne

La culture chinoise n'a cessé de se construire au contact des popu-

LA FORMATION
DE L'ÉTAT CHINOIS

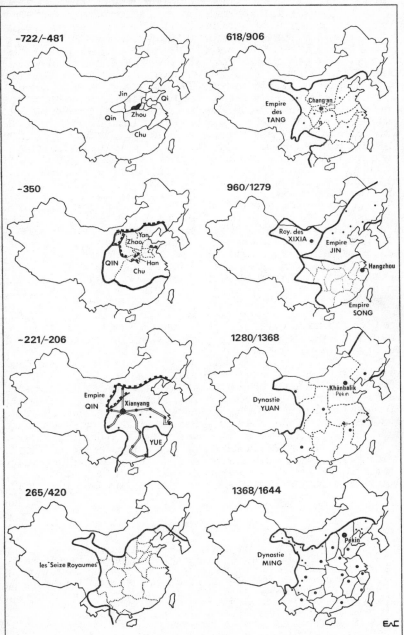

-722/-481

618/906
Empire des TANG
Chang'an

-350
Yan
Zhao
QIN
Han
Chu

960/1279
Roy. des XIXIA
Empire JIN
Empire SONG
Hangzhou

-221/-206
Empire QIN
Xianyang
YUE

1280/1368
Khânbalik
Pékin
Dynastie YUAN

265/420
les "Seize Royaumes"

1368/1644
Pékin
Dynastie MING

Jin
Qi
Qin
Zhou
Chu

© Éditions La Découverte

E٨C

(D'après Atlas historique de la Chine, Pékin)

lations différentes qui vivaient alentour et qui furent progressivement assimilées, en même temps qu'une part non négligeable de leurs modes de vie et de pensée, de représentation et d'expression. Ainsi, l'on sait qu'au troisième millénaire, les « Trois Miao » furent combattus et assimilés. Ils constituaient plusieurs populations distinctes : Yi de l'est, Rong de l'ouest, Di du nord, au sud une partie des Man et des Yue, les Jing et les Wu. Plus de 6 000 sites du néolithique (9000 à 2000 av. J.-C.) ont été découverts, répartis dans toutes les régions actuelles de peuplement dense. Le plus ancien remonte à 9360 environ av. J.-C., et ne se trouve pas en Chine du Nord, mais dans le Guangxi.

On ne sait pas encore comment les populations du bassin du fleuve Jaune, cultivatrices de millet dès le VIᵉ millénaire, puis de blé, sont parvenues à élaborer les règles de construction du premier État, après des millénaires de progrès attestés par le développement de la « culture de Yangshao » (VIᵉ-IIᵉ millénaires), définie par ses agriculteurs semi-sédentaires enfouissant leurs récoltes dans des fosses ou des jarres, sa poterie rouge tournée, ses villages non fortifiés aux quartiers spécialisés où l'on filait le chanvre, plus tard la soie. On sait bien en revanche qu'ils ne sont pas les seuls à occuper l'espace chinois : de 5000 à 2300 environ, le Shandong actuel est occupé par les gens de la « culture de Dawenkou », qui étendent leur influence jusqu'au delta du fleuve Bleu (le Yangtsékiang, ou Yangzi). Agriculteurs, éleveurs, possesseurs

d'une poterie rouge puis grise et noire qui donnera la poterie de la « culture de Longshan », eux aussi cultivent le millet, chassent et pêchent, mais, en plus, domestiquent le buffle. Le Sud est occupé par d'autres cultures. On connaît depuis peu celle de Daxi, du IVᵉ millénaire, dans le bassin moyen du Yangzi, où l'on a trouvé, datées de 2750 environ, des vestiges de culture du riz. La plus étonnante par son ancienneté est celle de Hemudu, au Zhejiang. Découverte en 1973, elle remonte au VIIᵉ millénaire et l'on cultive déjà le riz à cette époque. Maisons en bois sur pilotis, outils en os à manche de bois, céramique noire. La culture de Majiabin-Qingliangang (3600-2400), découverte en 1936, continue de poser des problèmes aux archéologues, car elle semble avoir progressé du Sud vers le Nord (riziculture, chanvre et soie, maisons rectangulaires en torchis). Tout au Sud enfin, les sites du Guangxi et du Fujian se rattachent sans difficulté à ceux du Vietnam, en continuité avec le très ancien Hoabinhien.

Habituellement, on fait commencer la Chine ancienne au moment d'une de ces bifurcations majeures qui jalonnent de loin en loin l'histoire des peuples : vers le XVIIᵉ siècle avant notre ère, lorsque sont bien attestés la fonte du bronze, les débuts de l'écriture, une culture urbaine orginale et puissante. C'est alors que la civilisation chinoise prend une direction qu'elle n'abandonnera plus, celle d'un progrès constant dû à l'agglutination de techniques, de savoir-faire, de ré-

Anamorphoses

Chine du Nord et Chine du Sud se trouvent, pour simplifier, de part et d'autre du 32ᵉ parallèle nord. Chine de l'Ouest et Chine de l'Est de part et d'autre du méridien 110° est. Le poids relatif de ces quatre quarts dans l'ensemble chinois est lié fondamentalement à leur superficie et à leur population. Un moyen commode de le montrer consiste à attribuer à la superficie, comme à la population, des surfaces proportionnelles à leur taille (anamorphose), ceci dans les frontières des provinces qui demeurent aujourd'hui encore le cadre privilégié de l'action humaine. Les distorsions entre population et superficie apparaissent avec netteté ; elles affectent un grand nombre de phénomènes économiques et sociaux.

P.G.

SUPERFICIES ET POPULATIONS

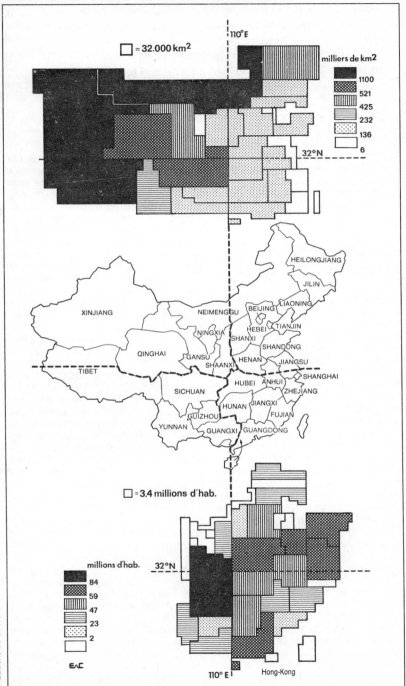

□ = 32.000 km²

milliers de km²

1100
521
425
232
136
6

110° E
32°N

HEILONGJIANG
JILIN
LIAONING
BEIJING
NEIMENGGU
XINJIANG
NINGXIA
HEBEI
TIANJIN
SHANXI
SHANDONG
QINGHAI
GANSU
HENAN
JIANGSU
SHAANXI
TIBET
SHANGHAI
SICHUAN
HUBEI
ANHUI
ZHEJIANG
HUNAN
JIANGXI
GUIZHOU
FUJIAN
YUNNAN
GUANGXI
GUANGDONG

□ = 3,4 millions d'hab.

millions d'hab.
32°N
84
59
47
23
2

E⁀C

110° E
Hong-Kong

―――――― BIBLIOGRAPHIE ――――――

BUCK J.L., *Land Utilization in China*, Chicago, Chicago U.P., 1937.

CRESSEY G.B., *Géographie économique et humaine de la Chine*, Payot, Paris, 1940.

CRESSEY G.B., *China, the Land of the 500 million*, Praeger, New York, 1955.

GENTELLE P., *Géographie de la Chine*, PUF, «Que sais-je?», Paris, 1980.

SKINNER W., «Marketing and Social Structure in Rural China», *Journal of Asian Studies*, XXIV, nov. 1964, fév. 1965, mai 1965.

TROLLIET P., *La Chine et son économie*, Armand Colin, Paris, 1981.

fléxions venues d'ici ou de là. Si l'on tient à définir les Chinois par opposition à ceux qui les entourent, c'est dans la culture et la pensée qu'il faut chercher leur originalité.

Un effort constant de contrôle de l'espace

Avec la «dynastie» des Shang (XVIIᵉ-XIᵉ siècles), confédération souple et volatile de domaines appartenant à des clans, se mettent en place des contacts commerciaux actifs dans toutes les directions, y compris la steppe au Nord et à l'Ouest. Comme ailleurs dans le monde, la découverte du bronze, sans doute autochtone, permet à une aristocratie armée de dominer les autres couches de la population (dictature intérieure) et de mener des guerres (violence externe), donc de concentrer des richesses matérielles et humaines croissantes. Il ne semble pas que ces processus fondamentaux aient varié depuis cette date, en Chine comme ailleurs.

Les Shang sont renversés au XIᵉ siècle av. J.-C. par d'anciens vassaux, les Zhou, venus de l'Ouest (vallée de la Wei, autour de l'actuelle Xi'an) et probablement d'une origine ethnique non Han. La Chine d'alors est subdivisée en un grand nombre de fiefs accordés à des familles du clan royal ou alliées, qui peut faire penser au système féodal qui se mettra en place quelque mille ans plus tard en Europe. A leur tour, les Zhou perdent le pouvoir vers 770 : la Chine est alors divisée

en une centaine de principautés indépendantes, bientôt réduites à une vingtaine, et dirigée, selon le rapport des forces, par tel ou tel prince qui a su pratiquer de bonnes alliances. C'est vers la fin de cette période que les nobles héréditaires sont progressivement remplacés à la tête des affaires par des bureaucrates (les *shi*, ou lettrés). L'idéal de vie de cette classe montante de fonctionnaires civils sera décrit par le maître Kong (Confucius) et servira longtemps de réflexion de base sur le pouvoir et la société.

La vie des populations est sans cesse marquée par un double caractère. D'une part, l'existence de limites administratives, de frontières, qui permettent la gestion étatique des hommes, des territoires et des biens, que l'on peut retracer, sans interruption, sur près de trois mille ans. D'autre part, le maintien jusqu'à nos jours, dans des «refuges» à l'intérieur des limites administratives, d'ethnies qui ont conservé leurs traits particuliers, et constituent, sur les marges du monde chinois, des blocs culturels susceptibles de se muer en États indépendants au gré de la force ou de la faiblesse du pouvoir central (minorités nationales). C'est à la fondation de l'empire, en 221 av. J.-C., par le royaume de Qin, qu'est institutionnalisée pour longtemps la coupure de l'espace qui caractérise la Chine. Les murailles qui protégeaient les «royaumes combattants» chinois les uns des autres sont unifiées en une Grande Muraille, qui sépare le monde chinois du monde des steppes. Dans cet espace ainsi isolé, même si ce n'est que symboliquement,

Le paradigme de la Chine

Le paradigme de la Chine tient en peu de mots : beaucoup d'espace, beaucoup de gens, beaucoup de temps. Elle est, ainsi, à nul autre pays pareille. On peut ajouter à sa singularité : beaucoup d'agriculture, beaucoup de cohérence culturelle, beaucoup d'influence sur ses voisins et sur le monde. A cette combinatoire à six termes, qui dessine déjà une première carte, on peut adjoindre trois descripteurs qui font sens : beaucoup d'inégalités socio-économiques à l'intérieur de chacune des unités identifiables, beaucoup de contrastes humains entre un centre et la périphérie, voire des auréoles périphériques, beaucoup de différences sociales entre le monde des campagnes et celui des villes. On n'aura garde d'oublier que la Chine est aujourd'hui divisée en trois ensembles politiques différents : le continent, Taïwan, Hong-Kong et Macao. Le continent à son tour est constitué de trois grands blocs méridiens de développement : à l'ouest, les retards de développement, le potentiel minéral, les po-

pulations non chinoises ; au centre, les provinces chinoises du second rayon ; à l'est et le long de la côte, les concentrations d'hommes, de science et techniques, de puissance industrielle et commerciale.

Balayé à l'est par la mousson pluvieuse du sud-est, et depuis le nord-ouest par les vents secs et froids qui jadis apportèrent le loess, l'espace géographique produit par la société chinoise repose sur un espace naturel qui n'est pas moins diversifié. La Chine d'aujourd'hui est installée sur trois paliers d'altitude, organisés en trois grandes bandes longitudinales, qui prennent en écharpe l'ensemble du territoire : hautes terres jusqu'au Toit du monde ; collines, plateaux et chaînes montagneuses de 500 à 2 000 mètres ; plaines et deltas. Ces bandes et paliers sont eux-mêmes subdivisés, sauf à l'ouest, en trois grandes zones latitudinales correspondant aux climats : aride et froid, tempéré humide, subtropical et tropical.

Pierre Gentelle

protégé au nord et à l'ouest, les vallées sont progressivement colonisées et les populations aborigènes refoulées dans les montagnes. Ce double processus caractérise toute l'histoire des deux derniers millénaires, avec des succès et quelques revers gravissimes. C'est ainsi que la Chine a été plusieurs fois envahie et soumise dans sa partie septentrionale aux gens du nord et de l'ouest. Plusieurs dynasties, qui ont parfois duré plusieurs siècles, étaient d'origine étrangère (Xiongnu ou Huns au IIe siècle avant notre ère, puis au IIIe siècle jusqu'à la fin du VIe, Turcs et Khitan de 947 à 1115, Djurchet de 1115 à 1234, Mongols de 1277 à 1367, Mandchous à partir de 1644). C'est la dynastie mandchoue des Qing qui a soumis les Eleutes de Dzoungarie

(Xinjiang actuel), imposé un statut de vassalité aux Tibétains et aux Ouigours, contrôlé plus étroitement les Yao, les Miao et les différentes ethnies du sud du pays.

Les traces du temps long

La République populaire de Chine a hérité d'un espace beaucoup plus vaste que le noyau originel élargi (peuplé de Chinois han). Son territoire, légué par la dynastie mandchoue des Qing (1644-1911) aux régimes dits républicains (1911-1949), comporte de multiples populations.

Le territoire actuel est marqué par une première coupure, majeure, entre un Ouest, presque vide d'hommes, plus vaste au Nord, et un Est, plus large au Sud, parfois très densément peuplé. Entre la Chine orientale, alignée le long du cours moyen des fleuves et de la côte du Pacifique, et une Chine occidentale, dite « extérieure », chinoise depuis (relativement) peu de temps, les contrastes peuvent être multipliés.

Il est commode et souvent pertinent de diviser à son tour la Chine « intérieure » en Chine du Nord et Chine du Sud, la limite passant, selon les choix des analystes, entre le 32e et le 35e parallèle. Au Nord, de vastes plaines et des plateaux, au climat froid et relativement sec, où poussent les millets et le blé, le sorgho. Des communications assez faciles, des villages en terre parsemés à intervalles réguliers de villes au plan en damier jadis entourées de murs. Au Sud, montagnes et colli-

nes boisées rendent la circulation plus difficile, les lignes du paysage confuses. Rivières et vallées concentrent transport et population. Les pluies abondantes et la chaleur permettent deux cultures la même année. Riz, thé, mûrier, arbres et fruits tropicaux, bambous poussent autour de villages aux rues étroites et sinueuses, de villes à rues encore dallées bordées de maisons à étages. Dans bien des parties des provinces actuelles où le monde moderne n'a pas mis sa marque propre, parfois à proximité des grandes concentrations urbaines et industrielles, il est possible de retrouver aujourd'hui encore des traces vivantes de ce temps long. En ferait-on une cartographie minutieuse, il caractériserait encore, en 1989, la plus grande partie du territoire.

Pierre Gentelle

Les niveaux d'administration et de contrôle du territoire

L'organisation politico-administrative du territoire chinois est précisée par l'article 30 de la Constitution. L'organigramme est articulé en trois niveaux établis au 30/12/1987.

Au niveau supérieur sont définies : trois municipalités urbaines (zhixiashi) Pékin, Shanghai et Tianjin, vingt et une provinces (sheng) et cinq régions autonomes (zizhiqu). Ces vingt-neuf circonscriptions sont dotées de maires, gouverneurs et présidents ainsi que d'assemblées élues pour cinq ans — flanquées de comités du PCC — sous « l'autorité directe du pouvoir central » c'est-à-dire du Conseil des affaires d'État (Guowuyuan). L'armature essentielle de ce dispositif est constituée par les provinces dont la pérennité est sans équivalent au monde — leur découpage actuel remonte, pour l'essentiel, à la dynastie Tang (618-907) et leur création

est bien antérieure à notre ère ; pérennité, échelle (en moyenne 150 000 km² avec 45 millions d'habitants), dialectes, cadre géographique souvent bien individualisé, font que la circonscription administrative recouvre une réalité physique, humaine et historique si puissante que toutes les tentatives de modification de l'agencement provincial (à l'exception des espaces périphériques d'origine non chinoise) ont tourné court ; la Chine populaire a ainsi trouvé là une structure toute prête pour assurer la transmission des directives et de la planification sur un espace continental ; la politique d'ouverture est encore venue renforcer leur puissance par l'autorisation qui leur a été accordée en août 1988, d'étudier et de réaliser des projets avec financement étranger jusqu'à hauteur de 10 millions de dollars. Que la capitale du pays et ses deux plus grandes villes industrielles aient rang de province n'a rien de surprenant ; leur assiette territoriale en fait de véritables régions économiques intégrant une vaste périphérie rurale : Shanghai, 6 200 km², Tianjin, 11 300 km², Pékin 16 800 km² [Paris 105 km²]. Quant aux cinq régions autonomes, elles ont été instituées entre 1947 et 1965 sur les espaces périphériques de la République populaire : R A de Mongolie intérieure (mai 1947), R A ouighoure du Xinjiang (oct. 1955) — la plus vaste circonscription administrative de Chine avec 1 600 000 km² —, R A zhuang du Guangxi (mars 1958), R A hui du Ningxia (oct. 1958) et R A du Tibet (sept. 1965). Elles couvrent au total 45 % de l'espace chinois mais rassemblent seulement 7 % de la population nationale (chiffres 1986). L'autonomie accordée aux « minorités nationales » est définie par la Constitution mais le fait qu'une loi ait dû être promulguée en 1984 pour « garantir l'application du principe fondamental et de la réglementation de l'autonomie régionale stipulée dans la Constitution » montre bien à quel point la question fait problème ; et comment en serait-il autrement quand le principe même d'autonomie est en totale contradiction avec le fonctionnement d'un État au Parti unique tout-puissant et régi par le sacro-saint principe du « centralisme démocratique » ? On trouvera la fiction de l'autonomie dans les faits : dans toutes les régions « autonomes » les Chinois *han* sont plus nombreux que la minorité concernée, sauf au Tibet où les Chinois *han* ne sont que 5 % (militaires non compris).

Les unités de deuxième rang

Sous la juridiction de ces villes, provinces et régions autonomes, 326 circonscriptions administratives de rang 2 sont définies, à savoir

LE CONTRÔLE DE L'ÉTAT SUR LE TERRITOIRE

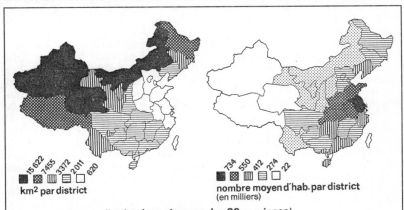

15 622 7 455 3 372 2 011 620
km² par district

734 550 412 274 22
nombre moyen d'hab. par district (en milliers)

(moyenne par district dans chacune des 26 provinces)

Chaque province est divisée en districts administratifs. Plus sa surface est quadrillée de circonscriptions, donc plus le nombre de kilomètres carrés de chacune d'elles est petit, plus la province est réputée soumise au contrôle du pouvoir. La carte reflète fidèlement le développement historique de la maîtrise de l'espace par l'État chinois.

En revanche, le nombre de fonctionnaires de contrôle n'étant pas proportionnel à celui de la population, plus celle-ci est importante par district, plus il y a de chances pour quelques-uns d'échapper aux vigilances bureaucratiques. D'où la nécessité pour l'État d'y maintenir le hukou, ce véritable passeport intérieur qui permet de saisir les gens en mouvement aux points de passage obligé (gares, hôtels, magasins fonctionnant avec tickets de rationnement).

━━━━ **BIBLIOGRAPHIE** ━━━━

Encyclopedia of New China, Éditions en langues étrangères, Pékin, 1987.

KIRBY R.J.R., *Urbanization in China*, Routlegde, Londres, 1988.

SHABAD T., *China's Changing Map*, Methuen, Londres, 1972.

The Administrative Divisions of the People's Republic of China, Cartographic Publishing House, Pékin, 1981.

TROLLIET P., *La Chine et son économie*, A. Colin, Paris, 1981.

170 villes (*dijishi*), 117 préfectures (*diqu*), 30 départements autonomes (*zizhizhou*), 8 ligues (*meng*) et, jusqu'en avril 1988, une région administrative (*xingzhengqu*), celle de Hainan promue depuis au rang 1. Les préfectures constituent un échelon particulier ; elles ne sont pas dotées d'assemblée populaire ni « d'organisme d'État » mais sont purement et simplement des émanations (agences) du pouvoir provincial ; leurs fonctions sont floues et leur existence souvent éphémère : elles étaient 171 en 1979. Leur nombre a été réduit à 117 en 1987.

Les villes de cet échelon sont au contraire en progression régulière : 72 en 1965, 104 en 1979, 143 en 1983 et 170 en 1987. Toutes les capitales des provinces en font partie, tandis que la plupart des autres correspondent à la promotion, par décision administrative provinciale, des villes *shi* de rang 3 ; la progression s'explique par le croît démographique — ce sont pour la plupart des villes de plus de 100 000 habitants —, mais aussi par des fonctions économiques nouvelles, l'inverse n'étant d'ailleurs pas rare puisque 17 villes qui avaient ce rang en 1953 se retrouvaient au rang 3 en 1982.

Les départements autonomes (les *ligues* en sont l'équivalent en Mongolie) sont définis dans 25 des 30 unités de rang 1 pour un peuplement minoritaire relativement important au sein d'une province *han* (la province du Yunnan en compte huit à elle seule). Dans cinq cas, les départements autonomes sont délimités au sein de la région autonome du Xinjiang. Quel puzzle : *région autonome du Xinjiang pour les Ouigours* dans laquelle s'emboîte, par exemple, la préfecture autonome kazake peuplée elle-même non seulement de Kazaks, mais aussi de Ouigours, de Mongols, de Huis, de Russes, de Xibe, de Kirghiz, de Tatars, de Mandchous, de Dahours, de Tadjiks !...

Petites villes, districts, « bannières »

Sous l'autorité de ces circonscriptions sont définies 2 194 unités administratives de rang 3, à savoir : 208 villes (*xianjishi*), 1 817 districts (*xian*), 110 districts autonomes (*zizhixian*), 51 « bannières » (*qi*) trois « bannières » autonomes (*zizhiqi*), trois régions spéciales (*tequ*), une région agro-industrielle (*gongnongqu*) et une région forestière (*linqu*). Le nombre des *villes* de ce rang (taille moyenne : 50 000 à 80 000 hab.) est passé de 109 en 1979 à 208 en 1987, progression remarquable qui s'explique essentiellement par la promotion à ce rang de plus de 70 bourgs (*zhen*). Ce phénomène traduit l'un des traits essentiels de l'évolution de la Chine des années quatre-vingt qui voit affluer vers les bourgs et les villes de ce rang une population rurale en surnombre. En revanche, le nombre des districts a tendance à diminuer (2 002 en 1979) mais pour la même raison, absorbés qu'ils peuvent être par la croissance urbaine. Il n'en reste pas moins que l'histoire et les fonctions des districts (une soixantaine en moyenne par province et région) sont inséparables de celles des provinces dont ils constituent la trame — 1 000 à 3 000 km² pour la plupart avec 300 000 à 800 000 habitants —

Hainan, nouvelle province très spéciale

Le 13 avril 1988 est née la trentième province chinoise — île de Hainan — jusqu'alors placée sous juridiction du Guangdong. Cette promotion s'est accompagnée d'un statut de « zone économique spéciale » (Z E S) analogue à celui des quatre petites zones littorales du Fujian et du Guangdong créées en 1980; elle est en fait encore plus « spéciale » : par sa taille — 33 920 kilomètres carrés, soit l'équivalent de Taïwan —, par un statut très privilégié — établissement d'une zone franche, abolition des quotas d'importation, autonomie budgétaire, loyer des terrains, salaires et impôts inférieurs à ceux des Z E S du continent, etc., par sa personnalité géographique — c'est l'île tropicale de la Chine populaire avec ses cultures spécifiques (hévéas, poivriers, cocotiers, canne à sucre) mais aussi d'intéressantes ressources minérales, notamment un minerai de fer à haute teneur exploité à Shilu (5 millions de tonnes annuelles) et 60 à 70 % des réserves chinoises de titane et de cobalt, sans oublier le pétrole offshore activement exploré. Encore peu peuplée — 6 millions d'habitants, dont 1 million de minorités ethniques (70 % sont des Li de la famille khadaï*) — Hainan est surtout dépourvue de toute infrastructure moderne (on en prévoit la mise en place d'ici 1990-1995). La capitale Haikou agrandit son port et a été reliée par Boeing 757 à Pékin, Shanghai, Canton, Chengdu. Certains médias chinois claironnent déjà « Hainan, Hawaii chinois ». Mais l'île a reçu seulement 350 000 touristes en 1987 et, en revanche, deux cent à trois cent mille immigrants du continent attirés par ce nouvel « Eldorado » dont le caractère principal pour l'heure est d'avoir été le lieu du plus retentissant scandale de contrebande qu'ait connu la Chine populaire.*

Pierre Trolliet

et le relais par excellence vers la multitude rurale. Les 110 districts autonomes (70 en 1979) sont, comme les préfectures autonomes, presque tous localisés, tous dans les provinces de peuplement *han* où subsistent quelques minorités, tels les deux districts autonomes *Tujia* de la province du Hubei ou les dix-neuf districts autonomes du Yunnan (dont le district autonome Hani-Yi-Dai)!...

Les bannières sont l'équivalent des districts en Mongolie intérieure, où par ailleurs trois bannières autonomes ont été définies pour trois minorités toungouses : les Daurs (Dahours), les Ewenki (Owenks) et les Oroquen (Orotchons); les trois régions spéciales (*tequ*) sont situées dans la province du Guizhou pour des zones minières en développement; la région agro-industrielle est celle de Baisha au Sichuan et la région forestière celle des monts Shennongjia au Hebei.

Les villes et surtout les districts coiffent des unités de base constituées de plus de 7 000 bourgs (*zhen*) dont le rôle est essentiel depuis les années quatre-vingt pour l'accueil des ruraux en surnombre dans les campagnes (la population de ces bourgs atteignait les 150 millions d'habitants en 1985), plus de 50 000 marchés ruraux (*nongcunjizhen*) et 91 000 cantons (*xiang*) qui avaient été absorbés par 75 000 communes populaires après 1958, puis reconstitués à partir de 1982; ils coiffent quelque 5 millions de villages (niveau 5) qui vont être dotés de « comités de villageois » élus en vertu d'une loi adoptée le 1er juin 1988.

Pierre Trolliet

Les transports, organisateurs du territoire

La Chine est loin de disposer d'un réseau de communications à la mesure de son territoire. Le terme de réseau de transport ne recouvre d'ailleurs pas exactement la même réalité que dans les pays industrialisés. En 1949, par exemple, le réseau ferré chinois ne comptait pas moins d'une centaine de types de rails différents, pour la plupart importés. De plus, jusqu'à la fin des années soixante-dix, le seul véritable réseau était fondé sur les chemins de fer : l'essor réel de la route (980 000 km en 1987), des ports ou des aéroports (de même que la renaissance des voies d'eau : 109 400 km en 1986) remonte seulement au VIᵉ plan quinquennal (1986-1990). La densité de la desserte n'atteint que 10 km de routes pour 100 km, contre 60 km en Inde, et 100 dans les pays industrialisés ; de plus, 85 % des routes ne peuvent supporter un trafic de poids lourds ou par tout temps ; le quart d'entre elles sont en fait des chemins de terre, et moins de 10 % sont asphaltées. Alors que les États-Unis disposent de 6 500 aéroports publics, la Chine n'en compte qu'environ 90, dont 8 seulement peuvent recevoir des gros porteurs de type Boeing 747. Après deux décennies d'abandon, le réseau navigable présente moins d'un mètre de profondeur sur plus de 50 % de sa longueur. Quant au rail, près des quatre-cinquièmes des voies étaient encore à voie unique en 1987, et 8 % seulement électrifiées ; la longueur totale du réseau (54 000 km en 1988) est de six fois inférieure à celle des États-Unis.

Malgré toutes leurs insuffisances, il n'en reste pas moins que les transports jouent un rôle majeur dans la structuration de l'espace chinois ; plus denses au nord-est qu'au sud, davantage fondés sur la voie d'eau dans le centre, les réseaux de transports reflètent et renforcent la diversité régionale chinoise.

Chine du Nord : un quadrillage efficace

La Chine du Nord, la plus solidement structurée, montre la juxtaposition de quatre grands réseaux. Parmi eux, le réseau du nord-est (provinces du Heilongjiang, du Jilin et du Liaoning) apparaît comme le plus ancien et le plus complet de toute la Chine ; il reproduit la densité des concentrations industrielles et humaines de cette véritable Ruhr chinoise. Ce réseau « mandchou », hérité des occupants russes (création du *Transmandchourien* Irkoutsk-Qiqihar-Harbin-Vladivostok, et de la base militaire de Port-Arthur à la fin du siècle dernier) puis, surtout, japonais, qui, de 1932 à 1945, développèrent simultanément les ressources minières et agricoles et le réseau ferré, a été renforcé par les Chinois eux-mêmes depuis 1949. Dès 1955, la mise en valeur des massifs forestiers du Petit Khingan et de terres nouvelles étend le réseau vers le nord-est du Heilongjiang. Dans les années soixante-dix, la découverte du pétrole de Daqing entraîne la création de la voie Shenyang-Daqing et le mise en place d'oléoducs vers le Sud. Vite surchargées, la plupart des lignes ont été doublées, fait encore rare en Chine. Depuis le VIIᵉ plan, de grands axes routiers (Harbin-Pékin, Shenyang-Dalian) sont venus consolider cette voie nord-sud. Depuis le réchauffement des relations sino-soviétiques, le trafic a repris sur le fleuve frontalier, le Heilongjiang. Situé au cœur de cette région riche en matières premières (charbon, fer, pétrole), mais aussi de la plaine agricole du Liaohe, deuxième centre industriel chinois après Shanghai, Shenyang est le véritable point de convergence des flux de produits bruts et le pôle de redistribution de biens manufacturés de la Chine du nord-est à destination du grand port de Dalian ou du reste de la Chine, via Pékin.

Au sud de ce quadrillage dense et régulier du réseau du nord-est, un autre dispositif est nettement centré sur Pékin. Capitale politique d'un État centralisateur, et deuxième agglomération du pays, Pékin est traditionnellement à la tête des principales liaisons à grande distance assurant l'unité du territoire national ; son réseau en étoile s'affirme à mesure que la construction d'autoroutes (vers Tianjin-Tanggu, Shijiazhuang...) progres-

se, notamment depuis le VIIᵉ plan.

Les deux autres réseaux de la Chine du Nord adoptent une orientation est-ouest. Depuis les VIᵉ et VIIᵉ plans, et grâce à l'octroi d'importants crédits par la Banque mondiale et le Japon, s'est constitué un réseau ferré en cours d'électrification afin d'évacuer les énormes ressources charbonnières du Shanxi (et secondairement du Shaanxi, du Ningxia et de la Mongolie intérieure) vers les quatre grands ports côtiers de Qinhuangdao, Qingdao, Shijiusuo (Shandong) et Lianyungang (Jiangsu). Sur quatre voies ferrées à grand débit, presque parallèles, près de 170 millions de tonnes (1987) sont ainsi transportées vers le Japon, ou redistribuées par voie maritime vers la Chine du Sud, déficitaire en énergie. Créé *ex nihilo*, sans lien véritable avec une ar-

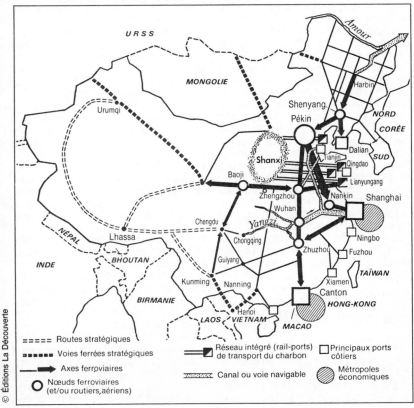

L'ÉTAT DE LA CHINE
LE TERRITOIRE

33

LES AXES DE TRANSPORT

Routes stratégiques
Voies ferrées stratégiques
Axes ferroviaires
Nœuds ferroviaires (et/ou routiers,aériens)
Réseau intégré (rail-ports) de transport du charbon
Canal ou voie navigable
Principaux ports côtiers
Métropoles économiques

──── *BIBLIOGRAPHIE* ────

«Airport Construction in China», *China Market*, n° 1, 1988.

GIROIR G., «L'économie des transports en Chine, 1978-1988», *Courrier des Pays de l'Est*, n° 335, La Documentation française, Paris, déc. 1988.

«The Road Ahead, 1986-1990», *The China Business Review*, vol. 13, n° 4, juil.-août 1986.

WEGGEL O., «Gesetzgebung und Rechtpraxis in nachmaoisten China»; Teil X : Das Öffentliche Recht-Infrastrukturrecht-, *China Aktuell*, août 1987.

YENNY J., LILY Uy, *Transport in China. A Comparison of Basic Indicators with Those of Other Countries*, World Bank Staff Working Papers, n° 723, Washington, 1985.

mature urbaine existante, ce réseau est le plus bel exemple (sinon le seul) de transport intermodal (rail-port en l'occurrence) en Chine.

Du port de Lianyungang sur les bords de la mer Jaune à Lanzhou (Gansu), le «Longhai» (1 782 km) constitue l'un des principaux axes est-ouest de pénétration du territoire chinois, avec le Yangzi. Trait d'union entre la Grande plaine du Nord et le *Far West* chinois, c'est aussi un axe de liaison sur lequel se branchent les réseaux du Sichuan, du Shanxi, du Shaanxi ou du Ningxia. Le Longhai est aussi jalonné par un chapelet de centres aux fonctions spécifiques : Lanzhou, à la fois ville-étape aux portes du désert et plaque tournante de l'ouest chinois conduisant vers le Xinjiang ou le Tibet ; Baoji, point de jonction du réseau du Sichuan vers le nord ; Xi'an, ancienne capitale des Tang, devenue un haut lieu du tourisme international, et de ce fait, un des principaux aéroports du pays, et surtout Zhengzhou (Henan), carrefour ferroviaire et routier majeur au centre géométrique de la Chine peuplée et active, à l'intersection du Longhai et de la grande rocade nord-sud des zones côtières.

Centre et Sud : rôle majeur des fleuves

L'organisation de l'espace dans la Chine du centre repose largement sur l'axe fluvial du Yangzi. Polarisé par la grande métropole portuaire de Shanghai à l'aval, il ouvre une large voie de passage, sur 3 000 km, à l'intérieur du continent. De direction est-ouest, cette artère fluviale croise les grandes voies ferrées Pékin-Canton à Wuhan, et Pékin-Shanghai à Nankin. Wuhan, à 1 000 km de la mer, à la fois point de rupture de charge pour les navires de plus de 15 000 tonnes, nœud ferroviaire et grande base aéroportuaire, s'affirme comme une autre plaque tournante du centre de la Chine, à mi-chemin de Pékin et Canton. L'axe est-ouest a été prolongé vers l'Ouest grâce au désenclavement du Sichuan. Accessible autrefois seulement par des jonques au-delà d'Yichang, le Sichuan reçoit désormais des vapeurs de 3 à 5 000 tonnes jusqu'à Chongqing. Le désenclavement ferroviaire s'est effectué à partir de Chengdu, depuis les années cinquante. Simple relais stratégique vers l'Ouest en direction de Lhassa, Chengdu est désormais à la base d'un réseau ferré en éventail ouvert à 180° vers l'Est.

A partir du 27e degré de latitude nord, les pays de la Chine du Sud montrent un maillage beaucoup plus distendu de voies ferrées et de grands vides intercalaires à l'écart du réseau national. L'encadrement de ce vaste espace d'un million de kilomètres carrés se résume à quelques lignes à grande distance sans vocation régionale : la ligne Pékin-Canton (2 299 km), doublée par la voie secondaire Luoyang-Nanning, et, transversalement, les axes Shanghai-Kunming, Chengdu-Nanning avec, à l'intersection des nœuds ferroviaires nouveaux, Zhuzhou (Jiangxi), Guiyang et Liuzhou. Les ports côtiers (Ningbo, Wenzhou, Fuzhou, Xiamen, et surtout Canton), pourtant très actifs notamment depuis la création des Z E S (zones économiques spéciales), apparaissent bien plus tournées vers Hong-Kong, Taïwan ou l'étranger que vers leur *hinterland*, auquel ils sont très mal reliés. La coïncidence entre une topographie assez accidentée, l'absence d'un grand bassin fluvial structurant et de matières premières (charbon, fer), la modestie des densités de population (souvent inférieures à 100 hab./km², sauf dans les plaines littorales) expliquent en grande partie la faiblesse du niveau de desserte en Chine du Sud.

Régions périphériques : presque tout à faire

Les périphéries, quant à elles, possèdent un réseau de communi-cations inachevé ou peu actif, pour des raisons géopolitiques (rupture sino-soviétique, litige frontalier avec l'Inde à propos de l'Aksai Chin contrôlé par l'armée chinoise) ou économiques (stratégie de développement prioritaire des zones côtières). De ce fait, en janvier 1989, il restait encore 191 km de voie ferrée à construire pour prolonger la ligne Pékin-Urumqi (Xinjiang) jusqu'à Alma-Ata (U R S S), le chemin de fer des Trois Nations (Pékin-Kalgan-Oulan Bator-Irkoutsk) joue un rôle commercial secondaire. En revanche, la construction (non achevée en 1989) de la voie ferrée Goldmud-Lhassa au Tibet, la modernisation du réseau routier du Xinjiang soulignent la volonté de Pékin de mieux intégrer ces territoires lointains à l'espace national.

Guillaume Giroir

Égoïsmes provinciaux et blocs régionaux

L'organisation régionale, depuis 1978, est marquée par un double mouvement : d'une part, le gouvernement central a explicitement mis en place une politique de développement économique et social qu'il déclare « inégale », d'autre part, il a délégué une grande partie de ses pouvoirs économiques aux provinces. La traduction géographique de cette double démarche s'effectue à deux niveaux. Le premier accentue la différenciation entre régions riches et régions pauvres (en fait, les régions côtières et les autres) et renforce les « égoïsmes » provinciaux à la poursuite de l'enrichissement. Le second fait fonctionner à nouveau deux mécanismes qui rendent plus complexes les résultats du premier, la division de la Chine en trois bandes méridiennes d'inégal développement. En effet, il conduit à la revitalisation d'axes transversaux qui expriment des solidarités de fait, et il incite les provinces à réactiver les anciens blocs régionaux qui, au cours de l'histoire, leur ont donné une puissance indispensable à leur survie dans les périodes de troubles ou de faiblesse du pouvoir central.

La division en bandes méridiennes

L'« inégalité » officialisée en 1978 n'est pas sans fondement. Elle est le résultat d'une constatation pragmatique : les régions côtières sont plus anciennement développées, elles contiennent une masse plus importante de population et surtout de travailleurs qualifiés, elles sont mieux situées que les autres pour entrer en contact avec le monde développé et les Chinois d'outre-mer enrichis. Mieux vaut le dire, ce qu'on fait rarement à Pékin : les régions prioritaires pour le développement de cette Chine post-maoïste, ou néo-communiste si l'on préfère, sont celles qui étaient déjà développées du temps de la « Chine féodale » (à peu près depuis les Song, aux Xe-XIIe siècles) et surtout depuis la période « coloniale » et capitaliste du XIXe et du début du XXe siècle.

L'attitude assez cruelle (froidement factuelle ?) du gouvernement, qui promet aux régions de l'Ouest, défavorisées, peu peuplées, difficiles à mettre en valeur, éloignées par la simple distance kilométrique de ce qui fait le sel de la sinité (la place Tian An Men de Pékin, les jardins de Suzhou, le lac de l'Ouest à Hangzhou, les dollars des *Huaqiao* de Xiamen à Canton...) la richesse pour... le siècle prochain, a créé quelques remous chez les habitants des malheureuses provinces, trop conscients déjà de faire à jamais partie de la Chine « extérieure ». Bien des *Han*, envoyés « là-bas » en colonisation, ne rêvent, depuis, que de revenir s'enrichir, dès qu'on leur en donnera la possibilité, dans les provinces heureuses de la « mère-patrie », où ils pourront dignement entretenir les tombes de leurs ancêtres.

Dans les provinces de la zone intermédiaire, qui voient à leur porte la richesse affluer, le sentiment est plus que de l'envie, et pourrait tourner un jour à la rage. La revendication de développement se traduit par un provincialisme renforcé, par des interventions auprès du gouvernement central pour qu'il « ouvre » plus encore le pays dans son ensemble et que les régions de l'intérieur aient autant d'accès aux dollars du monde entier que les régions côtières. Ainsi la ville de Wuhan, parmi d'autres, port fluvial à 1 000 kilomètres des côtes, revendique le statut de port de mer ; on devine pour quelles raisons, quand on sait que Shanghai, juste au bout du fleuve, peut recevoir à ce titre autant de devises et d'investissements qu'elle le souhaite.

Dans les régions côtières, l'optimisme n'est tempéré que par les restrictions mises par le gouvernement central à la frénésie d'activité. La puissance du mouvement a été telle qu'il a fallu passer de l'ouverture de trois « zones économiques spéciales » (Z E S) à quatorze villes « ouvertes », puis à des districts « ouverts », puis à des provinces entières, toutes villes, campagnes et régions confondues, prêtes à absorber sans fin les investissements quels qu'ils soient, nationaux et internationaux, prêtes à publier partout qu'elles sont les plus aptes à faire croître et multiplier les apports de technologie, et qu'elles ne refuseront aucune construction de route, ni d'aéroport, ni de centrale nucléaire, ni de rien, pourvu qu'on investisse chez elles.

Le renversement des priorités de l'industrie lourde à l'industrie légère a brutalement déplacé des provinces entières sur les cartes de production des richesses. En quelques années, des provinces qui, comme le Liaoning, le Shanxi, le Gansu, voire tout un pan de l'industrie shanghaïenne, paraissaient définitivement assises sur leur sidérurgie, leurs constructions mécaniques ou leur chimie des années cinquante, se sont retrouvées, comme on dit de nos jours, obsolètes. A l'inverse, des provinces dédaignées, comme le Fujian, le Zhejiang, le Guangdong surtout, se sont retrouvées en tête du pays.

LES AXES DU DÉVELOPPEMENT CHINOIS

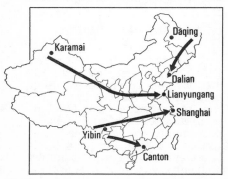

Le schéma transversal, de l'intérieur vers la côte

Aux trois bandes méridiennes fondées sur la proximité de la mer, donc du commerce maritime international et de l'accès aisé au monde développé vient se superposer une organisation plus ou moins floue, mais ancienne cependant, orientée dans le sens des parallèles, partiellement calquée sur le réseau des grands fleuves.

L'existence d'intérêts communs liés, par exemple, au fait que les provinces côtières dépendent partiellement de l'intérieur pour leurs matières premières et leur énergie, tandis que les provinces enclavées achètent les produits manufacturés ou acquis sur la côte, tisse des complémentarités. Le Shandong revendique une part des produits du « grenier à blé » qu'est le Hebei méridional, un accès préférentiel au charbon du Shanxi, et se réserverait volontiers une quasi-exclusivité des matières premières du Qinghai si on le laissait faire. Les provinces et régions situées le long du Changjiang, de Yibin, au pied du plateau tibétain, jusqu'à Shanghai, se sentent

BLOCS ÉCONOMIQUES ET LIGNES DE FRACTURE

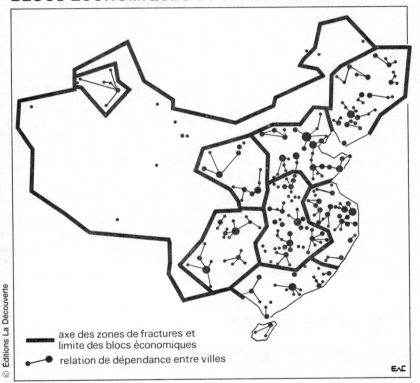

axe des zones de fractures et limite des blocs économiques

relation de dépendance entre villes

EAC

La Chine de l'Est et du centre est divisée en sept blocs économiques organisés à partir de très grandes villes et de leur réseau de villes satellites. Un huitième se trouve isolé dans les immenses espaces de l'ouest. Ces blocs résultent d'une organisation plusieurs fois centenaire de l'espace chinois que le développement moderne et actuel tend à renforcer. Les lignes de fracture, quant à elles, sont situées aux lisières de chacun des blocs. Elles ont souvent pour origine un obstacle naturel aux communications, au peuplement et aux investissements.

P.G. d'après Dili Xuebao, 1987

solidaires... de Shanghai. La voie ferrée, qui conduit de Chine centrale jusqu'au fond du Xinjiang, implique une certaine coordination entre les entreprises situées dans les villes intermédiaires depuis Karamai et son pétrole jusqu'au port de Lianyungang. Même schéma pour l'axe, nord-sud cette fois, de la gouttière mandchoue.

Un développement fondé sur la province et la ville

On a vu ces dernières années se généraliser un développement centré sur le niveau provincial, puisque chaque capitale de province a reçu pour mission de développer tout l'espace dont elle était administrativement responsable. Il s'est donc produit une polarisation accentuée. La construction provinciale, plus que jamais, a reposé sur les connexions, étroitement établies, entre zones et villes de production.

Les villes, quant à elles, ont reçu également une nouvelle impulsion, en particulier les villes millionnaires. Elles ont eu à prendre en charge le développement des petites villes voisines et du tissu intersticiel composé de villages, de villes de marché, de petits bourgs eux aussi atteints par l'industrialisation. Le territoire qu'elles dominent a été élargi. Bien entendu, leurs édiles ont eu peu de scrupules à délaisser les zones qui ne les intéressaient pas, quitte à demander des subsides au centre pour subvenir aux besoins des poches de pauvreté qu'ils laissaient se créer. Chaque fois qu'ils l'ont pu, en particulier à l'intérieur d'une même province, ils ont établi ou renforcé des liens préférentiels permettant les progrès les plus rapides. On voit ainsi se dessiner sur la carte de Chine un pavage de blocs de développement, séparés par de larges zones de fracture au développement aléatoire, ces dernières en général situées sur les marges des frontières anciennes tracées en des lieux où la nature demeurait encore sauvage. Il est remarquable qu'en de nombreux endroits, ces blocs recouvrent les limites des macrorégions historiques telles qu'elles fonctionnaient au XIXe siècle.

A une échelle plus petite, à l'intérieur même des zones dominées par les villes, le gouvernement central a encouragé un fort développement des petits bourgs (*zhen*). Ils sont le point de fixation où les paysans qui veulent quitter la terre sont censés se retrouver pour se transformer d'agriculteurs en ouvriers ou en marchands. Ces petits bourgs à leur tour contrôlent une partie des échanges commerciaux qui se font à l'intérieur de leur zone d'influence au niveau des « petites villes de marché » ou des « places centrales » (on en compte 56 000). De cette manière, plus que jamais, la province est organisée en un système hiérarchique parfaitement inégal de contrôle économique qui s'étend à tout son territoire.

Pierre Gentelle

Une crise grave de l'environnement

Depuis des siècles, la priorité des Chinois est de s'adapter à la violence de la nature. Durant les bouleversements révolutionnaires de la période maoïste, certaines réalisations hautement louées par la propagande ont été localement bénéfiques mais elles ont servi de masque : le bilan global des gaspillages des ressources naturelles depuis 1949 est accablant. L'humanisation à l'extrême de l'espace, l'intensification des cultures et l'industrialisation entraînent une pénurie croissante d'eau et de terres arables, qui menace la sécurité alimentaire du pays le plus peuplé du monde. L'accélération de la dégradation de l'environnement et de la qualité de la vie constitue désormais un frein durable au développement et à l'émancipation des populations.

La Chine est un pays à 80 % montagneux ou collinaire, où la mousson, vent chaud et humide qui apporte les pluies d'été, a permis l'intensification de l'agriculture par l'irrigation, ce qui explique le maintien de très fortes densités de population dans les plaines orientales. La forte variabilité spatio-temporelle de la mousson, des pluies des prunes (*meiyu*, en juin) et des typhons (cyclones tropicaux), provoque l'alternance de sécheresses et d'inondations. Depuis 1949, le doublement de la population, la concentration d'industries polluantes dans les villes et la poursuite d'une déforestation séculaire ont réduit la surface cultivable presque de moitié entre 1957 et 1986. Elle était de moins de 0,1 hectare par habitant en 1987.

L'illusoire maîtrise de la nature prônée par l'idéologie maoïste a profondément modifié le milieu naturel au travers de la réforme agraire, l'organisation des équipes d'entraide et les grands travaux d'aménagement (à partir de 1952) réalisés par les coopératives (1955), puis les communes populaires (1958-1982). La topographie a été modifiée par le défrichage, le terrassement, la création de « prairies artificielles » grâce au recyclage traditionnel des déchets et à la fertilisation des sols par l'épandage d'engrais « verts » (végétaux), organiques (y compris humains) et de boues provenant des canaux d'irrigation ou des fleuves. Les pentes ont été aménagées en terrasses agricoles, irriguées au Sichuan, ou sèches au Shandong, pour nourrir de fortes densités de population. Mais la généralisation de la céréaliculture jusque dans les zones tropicales et des cultures en terrasses dans les pays du loess, pour compenser la réduction des terres cultivables, aggravèrent l'érosion et la désertification. En quarante ans, les zones d'impact des sécheresses et des inondations se sont accrues de 65 % par rapport à 1949 et, paradoxalement, l'agriculture écologique associant l'élevage à l'agriculture, n'en est qu'au stade de « l'expérimentation », alors qu'elle fut pratiquée jadis dans les villages.

La révélation du problème écologique

Ce n'est qu'à la fin des années soixante-dix qu'est apparue l'ampleur des incohérences et du laisser-aller de la période maoïste. La création, depuis, de centaines de réserves naturelles, est révélatrice des déprédations. Depuis la promulgation du Code de la protection de l'environnement, en 1979, la Chine s'est dotée d'une législation adéquate, mais trop peu appliquée. Un ministère de la Construction et de la Protection de l'environnement a été créé en 1982, suivi, deux ans plus tard, d'un bureau national rattaché au Conseil des affaires d'État. Ce n'est qu'à la fin de l'année 1987 qu'un programme national a été promulgué par la Commission de la protection de l'environnement, limitant à 200 000 hectares les terres utilisables par des entreprises publiques, et instaurant un impôt sur les terres non réservées à l'agriculture. Les résultats de la première étude nationale sur la pollution industrielle n'ont été connus qu'en 1988.

La pollution atmosphérique, principalement due à la surconsommation d'un charbon de mauvaise qualité par des industries urbaines vétustes, provoque l'augmentation des maladies respiratoires dans les villes. Les « pluies acides » sont à l'origine de la destruction de milliers d'hectares de pins dans le Sud-Ouest et détériorent les importantes sources de devises que constituent les sites touristiques. La désertification et l'érosion, qui affectent chacune environ 1,5 million de kilomètres carrés, ont ainsi respectivement progressé sur environ 300 000 kilomètres carrés en qua-

---
BIBLIOGRAPHIE

FABRE G., « Une crise écologique majeure », *Le Courrier des pays de l'Est*, n° 298, La Documentation française, sept. 1985 ; « Les enjeux de la gestion du sol en Chine », *Le Courrier des pays de l'Est*, n° 312, nov. 1986.

KINZELBACH W., « China : Energy and Environment », *Environmental Management*, vol. 7, 1983.

PANNEL C., SALTER Ch. (ed.), « Environment », *China Geographer*, n° 12, Westview Press, Londres, 1985.

QU Geping et LEE Woyen (ed.), *Managing the Environment in China*, Tycooly International Publishing Ltd., Dublin, 1984.

REN Mei'E, YANG Renzhang, BAO Haosheng, *An Outline of China's Physical Geography* (trad. par Zhang Tingquan et Hu Genkang), Éditions en langues étrangères, Pékin, 1985.

SIGWALT P., « Environmental Problems and Politics in Social Change in Taïwan », *The Fifth Sino-European Conference*, Taipei (1er-5 septembre 1988) (à paraître).

SMIL V., *The Bad Earth, Environmental Degradation in China*, M.E. Sharpe, New York, 1984.

rante ans. Le laxisme, l'indiscipline et la bureaucratie sont souvent à l'origine de l'abattage illégal d'arbres, du braconnage d'espèces en voie de disparition, et d'incendies de forêts catastrophiques (comme celui du Heilongjiang, en 1987). En 1988, les forêts ne couvraient plus que 12 % de la superficie du pays. Les investissements sylvicoles ayant été dix fois moins importants que la valeur des coupes depuis 1949, le gouvernement tente, depuis 1978, d'enrayer la progression des déserts, qui stérilise plus d'un millier de kilomètres carrés de terres chaque année, par la plantation d'arbustes xérophiles, surtout au Xinjiang et au Heilongjiang, le long du littoral, également sur des milliers de kilomètres. La généralisation des filets de paille à mailles carrées et un arrosage coûteux ont permis de fixer une végétation adaptée sur une partie des sols alcalins qui s'étendent sur 260 000 kilomètres carrés. Au total, plus de 100 000 kilomètres carrés de steppes ont été péniblement réhabilités, grâce à des apports de terres (comme dans les régions karstiques) et à l'exploitation de l'eau souterraine.

Les grands travaux d'aménagement hydraulique (renforcement de l'endiguement des fleuves et des littoraux, creusement de puits, canaux d'irrigation et de drainage, barrages-réservoirs), visant à compenser la forte variabilité des pluies, ont eu des effets en chaîne bénéfiques. Les inondations les plus catastrophiques se produisent moins dans la vallée du fleuve Jaune, dont la dernière défluviation remonte à 1938, que sur le cours du Changjiang et au Guangdong.

Problèmes d'eaux

La pénurie quotidienne de 10 millions de tonnes d'eau, qui coûte, par manque à gagner, plus de 5 milliards de dollars par an, se fait surtout sentir en été dans la région nord. On a même dû détourner le cours du fleuve Jaune en 1972, puis celui du Luanhe en 1983-1984, pour alimenter la ville de Tianjin, mais cela n'a pas suffi. Pour mieux mettre à disposition de tous l'eau nécessaire au développement, on étudie, depuis les années cinquante, le projet titanesque de détourner les eaux du Changjiang vers le Nord et un gigantesque barrage, dit « des Trois Gorges », pourrait être construit un jour. La vraie contradiction est que l'irrigation est devenue partout nécessaire pour maintenir les rendements agricoles, alors que la consommation de l'eau doit être réduite. Chaque année, quelque 35 milliards de tonnes d'eaux usées, à 90 % non traitées (leur déversement est taxé depuis 1984), polluent gravement les grands fleuves (surtout en période d'étiage), les lacs (dont plus de 500 ont disparu, par assèchement ou poldérisation au cours des années quatre-vingt), et les côtes. Le lac Dongting, dont la capacité a été réduite de 60 % depuis 1949, ne joue plus un rôle de régulation naturelle des crues du Changjiang, contaminé par les égouts des grandes villes industrielles. Le quart du débit du Huangpu, à Shanghai, est constitué d'eaux résiduaires issues des industries. Les épidémies de typhoïde, paratyphoïde et hépatite, comme à Shanghai, en 1988, réapparaissent.

C'est surtout le coût social de cette dégradation de la nature et la sauvegarde de la santé publique qui motive la protection de l'environnement. Les efforts portent sur une dizaine de millions d'hectares délaissés susceptibles d'être transformés en terres agricoles, alors que les contraintes sismiques risquent d'entraîner un jour des catastrophes technologiques majeures. Même si des organismes internationaux pilotent de nombreux projets, la protection de l'environnement manque encore de moyens et surtout de coordination dans le cadre d'un plan global, qui reste à définir.

Pierre Sigwalt

LES HOMMES

L'histoire de la population

Beaucoup plus que dans les autres pays du tiers monde, la situation démographique chinoise est un legs du passé, dans la mesure où le pays a abordé, vers 1950, l'ère de la transition démographique avec une population déjà pléthorique. On est en droit d'affirmer que le surpeuplement et les problèmes qui y sont liés (crise écologique en particulier) remontent aux XVIIIe et XIXe siècles.

Lorsqu'il s'agit de reconstituer l'histoire de la population chinoise, les historiens disposent d'une documentation à la fois très abondante et lacunaire, émanant pour l'essentiel de registres fiscaux qu'il est pratiquement impossible de recouper, comme c'est le cas pour l'Europe pré-moderne, à l'aide de

sources plus crédibles telles que les registres paroissiaux.

On a pu soutenir que, depuis deux millénaires, la population chinoise avait représenté d'une manière approximative le quart de l'humanité. Les reconstitutions concernant l'histoire de la population mondiale doivent être considérées d'un œil critique. Il existe, néanmoins, un consensus au sujet de quelques repères : une soixantaine de millions de Chinois sur les 250 millions d'humains présents au début de l'ère chrétienne, et 100 à 120 millions sur les 400 ou 500 millions d'habitants de la planète vers 1200. La barre des 300 millions aurait été franchie dans la seconde moitié du XVIIIe siècle. La Chine aurait compté 420 à 430 millions d'habitants en 1840, à peu près autant qu'en 1900. La croissance a repris, très modérée, dans la première moitié du XXe siècle. Le pays comptait environ 540 millions d'habitants en 1949.

Des études plus poussées permettent de distinguer plusieurs grandes phases. Les sept ou huit premiers siècles de notre ère auraient été caractérisés par une quasi-stabilité, ou plutôt par des fluctuations au-dessous d'un plafond d'une soixantaine de millions. La période allant du IXe siècle au début du XIIIe siècle aurait été marquée par une forte croissance, la population doublant pour atteindre 120 millions. L'occupation mongole, entre 1220 et 1368, aurait provoqué une forte chute. Vers 1380, au lendemain de la restauration des Ming, le pays n'aurait plus compté que 60 à 80 millions d'habitants. La suite est mal connue. Les statistiques fiscales des Ming font état d'une stagnation ; il semble toutefois que la population ait fortement augmenté, puisque le jésuite Matteo Ricci et les géographes du XVIIᵉ siècle l'estiment à 200 millions d'habitants. Les révoltes populaires de la fin des Ming et la conquête mandchoue (1644) correspondraient à une nouvelle chute, impossible à mesurer en raison du degré d'incertitude entourant l'enregistrement des premiers règnes des Qing. Ce n'est qu'à partir de 1740 que l'on dispose à nouveau d'une série de chiffres annuels, plus ou moins crédibles. Selon la courbe officielle, la population serait passée en une centaine d'années de 140 millions à 430 millions. De nombreux historiens se fondent sur ces statistiques pour diagnostiquer une « explosion démographique » du XVIIIᵉ siècle.

Si une population de 430 millions vers 1840 peut être acceptée comme une approximation vraisemblable, la question du niveau initial reste ouverte. La vision d'une « explosion démographique » fait naître le scepticisme. L'examen des données provinciales permet en effet de relever de nombreux cas de sous-enregistrements, voire de déformations systématiques de la réalité démographique. Les éléments fournis par les sources accessibles (généalogies, registres des XVIIIᵉ et XIXᵉ siècles, recensements et enquêtes du XXᵉ siècle) sont contradictoires,

Vers 1930, au cours d'une période de relative prospérité, la croissance n'atteignait pas 1 % par an ; des estimations fondées sur des rétroprojections effectuées à partir des données des recensements laissent entrevoir une espérance de vie à la naissance de moins de trente ans et une croissance moyenne de l'ordre de 3 ou 4 pour 1 000. Des progressions de 6 à 8 pour 1 000 peuvent être calculées sur la base des généalogies du XVIIIᵉ siècle. Il convient sans doute de réviser à la baisse les taux de croissance moyens du XVIIIᵉ siècle, quitte à postuler un fort sous-enregistrement en début de série. Quoi qu'il en soit, la Chine a traversé sous les Qing une longue phase de croissance ininterrompue et sa population aurait atteint un niveau très supérieur aux pointes des dynasties précédentes. Cette expansion s'est traduite par une redistribution des hommes dans l'espace et a, vraisemblablement, entraîné une crise agricole et écologique sans précédent. On a pu estimer que la croissance aurait eu beaucoup de mal à se poursuivre au-delà du niveau des 600 millions.

Au moment où elle se disposait à entrer dans la phase capitale de la transition démographique — laquelle implique, on le sait, une forte croissance temporaire, la Chine avait donc atteint un point proche de la saturation.

Michel Cartier

Une transition démographique accélérée

« Transition démographique » : l'expression n'est ni indiscutée, ni indiscutable, mais elle est fort utile. Pour une population donnée, elle désigne le passage d'un niveau élevé de mortalité et de natalité à un bas niveau, associé à une fécondité dirigée et à une espérance de vie élevée. Comme la baisse de

la mortalité précède le plus souvent celle de la natalité, l'accroissement naturel de la population a tendance à s'élever pendant la transition démographique, du moins jusqu'à une phase avancée de cette dernière : lorsque le taux de mortalité est devenu tellement bas qu'il ne peut plus guère baisser (il finit même par remonter en raison du vieillissement entraîné par une longévité accrue), toute nouvelle baisse de la natalité provoque à ce stade une baisse au moins équivalente du taux d'accroissement naturel.

En Europe, où la transition démographique s'est étalée sur un siècle et parfois davantage, l'accroissement naturel de la population a progressé à un rythme assez lent. Quand on songe néanmoins aux conséquences démographiques et extra-démographiques (émigration, colonisation, etc.) de l'accroissement de la population européenne entre le démarrage et l'achèvement de la transition, on imagine sans peine les problèmes auxquels sont confrontés aujourd'hui la plupart des pays d'Asie, d'Afrique et d'Amérique latine. La chute brutale de la mortalité y a presque partout provoqué une élévation spectaculaire du taux d'accroissement naturel. De ce point de vue, le doublement de la population chinoise en quarante ans n'a vraiment rien d'exceptionnel. Ce qui est spécifique à la Chine, c'est la masse de la population qui a ainsi doublé : environ 560 millions d'habitants en 1949 (le chiffre officiel de 540 millions paraît un peu sous-estimé), 1 100 millions en 1989.

Chute de la mortalité, puis de la natalité

A la lettre, la transition démographique s'était déjà ébauchée en Chine avant 1949. La mortalité moyenne n'avait pas vraiment commencé à baisser, mais la mortalité exceptionnelle, en période de crise, n'«épongeait» plus de façon aussi efficace les excédents de population lentement accumulés : les famines de 1921, 1928-1932, 1942-1944 ont été beaucoup moins meurtrières que celle de 1877-1878, ne fût-ce que parce que des voies de communication nouvelles permettaient d'acheminer plus vite des vivres aux affamés. Néanmoins la transition démographique était à peine commencée avant l'établissement du régime communiste. Elle s'est grandement accélérée durant les quatre dernières décennies.

De façon fort classique, cette transition s'est dans un premier temps limitée à la baisse — ou plutôt à la chute spectaculaire — de la mortalité. Cette chute a été (à l'exception des années 1958-1962, durant lesquelles la famine a fait remonter le taux de mortalité) plus rapide que dans le reste du tiers monde. Durant le troisième quart de ce siècle, l'espérance de vie s'est, dans la majorité des pays en voie de développement, accrue en moyenne d'un peu plus d'un an tous les deux ans. En Chine, elle aurait pratiquement gagné un an chaque année : de moins de quarante ans en 1950 à soixante-quatre ans vers 1975 (cette dernière évaluation est peut-être un peu optimiste). Le taux de mortalité a, lui, diminué des trois quarts pendant la même période : d'environ 35 ‰ en 1950 à quelque 8 ‰ en 1975. Depuis 1975, les progrès sont beaucoup plus lents (le taux officiel de 6 ‰ est sous-estimé), tout simplement parce qu'il ne reste plus beaucoup de progrès à faire : en ce domaine, la transition démographique est déjà très avancée.

Plus tardive, la baisse de la natalité ne s'est — sauf dans les grandes villes — amorcée que vers 1970, à une date où l'essentiel du recul de la mortalité avait déjà été accompli. Mais une fois déclenchée, elle a progressé très vite, surtout pendant la première décennie. En moyenne, chaque Chinoise mettait près de six enfants au monde en 1970, moins de trois en 1980. Depuis 1980, le recul de la fécondité est devenu beaucoup plus lent et la natalité a, elle, plutôt tendance à remonter, en raison de la jeunesse de la population chinoise : très nombreux, les garçons et filles nés dans les années soixante arrivent à l'âge du mariage — même du mariage tardif que les autorités tentent d'imposer. Dans maint pays d'Europe de l'Ouest, la transition démographique a comporté à un moment ou l'autre une limitation des mariages (on se mariait peu et tard). En Chine, les célibataires définitifs demeurent très rares, mais on a tendance à différer la célébration du mariage : l'âge moyen des épousées est passé de dix-huit ans et demi en 1949 à vingt-trois ans en 1979.

Le rôle
de la coercition

Ce n'est pas, la plupart du temps, de leur plein gré que les fiancés reculent le moment de convoler : une autorisation est nécessaire pour se marier. Voilà qui soulève, à propos de l'élévation de l'âge au mariage, une question de fond : comment, dans cette transition démographique aujourd'hui en bonne voie, faire la part d'une évolution plus ou moins spontanée et celle des conséquences (ou des diktats) d'une politique volontariste ? Le recul de la mortalité se serait produit sous n'importe quel gouvernement, mais le régime communiste a diffusé l'hygiène, combattu les maladies infectieuses, établi cliniques et maternités avec plus de soin et d'efficacité que beaucoup d'autres. A son tour, la baisse de la mortalité, surtout de la mortalité infantile, a pu inciter les couples à faire moins d'enfants (à partir du moment où un nombre suffisant d'entre eux étaient assurés de parvenir à l'âge adulte...). D'autres transformations sociales ou culturelles (progrès de l'éducation, nombre croissant de femmes salariées travaillant à l'extérieur du village, exiguïté des logements en ville, etc.) ont également concouru à la diminution de la fécondité. La Chine ne serait cependant pas parvenue à faire baisser en un temps record cette dernière jusqu'à un niveau désormais plus proche de celui des pays développés que de celui de nombreux pays en voie de développement moins pauvres qu'elle si ses dirigeants n'avaient pas décidé d'accélérer artificiellement le rythme de la transition démographique. Autrement dit, de convaincre et à défaut de contraindre les couples à faire moins d'enfants.

A l'évidence coercitive, la politique chinoise de planification (ici comme ailleurs, cet euphémisme si-

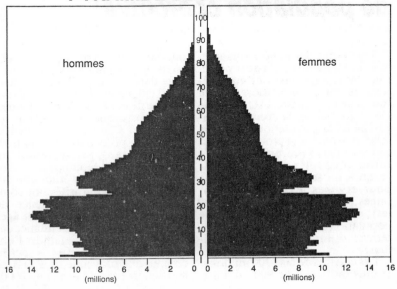

PYRAMIDE DES ÂGES 1987

hommes   femmes

16 14 12 10 8 6 4 2 0   0 2 4 6 8 10 12 14 16
(millions)   (millions)

—— BIBLIOGRAPHIE ——

AIRD J., « Fertility Decline in China », in Nick Eberstadt (ed.), *Fertility Decline in Less Developed Countries*, Praeger, New York, 1981.

BANISTER J., *China's Changing Population*, Stanford University Press, Stanford, 1987.

BIANCO L., « La transition démographique en Chine populaire et à Taïwan », *Revue d'études comparatives Est-Ouest*, vol. 16, n° 2, Paris, juin 1985.

CALOT G., « Données nouvelles sur l'évolution démographique chinoise », *Population*, Paris, n° 4-5 (juil.-oct. 1984), et 6 (nov.-déc. 1984).

CARTIER M., « Les leçons du troisième recensement chinois », *Le Courrier des Pays de l'Est*, Paris, n° 282, mars 1984.

CHESNAIS J.-C., *La Transition démographique : étapes, formes, implications économiques*, P U F, Paris.

gnifie : prévention) des naissances a en tout cas déclenché une des baisses de fécondité les plus spectaculaires jamais observées. Elle demeure à un niveau supérieur au simple remplacement des générations (et doit donc encore reculer pour que la transition démographique s'achève), mais la plus grande partie du chemin est d'ores et déjà parcourue. Et, en ce qui concerne la mortalité, l'espérance de vie d'un milliard de Chinois est aujourd'hui plus proche de celle des privilégiés de la planète que de celle des peuples aussi pauvres qu'eux-mêmes. Voilà qui pèse lourd dans tout bilan de quatre décennies de pouvoir communiste. La transition démographique est aujourd'hui plus avancée en Chine qu'en Inde, plus avancée également dans l'ensemble de l'Asie qu'en Afrique et en Amérique latine.

Lucien Bianco

Les aléas d'une politique de population coercitive

Vers la fin des années soixante-dix, quelques objectifs de la politique démographique ont été définis : limiter la population totale à moins de 1,2 milliard à la fin du siècle ; faire baisser la croissance naturelle de la population à 5 ‰ en 1985 et arriver à la croissance zéro en l'an 2000 ; « préconiser en général qu'un couple ne donne naissance qu'à un seul enfant » (hormis pour les zones de faible densité habitées par des minorités nationales) ; et à long terme, avoir une population limitée de qualité à l'intérieur d'une « population optimale ».

Les chiffres de 600-700 millions, et plus tard celui de 900 millions, ont été avancés comme étant l'objectif de « population optimale » à viser dans un siècle. Ils marquent le point culminant d'une politique nationale de contrôle de la fécondité la plus drastique qui ait jamais été envisagée. Cette politique démographique post-maoïste a pour finalité de rattraper le retard du développement économique. Avec la réhabilitation des études de démographie, les autorités ont commencé à prendre conscience de l'influence de la structure par âges de la population sur la tendance démographique. Pour atteindre l'objectif de « bien-être » — défini comme une moyenne de P N B de 800 dollars par tête — en l'an 2000, et limiter la taille de la population, il faut restreindre fortement la procréation des générations nées pendant la deuxième vague de *baby boom* (1962 à 1975). La politique de contrôle de la fécondité, qui a modifié énormément la tendance démographique chinoise depuis 1970, doit être renforcée pour obtenir l'arrêt de toutes les naissances de troisième rang et plus, un nombre extrêmement limité de deuxièmes enfants et la généralisation de l'objectif « un enfant par couple ».

L'application de cette politique a été fortement influencée par l'idéologie. Marx avait férocement qualifié *L'Essai sur la population* de Malthus de « blasphème répugnant à l'égard de la nature et des hommes ». Pour Li Dazhao et Chen Duxiu, le premier secrétaire général du Parti communiste chinois, en 1921, les problèmes de la population représentent un sujet de préoccupation. D'accord avec Marx, les premiers communistes chinois sont convaincus que la « surpopulation » dans les zones urbaines n'est en réalité qu'un problème de chômage. Mais la surpopulation dans la campagne les inquiète. Ils arrivent à la conclusion que, pour résoudre ce problème, il suffit de changer le système social et le mode de distribution.

La question de la population est introduite dans la polémique de la guerre civile de 1946 à 1949. Parmi les raisons auxquelles il attribue le succès du Parti communiste, le *White Paper on United States Relations with China*, présenté par le secrétaire d'État américain Dean Acheson, souligne la promesse faite par ce parti de contenir la pression de la population sur la terre cultivable. En réfutant ces « raisons de succès », Mao Zedong fait la première et la plus longue déclaration du Parti communiste chinois concernant les problèmes de la population en septembre 1949, quinze jours avant l'instauration du régime : « De toutes les choses dans ce monde, les êtres humains sont les plus précieuses... C'est une très bonne chose que la Chine ait une grande population. Même si la population chinoise se multiplie plusieurs fois, la Chine est tout à fait capable de trouver une solution. » Entre l'établissement du régime en 1949 et la réforme de 1978, cette thèse de Mao demeure le fondement intangible de la théorie de la population dans la Chine communiste. La seule exception a lieu pendant les quelques mois du mouvement des Cent fleurs, en 1957, après lequel les partisans du contrôle des naissances seront condamnés comme déviationnistes de droite.

C'est l'époque, il faut le rappeler, de la thèse stalinienne sur « l'homme, le capital le plus précieux », qui se traduit en France par une opposition du P C F au planning familial, considéré comme « malthusien » encore en 1956.

Le contrôle des naissances

Devant la contradiction entre la théorie stalinienne qui prête à ceux qui veulent contrôler les naissances le sombre dessein de priver d'hommes et de femmes la révolution mondiale à venir d'une part, et les problèmes économiques accrus que pose la croissance continue de la population en période de transition démographique, de l'autre, un certain contrôle des naissances (« pour protéger la santé de la mère ») est admis en 1954. Il permettra une contraception relativement active dans les villes de la côte orientale.

En décembre 1962, le gouvernement est parvenu à relancer le programme dans les grandes zones urbaines, en remplaçant la formule « contrôle des naissances », par « planification des naissances », plus acceptable dans l'idéologie d'une société socialiste. Cette planification des naissances à l'époque comportait deux volets. Le premier fut la pratique du mariage tardif, vingt-trois à vingt-cinq ans pour la femme et vingt-cinq à vingt-huit ans pour l'homme. Les progrès obtenus dans le domaine des méthodes de contraception rendirent la campagne efficace là où les dirigeants locaux étaient motivés. A Shanghai, par-exemple, 400 000 stérilisations furent effectuées entre 1964 et 1966. Mais tout fut remis en question lors de la « révolution culturelle », de 1966 à 1969 inclus.

Sous l'influence de Zhou Enlai, la planification des naissances reprit à partir de 1970, cette fois-ci à l'échelle nationale, avec un réseau d'organisation pyramidal, depuis le conseil d'État jusqu'au niveau du comité de quartier en ville, et dans les districts, avec du personnel à temps partiel jusque dans les communes populaires. De 1970 à 1973, le slogan fut : « un enfant, ce n'est pas trop peu ; deux c'est parfait ; trois c'est trop ». Le mariage tardif fut demandé à la population rurale, avec une ou deux années de moins qu'en ville. A partir de 1974, l'accent fut mis davantage sur la norme de deux enfants par couple.

Ainsi, en 1978, la croissance naturelle de la population avait été réduite à 42 % de celle de 1970.

Contradictions entre démographie et économie

Mais, cette même année 1978, en même temps que la politique d'« un enfant par couple » était lancée, la réforme économique réduisait les effectifs et le pouvoir des cadres dans les régions rurales lesquels représentaient un élément essentiel de cette politique. L'enrichissement d'une partie des paysans leur permettait par ailleurs de payer l'amende instituée à la naissance d'un second enfant. Le nombre de mariages augmenta fortement, et la loi sur le mariage de 1980 abaissa l'âge

Scénarios pour 2050

Le diagramme ci-contre montre l'évolution de la population totale selon quatre hypothèses. La première aboutit aux objectifs exposés au début de cet article. La deuxième correspond à la projection démographique utilisée dans le plan national pour l'an 2000 préparé à la fin de 1985. La troisième suppose que le niveau de remplacement est atteint en 1995 et maintenu jusqu'en 2050. La quatrième postule que le taux de fécondité de 1987, calculé selon le nombre des naissances enregistrées, restera constant jusqu'en 2050. Bien que ces projections impliquent une modification graduelle des taux de fécondité alors que les évolutions de celle-ci, en Chine, semblent plutôt se produire par à-coups, elles fournissent des indications générales.

Pour que la première hypothèse se réalise, il faudrait en moyenne que chaque couple ait eu moins d'un enfant en l'an 2000; si la population devait continuer à croître comme en 1987, la population totale en 2050 approchera les 2 milliards. Et bien que la population totale, dans la troisième hypothèse, soit supérieure à celle de la deuxième hypothèse (l'actuelle politique d'un enfant par couple) après l'an 2000, il n'y aurait que 9 % de différence en l'an 2050.

A cause de la structure par âge, toute politique qui consiste à réduire la croissance de la population aussi tôt et aussi vite que possible produit un grand nombre de problèmes sociaux et économiques. Vieillissement d'abord [voir l'article consacré à ce sujet].

Baisse de la qualité de la population, ensuite, parce que plus une région est avancée dans les domaines politique, social et économique, plus la politique d'un enfant par couple a du succès, et plus le centre de gravité de la population se déplace vers les régions moins favorisées. Croissance forte de la population active pendant trente à quarante ans : selon la deuxième hypothèse, 266 millions de personnes arriveront à l'âge actif, qu'il faudra transférer pour l'essentiel du secteur primaire aux secteurs secondaire et tertiaire, en créant des industries consommatrices de main-d'œuvre, donc peu performantes, jusqu'à ce qu'en 2015 la population active commence à baisser. La diminution entre 2030 et 2035 serait de 5,5 millions par an. Cela posera des problèmes pour la structure de l'industrie et des services, et pour assurer la subsistance des personnes âgées.

I-Chuan Wu-Beyens

PYRAMIDE DES ÂGES
SCÉNARIOS POUR 2050

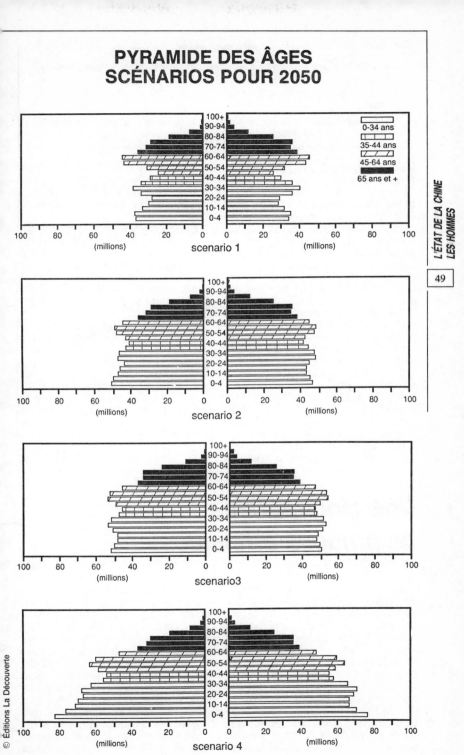

BIBLIOGRAPHIE

BANISTER J., *China's Changing Population*, Stanford University Press, Stanford, 1987.

CROLL E., DAVIN D., KANE P., *China's One-child Family Policy*, Macmillan, Londres, 1985.

WU-BEYENS I-chuan, *Politics in the People's Republic of China : the Case of Fertility Control*, 1949-1987, Macmillan, Londres, 1989.

légal de l'union à vingt ans pour la femme et vingt-deux ans pour l'homme. Les taux de natalité remontèrent évidemment (entre 1979 et 1982). Aussi le gouvernement décida-t-il de lancer des campagnes nationales de propagande à partir de 1983, au cours desquelles fut pratiquée, avec des succès divers, la pose du stérilet chez les jeunes mères d'un enfant et la stérilisation des couples avec deux enfants ou plus.

Le mécontentement populaire contraignit le gouvernement à plusieurs retraites successives, avant qu'il n'autorise, en 1984, 10 à 20 % de la population rurale à avoir deux enfants. L'encadrement rural alors se découragea.

La croissance de la population s'accéléra aussitôt, à partir de 1986. Le taux de fécondité (le nombre moyen d'enfants par femme) remonta de 30 à 40 % et l'âge moyen du premier mariage fut abaissé en moyenne de deux ans. L'aspect chaotique de la croissance de la population depuis 1983 apparaît clairement sur la pyramide des âges de 1987.

En septembre 1987, le gouvernement dut reconnaître qu'il était permis d'avoir un deuxième enfant à la campagne pour les couples ayant une fille comme première née, et que la population totale en l'an 2000 dépasserait l'objectif de 1,2 milliard fixé en 1985.

La baisse escomptée des taux de fécondité (1,5 vers 1990 et jusqu'en l'an 2000) puis leur remontée progressive jusqu'en 2020 à la hauteur du niveau de remplacement, (moyenne de 2,1 enfants par femme), n'ayant plus de chances de se produire, les dirigeants furent conduits à changer leur scénario pour 2050.

I-chuan Wu-Beyens

Une cinquantaine de groupes ethniques

La Chine, pays multinational, comporte une bonne cinquantaine de minorités. Dans l'ensemble, cependant, le poids des populations non han est très faible puisqu'elles représentaient environ 5 % de la population totale en 1953, peut-être plus de 7 % actuellement. Cette croissance différentielle est un phénomène récent. Elle s'est accentuée depuis la mise en œuvre de la politique de limitation des naissances, les petits groupes ethniques ayant obtenu de ne pas appliquer la politique générale ou de la mettre en œuvre d'une manière beaucoup moins radicale. A terme, cependant, cette situation ne laisse pas d'être préoccupante, encore que les autorités, qui se défendent de tout racisme, affichent une sérénité absolue : bien que ne disposant pas de ventilation des naissances par groupes ethniques, on peut estimer, sur la base des données disponibles, que la part des minorités devrait s'accroître nettement au cours des décennies à venir (leur population

LES PEUPLES DE LA CHINE

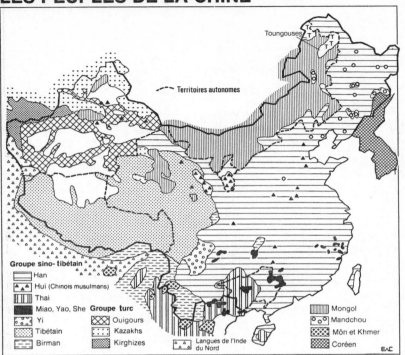

Toungouses

Territoires autonomes

Groupe sino-tibétain
- Han
- Hui (Chinois musulmans)
- Thaï
- Miao, Yao, She **Groupe turc**
- Yi
- Tibétain
- Birman

- Ouigours
- Kazakhs
- Kirghizes
- Langues de l'Inde du Nord

- Mongol
- Mandchou
- Môn et Khmer
- Coréen

E∧C

LE POIDS RELATIF
DES MINORITÉS ETHNIQUES

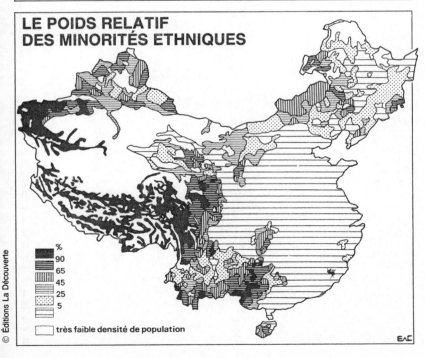

%
- 90
- 65
- 45
- 25
- 5

très faible densité de population

E∧C

LA POPULATION DES NATIONALITÉS DE CHINE				
Nationalité	Population		Taux de croissance	
	1982	1964	1982/1964	moyenne annuelle
Population totale .	**1 003 913 927**	**691 220 104**	**45,24**	**2,1**
Han	936 674 944	651 296 368	43,82	2,0
Mongols	3 411 367	1 965 766	73,54	3,1
Hui	7 228 398	4 473 147	61,60	2,7
Tibétains	3 847 875	2 501 174	53,84	2,4
Ouigours	5 963 491	3 996 311	49,22	2,2
Miao	5 021 175	2 782 088	80,48	3,3
Yi	5 453 564	3 380 960	61,30	2,7
Zhuang	13 383 086	8 386 140	59,59	2,6
Buyi	2 119 345	1 348 055	57,22	2,5
Korean	1 765 204	1 339 569	31,77	1,5
Mandchous	4 304 981	2 695 675	59,70	2,6
Dong	1 426 400	836 123	70,60	3,0
Yao	1 411 967	857 265	64,71	2,8
Bai	1 132 224	706 623	60,23	2,7
Tujia	2 836 814	524 755	440,60	9,8
Hani	1 058 806	628 727	68,40	2,9
Kazak	907 546	491 637	84,60	3,5
Dai	839 496	535 389	56,80	2,5
Li	887 107	438 813	102,16	4,0
Lisu	481 884	270 628	78,06	3,3
Wa	298 611	200 272	49,10	2,2
She	371 965	234 167	58,85	2,6
Gaoshan	1 650	366	350,82	8,7
Lahu	304 256	191 241	59,10	2,6
Shui	286 908	156 099	83,80	3,4
Dongxiang	279 523	147 443	89,58	3,6
Naxi	251 592	156 796	60,46	2,7
Jingpo	92 976	57 762	60,96	2,7
Kirgiz	113 386	70 151	16,63	2,7
Tu	159 632	77 349	106,38	4,1
Daur	94 126	63 394	48,48	2,2
Mulam	90 357	52 819	71,07	3,0
Qiang	102 815	49 105	109,38	4,2
Blang	58 473	39 411	48,37	2,2
Salar	69 135	34 664	99,44	3,9
Maonan	38 159	22 382	70,49	3,0
Gelo	54 164	26 852	101,71	4,0
Xibe	83 683	33 438	150,26	5,2
Achang	20 433	12 032	69,82	3,0
Pumi	24 238	14 298	69,52	3,0
Tajik	26 600	16 236	63,83	2,8
Nu	22 896	15 047	52,16	2,4
Ozbek	12 213	7 717	58,26	2,6
Russes	2 917	1 326	119,98	4,5
Ewenki	19 398	9 681	100,37	3,9
Benglong	12 297	7 261	69,36	3,0
Baoan	9 017	5 125	75,94	3,2
Yugu	10 568	5 717	84,85	3,5
Jing	13 108	4 293	205,33	6,4
Tatar	4 122	2 294	79,69	3,3
Dulong	4 633	3 090	49,94	2,3
Oroqen	4 103	2 709	51,46	2,3
Hezhe	1 489	718	107,38	4,1
Moinba	1 140	3 809	—	—
Lhoba	1 066	—	—	—
Jino	11 962	—	—	—
Nationalité inconnue	799 705	32 411	2 367,39	19,5
Étrangers de nationalité chinoise	4 937	7 416	—	—

Source : Annuaire statistique de Chine.

comporte 39 % de jeunes de moins de quinze ans contre 33 % à l'échelle nationale).

Les minorités ne représentent nullement un tout cohérent. Si l'on excepte sept groupes relativement importants comptant chacun plus de quatre millions de représentants et occupant parfois des territoires compacts (Zhuang, Ouigours, Hui, Mandchous, Yi, Miao et Tujia), la plupart des ethnies minoritaires constituent de petits groupes se comptant par centaines ou dizaines de milliers d'unités. Une grande diversité les caractérise : il n'y a rien de commun entre les éleveurs nomades des hauts plateaux d'Asie centrale et les musulmans hui, que presque rien ne distingue des Han si ce n'est la conscience d'appartenir à une religion d'origine étrangère.

La politique de limitation des naissances distingue entre de petits groupes qu'il convient de protéger (limitation des mariages mixtes, privilèges divers accordés aux personnes se réclamant des minorités, garantie d'une progéniture suffisante pour permettre une certaine croissance démographique) et de grands groupes traités à peu près comme les Han, en particulier les populations parvenues à un niveau culturel proche du niveau national et pratiquant des genres de vie peu différents de la majorité han. Il existe donc une réglementation compliquée supposée prendre en compte tous ces éléments. Dans la pratique, cependant, seule une majorité urbaine est soumise à la politique de l'enfant unique : la plupart des groupes sont autorisés selon les cas à avoir deux, trois, voire plus de trois enfants par couple.

Plus encore que dans les populations han, la politique de limitation des naissances est mal acceptée. Le principe consistant à privilégier les minorités est, par ailleurs, mal reçu par la majorité han et il n'est pas toujours conforme aux conditions écologiques. Certains petits groupes vivant dans un milieu géographique fragile ne sauraient se multiplier sans mettre en danger leur propre environnement. C'est par exemple le cas de plusieurs groupes d'éleveurs nomades et de sociétés de la forêt pratiquant une agriculture itinérante avec brûlis. Des enquêtes ont souligné certaines conséquences négatives qu'engendrerait une forte croissance démographique de groupes tels que les Li de Hainan ou certains nomades refoulés par la colonisation agricole dans des zones de pâturages relativement impropres aux cultures, sans compter les problèmes que cela créerait en matière d'éducation, d'emploi, ou encore les effets génétiques supposés de pratiques telles que les mariages entre proches, particulièrement mal considérés par les Han. De là découle une tendance à vouloir réduire les minorités au régime général.

Michel Cartier

Le vieillissement, une question

Selon toutes les estimations, il y aura autant de Chinois âgés de 65 ans et plus en 2040 que dans l'ensemble des pays développés à la même époque, soit autant que la population âgée du monde en 1985. Cette tranche de la population passera d'une augmentation de 20 millions tous les dix ans jusqu'en 2010, à plus de 48 millions entre 2010 et 2020, à 55 millions entre 2020 et 2030 et à 67 millions entre 2030 et 2040. La population âgée de plus de soixante-cinq ans atteindra les 280 millions quand les personnes nées avant la mise en place de la politique de contrôle des naissances entreront dans cette tranche d'âge.

Mais la proportion de la population âgée et la vitesse de vieillissement démographique varieront selon la politique de contrôle des naissances et selon son efficacité [*voir les scénarios pour 2050 page 49*]. Avec le scénario 1 et le scénario 2, le pourcentage de population de 65 ans et plus dépassera 7 % en l'an 2000 et 17 % entre 2030 et 2035. Le processus, qui a pris quatre-vingts ans pour la plupart des pays développés (sauf le Japon), en mettra en Chine moins de quarante. La proportion de personnes âgées dépassera 23 % pendant les années 2040 dans le scénario 1 et se situera légèrement au-delà de 19 % dans le scénario 2. Elle ne dépassera pas 18 % dans le scénario 3, et 15,5 % dans le scénario 4.

A la fin des années quatre-vingt, 30 % de retraités chinois bénéficiaient de la sécurité sociale (anciens employés des organismes et entreprises d'État, de la plupart des entreprises collectives urbaines et de quelques collectivités rurales). Pour les entreprises d'État, la charge correspondant aux retraites s'est accrue vingt-sept fois entre 1952 et 1985 ; elle représentait, en 1988, 25 % des salaires totaux. Ce chiffre aura doublé en l'an 2000 ; et il sera multiplié par dix en trente ans.

La pension constitue la plus grande partie des dépenses sociales (42 % en 1985). Pour six personnes âgées sur dix dans les villes, elle constitue le revenu de base. Mais, dans les zones rurales, elle ne concerne que 4,7 % de la population âgée, bien qu'on y trouve 81 % des Chinois de 65 ans et plus. Dans les régions urbaines, près de 70 % des personnes âgées sont subventionnées en tout ou en partie par l'État, contre 5 % dans les campagnes. En ville, seulement 18 % des personnes âgées sont classées dans la catégorie des gens à bas revenu (45 yuans), contre 80 % dans les campagnes. A la ville comme à la campagne, c'est la famille qui reste le pourvoyeur essentiel des soins aux personnes âgées.

Selon le recensement de 1982, la moitié de la population âgée de 35 à 44 ans et la totalité de celle âgée de 45 à 64 ans peuvent être considérés comme les enfants des personnes âgées de 65 ans et plus. Le rapport formé entre le nombre des personnes de 65 ans et plus et l'effectif de la population considéré comme leurs enfants est le taux de progéniture. Selon tous les scénarios, le taux de progéniture sera d'environ 0,25 jusqu'en 2015, c'est-à-dire que pour chaque personne de 65 ans et plus, il y aura en moyenne quatre enfants. Dans le scénario 1, ce taux commencerait à monter à plus de 0,5 vers 2035 et arriverait à 0,77 en 2050. Il ne dépasserait pas 0,62 dans le scénario 2 et 0,58 dans le scénario 3. Dans tous les cas, il y aura moins de deux personnes susceptibles de prendre soin de chaque personne âgée après 2035. Plus la politique de planification des naissances sera sévère entre 1990 et 2010, plus graves seront les problèmes du vieillissement. Mais l'accroissement rapide du niveau de vie général implique une baisse des naissances annuelles. Quel est le moindre mal ?

I-chuan Wu-Beyens

« Veiller à la qualité de la population »

Le slogan de la politique de la population depuis 1978 est : « peu de naissances, mais de qualité » (*shaosheng youshen*). « Peu » indique la généralisation de l'objectif d'un enfant par couple. La deuxième partie de ce slogan est souvent traduite par « eugénisme », notion discutée, même officiellement, mais « qualité » signifie plutôt ne pas donner naissance à des enfants handicapés ou malades, et développer

CORRY Y. (éd.), *De Darwin au Darwinisme : science et idéologie*, Congrès international pour le centenaire de la mort de Darwin, Paris (Chantilly, 13-16.9.1982), Vrin, Paris, 1983.

GALTON F., *Inquiries into Human Faculty and its Development*, Macmillan, Londres, 1983.

THUILLIER P., *Les Biologistes vont-ils prendre le pouvoir ? La sociobiologie en question*, Complexe, Bruxelles, 1982.

la protection de l'éducation et de l'enfant.

Le nombre des handicapés s'établit-il à 20 millions (chiffres gouvernementaux) ou à 100 millions (estimation de l'Organisation mondiale de la santé) ? Pour en connaître les effectifs et les types, de nombreuses enquêtes ont été menées à partir de la fin des années soixante-dix. Les résultats de celle de 1987 classent comme handicapés 4,9 % de la population recensée. Il y aurait donc un peu plus de 50 millions d'handicapés en Chine, répartis parmi 15 à 25 % des foyers selon les provinces. Parmi ceux-ci : 34 % souffrent de troubles de l'ouïe ou de la parole, 20 % sont considérés retardés mentaux, 15 % sont affectés de déformations des membres ou du tronc, 15 % de problèmes de vision, et 4 % de maladies mentales.

Les trois quarts des enfants handicapés relèvent de cas congénitaux (insuffisance de développement du cerveau, maladies cardiaques), les autres souffrant surtout des séquelles d'infections (encéphalite, poliomyélite). Nombre de maladies congénitales proviennent de la coutume, largement répandue, du mariage entre cousins proches du côté maternel [*voir l'article consacré au mariage*]. L'interdiction de cette pratique depuis la loi sur le mariage de 1981 devrait les faire diminuer. Les régions rurales sont nettement défavorisées : les handicapés congénitaux et postnataux y sont trois fois plus nombreux. Or les calculs des démographes chinois ont montré que le coût social d'une personne handicapée peut-être estimé à 400 yuans par an et 5 000 à 10 000 yuans pour la vie. Évaluations sans émotion qui tiennent même compte d'une ration moyenne de céréales estimée à 150 kg par an.

Les recherches sur l'eugénisme ont commencé en 1977. Vers le milieu des années quatre-vingt des techniques modernes d'examens prénataux ont commencé à être appliquées dans certains centres urbains. La plupart des malformations fœtales détectées par des techniques comme l'amniocentèse et l'échographie débouchent sur des avortements. Ce genre d'eugénisme passif, très difficile à généraliser, est fortement encouragé par le gouvernement. L'eugénisme actif, comme des modifications de sperme et l'euthanasie, a fait l'objet de discussions, mais demanderait, pour être mis en œuvre, des compétences scientifiques et technologiques plus grandes. Elles sont freinées par le sens de l'éthique sociale.

I-chuan Wu-Beyens

Cet ouvrage dresse un « état de la Chine » contemporaine. Alors, pourquoi cette section « Civilisation » ? Pour y parler, éclat dans la blessure moderne, du passé ? Petit musée ? Temps révolus, révolution, et culturelle de surcroît ? On pourrait certes penser que la civilisation a disparu... Mais c'est décidément d'autre chose qu'il s'agit.

Ce qui est généralement le plus mal compris, quant à la Chine, ce sont ses différents niveaux de fonctionnement. Ainsi, société de tradition écrite s'il en est, le taux d'analphabétisme y était pourtant, naguère, fort élevé. Alors, y aurait-il, en Chine aussi, une, voire des traditions orales ? Bien entendu, oui. Il se dit tant de choses. Par exemple, la Chine serait un pays sans religion, auquel on reconnaît certes d'éminents philosophes, Confucius, Lao zi... Mais il suffit de s'y promener pour voir des temples... « bouddhistes », dit-on, dont certains diffèrent manifestement des autres. Pourquoi ? Et quelles sont ces « luttes contre les superstitions » dont parlent les journaux ? Ne s'agirait-il pas tout simplement de religion populaire ?

Bien d'autres questions se posent encore lorsqu'on passe d'un registre à l'autre de la société. Ainsi, quel rapport entre le Confucius du culte des ancêtres (on rend donc bien un culte !) et le philosophe du gouvernement ? Les lettrés de jadis, chargés du culte des ancêtres, n'ont-ils pas quelque rapport avec les intellectuels d'aujourd'hui, et l'interférence de ces deux niveaux sociologiques : famille et État, ne pourrait-elle expliquer un certain état de fait actuel ? Si l'on ajoute à cela que les préoccupations généalogiques et la vénération des ancêtres n'excluent pas les croyances en la réincarnation, et que la plupart des Chinois d'aujourd'hui tiennent comptent, dans leur vie courante, des « parents de leurs vies antérieures », on a une image de la complexité des comportements et de leur signification.

Cette section de l'ouvrage a donc pour objet de suggérer quelques connexions entre ces différents niveaux sociologiques, de faire apparaître ce feuilletage signifiant de la société chinoise et de proposer une voie dans ce labyrinthe. Elle traite de faits sociologiques qui, pour appartenir à la Chine traditionnelle, n'en sont pas moins encore présents dans la Chine moderne. Elle fonde ainsi certaines pratiques, fait écho à certains modes de comportement actuels, qui peuvent par ailleurs sembler énigmatiques. Ainsi, par exemple, le système des guanxi (« relations » qui permettent des engagements forts importants sur une simple parole donnée) n'est étranger ni aux relations de parenté, au système du « partage de l'encens » des communautés économiques et de culte, à la notion des limites du corps, ni à la cosmologie. Par ailleurs, le parti pris de restituer les « grands courants de la pensée chinoise » — confucianisme, taoïsme et cultes populaires, bouddhisme — dans les contextes sociologiques qui leur sont propres : famille, structures communautaires, État, vise à faciliter un raisonnement en d'autres termes que ceux, trompeurs, de syncrétisme ou d'athéisme.

C'est donc ici un point de vue ethnologique qui prévaut, afin de donner à voir les modalités originales du vécu d'une civilisation quant aux femmes, au pouvoir, aux généalogies, à la langue, à la conception de l'univers, à la nourriture, etc. Modalités conscientes et inconscientes, un « état de la Chine » en transition certes, mais tout aussi moderne et politique que les autres.

Brigitte Berthier

Le chinois, une seule langue, plusieurs dialectes

La langue chinoise, parlée par plus d'un milliard d'individus, n'est pas la seule langue de Chine. Et elle est pratiquée bien au-delà des frontières du pays. Ses deux traits les plus remarquables sont le syllabisme et l'usage d'une écriture non alphabétique, unique et pourtant adaptée à une grande diversité de parlers.

Les écarts entre les formes parlées, qui peuvent être grands, conduisent à se demander si le chinois est une seule langue ou un ensemble de dialectes. Pour les locuteurs, la réponse ne fait pas de doute : il s'agit bien d'une seule langue qui se réalise en de multiples dialectes. L'État chinois cherche à imposer une variété unique, la *langue commune*, fondée sur un dialecte *mandarin*, celui de Pékin. C'est la norme dans l'enseignement, l'administration, les médias nationaux.

En Chine même, cependant, plusieurs dizaines de millions de personnes ne parlent pas « le chinois », langue de l'ethnie majoritaire, les Han. Il est difficile d'évaluer leur nombre parce que l'identification des « minorités nationales » ne se fait pas sur des critères uniquement linguistiques. Les soixante-dix millions de citoyens catalogués comme non Han comptent aussi bien des Mandchous (environ 4 500 000) qui ont perdu leur langue d'origine et ne parlent plus que le chinois, que des montagnards Yi parmi lesquels seuls des intermédiaires peu nombreux parlent le chinois. Tous les degrés sont représentés, en particulier dans les cinq « grandes minorités », Tibétains, Mongols, Ouigours, Zhuang et Coréens.

D'autre part, le chinois est largement parlé hors de Chine : c'est la langue de Taïwan, et, en concurrence avec l'anglais, celle de Hong-Kong et de Singapour. Il est égale-ment pratiqué, à des degrés divers, dans les communautés chinoises d'Asie du Sud-Est, d'Amérique, d'Europe et d'Océanie.

En ce qui concerne les variétés de chinois, on oppose une zone mandarine relativement homogène qui domine au nord de la Chine à une zone de grande diversité dialectale, au sud-est. Le mandarin couvre toute la Chine au nord du fleuve Yangtsé (Changjiang), plus le Sichuan et les populations chinoises du Yunnan et du Guizhou. Dans cet ensemble, qui représenterait environ 70 % des sinophones, les différences de prononciation, de syntaxe et de vocabulaire ne sont pas telles qu'au prix de quelques efforts on ne puisse s'y comprendre d'un bout à l'autre. Au sud-est de cette zone, on distingue six grands groupes de dialectes : *wu, gan, xiang*, cantonais, *hakka, min* [*voir*

carte] entre lesquels la communication orale n'est guère plus facile qu'entre les différentes langues romanes d'Europe.

Le syllabisme n'est pas une spécificité chinoise : c'est un trait caractéristique de la majorité des langues d'Asie orientale et du Sud-Est. Les types de syllabes y sont définis : certaines associations sont impossibles. L'inventaire est donc limité. En pékinois par exemple, on compte seulement 405 syllabes différentes. Cette pauvreté est partiellement compensée par un système de tons distinctifs. Avec quatre tons, le pékinois possède un total de 1 200 syllabes — compte tenu du fait que toutes les combinaisons permises par le système ne sont pas attestées.

Tous les mots sont invariables

Un mot comporte le plus souvent une ou deux syllabes et chaque syllabe a normalement un sens identifiable. En grammaire, la conséquence en est qu'il n'y a pas de conjugaisons : tous les mots sont invariables. C'est ainsi que la fonction des noms est indiquée par leur position dans la phrase et, si cela est nécessaire, par des prépositions.

Les traits les plus intéressants de la grammaire du chinois — communs à toutes les variétés — sont les suivants : le pluriel n'est marqué de façon obligatoire que sur les pronoms personnels (par suffixation) ; on emploie une « unité de mesure » entre le nombre et le nom aussi bien pour ce qui se compte que pour ce qui se mesure ; le temps (relation au moment de l'énonciation) est exprimé de façon moins explicite que l'aspect du verbe (forme de l'action) ; enfin, le mode de liaison le plus usuel, qu'il s'agisse de mots, de syntagmes ou de phrases, qu'ils soient coordonnés ou subordonnés, est la simple juxtaposition.

L'écriture est faite de caractères invariables, séparés les uns des autres par des espaces égaux. Un ca-

ractère représente une syllabe associée à une constellation de sens. Rien dans la forme du caractère n'impose telle ou telle prononciation, ce qui a permis à cette écriture de se maintenir inchangée à travers les siècles et de transcrire non seulement des dialectes chinois très différents mais même des langues étrangères comme le coréen, le vietnamien, le japonais.

Autrement dit, alors qu'une écriture de type alphabétique ne transcrit que le signifiant, mais permet de savoir immédiatement comment une séquence de lettres se prononce, l'écriture chinoise renvoie au signe dans son ensemble, morphème ou mot, sans pour autant en indiquer précisément le sens ou la prononciation. On sait lire un caractère dès lors qu'on a appris *à quel mot il correspond* : c'est cette mise en relation qui détermine la compréhension. Le locuteur chinois ayant ce mot dans son vocabulaire en connaîtra aussitôt les emplois et la prononciation dans son dialecte. L'enfant à l'école, comme l'étranger, apprend en même temps un vocabulaire nouveau et son écriture.

Cette écriture a été ressentie depuis le début de ce siècle comme un frein au développement : elle aurait contribué à tenir la Chine à l'écart de la modernité telle qu'elle s'est réalisée en Occident. Comme la complexité des caractères et leur nombre supposent un apprentissage long, il ne serait pas favorable à l'élévation du niveau d'éducation. Ces arguments sont discutables, car l'acquisition des caractères est en même temps apprentissage de la langue. En outre, l'exemple du Japon, où plus de deux mille caractères chinois restent d'usage courant et où la proportion d'illettrés est l'une des plus faibles du monde, tend à prouver que cette écriture n'est pas un handicap réel.

Il est difficile d'évaluer le nombre des illettrés en Chine : cela dépend du seuil à partir duquel on admet que quelqu'un sait lire. Le nombre des caractères différents employés étant fonction de la richesse du vocabulaire, un relativement petit nombre de caractères (environ 1 500) peut suffire en milieu rural, alors qu'il en faut au moins le double pour lire aisément les journaux et les divers textes qu'on rencontre dans la vie urbaine. On peut faire cependant trois constats : il n'y a pas de «zones illettrées» (on trouve partout des gens sachant lire) ; les habitants des campagnes sont en majorité semi-illettrés parce que peu d'entre eux ont été au-delà de l'école primaire ; la majorité des habitants des villes savent lire et écrire.

Simplifier ou ne pas simplifier ?

Néanmoins, le fait qu'on ait imputé au système graphique une partie des retards de la Chine explique les efforts de l'État pour remplacer l'écriture traditionnelle par une transcription alphabétique et, parallèlement, pour simplifier les caractères. Le contrôle des formes graphiques par l'État n'est pas un fait nouveau : si l'on en croit la tradition, la première tentative de codification remonterait aux Zhou occidentaux, vers 800 avant notre ère. Du début à la fin de l'empire (220 av. J.-C. - 1911) la rectification de l'écriture a toujours été une affaire d'État.

La simplification des caractères, qui a substitué aux graphies usuelles les plus complexes des formes comptant un moins grand nombre de traits, est effective en République populaire de Chine depuis 1958, mais elle n'a pas eu lieu dans le reste du monde chinois. Cela n'empêche pas de façon absolue la communication entre les deux zones ainsi créées, puisqu'il s'agit toujours de la même écriture, mais il faut tout de même un temps d'adaptation quand on ne connaît que les caractères simplifiés pour lire les caractères complexes, et inversement. En outre, on peut se demander si l'économie de temps obtenue en écrivant des caractères simplifiés n'est pas compensée, à la lecture, par de plus grandes difficul-

LES LANGUES EN CHINE

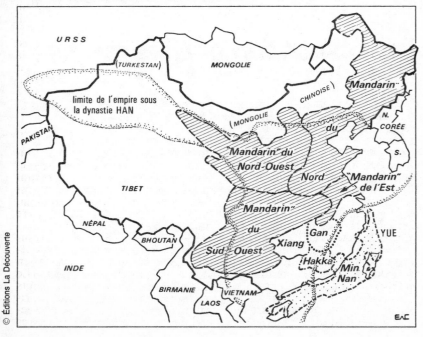

BIBLIOGRAPHIE

ALLETON V., *Grammaire du chinois*, PUF, coll. «Que sais-je?», n° 1519, Paris, 1973, 2ᵉ éd., 1979.

ALLETON V., *L'Écriture chinoise*, PUF, coll. «Que sais-je?», n° 1374, 1970, 3ᵉ éd., Paris, 1984.

KRATOCHVIL P., *The Chinese Language Today : Features of an Emerging Standard*, Hutchinson University Library, Londres, 1968.

LI Ch., THOMPSON S., *Mandarin Chinese. A Functional Reference Grammar*, University of California Press, Berkeley, 1981.

MILSKI C., *Préparation de la réforme de l'écriture en République populaire de Chine, 1949-1954*, Éd. Mouton, La Haye, Paris, 1974.

NORMAN J., *Chinese*, Cambridge University Press, Cambridge (Mass.), 1988.

RAMSAY R., *The Languages of China*, Princeton University Press, Princeton, 1987.

---

tés de différenciation des formes.

Le gouvernement de la Chine populaire a choisi en 1957 un modèle de transcription alphabétique, le *pinyin*, avec l'espoir qu'il se substituerait au bout d'un certain temps aux caractères. A la fin des années quatre-vingt, ce système n'est utilisé que pour l'enseignement élémentaire et, accessoirement aux caractères, dans les lieux fréquentés par les étrangers, mais il n'est pas d'usage courant et bien peu d'adultes le maîtrisent vraiment. On pensait naguère que les techniques modernes de transmission imposeraient l'adoption d'une écriture alphabétique. La saisie informatique de textes en caractères n'étant plus une utopie, cette raison d'abandonner l'écriture s'évanouit. Et les jeunes Chinois, qui tout à la fois apprennent les langues étrangères et recherchent leur héritage culturel, ne sont plus guère intéressés par de telles réformes.

Viviane Alleton

Les «minorités» et leurs langues

Cent huit ethnies parlant cinquante-cinq langues, telle est la version officielle. Le *hanyu*, c'est-à-dire l'ensemble des langues du groupe chinois avec ses dialectes, représente l'une de ces cinquante-cinq langues. Officiellement, 6,7 % de la population totale de la Chine appartiennent à ces minorités. Les langues chinoises (*hanyu*) sont parlées par certaines de ces minorités, comme les Hui (7 210 000 au recensement de 1982) ou l'étaient encore au siècle dernier, comme les Man (mandchou, 4 290 000) qui ont depuis perdu leur langue. Les Bai du Yunnan (1 130 000), très sinisés, ont perdu pour une grande part leur langue. Hui, Man et Bai représentent des cas extrêmes de sinisation. On ignore quelle langue pouvaient parler les Hui, mais le mandchou n'est pas une langue morte, puisque l'ethnie Xive (83 000) continue à parler au Xinjiang un mandchou (assez éloigné du dialecte littéraire qui prévalait jadis dans l'empire). Les ethnies nordiques mongole (3 410 000), coréenne (1 760 000), tibétaine (3 870 000), ouigoure (5 950 000) ont toujours gardé leur écriture traditionnelle et leur système interne d'éducation et de presse, avec néanmoins des aléas pour les Ouigours, qui ont dû pendant quelques années adopter, à l'instigation des Han, une écriture alphabétique en caractères latins, pour revenir, en 1976, à leur écriture nationale. A part les Xive, les Kazak (907 000) et les Russes (2 900) qui ont leur écriture, la multitude de petites ethnies nordiques ont du mal à exister culturellement, noyées qu'elles sont dans la masse des Han et des ethnies prépondérantes, comme les Ouigours. Les autorités n'envisagent pas pour elles de création d'un système d'écriture ou d'éducation dans leur langue. Au Sud, les ethnies sont plus nombreuses, plus éparpillées et imbriquées, et elles sont mêlées aux Han. Le morcellement des groupes est dû évidemment au relief montagneux et aux vallées très isolées. C'est ainsi que les Yi des Liangshan, « Monts froids » au Sichuan, qui sont 1 500 000 n'ont été conquis par les Han que dans les premières années du XXᵉ siècle, enfermés qu'ils étaient dans leurs plateaux inexpugnables. Ces Yi sont toujours assez peu sinisés. Ils ont leurs écoles, lycées et leur université à Xide. Ils ont créé, en 1979, un syllabaire réformé dans lequel ils publient leurs journaux et leurs manuels. Ils ont leur radio. La plupart des autres Yi vivent au Yunnan, où ils parlent cinq autres langues. Ils sont au total 5 450 000 et appartiennent au groupe linguistique lolo-birman.

Deux autres ethnies importantes vivent dans le sud : les Zhuang (13 370 000) au Guangxi et les Miao (5 030 000) au Guizhou et au Yunnan. Les Yao (1 400 000) sont par la langue très proches des Miao (les Meo ou Hmong du Vietnam ou du Laos). Ces groupes sont relativement peu sinisés. On peut expliquer cela par le nombre. Mais on trouve aussi des ethnies fort peu sinisées et dont la population est très faible : l'explication réside ici dans l'éloignement géographique : c'est le cas des Dulong (ou Drong, 4 000) qui vivent dans des montagnes inaccessibles du Yunnan un genre de vie plus proche de l'âge de pierre que de celui du bronze. Il faut donc mettre beaucoup de nuances dans le concept de sinisation : les mœurs peuvent rester traditionnelles (comme celles des Zhuang) et la langue avoir subi une sinisation considérable (c'est encore le cas des Zhuang). D'autres populations tai (comme les Zhuang) moins nombreuses, comme les Bouyi (ou Buyi, 2 120 000) du Guizhou, ou les Dai (839 000) du Yunnan ont conservé plus pures leurs mœurs comme leur langue, la pureté consistant ici en résistance à la sinisation.

L'intégrité d'une ethnie se mesure à sa capacité à conserver sa langue avant tout, et ceci grâce aux moyens audiovisuels, à la presse, et à l'éducation (ce qui suppose une écriture propre, indépendante des caractères chinois). Or, sur cinquante-cinq langues officiellement recensées, vingt-deux seulement disposent de leur écriture : han, mongol, tibétain, ouigour, kazak, coréen, kirghiz, xive, russe, dai, yi, jingpo, lahu, lisu, miao, zhuang, buyi, dong, wa, naxi, hani, li. Certaines de ces ethnies ont plusieurs écritures : les Yi en ont trois, les Miao quatre, les Dai deux. Généralement, ces ethnies possèdent aussi des institutions scolaires (qui, pour certaines, comprennent même le niveau universitaire) où des cours sont également organisés en chinois (enseigné dès le cours élémentaire). Les autres ethnies doivent utiliser l'écriture de l'ethnie dominante, *han*. Durant la révolution culturelle, seules les six ethnies prépondérantes ont eu le droit de garder leurs moyens culturels (presse, éducation) : Ouigours, Coréens, Zhuang, Yi, Tibétains, Mongols.

1976 a été le début de la renaissance des minorités ethniques au point de vue culturel : publication de revues et de documents concernant le patrimoine traditionnel (folklore, mythes, etc.), réorganisation de la presse, des moyens audiovisuels, de l'éducation dans la langue vernaculaire. Selon la loi, les cadres *han* doivent apprendre la langue et l'écriture des ethnies parmi lesquelles ils travaillent. C'est pourquoi on a créé dans certaines provinces des instituts des minorités ethniques (par exemple à Lanzhou, Wuhan, Chengdu,

──────── *BIBLIOGRAPHIE* ────────

COYAUD M., *Les Langues dans le monde chinois*, Presses de France, Paris, 1987.

DELL F., *La Langue bai*, École des hautes études en sciences sociales, Paris, 1981.

Ethnies minoritaires chinoises, Éditions La Chine en construction, Pékin, 1984.

RAMSEY, *The Languages of China*, Princeton University Press, 1987.

Kunming) en plus de l'Institut central de Pékin, où ces futurs cadres reçoivent une éducation politique, linguistique, juridique, etc. de même que les « privilégiés » originaires des différentes minorités, disposés à collaborer avec les Han.

Maurice Coyaud

Des plantes et des hommes

Une abondante littérature spécialisée s'est développée au cours des siècles. Il en reste encore de nombreux et riches textes, pharmacopées, traités d'horticulture et d'agriculture, traités de peinture et encyclopédies. Ils témoignent de l'intérêt que, tout au long de leur histoire, les Chinois ont porté aux plantes. Une appréciation critique des possibilités de l'environnement végétal pour l'homme a entraîné la mise en culture d'un nombre considérable d'espèces végétales, tandis que, parallèlement, se sont poursuivies des introductions de plantes nouvelles. Sur près de 120 espèces de plantes cultivées comme légumes en Chine, la moitié serait d'origine chinoise ; quant au nombre de cultivars locaux — qui sont la forme sous laquelle ces plantes sont effectivement mises en culture — c'est par plusieurs milliers qu'il faut les compter. Près de 300 espèces d'arbres et d'arbustes sont exploitées pour leurs fruits, consommés frais ou, le plus souvent, après transformation ou préparation.

En ce qui concerne les cultures vivrières, à l'opposition traditionnelle entre cultures sèches de millets (*Setaria* et *Panicum*), orge, blé et sorgho de la Chine du Nord et culture du riz dans les champs inondés du Sud, se substitue actuellement une nouvelle image au profit du riz dont l'emprise progresse régulièrement vers le nord, de même que les progrès de l'aménagement hydraulique favorisent grandement le maïs, plante d'origine américaine, introduite au XVIᵉ siècle, au détriment des cultures traditionnelles de millets. Une autre plante garde une importance cruciale, le soja, originaire du Nord de la Chine qui, à travers un grand nombre de produits dérivés, est une précieuse source de protéines.

N'oublions pas les plantes médicinales dont une centaine d'espèces sont désormais cultivées tandis que plus de 4 000 proviennent de la cueillette. Intégrées, selon leurs propriétés pharmacodynamiques et leur goût, dans le système des cinq phases [*voir l'article sur la géomancie au chapitre « Civilisation »*], elles participent pleinement à cette conception d'un univers mû par le rapport dialectique *yin-yang*. Leur utilisation, toujours en synergie dans des préparations, vise à rétablir dans le corps un équilibre qu'une affection maligne a rompu. De même, elles jouent un rôle préventif important, rajoutées dans les soupes, où, mêlés aux propriétés nutritives des autres aliments, leurs principes doivent permettre de neutraliser les effets pervers liés aux conditions saisonnières. Ainsi aident-elles autant à prévenir les maladies que, de manière générale, à les guérir. Aux propriétés médi-

BIBLIOGRAPHIE

BRAY F., *Agriculture*, vol. 6/2, *in* NEEDHAM J., *Science and Civilization in China*, Cambridge University Press, Londres, 1984.

DEMIÉVILLE P., « La montagne dans l'art littéraire chinois », *France-Asie*, Paris, 183, 1965.

GOUROU P., *L'Asie*, Hachette, Paris, 1953.

HARLAN J., *Les Plantes cultivées et l'homme*, Paris, CILF-ACCT, 1987.

HAUDRICOURT A.G., *L'Homme et les plantes cultivées*, A.-M. Métailié, Paris, 1987.

LI Hui-Lin, *The Garden Flowers of China*, The Ronald Press Company, New York, 1959.

NEEDHAM J., *Science and Civilization in China. Vol. 6/1 : Botany*, Cambridge University Press, Cambridge, 1986.

STEIN R.A., *Le Monde en petit*, Flammarion, Paris, 1987.

UNSCHULD P., *Medicine in China. A History of Pharmaceutics*, Univ. of California Press, Berkeley, 1986.

cinales ne doit-on pas aussi ajouter une forte valeur symbolique : produit de la nature, elles sont cueillies — dans la tradition taoïste par des saints ermites — dans les lieux sauvages et leur absorption apporte sans doute quelque chose de ces forces essentielles que sont supposées catalyser les chaînes montagneuses.

Une civilisation du végétal

Il faut aussi évoquer le végétal comme matière première technologique avec en premier lieu le bambou, si précieux pour ses multiples usages, qu'on s'efforce d'en introduire les plantations vers le nord du pays.

Même si, désormais, de nouveaux produits supplantent les végétaux dans certaines de leurs utilisations traditionnelles — on n'utilise guère plus de feuilles de lotus pour envelopper les produits frais sur les marchés méridionaux, et les manteaux de pluie en feuilles ou en paille sont moins visibles dans les campagnes — on peut toujours parler de « civilisation du végétal » pour le rapport que les Chinois entretiennent avec le monde des plantes car, outre l'importance et la variété de l'utilisation pratique du

végétal dans la vie, que dire des satisfactions esthétiques que les Chinois tirent de la contemplation des plantes ! Des foules se déplacent pour aller admirer les feuilles rougies des érables en automne dans les collines près de Pékin ou de Nankin pour ne citer que ces deux villes ! La passion pour les *Cymbidium* (*lan*), petites orchidées, a conduit à en créer, reconnaître et multiplier des centaines de variétés différenciées par les détails infimes d'une fleur déjà bien discrète pour un œil occidental. Chaque année, dans tout le pays, les expositions de chrysanthèmes permettent d'admirer une extraordinaire diversité de formes, de tailles et de couleurs. Déjà, sous les Tang (618-907), les obtentions originales des horticulteurs attiraient les riches visiteurs qui payaient des fortunes pour acquérir, ou parfois simplement contempler, de nouvelles pivoines.

Le jardin traditionnel où, nécessairement, des rochers remarquables sont associés à l'eau et aux végétaux est un microcosme renvoyant à une nature idéale ; et, en créant des paysages en miniature (*penjing*), en mettant en pots des arbres soigneusement traités de manière à leur faire conserver une taille réduite (*penzai*, en japonais *bonzai*), « monde en petit » et réserve symbolique d'énergie vitale, les Chinois n'ont-ils pas réussi à se donner très tôt l'impression d'une maîtrise de l'homme sur la nature ? Peut-être n'est-ce pas une simple impression ; le cas du *gingko*, fossile vivant, dont aucune station naturelle n'est connue en Chine mais qui est immanquablement planté dans l'enceinte des temples, ne témoigne-t-il pas de la capacité des jardiniers chinois depuis les temps les plus anciens à maintenir, contre nature, un arbre remarquable ?

Georges Métailié

As-tu mangé ? Bonjour !

« As-tu mangé ? » Par cette question ayant encore quelquefois valeur de salut, les Chinois signifient combien la nourriture leur tient doublement à cœur. Leur pays a été à la fois celui de la faim et le berceau d'une tradition gastronomique réputée : « Au seuil des palais embaument viandes et vins / Des cadavres gelés encombrent le chemin », disait Du Fu (712-770), le grand poète des Tang, en un raccourci saisissant.

Cependant, même si l'abondance et le raffinement culinaire furent le lot des élites, le soin attaché à la transformation des aliments par la cuisine se manifeste à tous les échelons de la société. Car, pour un Chinois, quelle que soit son appartenance ou son origine, cuisiner reste le moyen le plus naturel d'être homme et c'est essentiellement en mangeant qu'il maintient ou rétablit sa santé ; l'aliment, intégré par ses vertus propres à une cosmogonie dont les éléments sont en correspondance harmonieuse, est à la fois un nutriment et un médicament.

Contrastes, oppositions et bouleversements

La diététique ancienne est loin d'être démodée et recueille encore, dans certains milieux, nombre d'adeptes persuadés que la santé dépend essentiellement des aliments que l'on ingère et qui envient les heureux clients-patients du célèbre restaurant de diététique gastronomique *Tongrentang* de Chengdu au Sichuan dont les menus composés de mets assaisonnés aux plantes médicinales sont de véritables ordonnances !

L'histoire de l'alimentation en Chine est faite à la fois de contrastes, d'oppositions et de bouleversements. Contrastes entre riches et pauvres, visibles dans le contenu de leurs bols, même lorsque la pénurie n'est pas à l'ordre du jour : les élites garnissent leur table des mets les plus valorisés, riz, nouilles de froment, viandes délicates, légumes rares, tandis que les autres doivent se contenter de gruaux d'orge ou de millet et de quelques potages clairs. Oppositions entre les régions, dont la principale entre le Nord et le Sud avec pour ligne de partage le Yangzi qui traduisait autant l'affrontement de mentalités marquées que des coutumes alimentaires différentes : aux consommateurs de millets, de nouilles de blé, de mouton et même de beurre dont les goûts ressemblaient, pensait-on, à ceux de leurs voisins des steppes, on oppose les amateurs de riz, de poissons et de bouillons de légumes des tendres paysages de rizières. Bouleversements que sont l'introduction de plantes étrangères, l'innovation en matière agricole, ou l'avènement de nouvelles denrées alimentaires. Après la diffusion à une époque ancienne, pour certaines dès les Han Antérieurs (IIe siècle av. J.-C.), de plantes comme la vigne, la coriandre, le concombre, l'épinard, etc. venues d'Asie centrale, le maïs, l'arachide, les patates et les piments américains conquirent le pays dès la fin du XVIe siècle et contribuèrent à en nuancer le paysage alimentaire. Maïs, arachide et patates jouèrent un rôle important dans certaines régions où les sols trop pauvres n'autorisaient pas la culture du riz. L'adoption de nouvelles variétés de riz précoces permettant une double récolte ainsi que le raffinement des techniques agricoles dans le domaine de la riziculture vers les années mille ont amené à une surproduction des ressources alimentaires fondamentales et ont conduit à un accroissement sans précédent des nourritures. Certains des condiments ou des produits qui sont aujourd'hui les « marqueurs » de la cuisine chinoise comme la sauce ou le caillé de soja, ne sont pas attestés depuis l'Antiquité. La plante était connue et consommée, mais sa transformation en caillé par exemple n'est manifeste que vers le Xe siècle. En revanche, la fabrication de denrées alimentaires de conserve eut très tôt un grand essor. L'importance des boissons alcooliques obtenues par la fermentation de millets dans la vie religieuse et festive est signalée dans les textes les plus anciens tandis que les mélanges condimentaires, malts, vinaigres, choucroutes, viandes et poissons conservés, tous produits nécessitant pour leur réussite une bonne connaissance des processus de la fermentation, sont évoqués dès les Han Antérieurs (IIe siècle avant notre ère).

Les féculents comme base

Mais de tout temps, et aujourd'hui encore, les féculents ont constitué la base de l'alimentation des Chinois : millets, blés, sorgho, sarrasin, maïs, riz, patates et taros. *Manger* se dit d'ailleurs *chifan*, littéralement « manger du riz cuit », *fan*, « riz cuit », désignait anciennement toute céréale en grains entiers cuite à l'eau ou à la vapeur. Le repas est conçu comme l'association d'un féculent ou « nourriture principale » *zhushi* à des « nourritures secondaires » *fushi*, plats de légumes, viandes, poissons ou œufs. Au nombre de ces accompagnements, les produits dérivés du « lait » de soja, qui sont en quelque sorte les produits laitiers des Chinois, la consommation de laitages ayant été limitée à quelques régions, à certaines catégories sociales, et pratiquement ignorée des couches inférieures de la population. Si le service de boissons alcooliques apparaît dans les banquets ou repas de fêtes, celles-ci sont surtout dégustées pour elles-mêmes à des moments choisis, en grignotant de petits en-cas pour les faire mieux « descendre ». Noir, vert, parfumé ou fumé, le thé, connu dès avant l'ère chrétienne et dont les propriétés stimulantes ont été perçues très tôt, se boit à tout moment de la journée lorsqu'on en a les moyens. Sinon une simple tasse d'eau chaude en tient lieu.

La cuisine chinoise est un modèle de rendement pour l'investissement engagé. L'usage des baguettes à table nécessitant la présentation de mets sous forme de bouchées potentielles, les aliments sont le plus souvent découpés avant cuisson avec, pour seul ustensile, un gros tranchoir, ce qui permet en outre leur juste utilisation. Ces petits morceaux, cubes, lanières, tranches ou juliennes ne demandent ensuite pour être consommables qu'une cuisson brève effectuée le plus couramment par rissolage de quelques instants dans une grande casserole à fond semi-sphérique, appelée parfois *wok* en Occident. Cette instrumentation simple suffit à la ménagère, mais est aussi celle du grand cuisinier, même pour des préparations plus élaborées. Dans la cuisine familiale prédominent les cuissons économiques et rapides, à l'eau et à la vapeur pour les céréales, sauté au *wok* pour les mets d'accompagnement.

Si la sauce de soja, le gingembre, la ciboule connaissent un usage national et donnent par leur combinaison son cachet chinois à une préparation, le contenu des plats et leur assaisonnement varient néanmoins selon les régions et les moments de l'année. Cette diversité a

BIBLIOGRAPHIE

ANDERSON E.N., *The Food of China*, Yale University Press, New Haven et Londres, 1988.

ANDERSON E.N., « "Heating" and "cooling" foods in Hong-Kong and Taïwan», *Information en Sciences Sociales*, 1980, 19, 2.

CHANG K.C. (ed.), *Food in Chinese Culture, Anthropological and Historical Perspectives*, Yale University Press, New Haven et Londres, 1979.

LU Wenfu, *Vie et passion d'un gastronome chinois*, roman trad. du chinois par A. Curien et Feng Chen, précédé d'un «Avant-goût» par F. Sabban, Philippe Picquier-UNESCO, Paris, 1988.

SABBAN F., «Le système des cuissons dans la tradition culinaire chinoise», *Annales ESC*, n° 2, Paris, mars-avr. 1983.

SABBAN F., «De la main à la pâte : réflexion sur l'origine des pâtes alimentaires et les transformations du blé en Chine ancienne (IIIᵉ s. av. J.-C.), *L'Homme*, Paris (à paraître).

donné lieu à l'élaboration de véritables cuisines régionales, de cinq à une douzaine, selon les points de vue (!), dont les saveurs particulières se décèlent aussi bien dans la simple cuisine quotidienne que dans la sophistication de la haute gastronomie.

Tout événement social ou familial est d'ailleurs prétexte à bombance. Au menu figureront des denrées rares et coûteuses choisies pour la circonstance (nids d'hirondelle, ailerons de requins, ormeaux, holothuries, etc.) ou des aliments ayant une forte charge symbolique (de longs spaghetti évoquant la longévité de l'aïeul dont on fête l'anniversaire, du poisson dont le nom homophone du terme surplus connote l'aisance, etc.). Il faudra manger, boire, s'amuser, jouer au jeu de la mourre, et l'on oubliera pour un jour que les bols ne sont pas toujours aussi richement remplis. Les fêtes, de même, sont l'occasion de déguster des mets spéciaux, symboles des temps de l'année : au nouvel an, un peu partout en Chine, les *niangao*, gâteaux de riz ou de millet glutineux, à Pékin, les *ravioli* façonnés en chœur par les membres de la famille, signe de leur union, le cinquième jour du cinquième mois, les *zongzi*, petits paquets de riz glutineux farcis, enveloppés dans des feuilles de bambou, et, à la fête de la mi-automne, les gâteaux de lune que l'on s'échange entre amis.

Françoise Sabban

Du bleu de chauffe au blue-jeans

De nombreuses coutumes vestimentaires se sont succédé en Chine. Des innovations étaient proposées à chaque nouvelle dynastie et les vêtements variaient, au cours d'une même période historique, en fonction de l'origine géographique et du statut social de ceux qui les portaient. Depuis l'arrivée au pouvoir du Parti communiste, la garde-robe des Han s'est simplifiée et uniformisée, alors que les minorités nationales ont souvent conservé leurs habits traditionnels.

Le souci de préserver une grande liberté de mouvement, à travers des coupes amples et l'emploi de tissus fluides caractérise la plupart des vêtements. A la simplicité des vêtements portés par les paysans s'oppose la richesse et le symbolisme des habits revêtus par le clergé lors des fêtes rituelles ou par les membres des couches dominantes. Mais le symbolisme des couleurs demeure le même pour tous : le rouge évoque le bonheur et domine lors du mariage, alors que le blanc ou l'absence de couleur est utilisé pour marquer le deuil. Le jaune, couleur de l'or, est réservé à l'empereur, parfois à certains proches. Le noir, peu estimé, est l'apanage des paysans. Ces derniers, jusqu'à la décennie 1978-1988, respectaient rarement l'idéal d'un vêtement d'été et d'un vêtement d'hiver. Seules les familles les plus riches peuvent offrir un habit neuf à chacun de leurs membres lors du Nouvel An. « Pendant les trois premières années, le vêtement est neuf ; pendant les trois années suivantes, il est usagé, et pendant les trois dernières, il est raccommodé. » La durée moyenne d'un vêtement était donc de neuf ans, selon ce proverbe qui date de la première moitié du XXᵉ siècle. Les vêtements, du fait même de leur rareté, constituaient un élément important du trousseau des paysannes. Les cérémonies de mariage étaient classées de façon hiérarchique, selon le montant des dépenses effectuées, et le nombre de vêtements et de pièces de tissus amenés par la jeune épouse indiquait le rang social de cette dernière. L'usage préférentiel de certaines étoffes distinguait également les membres des couches sociales aisées d'avec les paysans. Les vêtements des premiers étaient souvent taillés dans la soie, alors que les seconds sont restés longtemps fidèles au chanvre, avant d'adopter le coton.

Le tissage artisanal du chanvre et du coton par les femmes était très répandu puisqu'il permettait d'accroître les ressources familiales tout en respectant le principe traditionnel de division du travail selon lequel les hommes travaillent à l'extérieur, les femmes à l'intérieur. L'élevage de vers à soie a même permis à certaines femmes de la province du Guangdong d'acquérir une indépendance économique telle qu'un mouvement de refus à l'égard du mariage se dessina parmi elles.

Depuis l'arrivée au pouvoir du Parti communiste (1949), la garde-robe des Han s'est simplifiée et uniformisée. Les couleurs furent même interdites aux femmes dans la Chine de la « révolution culturelle ». Les minorités nationales, en revanche, ont souvent conservé leurs habits traditionnels qui servent d'ailleurs à les définir et à les classer. Une distinction majeure (qui s'estompe depuis le début des années quatre-vingt) doit être faite cependant entre les vêtements citadins, largement occidentalisés, et les vêtements paysans qui ont parfois conservé certains éléments du passé, surtout pour les rites de passage que sont la naissance, le mariage et la mort.

Il n'existait pas autrefois de vêtements spécialement conçus pour les nouveau-nés. Menacés par une très forte mortalité infantile, les parents mettaient tout en œuvre afin que leur enfant n'attire pas l'attention des esprits malfaisants. Ils l'habillaient pauvrement pour montrer le peu d'importance qu'ils lui accordaient. Ainsi, dans certains villages, le nouveau-né était enveloppé, jusqu'au début des années soixante, dans un vêtement usagé, retenu à la taille par une bande de tissu rouge découpée dans le palanquin nuptial de la mère. La protection accordée à la jeune mariée le jour des noces rejaillissait ainsi sur l'enfant. Une chaussette sans pied était posée sur sa tête en guise de chapeau. La chute rapide de la mortalité infantile et la disparition des palanquins ont conduit à l'abandon de cette coutume. Lors de la fête du premier mois, la grand-mère maternelle offre désormais une série de vêtements pour enfant dont le nombre varie selon les villages. Des chaussures dites en forme de gueule de tigre et un chapeau du même nom sont encore portés dans certaines localités pour faire fuir les démons.

De grands changements ont également été introduits au niveau des coutumes vestimentaires matrimoniales. La tradition voulait autrefois que la jeune mariée soit vêtue de rouge, mais les vêtements portés variaient selon les villages. Ainsi, le jour de la cérémonie, dans certains villages du Guangdong, la jeune femme revêtait un vêtement intérieur noir, puis un pantalon et une tunique blancs (les habits de deuil qu'elle devrait porter lors de l'enterrement de ses beaux-parents), et enfin une tunique et un pantalon rouges. Des objets précieux ainsi que des clochettes étaient cousus sur ses habits et sur sa coiffe. Un collet, taillé dans une étoffe épaisse et finement brodé, était posé sur ses épaules. Ces vêtements ont cessé d'être fabriqués après la réforme agraire (1952) et les jeunes mariées ont alors souvent adopté le port d'une veste fleurie et d'un pantalon de couleur sombre, passés cependant sur un vêtement noir et sur un vêtement blanc. Cette dernière tradition a disparu peu à peu alors que l'achat, pour la cérémonie, de simples vêtements neufs, sans impératif de couleur, devenait de plus en plus fréquent. Une fleur rouge était alors piquée à la boutonnière. Cette évolution est la conséquence des attaques menées par le pouvoir politique contre les pratiques traditionnelles. Depuis le début des années quatre-vingt, le port d'un tailleur de type occidental confère un nouveau prestige. Mais il arrive encore que la mariée pénètre chez ses beaux-parents, ses vêtements de deuil pliés sur son bras, afin d'exprimer son intention de rester auprès d'eux jusqu'à leur mort.

Les vêtements de deuil ont également évolué, mais les principaux changements dans ce domaine concernent plutôt la taille du groupe de parenté chargé de les porter. Là encore, les pratiques varient beaucoup en fonction des localités. Désormais, seuls les parents proches (conjoints et descendants directs, parfois proches collatéraux) sont entièrement habillés de blanc. Ceux qui peuvent se procurer de la toile de chanvre, symbole d'austérité, en placent quatre pans sur leurs épaules (deux devant et deux derrière), retenus à la taille par une corde de chanvre. Les parents plus éloignés se contentent de porter une seule pièce de vêtement blanche. Tous cependant accrochent à leur ceinture un fil de chanvre muni d'une piécette destinée à effacer le caractère néfaste de cette cérémonie. L'évolution des conditions de vie, l'influence du pouvoir politique, l'apparition de nouveaux critères de prestige ont ainsi modifié les coutumes vestimentaires, mais bien des traditions destinées à exprimer la hiérarchie des relations sociales, le respect dû aux défunts et aux générations supérieures se sont maintenues.

Isabelle Thireau

La maison, un lieu réservé

« Un Chinois qui veut construire sa maison commence par dresser un mur extérieur tout autour de l'emplacement qu'il a choisi. » Cette remarque d'un homme d'affaires français, né à Tianjin, pourrait se vérifier partout où les Chinois peuvent encore édifier, que ce soit en Chine ou à l'extérieur, l'enclos et la demeure. Mais souvent, les conditions traditionnelles de l'habitat urbain et les formes occidentalisées récentes des logements administra- tifs et sociaux ont fait disparaître les marques symboliques visibles de la « maison ». Or, le territoire mental se laisse difficilement enfermer dans la boîte H L M. Il déborde par toutes les issues, envahit les balcons, alors que les domaines qui devraient être communs et socialisés — la montée d'escalier et l'entrée — ne font que prolonger, dans la crasse et la négligence, l'anonymat des rues. Urbaine ou rustique, à même le sol ou dotée d'un étage, une maison chinoise est normalement fermée.

Les battants clos de la porte sont rendus encore plus redoutables par la présence en images, peintes ou collées sur chaque battant, des dieux gardiens de la porte. Leur rôle est si important que dans les premières années du régime communiste, alors que la plupart des cultes étaient proscrits comme pratique superstitieuse, on avait tenté de les accommoder au goût du jour en substituant aux portraits des généraux qui les incarnaient, Qin Shubao et Hu Jingde, de l'empereur Tai Zong des Tang, un soldat et un marin des forces populaires, voire un ouvrier et un paysan armés. On tenta même de populariser, un peu plus tard, les images plus imposantes des maréchaux communistes à cheval. Depuis 1978, ceux-ci ont cédé de nouveau la place aux guerriers traditionnels.

Forteresse pour l'extérieur, la maison se compose idéalement d'un « hall de cérémonie », *tang* (ou *ting*) qui en constitue le centre, flanqué d'une chambre à droite et d'une cuisine à gauche, quand on lui fait face.

L'autel des ancêtres

Le *tang* est la salle de réception, salon et temple à la fois. En effet, c'est là que se trouvait — se trouve encore ou à nouveau — l'autel des ancêtres, étagère suspendue au mur du fond, faisant face à la porte d'entrée dans les maisons traditionnelles. Les âmes ancestrales y étaient figurées soit sous forme de tablettes individuelles et nominales, soit sous forme de tablette collective, mais dans tous les cas rangées par ordre généalogique, jusqu'à la cinquième génération au-dessus de celle du maître de maison. Elles constituaient en quelque sorte la tribune d'honneur présidant aux destinées de la maisonnée.

La matérialisation de cette partie invisible du groupe familial en la personne de ses « disparus » était justement ce qui faisait de cette pièce centrale un temple et un pivot sociologique. On s'adressait formellement à ses parents comme *tang shang* (« le haut du salon ») et le même mot servait à modifier les termes de parenté pour frère ou sœur aîné(e) ou cadet(te), oncles et tantes paternels, quand on voulait signaler leur proximité agnatique, dans les expressions : *tang xiong, tangdi, tangjie, tangmei, tangbo, tanhgshu, tang gu*. Ceci signifiait littéralement qu'ils étaient issus du même *tang* que le locuteur. L'analogie se poursuivait pour désigner les collatéraux, puisqu'on employait alors le mot *fang*, primitivement l'« aile », droite ou gauche, de la maison, lorsque celle-ci s'agrandissait en forme de U en raison de la croissance en nombre de la famille. Là s'établissaient les fils mariés quand ils demeuraient au foyer paternel. La communauté familiale (*jiazu*) était hiérarchisée de telle sorte dans l'espace physique et social que la subordination des uns aux autres résolvait spontanément la plupart des conflits d'intérêt potentiels. Le culte des ancêtres, parangon de l'ordre moral, rappelait en permanence tout un chacun à ses devoirs.

En dehors du *tang* où résidait le dynamisme génétique, la cuisine représentait la communauté économique : c'est pourquoi, de tout temps, on a compté, en Chine, les familles par foyers, *hu*. L'établissement d'un autre foyer dans le même enclos indiquait déjà une division familiale accomplie. L'ascendant du foyer sur la cohésion de la communauté économique qui y trouvait sa nourriture, était et reste personnifié par le dieu de la cuisine, *cao Jun*, « Monseigneur du fourneau », représenté tantôt par une image polychrome imprimée, tantôt par une ou plusieurs figurines : sa femme, et les six animaux domestiques, dans une niche contre la paroi, au-dessus du fourneau. Comme il était censé faire, chaque année, à l'occasion du nouvel An, son rapport à l'empereur de Jade, le maître de maison lui offrait de l'encens au premier jour de chaque mois, les femmes évitaient de comploter, de se disputer et de laisser tomber leurs cheveux dans la cuisine ; on lui présentait les nouvelles épousées et on prenait congé de lui avant de partir en voyage.

Dieux protecteurs

En tant que symbole de l'économie indivise, son pouvoir complétait celui du maître des lieux, *tu di gong*, ou *tudi laoye*, « Monsieur du lieu », qui, de son emplacement stratégique par terre, sous l'autel des ancêtres, dans le salon de cérémonie, tenait le registre des naissances et des morts selon le destin de chacun, tout en surveillant, en face, la porte principale. Quand la maison n'avait pas été construite par ses habitants, on associait à son culte les âmes abandonnées et anonymes qui pouvaient hanter encore ce lieu.

Enfin, la chambre conjugale avait aussi ses protecteurs, « le seigneur et la dame du lit » *zhuang gong, zhuang mu*, symboles et garants de la fécondité du couple. Mais ces hypostases des idéaux primordiaux liés à la demeure pour les Chinois, qui garantissaient la sécurité de son espace visible et invisible, n'étaient pas ses seuls protecteurs. Citadelle réputée imprenable, elle évitait l'isolement en accueillant certains des dieux populaires parmi les plus connus : les Trois dieux du Bonheur, divinités stellaires de la longévité, des émoluments et de la postérité nombreuse (qui était le vrai bonheur des Chinois d'autrefois), le dieu des richesses, *cai shen*, les Huit Immortels, la Guan Yin donneuse d'enfants, Guan Gong, le dieu de la guerre et du commerce, et des divinités exorcistes comme Pan Guan, le greffier des enfers, Guixing, du Boisseau du Nord, Xüan Wu, le Sombre guerrier, ou Zhong Gui le chasseur de démons. Par ces cultes qui se manifestaient par la présence, à la place d'honneur, c'est-à-dire à gauche des ancêtres sur leur autel, d'effigies ou de peintures de ces dieux, la maison reliait son territoire restreint à une paroisse, à un temple et à une communauté plus vaste de zélateurs par-dessus les limites territoriales du village, de la ville ou du comté, participant d'une société de protection à rayonnement illimité.

Avant qu'il ne soit violé, éclaté, dispersé, par le mouvement révolutionnaire, l'espace domestique des Han, armoire de leurs rêves, défense contre leurs cauchemars, était une réserve inépuisable de refuges. Une fois ouvert, partagé avec des étrangers, ou réduit à sa plus simple expression par les conditions nouvelles de la famille strictement conjugale, de l'enfant unique et de la séparation des couples dans l'intérêt de leur travail, privé enfin de ses vieillards, regroupés en bandes du troisième âge dans les maisons de retraite ou les jardins publics, il apparaît aujourd'hui comme une coquille vide.

Faut-il regarder derrière les apparences, décrypter la naïveté trompeuse des compositions symboliques (autour d'un bébé rose présenté sur une blanche fleur de lotus), qui couvrent aujourd'hui le mur amont du salon, dont elles ont chassé peu à peu les portraits témoins du culte de la personnalité ainsi que les maréchaux populaires ? Faut-il noter ici ou là des cultes discrets aux esprits protecteurs ou aux photos d'ancêtres et disparus récents, et prendre en compte, de temps à autre, de vastes célébrations villageoises dans le secret de la nuit ? Les murs de la demeure trahissent parfois le retour des charmes et des talismans, des médiums, des chamans et des exorcistes, qui, avec leur approche directe de l'au-delà, peuvent précéder à peu de frais le renouveau liturgique.

Enfin, ce que nous croyons voir dans cette période de transition d'une population très vieille et très jeune à la fois, représente-t-il le dernier souffle d'une civilisation moribonde ou la première bouffée d'air de sa résurrection ? Il est encore tôt pour se prononcer sur l'avenir, alors que les héros divinisés de l'histoire immédiate — à commencer par Mao lui-même — débutent à peine dans une nouvelle carrière de puissances bienveillantes ou terribles au milieu de la panoplie des intercesseurs domestiques dans l'au-delà. Ce qui est certain, c'est qu'il n'est nul besoin des interdits officiels pour que la maison chinoise, à la campagne ou à la ville, si morcelée, si exiguë soit-elle, demeure un lieu réservé, à l'abri des regards indiscrets et des influences pernicieuses des étrangers, comme du monde extérieur en général.

Jacques Lemoine

Temps et espace : la géomancie

La géomancie ou *fengshui*, science du vent et de l'eau, considère que la terre est un dragon dont il faut capter et retenir le souffle (*qi*), afin d'augmenter le bien-être des vivants et des morts. Dans ce but, il importe de trouver des sites fastes pour y ériger des maisons (*yangzhai*) et des tombes (*yinzhai*) correctement orientées. Les ancêtres, ayant épuisé leur souffle, ne peuvent protéger leurs descendants qu'en captant le *qi* du site. La fortune d'une famille étant directement liée au tombeau ancestral, sa démolition la prive du soutien de ses morts. L'histoire le confirme : au cours des rébellions menées par Huang Chao entre 874-880 et Hong Xiu (1814-1864) mille ans plus tard, l'empereur régnant s'empressa, dans les deux cas, de faire détruire leur tombe familiale.

Pour lui permettre d'« ausculter le dragon » et trouver ainsi un emplacement faste, le géomancien se sert d'un instrument, le *luoban*, à partir duquel s'est développée notre propre boussole. La boussole géomantique se compose d'une aiguille magnétique autour de laquelle s'échelonnent des cercles concentriques dont le nombre peut varier de huit à plus de trente, suivant les écoles. L'art du géomancien consiste à équilibrer les influences du ciel et de la terre. Chaque cercle correspond à l'un des éléments qui entrent dans le choix d'un emplacement propice. Les cercles sont divisés en cases ; le nombre de celles-ci dépend de la fonction du cercle : celui des directions en compte huit ; celui des maisons lunaires, vingt-huit ; celui des planètes neuf (sept réelles et deux imaginaires), etc. Depuis l'Antiquité, tous les facteurs résumés par les cercles peuvent s'exprimer en caractères cycliques c'est-à-dire par une série de vingt-deux termes comportant dix caractères dénommés troncs et douze autres appelés branches. Comme ces caractères se suivent dans un ordre immuable, ils peuvent, soit seuls, soit en binôme tronc/branche, faire office de chiffre ; c'est pourquoi, depuis l'Antiquité, ils désignent tous les phénomènes temporels.

Pour éviter l'éparpillement du *qi*, on préférait la forme du fer à cheval ; dans le Sud de la Chine, c'est aussi celle qu'adoptèrent les tombeaux. Les emplacements de choix étaient orientés vers le sud et situés sur une hauteur ; à la fois pour disposer d'une vue dégagée et faciliter l'écoulement correct de l'eau dont dépendait la naissance de fils. Les imperfections naturelles d'un site pouvaient être corrigées : le terrain était-il trop plat ? On construisait un monticule. Le bon *fengshui* risquait-il d'être emporté par une rivière ? On érigeait une pagode pour le fixer. Au fil des siècles, les tombes émaillèrent les campagnes au point de gêner l'agriculture. C'est pourquoi, profitant du remembrement agricole, et malgré l'opposition de la population, le régime actuel les fit démolir, et balaya du même coup une « superstition » millénaire. On en reconstruit aujourd'hui.

Après avoir manqué de disparaître en Chine continentale, la géomancie y demeure pratiquée ; elle reste très vivante dans les communautés chinoises d'outre-mer, ayant su s'adapter aux exigences de la vie moderne. Pourtant, contrairement aux données théoriques, les coutumes géomantiques en Chine n'étaient pas unifiées ; c'est pourquoi on constate de nos jours des différences entre les usages de Hong-Kong, dont la majorité des ressortissants sont d'origine cantonaise, et Taïwan, plus sujette à l'influence de la province du Fujian. Dans une ville aussi surpeuplée que Hong-Kong, où le manque de place interdit les enterrements traditionnels, le gouvernement, avec le concours de géomanciens réputés, a fait aménager des cimetières. Dans la mesure du possible, ceux-ci sont situés sur une hauteur et orientés vers le sud. Dans ces sites, bien que les tombes aient gardé leur forme traditionnelle, le rôle du géomancien se réduit à l'orientation d'une tablette de longévité ancestrale rouge, ou d'une stèle.

En revanche, le spécialiste peut intervenir plus activement dans les foyers, même si la loi lui interdit désormais d'abattre une cloison ou percer une fenêtre. Il peut déplacer les meubles et faire redécorer les lieux avec des motifs plus aptes à retenir le souffle. Là où l'eau fait défaut, il installe un aquarium. Mais le géomancien joue surtout du miroir. Ces petits objets, dans leur cadre octogonal (pour représenter les huit directions), sont de puissants démonifuges qu'il faut placer avec soin, afin d'éviter que les esprits malveillants qu'on désire refouler ne s'infiltrent chez les voisins. Par ces procédés minimalistes le *fengshui* a pu maintenir son emprise sur l'esprit de millions de Chinois.

Carole Morgan

La famille au cœur de la société

Le modèle de la famille restreinte prôné par le gouvernement depuis les années cinquante ne correspond guère à la vision idéale traditionnelle d'une famille dont les nombreux enfants sont les preuves de la piété filiale : comment une fille unique pourrait-elle assurer la perpétuation de la lignée ? En milieu rural, la nécessité de trouver un conjoint à l'extérieur de la famille au sens large suppose des relations intervillageoises. Elles ont été restreintes par la réglementation de la circulation des individus en vigueur jusqu'au début des années quatre-vingt : les liens de village à village, si importants pour l'établissement des alliances et la circulation des marchandises, s'en sont trouvés fortement contrariés.

Depuis 1986, le gouvernement a redistribué les terres aux paysans. Les clans sont aussitôt réapparus avec les luttes intestines qu'ils engendrent, liées notamment à la compétition pour la terre. Les temples ancestraux, bien qu'illégaux, prospèrent un peu partout. Les familles tentent de reconstituer leurs généalogies, malgré le gouvernement, et les traditions matrimoniales sont réapparues au grand jour : mariages arrangés, fiançailles d'enfants, dépenses somptuaires des banquets, marques ostentatoires de prestige et d'opulence. Quant aux affaires de corruption, souvent liées au népotisme — les relations familiales ou amicales (*guanxi*) qui ouvrent tant de portes —, elles éclatent par centaines au grand jour. Malgré la liberté de croyance clamée bien haut, le culte des ancêtres reste une des cibles du gouvernement, qui s'attaque ainsi directement au principe de régénération de la société traditionnelle. Cette société a survécu à dix années de persécutions (1966-1976) précédées elles-mêmes

Lignage et clan

Les structures selon lesquelles est construite la famille s'appliquent à des organisations plus vastes. Le lignage rassemble, dans un même village, un groupe de descendants en ligne patrilinéaire qui rendent un culte à un ancêtre commun, qui possèdent un bien-fonds commun et qui sont soumis à l'autorité d'un chef de lignage et d'un conseil des anciens. Au sein du lignage, on retrouve des unités résultant de l'éclatement d'une famille initiale : elles prospèrent séparément, tout en entretenant des liens de solidarité cultuelle et économique les unes avec les autres. La prospérité du bien-fonds commun, ajoutée à d'autres revenus, permet d'effectuer des travaux profitables à tous (aménagement de routes, irrigation...) et de construire ou d'entretenir des écoles, une bibliothèque, et le temple ancestral : en ce lieu se tiennent les cérémonies pour les ancêtres et se renouvellent à chaque fois, en communion avec eux, les liens qui fondent la cohésion du groupe. L'éducation est donc assurée par le lignage, ainsi que la mise à jour des généalogies et l'observance d'un code de conduite écrit.

Chacun, à l'intérieur du lignage, peut fonder un temple ancestral et manifester ainsi sa réussite sociale : il deviendra à son tour ancêtre-fondateur d'un segment. En fait, à chaque génération, un segment peut se détacher du lignage originel, et chaque individu est membre de plusieurs segments cultuels.

Le clan est une unité encore plus importante que le lignage, puisqu'il regroupe plusieurs lignages composés de personnes portant le même nom, mais ne pouvant remonter jusqu'à un ancêtre commun. Il peut occuper un territoire très étendu et comporter plusieurs dizaines de milliers de membres. La compétition entre lignages ou clans, tant pour la terre que pour le pouvoir politique local, est à l'origine de nombreuses luttes et vendettas qui peuvent mener à l'exclusion territoriale d'un lignage, au bénéfice d'un autre. La présence de grands lignages est particulièrement attestée en Chine du Sud.

Dans les régions où l'organisation lignagère est moins développée, il existe des communautés cultuelles locales affiliées par le système du fenxiang, « partage de l'encens », dont les structures sociales sont assez proches de celles décrites précédemment.

Isabelle Ang

---

d'un quart de siècle de communisme maoïste qui lutta vigoureusement contre ses manifestations. Malgré cela, elle imprègne toute la vie sociale, aujourd'hui.

La famille et la tradition

« Le père et les fils forment un même corps ; l'époux et l'épouse forment un même corps ; les frères aînés et cadets forment un même corps. » On ne saurait, mieux que le *Yili* (recueil de cérémonials nobiliaires des IVe-IIIe siècles avant notre ère) donner une image plus globale de ce qui constitue les linéaments de la famille chinoise. Corps « total » à l'intérieur du tissu social, la famille a perduré grâce à la puissance de ses structures traditionnelles, malgré les multiples tentatives gouvernementales de démantèlement dont elle a été l'objet au cours des siècles.

L'une des valeurs morales à la base des relations familiales est la piété filiale, *xiao*, respect absolu des enfants à l'égard de leurs parents. Chaque enfant se doit de conserver

──────── BIBLIOGRAPHIE ────────

AHERN E.M., *The Cult of the Dead in a Chinese Village*, Stanford Univ. Press, Stanford, 1973.

BAKER H. D.R., *Chinese Family and Kinship*, The Macmillan Press, Londres, 1979.

EBREY P.B., WATSON J.L. (ed.), *Kinship Organization in Late Imperial China, 1000-1940*, University of California Press, Los Angeles, 1986.

FENG Han-yi, *The Chinese Kinship System*, Harvard Univ. Press, Cambridge (Mass.), 1948.

FREEDMAN M., *Chinese Lineage and Society : Fukien and Kwangtung*, Univ. of London, The Athione Press, Londres, 1966.

FREEDMAN M. (ed.), *Family and Kinship in Chinese Society*, Stanford Univ. Press, Stanford, 1970.

GRANET M., *Catégories matrimoniales et relations de proximité dans la Chine ancienne*, Librairie Félix Alcan, Paris, 1939.

GRANET M., *Études sociologiques sur la Chine*, PUF, Paris, 1953.

LEMOINE J., « L'Asie orientale », *Ethnologie Régionale 2*, Encyclopédie de la Pléiade, Gallimard, Paris, 1978.

THIREAU I., « The Changing Patterns of Marriage », *China News Analysis*, n° 1331, Hong-Kong, 1987.

WATSON R.S., *Inequality among Brothers : Class and Kinship in South China*, Cambridge Univ. Press, Cambridge, 1985.

WOLF A.P., HUANG Chieh-shan, *Marriage and Adoption in China, 1845-1945*, Stanford Univ. Press, Stanford, 1980.

intact son propre corps, afin de pouvoir devenir un ancêtre ; mais en cas de nécessité, il peut le sacrifier, tout ou en partie, au bénéfice de ses parents — en se faisant exécuter à la place de son père par exemple. On mesure mieux ainsi le traumatisme qu'a représenté le mouvement des « Gardes rouges », en 1966, auxquels il fut demandé de dénoncer leurs parents, ce que certains firent.

Unité religieuse et économique de base, la famille a toujours tendu, idéalement, à produire le plus d'enfants possible. Elle peut regrouper plusieurs générations et plusieurs familles conjugales (parents et enfants) dans la même maisonnée, les fils mariés y vivant avec leurs parents, voire leurs grands-parents, et leurs épouses, les filles la quittant au moment de leur mariage pour aller s'installer dans la famille de leur époux. Dans la société paysanne traditionnelle, les membres de la famille, *jia*, possèdent et travaillent en commun la terre, base de la richesse, du prestige et de l'union familiale ; les salaires gagnés à l'extérieur sont remis au chef de famille — généralement, l'homme le plus âgé. Acquérir de la terre afin de pouvoir nourrir un nombre toujours plus élevé de membres et de pouvoir s'enrichir reste l'un des principaux buts de la famille. A la mort du chef, l'héritage est en principe partagé équitablement entre les fils ; mais, pour des raisons d'ordre économique et souvent politique — un groupe solidaire représente une force de pression face à l'extérieur —, la famille n'a pas intérêt à se morceler.

Liée économiquement, elle se rassemble aussi autour d'une pratique cultuelle que la « révolution culturelle » elle-même n'a pas réussi à enrayer : le culte des ancêtres, l'une des constantes les plus caractéristiques de l'institution familiale.

L'immense place des ancêtres

On peut devenir ancêtre si l'on a accompli le lot de vie imparti à la naissance. L'«âme-souffle», *hun*, est la part d'esprits célestes de l'être humain susceptible d'être divinisée. L'« âme corporelle», *po*, est la part d'esprits terrestres, de nature démoniaque, liée au corps solide. On pense que les ancêtres se réincarnent dans leur propre famille : pour ce faire, leur âme-souffle divinisée trouve un aspect terrestre dans le corps nouveau-né d'un de leurs descendants. Ainsi, la vie et la mort sont des cycles complémentaires se succédant à l'infini, tant que n'est pas brisée la chaîne familiale. Au moment des funérailles, une tablette de bois est posée sur le cercueil : à l'appel lancé par les fils du défunt : «Père, lève-toi !», l'âme-souffle entre dans la tablette. Celle-ci est ensuite portée par le petit-fils, et «animée» par un spécialiste du rituel qui, à l'aide d'un pinceau imbibé d'encre rouge ou de sang de coq, trace des points correspondant aux organes du corps (yeux, oreilles, viscères...). Dès lors, l'ancêtre, présent dans la tablette disposée sur l'autel familial, peut manifester sa puissance spirituelle et protectrice envers ses descendants. Ceux-ci, en échange, lui rendent un culte afin d'assurer son bien-être dans l'au-delà. Il entre dans la « portion divinisée » de la famille. Les tablettes sont objet de culte jusqu'à la cinquième génération. Ensuite, elles rejoignent la «masse ancestrale» indifférenciée des ancêtres dont les tablettes sont contenues dans un coffre de pierre, masse ancestrale qui constitue le réservoir d'âmes-souffles prêtes à se réincarner dans les descendants. Au rite de l'appel de l'âme-souffle du «nouveau-mort» correspond le rite symétrique de l'appel du nouveau-né : l'enfant est nommé à haute voix par son père le trentième jour après sa naissance ; attestant par ses cris la présence d'une âme-souffle dans son corps, il est ainsi intégré à la communauté des vivants, à la « portion humanisée de la famille». Ainsi s'établit une relation de réciprocité entre vivants et morts. D'où l'attention extrême portée aux ancêtres, manifestée notamment au moment de la fête solaire de *Qingming* —

l'une des rares fêtes traditionnelles à être encore célébrée dans la Chine entière.

A la maison, ce sont les femmes qui sont chargées des offrandes bimensuelles de thé et d'encens aux tablettes des ancêtres, tandis que les rituels dans les temples ancestraux sont effectués par les chefs de lignage au moment du solstice d'hiver ou à l'occasion de l'anniversaire de l'ancêtre-fondateur. De plus, les ancêtres sont avertis de tout événement important survenu dans la famille ou dans le lignage. C'est donc en qualité de censeurs autant que de protecteurs qu'ils participent aux banquets communautaires. Ainsi, à chaque célébration se réaffirment les liens entre les ancêtres et leurs descendants : un manquement aux devoirs rituels risquerait d'ailleurs d'attirer le mécontentement et la vengeance des morts maltraités à l'égard de leurs rejetons négligents.

Le réseau des alliances

La famille, forte de sa cohésion interne, constitue tout un réseau d'alliances avec l'extérieur à travers les liens du mariage : qu'une fille quitte la maison pour se marier ou qu'une bru y entre, des relations de prestige et d'obligations mutuelles se mettent en place entre les familles. Du choix judicieux de la future bru (ou du futur gendre) dépend l'établissement d'alliances prometteuses. Le prix que ses parents demandent pour elle — le « prix de la fiancée » — est fonction de la perte subie à son départ : en effet, elle participe dès son mariage au groupe cultuel de son mari. Elle y aura sa place en tant qu'ancêtre. Les échanges de femmes sont liés à des échanges de prestations (cadeaux en nature et en argent lors des fiançailles et du mariage, dot, banquets...), grâce auxquels se tisse un réseau de relations sociales, économiques, voire politiques. Aussi les mariages sont-ils traditionnellement décidés par les parents, avec ou sans l'aide d'une entremetteuse, en fonction des intérêts réciproques des deux parties, et en tenant compte impérativement des horoscopes des futurs époux, qui doivent être en harmonie.

Deux interdits concernant le mariage sont liés au système de parenté : le premier porte sur le mariage à l'intérieur du même groupe cultuel, et donc d'individus portant le même nom de famille. Exception est faite si aucun lien avec un ancêtre commun au-delà de la cinquième génération ne peut être établi. Cette règle suppose donc l'observance d'une stricte exogamie dans le choix du conjoint, et souvent la nécessité d'aller le chercher en dehors du village. Le second interdit porte sur le respect de l'ordre des générations : deux individus appartenant à des générations différentes ne peuvent se marier.

Les frais élevés occasionnés par le mariage conduisent parfois les parents à adopter une petite fille et à l'élever jusqu'à ce qu'elle ait l'âge d'épouser leur fils. Les mariages dits « croisés » (chaque famille échange un garçon et une fille) permettent aussi d'éviter les coûteuses dépenses puisque les prestations sorties d'un côté sont récupérées de l'autre. Par ailleurs, parfois, le mariage avec résidence dans la famille de l'épouse se pratique dans les familles qui n'ont pas de descendant mâle : en ce cas, les enfants du couple constitué par le garçon adopté et la fille de la famille d'adoption porteront le nom de la mère, et la lignée ne s'éteindra pas.

Isabelle Ang

Les femmes, individus en partance

Dans la famille chinoise, patrilinéaire et patrilocale, les femmes sont, dès leur naissance, des individus en partance, et toute leur vie, des étrangères, *wairen*, dans la famille de leur époux. Destinées à être données en mariage à un autre clan, et bien qu'appartenant au clan paternel, elles serviront les ancêtres de la famille alliée, tout en demeurant redevables au clan paternel de certains cadeaux lors des deuils. Ce pourquoi elles ne comptent pas comme « enfants ». La Chine, un pays où l'on ne pense pas l'enfance au féminin.

On a d'ailleurs eu bien souvent recours à l'infanticide pour supprimer ces bouches à nourrir au profit d'un autre clan, dans une situation économique souvent difficile. La limitation actuelle des naissances maintient paradoxalement cette pratique, puisqu'il faut à une lignée, un fils. Certaines petites filles sont en outre données, en adoption à la naissance ou ultérieurement, pour survivre et assurer le culte des ancêtres, soit pour des raisons économiques, et elles seront alors servantes ou futures épouses que la famille élèvera, pour les marier à moindres frais à un jeune fils, situation traumatisante qui ne va pas sans créer révoltes et troubles psychologiques ; soit pour des raisons divinatoires, lorsque l'horoscope de l'enfant est incompatible avec celui d'un membre de la famille.

Devenues femmes, elles sont ainsi reliées à une multiplicité de lieux et ont acquis une image particulière, éclatée, de la famille et des termes de parenté. Souvent, elles choisissent de surcroît un autre lieu privilégié, association bouddhiste où elles ont un père adoptif, société médiumnique où elles jouent un rôle par elles-mêmes. Cette situation se reproduit généralement sur plusieurs générations.

Étrangères, elles sont pourtant garantes de la lignée de leur mari, qui ne leur reconnaîtra réellement le statut d'épouse qu'à la naissance d'un fils. C'est probablement cette contradiction qui provoque la si fré-

BIBLIOGRAPHIE

AHERN E.M., « The Power and Pollution of Chinese Women », *in* WOLF M., WITKE R. (ed.), *Women in Chinese Society*, Stanford University Press, Stanford, 1974.

BERTHIER B., *La-Dame-du-bord-de-l'eau*, Société d'ethnologie, Nanterre, 1988.

GRANET M., *Polygynie sororale, études sociologiques sur la Chine*, PUF, Paris, 1953.

LEVI J., « Renarde, morte et courtisane », *Études mongoles et sibériennes*, n° 15, Nanterre, 1984.

TOPLEY M., « Marriage Resistance in Rural Kwangtung », *in* WOLF M., WITKE R. (ed.), *Women in Chinese Society*, Stanford University Press, 1974.

WOLF M., *Women and Family in Rural Taiwan*, Stanford University Press, Stanford, 1972.

quente cruauté des relations entre belle-mère et bru, entre belles-sœurs entre elles. Ceci se vérifie parfois entre les différentes épouses, puisque la polygamie est encore de mise en certains lieux. Elles ont, certes, un pouvoir vital sur la famille, mais ce pouvoir qu'elles paient fort cher ne leur donne, à elles, que le droit d'exister. La fréquence des suicides féminins donne une idée de cette situation, de même que l'abondante littérature populaire ayant pour thème le refus du mariage et le désir d'entrer en religion. Dans la structure familiale, malgré la part prise au travail, les femmes demeurent mineures, économiquement parlant, dans la structure familiale, et sous influence quant à leur liberté, soumises d'abord à un père, puis à un mari, voire à un fils ou à un autre parent mâle si les deux premiers sont morts. Immobilisées pendant des siècles par la miniaturisation de leurs pieds...

En contrepoint de cette société masculine se créent toutes sortes de sociétés féminines. « Famille utérine » au sein de la lignée, ambivalente et parfois illusoire puisque les enfants appartiennent à leur père, ce qui n'empêche pas néanmoins les femmes d'entretenir généralement avec leurs enfants des relations d'influence qui leur procurent une sorte de contre-pouvoir. Communautés religieuses se donnant parfois une indépendance libératrice. Enfin, on ne peut s'empêcher de s'arrêter un instant sur cette institution, traditionnellement gérée par des femmes, la prostitution. Exploitation par des femmes, à la solde des hommes consommateurs certes, de ce pouvoir féminin, que les mythes et légendes peignent indifféremment sous les traits de démones renardes, de revenantes ou de courtisanes... Peur d'une féminité menaçante qui transparaît jusque dans l'écriture, puisque le mot démon, *yao*, s'écrit avec le symbole de la femme et de la mort subite...

Brigitte Berthier

Le modèle confucéen : obéissance et réussite

Un jour, Confucius laisse échapper ce soupir : « Je voudrais ne plus parler ! » Zilu s'inquiète : « Si vous ne parlez plus, quel enseignement aurons-nous à transmettre ? » Et le maître d'expliquer : « Est-ce que le ciel parle, et pourtant les saisons suivent leurs cours et les êtres sont produits. Pourquoi le ciel parlerait-il ? »

Entre le désintérêt de Confucius (Vᵉ siècle av. J.-C.) pour la transcendance et les élaborations cosmologiques d'un Dong Zhongshu (IIᵉ siècle av. J.-C.), entre le pessimisme d'un Xun zi (IIIᵉ siècle av. J.-C.) et la foi exaltée d'un Mencius (IVᵉ siècle av. J.-C.) dans la bonté de la nature humaine ; entre le rationalisme terre à terre manifesté par les analectes du Maître et la métaphysique imprégnée de bouddhisme d'un Zhu Xi (XIIᵉ siècle) se déploient des orientations et des présupposés communs mis à nu par la réponse du Maître. Le confucianisme a toujours été à la poursuite de ce qu'on pourrait appeler le « gouvernement naturel » et dont l'enseignement sans parole, à l'image des éléments, fournit tout à la fois le vecteur et le paradigme. Pour être exemple, modèle, le geste pédagogique doit se couler dans le patron formel du rite, lequel rend les comportements exemplaires parce qu'il opère la conversion de la norme naturelle en norme sociale. Loin de s'opposer à la nature, de la brider, de la plier dans les élaborations du rationalisme formel dont l'orthodoxie confucéenne est l'héritière, le rite la prolonge, l'extériorise sous sa forme la plus accomplie.

Si la société est fondée en nature parce qu'elle est fondée sur la nature, elle prendra pour modèle les liens consanguins, qui sont par essence des liens naturels, pour les prolonger en relations sociales. Métaphoriquement, mais aussi réellement, la société est la projection de la famille. Toutes les relations de soi aux autres s'expriment sous les espèces des relations familiales, toutes les indications de statut et les appellations de politesse sont empruntées aux termes de parenté. C'est dire que les rapports sociaux ne font que reproduire les rapports qui règnent au sein de cette cellule naturelle du clan. De cette façon, loin de s'opposer, famille et société, relations consanguines et rapports sociaux se renforcent et se

répondent les uns les autres : les relations de père à fils préfigurent les rapports de subordination de supérieur à inférieur. Il y a intériorisation de comportements socialisés dans la pratique des gestes quotidiens et privés. La piété filiale est l'expression d'un sentiment spontané constituant le germe des relations de subordination sociale : le fils est au père ce que le sujet est au prince ; mais la relation de soumission se double d'un rapport de solidarité : le couple prince/sujet est symétrique de celui que forment l'homme et la femme. De la même façon, dans le culte aux ancêtres où se donne à voir le réseau complexe des liens de subordination dans la synchronie, s'exprime aussi la solidarité diachronique de la lignée. Dans les rites de deuil se déploieront, dans les gestes et dans la mise, les relations de proximité et d'éloignement, d'attachement et de plus grande indifférence.

Matrice de toutes les conduites sociales, l'obéissance aux devoirs familiaux primera toujours sur la loyauté au prince ; le respect des obligations civiques passe forcément par la dévotion à l'autorité parentale ; elle constitue le principe, la base naturelle de la vertu d'obéissance : un fils pieux a le devoir de couvrir son père en ne le dénonçant pas, eût-il commis les pires délits ; de même que n'est pas à blâmer qui déserte pour s'occuper de sa vieille mère : un mauvais fils ne saurait faire un bon sujet.

Des rites pour l'édification

Inscrites dans la famille, les relations sociales — essentiellement de subordination et de différenciation de grade — le sont encore dans l'ordre du cosmos, manifesté par le rite, dont la fonction est d'exprimer sous la forme la plus tranchée les différences entre individus : symétrique du rapport père-fils, le rapport des inférieurs et des supérieurs peut s'exprimer par des couples d'opposés cosmiques : ciel et terre, soleil et lune, etc., qui donnent eux aussi un modèle de comportement, enracinant doublement la société dans les instincts et dans la nature. Observation terre à terre de gestes quotidiens, le rite est aussi conformité à la marche des astres et aux révolutions de l'univers. L'esprit du confucianisme s'exprime donc tant dans les rites répétés et familiers des salutations aux parents, des sacrifices aux aïeux que dans les élaborations divinatoires, l'astrologie, l'histoire, dont les événements signalent les linéaments cachés du devenir, la géomancie, le rituel de cour où se manifeste la parenté entre l'empereur et le ciel, les sacrifices royaux, etc., dans la mesure où il se donne pour mission de préserver l'adéquation de la norme sociale au dynamisme naturel.

La forme la plus achevée du gouvernement dans l'imagerie du confucianisme est la pédagogie, une pédagogie s'imposant par des gestes édifiants. La morale confucéenne se diffuse à partir de modèles. Ce sont les stèles commémorant les femmes vertueuses, célébrées moins pour leur chasteté que par l'incitation à la fidélité à l'égard de toutes les valeurs que peut fournir leur exemple de dévouement au sein du couple. Ce sont encore les cérémonies accomplies dans les écoles cantonales. Ces rites d'actions de grâce ne visent nullement à instaurer une communion avec le divin, mais à utiliser l'élan religieux à des fins d'éducation.

Si le confucianisme contribue à la hiérarchisation du corps social, il propose en même temps l'autorégulation du système. Le rite est tout à la fois agent de séparation et d'harmonie. La société chinoise refuse l'*agon*, la compétition, comme contraire à l'image du cosmos où les entités et les êtres sont amalgamés dans une totalité organique, hiérarchisée et solidaire. Ceci n'exclut nullement la volonté d'enrichissement, d'ascension sociale, la recherche éperdue de gains et de profits, bien au contraire. Le confucianisme, parce qu'il pose l'adéquation du social et du cosmique, véhicule une morale pragmatique du résultat : si la société est le calque du cosmos, la réussite sociale est l'expression de la volonté céleste et la sanction d'une conduite vertueuse.

Jean Levi

Les religions populaires à la base de la société

Toute communauté chinoise, village, quartier d'une ville, corporation, association, s'établit à partir de la fondation d'un temple, ou, du moins, d'un brûle-parfum autour duquel se construit le groupe. Dans le cas d'un village, le temple fondateur est, en tout premier lieu, celui du dieu du sol, *she*, dont le nom est d'ailleurs indissociable du terme société, *shehui*, qui signifie précisément « assemblée du dieu du sol ».

Chaque parcelle de terre a son propre dieu du sol. Sur un autre registre, chaque lieu possède une divinité locale, *bendi shen*, personnage du cru, dont la vie et la mort sont souvent liées à l'histoire locale. Il en va de même, dans les villes, du dieu de la cité, *chengshen*, ancienne divinité locale des murs et des fossés, possédant un nom propre, une histoire particulière sur laquelle repose le culte. Les différents quartiers de la ville s'organisent selon le même principe, à raison d'un temple pour un nombre donné de foyers. Les temples sont les centres communautaires. Plusieurs divinités peuvent être révérées dans un même temple, correspondant aux différents sous-groupes de la communauté de culte. Les fidèles brûlent de l'encens et des monnaies d'offrande et cherchent à obtenir des réponses divines à leurs problèmes par divination et consultation de médiums. Les chefs des communautés de culte sont aussi les maîtres du brûle-parfum du temple.

Ces chefs locaux sont investis par un rituel communautaire, *jiao*, accompli par des maîtres taoïstes, et qui sera reproduit selon une périodicité propre à chaque groupe dans le but de renouveler les liens communautaires, de réinvestir les chefs, ou d'en changer. Pour autant, les chefs de la communauté ne sont pas taoïstes eux-mêmes. Ils sont simplement investis liturgiquement pour une tâche laïque, autant que ce mot puisse se justifier dans un tel contexte. C'est au nom de cette investiture que s'administrent les affaires du groupe, relations inter-clans, résolution des conflits, partage des eaux, relations d'entraide, investissements d'argent.

Bien que fondée à partir d'un culte, la société ainsi définie ne se cimente cependant pas autour d'une foi commune, mais à partir de l'idée d'appartenance au groupe et au lieu même. Ces communautés peuvent en outre s'associer entre elles grâce à la pratique dite du « partage de l'encens », qui établit au sein de la société un réseau de communications horizontales, distinct du réseau administratif, vertical, d'État. Par ce mode d'allégeance, qui consiste à prélever rituellement un peu d'encens dans le brûle-parfum mère, et qui rappelle, à bien des égards, le partage entre vassaux de la terre prélevée sur l'autel seigneurial dans la Chine féodale, s'instaure un système d'entraide, de redevances, d'obligations, voire de défense contre d'éventuels groupes extérieurs hostiles.

Relations cultuelles et territoriales

Imperceptibles en temps ordinaires, ces réseaux se manifestent notamment lors des fêtes locales, celles des divinités communautaires et des « saints patrons ». A cette occasion, on se rend au temple mère, quelquefois fort éloigné, afin de renouveler les liens créés par le partage de l'encens. Ces visites sont souvent l'occasion de dons d'argent faits par la communauté affiliée à la communauté mère. Le coût de ces fêtes communautaires est pourvu selon différents principes. Chaque membre de la communauté apporte la même contribution minimale que recueillent les chefs des sous-sections villageoises, et d'autre part, les familles aisées sont autorisées à offrir de plus larges contributions. La participation au rituel, en tant que représentant de la communauté, est déterminée par divination ou rotation. Ces fêtes requièrent en outre la performance d'opéras régionaux devant le temple comme offrande aux dieux. L'opéra, le rituel, les représentations de musiques et danses locales ont été les principaux moyens de transmission de la culture régionale à travers l'histoire. Par ailleurs, le montant des dons faits à cette occasion et le nom des donateurs sont consignés dans les livres de comptes du temple, sortes de livres communautaires, et parfois gravés sur des stèles dressées devant le temple. Ces registres, de même que l'itinéraire des processions et des pèlerinages, donnent une image fidèle de la structure et des lignes de force de la société, en ces chemins qui s'entrecroisent, passant de groupe en groupe selon des hiérarchies et des alliances révélées en cette occasion. Pour chaque temple, au sein de la communauté, les processions tracent la carte des limites de la circonscription spirituelle du dieu. Il n'est pas étonnant que les processions, recréatrices et révélatrices des structures sociales traditionnelles, fondées sur les associations de culte, aient été interdites par le régime communiste. Ces réseaux dessinent une carte, sans dedans ni dehors, qui englobe aussi bien ce que l'on nomme le « pays », que les communautés émigrées vers d'autres régions de la Chine, ou vers l'Asie du Sud-Est, Taïwan, ou même les États-Unis, emportant avec elles un

Les registres du temps

La Chine traditionnelle, aujourd'hui encore, fonctionne simultanément sur deux registres temporels, deux types de calendriers. Le calendrier solaire partage l'année en douze mois sur lesquels se répartissent les fêtes relatives aux solstices et aux équinoxes. Le calendrier lunaire partage l'année en vingt-quatre périodes de quinze jours, sur lesquelles se répartissent les fêtes communautaires, au rythme de deux fêtes par mois, le premier et le quinzième jours où l'on rend culte aux ancêtres et aux âmes errantes. C'est le cas, plus particulièrement, le 15 du septième mois, alors que s'ouvrent les portes des enfers. De grands banquets du salut sont alors offerts à tous ces « petits frères » déshérités, afin de soulager leurs peines, de détourner des humains leur désir de vengeance et de les aider à se réincarner. Les portes des temples demeurent fermées. C'est une période de l'année que les villageois ressentent comme particulièrement dangereuse ; ils sont entourés par les fantômes des défunts et la proie des forces naturelles démoniaques. C'est aussi l'occasion d'échanges et de convivialité entre amis et voisins, par le biais de fêtes gigantesques et de distributions d'offrandes sacrées. A partir de ces deux systèmes, s'établit tout un feuilletage du temps à différents niveaux signifiants. Le temps s'évalue également grâce au système de comput sexagésimal, qui combine douze signes cycliques terrestres à dix signes cycliques célestes. Il faut soixante années pour que l'ensemble combinatoire ait été totalement parcouru. Chaque instant, jour, mois, année, est marqué d'un signe céleste et d'un signe terrestre les qualifiant par rapport au cosmos, aux orients, aux éléments, au corps humain, en une sorte de tissage qui quadrille l'univers dans toutes ses dimensions. Les almanachs populaires donnent de précieux renseignements sur la valeur des jours et des événements survenant sur ces différents registres temporels. D'autres éléments viennent encore se greffer sur ces rythmes déjà complexes. Fête des dates redoublées : 5 du cinquième mois, 7 du septième mois, etc. Fêtes votives des divinités des différents panthéons, et, par conséquent, des communautés locales et du renouvellement des liens entre les humains.

Brigitte Berthier

peu d'encens de la terre natale. Elles peuvent aussi, à partir de leur propre brûle-parfum, commencer d'établir de nouveaux réseaux d'affiliation sur le lieu de leur émigration, créant ainsi des relations privilégiées, inexplicables dans les *Chinatown* actuelles du monde entier, si l'on ne tient pas compte de ce système.

Les légendes locales et les mythes racontant l'histoire des divinités et de leurs relations, donnent, entre autres, une image vivante des communautés qui leur rendent un culte, et de l'organisation du territoire. Tel récit mythique peut apparaître comme une sorte de parcours, de pèlerinage entre les communautés de culte. De même, telles divinités mariées en un lieu peuvent être ennemies ailleurs, à l'image de leurs fidèles. L'emplacement des temples est d'ailleurs souvent celui des tombeaux des démons vaincus...

Le panthéon populaire

Le panthéon populaire, c'est-à-dire celui des cultes communautaires, émane de deux sources différentes. Une grande partie des divinités prend son origine dans l'élaboration de l'accidentel humain. Les dieux y sont des « malmorts », c'est-à-dire morts sans avoir épuisé le lot de vie qui leur était dévolu, pour cause d'accident, suicide, assassinat. Cet accroc survenu dans leur destin ne leur permet pas le repos accordé aux autres défunts. Inassouvies, leurs âmes continuent d'errer sur terre, en quête de vengeance. Certaines d'entre elles, pourtant animées d'une énergie vitale hors du commun, se manifestent d'abord en tant que démons qu'il faut apaiser, puis, petit à petit, exigent d'être révérées. Or, c'est précisément la transformation de leur force sauvage, par le moyen du culte rendu, qui fait de ces démons des divinités. Telle est l'histoire de tous les dieux de ce registre, des plus connus — Guan gong fut un preux tué par traîtrise, puis un démon serpent hantant les montagnes, avant de devenir divinité martiale, dieu des lettrés et des commerçants, présent dans toutes les boutiques et restaurants chinois — aux plus humbles divinités locales.

Ce panthéon populaire se fédère au panthéon taoïste, émanant d'une réflexion cosmologique et composé de souffles originels, de la même façon que la liturgie taoïste investit les chefs des communautés locales. En effet, les maîtres taoïstes, qui ont originellement rejeté maints cultes populaires en raison des sacrifices sanglants qu'ils impliquaient, ont néanmoins trouvé moyen d'absorber certains des dieux de ces cultes populaires dans leur panthéon, en les identifiant à des divinités taoïstes, en composant pour eux des écrits canoniques en chinois classique, restructurant leur culte selon la liturgie taoïste et acceptant les représentations, parfois rendues contradictoires, de ces dieux, par les différents groupes de la communauté.

Selon un processus de divinisation identique à celui des âmes humaines, les forces naturelles telles que le tonnerre, la foudre, l'eau, le vent, mais aussi les vieux arbres, les pierres foudroyées, etc. peuvent accéder au rang de divinités. C'est dire que ce panthéon est en perpétuelle création et que ses changements donnent une image vivante de la société et du langage des communautés sur elles-mêmes...

Les officiants de ces cultes se nomment « maîtres de la méthode magique », *fashi*. Ils ne forment pas une Église, bien qu'ils se rattachent à une tradition globalement uniforme, mais plutôt localement, des sectes et des lignées, comme par exemple celle des Maîtres têtes rouges du Lüshan, au Fujian. Pourtant, ils participent aussi du chamanisme. Ils sont investis par le groupe qui requiert leurs services,

et dont ils gèrent les rythmes de vie et de mort par des rituels comportant une part d'improvisation, une part de transe et de voyage vers les régions célestes et infernales, afin de sauver les âmes égarées des morts et des vivants. Ils savent aussi guérir et exorciser, ce qui revient souvent au même dans ce contexte où maladie et folie sont considérées le plus souvent comme les effets pernicieux d'esprits et de démons.

Divination et destin

La divination joue ici un rôle fort important, notamment l'examen des signes cycliques qui forment les « huit caractères » de l'horoscope du patient, véritable carte d'identité du destin. Les *fashi* sont associés aux événements cycliques, tant individuels — rites de passage, naissance, relevailles, mort — que communautaires — fêtes annuelles, fêtes votives, pèlerinages, qu'ils accompagnent avec la milice du groupe, jeunes gens formés aux arts martiaux, à la transe, et qui portent le palanquin de la divinité en voyage. Enfin, ils veillent à l'harmonie de la vie communautaire et sont susceptibles d'intervenir lors de déséquilibres naturels ou sociaux. C'est dire que leur activité rituelle se situe tant dans les temples que chez eux ou chez leurs patients. Chaque maître possède un « trésor magique », *fabao*, au nom duquel il peut officier. Il s'agit du registre des esprits et divinités qui lui sont soumis et qu'il délègue lors de ses interventions rituelles. Ce *fabao* lui est remis lors de son initiation, après une période d'apprentissage auprès d'un autre maître, parfois, mais pas nécessairement, un parent.

Agissant avec le maître ou seuls, les médiums sont un autre type d'officiants de ces cultes. Ils n'agissent qu'en transe, possédés par la divinité qu'ils nomment, dans certains contextes, leur corps originel, *benshen*, laquelle agit sur le mode chamanique. C'est pourquoi on les nomme *wu*, chamanes, ou bien encore, plus justement, « enfants des dieux », ou de « divination ». Malgré leur rôle spécifique, *fashi* et médiums vivent une vie identique à celle des autres membres du groupe, comme eux mariés et travaillant. Dans nombre de communautés, tous les jeunes hommes sont soumis à l'apprentissage des danses et chants médiumniques, et des techniques de la transe. Les plus doués reçoivent alors un enseignement plus élaboré. Les femmes et certains hommes apprennent les techniques de transe et de contact avec les âmes des morts, de manière individuelle, souvent auprès d'une autre femme médium.

Contrairement aux maîtres taoïstes qui ne font d'autre sacrifice que celui des écritures — « écrits réels », origine de toute chose créée, ou écrits liturgiques, brûlés pour être transmis à leur destinataire divin — médiums et *fashi* font couler le sang d'animaux de sacrifice et payent, aussi, de leur propre corps. Le rite d'initiation des *fashi* comporte des séquences telles que l'ascension de l'échelle de sabres ou le passage pieds nus sur un lit de braises arden-tes. L'absence de blessure indique l'assentiment divin. Lors des fêtes communautaires ou des pèlerinages, les médiums en transe se blessent au moyen d'instruments tels que « l'épée de la Grande-Ourse », la hache, ou la « mandarine céleste », redoutable boule de clous dont ils se frappent le front et le dos. Ces blessures sont subies pour le bien de la communauté. Les fidèles recueillent le sang versé sur du papier de riz qui prend valeur de talisman. On expulse ainsi toute influence néfaste tout en acquérant du mérite. D'ailleurs, à certaines occasions, de petits groupes de fidèles, en transe eux-mêmes, se livrent à des confessions rituelles publiques. En outre, le médium délivre un oracle divin à la communauté rassemblée. L'explosion d'une débauche de pétards, la fumée de l'encens et des monnaies d'offrande brûlées, le son tonitruant des gongs et des tambours, rendent manifeste l'action rituelle en cours.

Brigitte Berthier
*(avec la collaboration de Ken Dean
pour les cultes territoriaux)*

Le renouveau du taoïsme

C'est à juste titre que le taoïsme revendique le statut de religion autochtone de la Chine. Issu des cultes des mystères de la Chine antique, on trouve des traces de son organisation liturgique dès le second siècle avant notre ère. Sous les Han (206 av. J.-C.-220 ap. J.-C.), cette organisation liturgique se développe en marge de l'État et souvent en opposition à lui. Sous le système totalitaire d'obédience confucianiste instauré par l'empereur Wu des Han (141-87 av. J.-C.), le taoïsme représente les structures non officielles, le « pays réel » ; rôle qu'il ne cessera dès lors d'assumer.

L'importance du taoïsme au sein de la société et de la civilisation chinoises ne transparaît guère dans les annales dynastiques, ni dans les écrits des lettrés. Son rôle prépondérant dans les structures locales et même à tous les niveaux de l'État est pourtant clairement attesté par deux faits irrécusables : l'omniprésence des cultes et des temples et l'existence d'une très riche littérature partiellement conservée dans le *Canon* taoïste de 1445, la seule patrologie qui nous soit parvenue.

L'histoire du taoïsme se confond avec celle de la civilisation chinoise dans son ensemble ; c'est dire que le déclin de celle-ci depuis la fin des Ming, accéléré par les interventions étrangères, surtout par la Guerre de l'opium et par l'introduction massive de la science, de la technologie et des idéologies occidentales signifie également la décadence du système taoïste. Aujourd'hui, après plus d'un siècle et demi d'iconoclasme et de destructions, le taoïsme est peu visible pour l'observateur extérieur. Les temples, pour la plupart, ont été détruits, seuls subsistent en quelques sites fameux de rares sanctuaires prestigieux, presque tous réduits à l'état de musée. Le *Canon* des écritures conservé dans certaines bibliothèques universitaires reste tout à fait inaccessible au commun de la population et donc aux maîtres taoïstes, les *daoshi*. Ceux-ci ont vu leurs propres bibliothèques, traditionnellement manuscrites, presque entièrement détruites durant la « révolution culturelle ». Quant à la grande liturgie taoïste, pivot autour duquel s'organisait la vie locale et régionale, elle a été combattue depuis près d'un siècle, puis totalement interdite depuis 1940. A première vue, il reste donc très peu de cette grande religion de la Chine ; et pourtant, contre toute attente, elle demeure vivante. Dans bien des régions, les temples villageois sont reconstruits, les pèlerinages reprennent, les rites, surtout funéraires, réapparaissent.

Une religion demeurée vivante

Fondée en 1954, mais presque aussitôt mise en sommeil avant de connaître une impulsion nouvelle en 1981, l'Association nationale du taoïsme : Zhongguo daojiao xiehui, se développe rapidement. Elle a son centre à Pékin, au Temple des nuages blancs (Baiyun guan), et compte de nombreuses branches dans les capitales provinciales. Son accroissement rapide se trouve toutefois freiné par deux facteurs : la forte résistance des cadres locaux (certaines provinces comme le Hunan n'ont pas encore admis l'existence de l'association) et la méfiance, voire l'hostilité passive, des maîtres taoïstes héréditaires qui ne voient dans l'Association nationale qu'une remise en cause de leur indépendance. Parmi les nombreuses lignées de maîtres, deux seule-

ment subsistent officiellement : le Zhengyi, école « Une et orthodoxe » et le Quanzhen, école de la « Totale réalité ». La première représente la Voie des Maîtres célestes, mouvement du taoïsme communautaire né au IIᵉ siècle de notre ère dans la province du Sichuan. La seconde est née au XIIᵉ siècle au Shandong. Elle a adopté une organisation monastique, à l'imitation du bouddhisme. Cette particularité lui a conféré une importance politique et culturelle considérable, en dépit de sa position très minoritaire au sein du taoïsme représenté essentiellement par des maîtres mariés, vivant dans le peuple et dont l'office est héréditaire. Aujourd'hui, les deux lignées cohabitent officiellement là où le taoïsme est autorisé, au sein du Baiyun guan à Pékin, le temple central du Quanzhen, ainsi qu'au Qingcheng shan, montagne sacrée du Sichuan.

Les taoïstes, soit en tant qu'association officielle, soit dans leur majorité non reconnue par l'État, vivent essentiellement de leur activité rituelle. La grande tradition liturgique du taoïsme accompagne tous les événements de la vie des individus : naissance, adolescence, mariage, décès, comme de celle des communautés : fondation, aménagement du territoire, consécration des bâtiments, cultes communautaires, organisation des milices populaires, coopération entre villages, etc. Le rituel, très mal connu, est cependant renommé pour sa beauté, ses fastes et la qualité de sa musique.

La liturgie taoïste comporte deux parties distinctes : le jeûne (*zhai*) et le sacrifice (*jiao*), qui la situent dans la filiation directe des sacrifices de la Chine ancienne. Le jeûne est la période de purification qui seule permet la commensalité du sacrifice : banquet partagé avec les dieux. Toutefois, tandis que la Chine antique pratiquait le sacrifice sanglant, le taoïsme le prohibe ; il conserve l'oblation d'objets précieux tels que le jade et la soie. Dans le taoïsme, l'acte essentiel du sacrifice jiao est la présentation au ciel de mémoires et de suppliques.

Historiquement, le rituel taoïste est donc l'héritier des rites de la Chi-

Le Canon taoïste

Dans sa dernière recension du début des Ming (1445), le Canon taoïste compte 1 500 ouvrages d'une extrême diversité de taille et de contenu : textes philosophiques, traités médicaux et techniques, recueils biographiques, historiques, monographies de lieux saints et, surtout, vastes encyclopédies liturgiques ; les ouvrages liturgiques constituant en volume plus de la moitié de l'ensemble du corpus.

C'est au Ve siècle, et sous l'influence du bouddhisme, que les taoïstes envisagèrent pour la première fois d'établir un « canon » de leurs écritures saintes. Chose curieuse, ils ne sélectionnèrent pas les textes anciens du taoïsme, mais des versions modernisées de textes plus anciens. Leur publication devait faire pièce à la concurrence des immenses entreprises bibliographiques de traduction des sutras bouddhiques.

*Le grand liturgiste Lu Xiujing (406-477) est à l'origine du classement des textes taoïstes en trois parties : trois grottes correspondant à trois révélations. La première grotte, celle de la Grande pureté (*Shangqing*) regroupe les textes révélés de 364 à 375 à un médium de la région de Nankin. Ces textes rédigés dans un style lyrique et une calligraphie inspirée connurent un immense rayonnement, littéraire et artistique autant que religieux. La deuxième grotte réunit la nouvelle liturgie du Joyau sacré (*Lingbao*), tandis que la dernière organise les écrits des Trois Augustes (*San-huang*), nouvelle adaptation d'une tradition rituelle ancienne, essentiellement prophylactique, de Chine du Sud. Au VIIe siècle, quatre catégories supplémentaires : les Quatre auxiliaires (*sifu*), furent ajoutées aux Trois grottes. Le système en sept divisions, traduisant surtout les stades progressifs dans l'initiation et la transmission des écritures aux adeptes taoïstes, s'est perpétué au travers des nombreuses compilations du Canon taoïste, alors que l'augmentation très importante du volume des écritures rendait cette classification de moins en moins pertinente.*

Caroline Gyss-Vermande

ne antique. Bien des traditions attestées par les découvertes archéologiques continuent à faire partie de la pratique du taoïsme aujourd'hui ; c'est dire l'intérêt que présente l'étude du taoïsme dans les recherches sur la société et sur l'art de la Chine. Quant à la très importante contribution du taoïsme à l'histoire des sciences chinoises, celle-ci est maintenant reconnue grâce aux travaux de Joseph Needham qui ont rencontré un très large écho en Chine même.

C'est surtout dans ce dernier domaine que la présence du taoïsme est la plus manifeste dans la Chine d'aujourd'hui. Les ouvrages relatifs à l'histoire de la médecine, les écrits alchimiques ainsi que les textes philosophiques du taoïsme sont réédités et très largement diffusés. Le *qigong* : « travail du souffle » (les exercices respiratoires du taoïsme) connaît une vogue immense dans l'ensemble de la population, des cadres du Parti jusqu'aux boxeurs des milices paysannes non officielles ; un engouement reflété dans le monde scientifique par la création d'un centre d'études du *qigong* au sein de l'Institut de médecine traditionnelle de l'Académie des sciences. C'est aussi dans ce domaine que les publications sont les plus nombreuses : plusieurs périodiques sont consacrés au *qigong* et publient également des textes extraits du *Canon* taoïste, accompagnés parfois d'une petite étude.

Des multiples formes que revêt le

renouveau du taoïsme dans la société chinoise, retenons l'essor de son association nationale et ses programmes de formation de jeunes *daoshi*; la renaissance de la liturgie dans les campagnes; la vogue du *qigong* et, suprême reconnaissance, la création de plusieurs instituts de recherche sur les religions au sein de l'Académie des sciences sociales et dans diverses universités, instituts au sein desquels l'étude du taoïsme occupe une place importante. Sauf intervention politique de répression, ce phénomène considérable devrait connaître encore de grands développements.

Caroline Gyss-Vermande

Le corps, un monde en miniature; l'univers, un monde clos

Le corps est un microcosme organisé selon les mêmes lois que celles du macrocosme, et en correspondance permanente avec ce dernier, comme s'il n'y avait ni intérieur ni extérieur, comme si le corps et l'univers n'étaient qu'un. Cette correspondance fut poussée au point d'assimiler le corps à un paysage intérieur : « L'homme, lit-on dans un texte, a 360 articulations qui correspondent aux 360 degrés célestes. Son corps avec ses os et ses chairs correspond à l'épaisseur de la terre. En haut, les oreilles et les yeux correspondent au soleil et à la lune. Le corps a des orifices et des veines à l'image des vallées et des rivières. Il connaît le chagrin, le plaisir, la joie, la colère, qui sont les souffles et les esprits vitaux. La tête se dresse sur le haut du corps, ronde à l'image du ciel. La chevelure est semblable aux étoiles et aux constellations... L'esprit pense en résonance avec les degrés célestes ; la conduite de l'homme se modèle sur les correspondances avec le ciel et la terre : tout cela se trouve en l'homme, que ce soit invisible ou manifeste. La concordance s'établit dès qu'il y a résonance avec le ciel et la terre. Une correspondance numérique existe pour tout ce qui peut être dénombré ; pour ce qui ne peut l'être, la corrélation s'appuie sur l'espèce afin d'établir les identités et les corrélations avec le ciel et la terre, car le ciel et l'homme sont Un... » Ainsi l'observation du monde cosmologique visible induit la connaissance de l'invisible, notamment de l'intérieur du corps.

Le chaos primordial, nommé *hun-tun*, mythe de l'origine du monde auquel font souvent référence *Zhuangzi* et d'autres textes taoïstes, est une matrice contenant en son sein l'univers. A l'origine, cette boule chaotique, faite d'un souffle unique et mêlé, se mit en mouvement ; le souffle se scinda en deux : le pur et le léger s'éleva, donnant le *yang* et la luminosité du ciel ; l'impur et le lourd descendit, formant le *yin* et l'opacité de la terre. Si quelques esprits audacieux ont pensé que le monde était ouvert et infini, l'image qui s'est imposée est celle d'un monde ayant la forme d'un œuf, le ciel étant le blanc et la terre le jaune.

De même, le corps humain est-il la plupart du temps représenté sans les membres sous la forme d'un ovale. Il possède certes des ouvertures sur l'extérieur : les sept orifices de la face et les deux orifices inférieurs, les pores de la peau et les

─────────── BIBLIOGRAPHIE ───────────

SCHIPPER K., *Le Corps taoïste*, Fayard, Paris, 1982.
HENDERSON J.-B., *The Development and Decline of Chinese Cosmology*, Columbia University Press, New York, 1984.

Le corps humain :
méridiens et points d'acupuncture

Le corps humain est divisé en secteurs par douze lignes appelées méridiens, en corrélation avec les organes internes du corps, et correspondant à six modalités différentes du yin et du yang. De ces lignes partent des ramifications, de sorte que l'ensemble forme un réseau de relations, dans lequel le souffle nourricier circule, de manière à nourrir toutes les parties du corps. Le souffle parcourt ces douze méridiens pendant les douze périodes de deux heures d'un jour. Ces méridiens sont l'expression de la corrélation entre des parties du corps délimitées par ces lignes, des régions de la voûte céleste, de la terre, et le cycle du temps.

Les points d'acupuncture, appelés à l'origine « cavités du souffle », sont considérés comme des lieux de concentration, des lieux d'entrée et de sortie des souffles. Ils se répartissent sur le corps, telles les étoiles sur la voûte céleste, et certains points portent le nom d'étoiles. Selon le Suwen, *les points sont au nombre de 365, car ils sont en résonance avec les 365 degrés d'une année.*

Catherine Despeux

points d'acupuncture. Mais celles-ci sont des lieux de communication et d'échange avec l'extérieur, et ne doivent aucunement devenir des portes d'entrée des souffles maléfiques ou encore des portes de sortie de la vitalité ou des souffles du corps. Tel l'athanor des alchimistes, le corps doit rester un monde clos, dont les divers éléments, reliés entre eux par le souffle unique, se transforment de l'intérieur.

Le yin et le yang

Le *qi*, terme que l'on traduit généralement par souffle ou énergie, est l'air que nous respirons, mais aussi ce qui établit la communication, ce qui pénètre partout, établit le lien d'une part entre les différents éléments du corps humain, d'autre part entre celui-ci et l'univers. A la fois unique et multiple, le souffle se présente sous des formes diverses. Il est le *yin* et le *yang*, traduisant l'alternance en un cycle ininterrompu du jour et de la nuit, du froid et du chaud, du masculin et du féminin. Chaque individu a dans son corps des souffles *yin* et *yang*, mais l'on observe une prédominance de *yang* chez l'homme, de *yin* chez la femme.

Le souffle se présente encore sous la forme de cinq phases : le bois, le feu, la terre, le métal et l'eau. Celles-ci sont mises en corrélation avec les quatre saisons plus une époque intermédiaire entre l'été et l'automne, avec les cinq viscères (foie, cœur, rate, poumon, reins), et avec divers constituants du corps et de l'univers. Ils s'engendrent mutuellement par transformation en un cycle ininterrompu ; ils peuvent également entretenir des relations de domination, d'empiètement ou de calomnie.

Le même terme désigne en chinois l'acte de soigner et celui de gouverner (*zhi*), car dans les deux cas, il s'agit d'établir l'harmonie selon un ordre hiérarchisé et quasi rituel des divers éléments constituant le microcosme comme le macrocosme. L'univers comme le corps sont en effet peuplés de souffles, véritables entités spirituelles appelées esprits vitaux (*shen*), ayant chacun une fonction bien définie selon une hiérarchie déterminée. Les différentes régions du corps, les principaux organes, les articulations, les pores de la peau sont le siège de ces esprits vitaux. Les systèmes de représentation des divinités à l'intérieur du corps, principalement développés dans le contexte taoïste, ont varié selon les époques. Ainsi, l'image de l'ordre étatique a-t-elle été appliquée au corps et aux mondes divins du ciel et de la terre.

Catherine Despeux

La vraie nature du pouvoir impérial

Les réticences inconscientes d'un Montesquieu à classer la Chine parmi les régimes despotiques tenaient sans doute à la nature particulière de la figure impériale et aux rapports que le pouvoir central entretenait avec les lettrés, en qui il trouvait tout à la fois un appui et un garde-fou.

La conception du pouvoir impérial qui s'est forgée à l'avènement de la dynastie des Han (IIᵉ siècle av. J.-C.) et s'est conservée intacte durant vingt et un siècles, est née de la fusion de deux courants politiques, le légisme et le confucianisme. Le premier définissait les conditions pratiques de l'exercice de l'autorité, le second lui conférait une justification morale en en tempérant les aspects les plus rigoureux.

Expression du *Tao*, du Principe cosmique, qu'il convertit en norme sociale, le souverain est l'intermédiaire entre le ciel et l'homme ; dépourvu de passions, d'opinion, il règle tout sans jamais agir, grâce à un corps de fonctionnaires chargés d'appliquer une loi aussi impartiale et inexorable que le cours des saisons, depuis le palais jusque dans les provinces les plus reculées. Son rôle se bornera donc à s'entourer de collaborateurs compétents, promus selon leurs mérites et non selon leur naissance. Tandis qu'à la bureaucratie échoit la tâche effective d'administrer la société et de la policer, en sorte que par la moralisation générale des coutumes et des mœurs chacun se conforme aux édits et aux règlements sans qu'il soit besoin de recourir aux instruments répressifs, la déférence de l'empereur envers les sages, qu'il prend pour maîtres, et l'accomplissement d'un cérémonial à vocation éducative, où la vertu est honorée et les activités productives exaltées, le posent en modèle de comportement à tous ses sujets.

Dès lors qu'il bannit toute inclination personnelle, l'empereur doit s'en remettre à un système de recrutement du personnel administratif fondé sur des critères objectifs et impartiaux. Celui-ci trouve son point de plus haut accomplissement dans les examens impériaux institués sous la dynastie des Tang (VIIᵉ-Xᵉ siècles). L'idéologie de l'État empruntant la plupart de ses valeurs au confucianisme, le civil a le pas sur le militaire ; les disciplines littéraires et l'étude des canons classiques sont favorisées au détriment des sciences, des techniques et des savoirs spécialisés. C'est ainsi que se constitue une classe lettrée, principal réservoir de cadres administratifs, qui entretient des rapports à la fois complices et conflictuels avec l'autorité centrale.

Le « fils du ciel »

L'empereur se trouve coupé, séparé du commun des mortels par son élévation même. N'est-il pas, au propre comme au figuré, le *fils du ciel*, incarnation humaine d'une portion du ciel manifestant un moment particulier du cycle historique en même temps qu'il est le produit d'un accouplement miraculeux entre une mortelle et une divinité céleste ? Lui seul, comme l'y autorise son appellation, peut sacrifier au ciel, et ce sacrifice (*jiao*) le qualifie en retour comme fils du ciel, car on ne doit, selon les règles canoniques de la religion officielle, sacrifier qu'aux dieux de son espèce — c'est-à-dire aux mânes de ses parents. Il vit reclus dans son palais, confiné derrière de hauts murs qui le dérobent à la vue de ses sujets, afin de se rendre invisible, impénétrable comme le principe suprême qui, sans forme, inconnaissable, façonne et plie l'univers à sa guise. Sa solitude et son isolement en feraient le jouet des ministres et des fonctionnaires qui ont la haute main sur

VIVEZ VOS R

Alcohol & Drug
Dependency
Commission of
Newfoundland
& Labrador

LA COMMISSION DE L'ALCOOLISME ET
DE LA PHARMACODÉPENDANCE
DU NOUVEAU-BRUNSWICK

ADDICTION SERVICES
PRINCE EDWARD ISLAND

tous les rouages de l'administration centrale et provinciale, s'il ne disposait d'un organisme placé sous son autorité directe et échappant totalement à la machine administrative régulière, afin de surveiller et de contenir les ambitions et l'influence des plus hauts dignitaires de l'État. Ce rôle de conseillers privés et de police politique devait revenir naturellement aux eunuques (les seuls à se trouver en permanence au contact d'un souverain que sa stature quasi divine coupait du reste des mortels) et aux parents des épouses impériales, qui ne manquaient pas de se faire recommander et introduire auprès du souverain par la favorite du moment. En sorte que, bien qu'ils soient les deux pièces d'un seul et même dispositif visant à convertir, puis à diffuser dans la société l'ordre inexorable du cosmos, l'empereur et son administration se trouvent bien souvent, dans la réalité, en vertu même du système qui pose leur complémentarité, dressés en deux groupes antagonistes : d'un côté, l'administration centrale et ses hypostases provinciales, de l'autre le souverain, ses eunuques, ses femmes et leurs parents.

Les lettrés, idéologues du pouvoir

Mais si les lettrés, qui constituèrent à certaines époques une force politique considérable (sous la dynastie des Song, aux XIᵉ-XIIIᵉ siècles par exemple) et en vinrent même à s'organiser en parti d'opposition, voire de résistance (le mouvement du Donglin sous les Mandchous, au XVIIᵉ siècle), se sont heurtés au palais, ce ne fut jamais pour remettre en cause la légitimité impériale, mais bien au contraire pour sauver le souverain de lui-même ou de ses mauvais démons. Et, plus d'une fois, l'empereur s'appuya sur les lettrés pour renverser le pouvoir envahissant des eunuques ou servir de contrepoids à ses familiers.

La connivence de la classe lettrée avec le gouvernement auquel elle fournit les bataillons de ses agents, les liens entre l'idéologie des clercs — le confucianisme — et le régime impérial, la solidarité entre le pouvoir central et l'administration provinciale (chaque préfet étant investi de toute l'autorité législative, administrative et religieuse du souverain) explique que l'élite cultivée ne se soit jamais réellement démarquée d'un État dont elle s'est toujours sentie non seulement solidaire mais partie intégrante ; jamais les lettrés n'entreprirent la critique radicale de ses fondements, ni ne se livrèrent à la réfutation de ses présupposés. La réflexion sur le pouvoir d'un Tang Tchen (1630-1701) est significative à cet égard de l'impossibilité de toute la classe cultivée, même chez ses représentants les plus originaux et à une époque de remise en question de la pratique étatique, d'interpréter les maux dont souffre la Chine (corruption, divorce entre le pouvoir et la société, etc.) autrement que comme des accidents, des phénomènes pathologiques extérieurs à la machine, alors qu'au contraire ils sont nécessaires au fonctionnement du système, qu'ils en sont l'essence même. La dénonciation des tares et des vices des empereurs, qui coûta la vie à plus d'un courageux censeur, fut toujours une marque, une manifestation de fidélité au dogme impérial ; la remontrance, dans l'imagerie édifiante du confucianisme, fait non seulement partie des droits de tout serviteur de l'État, mais c'est un de ses devoirs les plus sacrés — de même que fait partie du métier de « Maître des hommes » de prêter l'oreille à la critique. Même lorsque dans les temps de troubles et de décadence, sous le règne d'un souverain cruel et incapable, ils se retirent des affaires, pour se consacrer aux seules occupations domestiques, les lettrés gardent des arrière-pensées politiques : tout en marquant leur désaveu et leur réprobation, ils se mettent en réserve de l'empire, attendant le retour au calme et la venue d'un monarque avisé qui saura les distinguer et bénéficier de leurs sages conseils. Vi-

---
BIBLIOGRAPHIE

BALAZS E., *La Bureaucratie céleste*, Gallimard, Paris, 1968.

FAIRBANK J. (ed.), *Chinese Thought and Institutions*, The University of Chicago Press, Chicago, 1957.

GERNET J., « Comment se présente en Chine le concept d'empire ? » *in* DUVERGER M., *Le Concept d'Empire*, PUF, Paris, 1981.

vant souvent au milieu du peuple, connaissant la misère, le froid, la faim, obligés même parfois de travailler de leurs mains, les lettrés ne s'intégreront jamais aux autres couches de la société, dont ils partagent cependant les conditions d'existence, parce qu'ils sont considérés et se considèrent eux-mêmes comme les représentants du pouvoir ; sinon ses agents d'exécution, du moins les propagateurs de son idéologie.

Ce n'est peut-être que dans la période de troubles qui succéda à la chute de l'empire des Han, à la fin du IIe siècle de notre ère, que les fondements de la légitimité impériale furent ébranlés au point que l'on puisse trouver trace d'un réel divorce entre l'administration impériale et une partie de l'intelligentsia. Il est significatif que ce même laps de temps vit la naissance du bouddhisme et du taoïsme religieux — les deux seules structures qui aient pu se dresser en rivales de l'ordre impérial.

Jean Levi

Le bouddhisme chinois, une synthèse complexe

En Chine, après 1 900 ans de présence et des siècles de persécution, le bouddhisme n'est toujours pas mort. Mais, dix ans après la fin de la « révolution culturelle » (1966-1976), qui détruisit ou ferma tous les monastères, ceux-ci n'étaient pas encore redevenus les banques, entrepôts commerciaux, centres de développement agricoles et industriels monopolisant les activités de prêt qu'ils furent pendant des siècles, protégés qu'ils étaient par leur statut d'exemptés d'impôts. Les activités économiques du bouddhisme reflètent sa logique interne, fondée sur l'acquisition de mérites. Le gouvernement autorise à nouveau l'exercice de la liturgie. Celle-ci est également moyen de production : accomplie par des moines, pour le compte de patrons laïcs, elle assura jadis le succès du bouddhisme en Chine grâce à sa méthode tout à fait particulière de transformation des biens matériels en félicité spirituel-

le. Aujourd'hui, le mécanisme d'acquisition de mérites et de production de richesses, par le biais de donations et de bonnes œuvres gérées par des moines existe encore et ne demande qu'à fonctionner.

Dans le domaine spirituel, des siècles après l'introduction des deux concepts fondamentaux de l'illusion inhérente à tout phénomène et de la libération du cycle des morts et des réincarnations (*samsara*), le bouddhisme subsiste grâce à ses rituels funéraires et commémoratifs. C'est la religion chinoise de la mort par excellence.

Pendant mille ans (Ier-XIe siècle), un courant ininterrompu de contacts commerciaux apporta en Chine, depuis l'Inde et les oasis de l'Asie centrale, les écrits, rituels et institutions bouddhiques. Cet afflux d'idées et de pans entiers de culture indo-européens influença définitivement la représentation que les Chinois se font des lois qui

L'introduction du bouddhisme

Lors de l'introduction du bouddhisme en Chine vers le Ier siècle, certains concepts semblaient familiers aux Chinois, tandis que d'autres les déroutaient. L'une des idées les plus neuves était certainement celle des renaissances dans ce monde du devenir (samsara), dont un corollaire implicite était une dichotomie entre un « esprit » (shen) et un corps périssable. Du IIIe au Ve siècle, plusieurs traités débattirent de l'immortalité de l'esprit. De même, l'aspect illusoire de l'expérience humaine était difficile à accepter pour les esprits pragmatiques d'un peuple soucieux de cultiver son être et de prendre soin de son corps.

La conception du karma, c'est-à-dire de l'action présente des actes passés, mettait en valeur l'importance de conduites éthiques, comme l'accumulation des mérites par des pratiques dévotionnelles, le don (y compris celui du corps), les offrandes, la copie de textes sacrés afin d'apaiser les maux de cette existence et d'éviter une renaissance dans les mondes infernaux.

D'autres conceptions bouddhiques évoquaient certaines notions taoïstes, bien qu'elles en diffèrent bien souvent. Ainsi, l'inconcevabilité de la réalité absolue, la vacuité de toutes choses rappelaient l'ineffabilité et le vide du tao, de même l'idée d'absence de désir, bien qu'elle impliquât dans le bouddhisme la renonciation aux plaisirs de ce monde, était aussi un thème familier aux taoïstes. L'impermanence évoquait quant à elle les mutations du Yijing. Ces similitudes favorisèrent la naissance d'écoles typiquement chinoises du bouddhisme, interprétant à leur manière certains concepts et mettant plutôt l'accent sur les caractéristiques de l'expérience intérieure. En revanche, si la scolastique et la logique du bouddhisme indien furent connues des Chinois par les traductions, notamment de Xuanzang, leur succès fut très éphémère.

Catherine Despeux

régissent l'univers et la conception qu'ils ont des fins dernières, leur littérature, leur art et leur musique. Les premiers écrits bouddhiques reproduisent de simples dialogues entre le Bouddha et ses disciples. Ils ont initié les Chinois à de nombreux aspects des traditions populaires indiennes et à une grande variété de récits. Avec le *Mahayana* (Grand Véhicule) et des écrits tels que la *Description de la Terre pure*, traduit en 230 environ, ou le *Sutra du lotus*, traduit en 286, commença à se développer un culte du livre saint. On acquérait de grands mérites en transcrivant et diffusant de nombreuses copies du livre lui-même. Ce fut là un facteur stimulant de l'invention de l'imprimerie (VIIIe siècle) et les monastères furent depuis lors des centres d'imprimerie à large diffusion, avec l'appui des différentes dynasties. Ils le sont encore, dans une moindre mesure, aujourd'hui. L'édition standard du canon bouddhiste chinois comporte 1 692 sutras. Tous se donnent pour les paroles révélées du Bouddha, traduites, dit-on, du sanskrit, en réalité pour certaines directement écrites en chinois. Ils furent un moyen indirect et efficace d'accréditer de nombreux rituels et croyances traditionnels au sein du bouddhisme chinois et la plupart des institutions durables sont fondées sur de tels écrits.

Différentes lignées

Les moines, autrefois et aujourd'hui encore, « quittent leur famille » en obtenant l'ordination

―――――― BIBLIOGRAPHIE ――――――

DEMIÉVILLE P., *Choix d'études bouddhiques*, Brill, Leyde, 1973.

DEMIÉVILLE P., *Entretiens de Lin-tsi*, Fayard, Paris, 1972.

DEMIÉVILLE P., *Le Concile de Lhasa*, Institut des hautes études chinoises, Paris, 1952.

GERNET J., *Les Aspects économiques du bouddhisme chinois du Ve au Xe siècle*, École française d'Extrême-Orient, Hanoi, 1956.

SOPER A., *Literary Evidence for Early Buddhist Art in China*, Artibus Asiae, Ascona, 1959.

WELCH H., *The Practise of Chinese Buddhism, 1900-1950*, Harvard University Press, Cambridge (Mass.), 1967.

Sur les origines du bouddhisme chinois

CHEN K., *Buddhism in China. A Historical survey*, Princeton, 1963.

Sur le bouddhisme tibétain

TUCCI G., HEISSIG W., *Les Religions du Tibet et de la Mongolie*, Paris, Payot, 1973.

WHALEN Lai, LANCASTER L.R., *Early Ch'an in China and Tibet*, Univ. of California Press, « Berkeley buddhist studies series », Berkeley, 1983.

dans la famille fictive, spirituelle, du Bouddha. Ils appartiennent à différentes lignées ; celle de la Terre pure reste surtout prisée par les laïcs, auxquels elle promet une réincarnation sans délai dans le Paradis de l'Ouest du Bouddha (*Amitabha*), à la condition de se conformer aux actes rituels les plus simples. En revanche, les maîtres *Chan* (le *Zen* japonais) se piquaient d'originalité énigmatique, et leurs dires lapidaires sont toujours célèbres. Une autre lignée, influencée par les livres sacrés de l'hindouisme, et qu'on appelle tantrique, fut bien représentée jusqu'au XIIe siècle. Elle subsiste aujourd'hui encore chez les Tibétains et les Mongols. Ses rituels complexes sont basés sur la croyance qu'il n'existe pas, dans le corps humain, de rupture entre physiologie et psychologie. Ils ne sont pas sans rapport avec le taoïsme, sur lequel ils ont laissé leur marque.

Comme le taoïsme, et à sa suite, le bouddhisme s'établit sur certaines montagnes comme le Wutaishan, dans le Shanxi actuel, qui devinrent les foyers de grands pèlerinages. Les pics sacrés sont visités par des milliers de fidèles et de curieux. Par ailleurs, on trouve partout en Chine des traces parfois vivantes d'un culte de reliques, initié par le bouddhisme, parmi lesquelles figuraient les corps momifiés des moines saints. Des associations de laïcs, souvent dirigées par des moines, se sont formées à travers toute la Chine. Les dévôts offraient des icônes afin de gagner des mérites pour eux-mêmes et pour les membres défunts de leur famille. Contrairement au taoïsme, le bouddhisme fut, dès les origines, strictement misogyne, bien que les femmes en soient les plus fervents dévôts. D'importants complexes de grottes-chapelles demeurent : Dunhuang, Yungang, Longmen, Dazu, etc., qui sont devenus des hauts lieux touristiques.

Le bouddhisme chinois a représenté dès les origines une synthèse complexe et mouvante d'éléments indiens et chinois. C'est sous cette forme qu'il s'établit en Corée, au Japon, et au Vietnam. Les fondations bouddhiques ont toujours été importantes au sein de la diaspora chinoise, tout d'abord en Asie du Sud-Est, puis, plus récemment, dans l'hémisphère occidental. Les monastères entretenaient souvent une école, et cette fonction éducative se perpétue largement de nos

Au Tibet : tantrisme et lamaïsme

Selon la tradition, le bouddhisme a été introduit au Tibet au temps du roi Sron-bcan sgam-po (mort vers 694) et devint la religion officielle. Les autorités de l'époque firent venir des représentants des doctrines indiennes et chinoises. Plusieurs conciles se succédèrent pour se conclure par la défaite des représentants chinois. Néanmoins, les doctrines chinoises (en particulier une école Chan du Sichuan) laissèrent des empreintes sur certaines écoles des Bonnets rouges, notamment celle des Anciens (Rninmapa) qui mit l'accent sur l'expérience mystique. Parmi les écoles indiennes, la voie du Juste Milieu (Madhyamika) et la voie idéaliste du Yogacara furent les plus influentes. Les Bonnets jaunes (Gelugpa), courant auquel appartiennent les dalaï lama, accordent une large place à la logique et à la scolastique. Des éléments de la religion prébouddhique appelée bön furent intégrés au bouddhisme tibétain, qui présente en outre la singularité d'appuyer son enseignement sur un type particulier de littérature : le tantra aussi utilisé dans certaines écoles de l'hindouïsme, en particulier le shivaïsme du Cachemire. Les tantra mêlent rituels et incantations à des visualisations d'un monde cosmique (mandala), de divinités paisibles et terribles aux attributs divers, et dont le symbolisme complexe présente plusieurs niveaux. C'est l'usage de ces tantra qui a valu à cette forme de bouddhisme le nom de tantrisme.

Si ces écoles tibétaines s'appuient sur les concepts de base de la doctrine bouddhique, elles mettent en outre l'accent sur la relation étroite entre le processus de transformation et l'unité de toutes choses, sur la félicité suprême accompagnant les expériences mystiques, et sur l'importance du corps comme support de l'expérience ultime de l'éveil, dans lequel l'esprit n'ayant plus de cible, tout ce qui surgit se libère spontanément.

Les tantra sont divisés en quatre classes. Les pratiques des divers niveaux comportent une phase de création et une phase de dissolution de toutes les visualisations dans la pure lumière de la vacuité. Le monde cosmique (mandala) et les divinités, visualisées d'abord extérieurement, correspondent ensuite à certaines parties du corps humain et aux canaux subtils formant un système inspiré de celui du yoga indien. Dans la transmutation des passions et des émotions, qui a pour but de se libérer de l'illusion du Moi et de pouvoir ensuite transmuer le monde extérieur, la force de l'énergie sexuelle (symbolisant notamment l'union entre la compassion et la sagesse intuitive) est utilisée. Dans l'étape ultime, la luminosité spontanée se déployant sans effort révèle immédiatement la vacuité de toutes choses.

Dans cet enseignement, le maître ou lama (littéralement sans supérieur), Bouddha vivant placé plus haut que les divinités, est l'objet d'une foi intense qui permet la réalisation de la vérité absolue, d'où l'appellation de lamaïsme également donnée à cette forme de bouddhisme. Identifié à une divinité, le maître confère les initiations, en fait la permission donnée par la divinité elle-même de s'adonner à une pratique ; il n'y a point d'accomplissement possible sans initiation.

Le maître authentique a réalisé, maîtrisé et reconnu comme illusoires tous les états intermédiaires (bardo), que ce soit celui entre la mort et la prochaine réincarnation, entre le sommeil et la veille, ou entre deux pensées. Il en résulte qu'il peut choisir le moment de sa mort et sa prochaine réincarnation, laissant avant sa mort des instructions sous forme métaphorique pour que l'on puisse retrouver sa prochaine réincarnation (tulku), le plus souvent un jeune enfant. Ce système de lignées de réincarnations, propre au Tibet, est un élément important de la relation entre religion et politique dans ce pays.

Catherine Despeux

jours. Très récemment, des laïcs parmi les Chinois d'outre-mer ont contribué à la reconstruction d'institutions bouddhiques en Chine même. Les bouddhistes japonais participent également à la restauration ou à la reconstruction des monastères d'où émanent leurs propres lignées monastiques.

Un aspect étrange du bouddhisme : il arriva en Chine (Ier siècle) déjà porteur de son déclin imminent et de sa disparition. Le Bouddha prophétisa que le bouddhisme ne durerait que 500 ans (puis, plus tard, 1 000 puis 1 500 ans). Après les premiers 500 ans, la Vraie Loi originelle du Bouddha serait remplacée par une loi contrefaite. Les moines briseraient les règles et l'ordre s'effondrerait. Des rois étrangers envahiraient le pays et apporteraient la confusion. Un mo-

narque indigène restaurerait temporairement l'ordre et soutiendrait le bouddhisme comme jamais auparavant. Pourtant, le destin est inexorable : dans leur arrogance, les derniers moines s'entretueraient et le bouddhisme disparaîtrait. Puis ce monde prendrait fin, et le feu, le déluge et les vents achèveraient la destruction commencée par la main humaine. Tout serait abandonné aux démons jusqu'à ce que le monde soit reconstruit et que Maitreya, le futur Bouddha, y descende. Cette légende subit de nombreuses transformations en Chine. Au VIe siècle, des fidèles de Maitreya, vêtus de blanc, attendaient déjà la fin du monde et l'avènement du sauveur. Aujourd'hui encore, cette croyance inspire des mouvements de sectes.

Michel Strickmann

Les sectes religieuses et les croyances messianiques

Il peut paraître étonnant que, dans un pays comme la Chine où la religion se caractérise par son aspect associatif et où la foi s'exprime avant tout par l'adhésion des gens aux différentes communautés de cultes (familiales et locales), il y ait eu encore place pour un foisonnement de sectes religieuses. En quoi les sectes représentent-elles une autre dimension pour les Chinois ?

La place centrale qu'elles donnent à l'individu, à sa réalisation spirituelle et à son statut personnel, tout autant que leurs structures d'accueil égalitaires et démocratiques, expliquent en partie l'attrait qu'elles exercent dans une société extrêmement hiérarchisée, où il faut nécessairement, et en toute chose, compter avec la famille et les institutions. Toutefois, bien plus encore que les motivations personnelles, c'est l'élitisme idéologique qui permet de saisir la raison d'être sociologique des sectes chi-

noises. Les historiens modernes ont cherché à en rendre compte avant tout par des justifications politiques et économiques. Cette approche réductrice n'a servi, le plus souvent, qu'à occulter ce qui, fondamentalement, différenciait les sectes religieuses des sociétés secrètes, des mafias, des gangs et autres congrégations vivant aussi dans la clandestinité.

La Chine a en effet connu tout au long de son histoire des sectes qui s'érigèrent contre le pouvoir impérial et engendrèrent des rébellions, parfois si violentes et si puissantes qu'elles furent à l'origine de la ruine de la dynastie régnante.

Réaction contre le pouvoir

De tous ces mouvements sectaires, les mieux connus sont ceux qui s'apparentent à la *Société du Lotus blanc* — que la tradition fait remonter au XIIᵉ siècle —, puisqu'ils eurent un retentissement considérable dans la Chine pré-moderne. Les ramifications du *Lotus blanc* demeurèrent jusqu'à l'époque moderne la cible principale des persécutions officielles.

Les enjeux politiques sont évidemment essentiels pour la plupart des sectes, et même si certaines ne furent pas ouvertement en lutte contre l'ordre établi, ils furent toujours l'expression d'une réaction contre l'État. Mais, ni l'insécurité et le mécontentement des masses, ni la décadence des gouvernements, qui sont des conditions favorables à l'éclosion des organisations sectaires et à leurs activités «révolutionnaires», ne suffisent à justifier leur existence. C'est vu sous l'angle de la religion que le sectarisme chinois révèle sa véritable dimension. Les attentes messianiques et millénaristes y sont toujours présentes, de façon manifeste ou latente. Ainsi, pour les fidèles de ces sectes, le changement de souverain et de gouvernement est considéré comme une condition nécessaire au succès de l'œuvre messianique, car l'État représente non seulement l'ordre politique, mais aussi l'ordre cosmique. La réalisation d'un royaume théocratique implique obligatoirement la dénégation du mandat céleste de la dynastie régnante et sa disparition. Ces croyances messianiques du peuple chinois n'ont d'ailleurs pas manqué d'être récupérées par bien des gouvernements pour tenter de légitimer leur accès au pouvoir.

Les visions de la fin du monde et l'espérance d'une société paradisiaque ont été consignées par les adeptes de ces mouvements religieux dans une abondante littérature révélée dont la tradition remonte aux premiers siècles de notre ère. Les adeptes taoïstes attendaient alors la parousie du dieu Laozi et le royaume de la Grande Paix. Les dévots de la grande religion concurrente, les bouddhistes, espéraient la venue de Maitreya, le Bouddha du futur, et de Candraprabha-kûrama, l'Enfant Clarté Lunaire pour sauver les élus et inaugurer une nouvelle ère, dans un monde idéal gouverné par la Vraie Loi. Tous prédisaient l'imminence d'une nouvelle ère cosmique, le troisième et dernier *kalpa*, marquée par d'atroces tourments eschatologiques et toutes sortes de maladies provoquées par des légions de démons.

Une continuité étonnante

Pendant les quelque sept siècles d'histoire du sectarisme de la tradition du *Lotus blanc*, c'est *la Vieille-mère-jamais-née*, avatar d'une très ancienne divinité taoïste, *la Reine mère d'Occident*, qui est la figure charismatique par excellence. Les grands principes de la cosmologie populaire, de la doctrine bouddhique, du taoïsme, de la morale confucéenne, et, plus tard, du manichéisme sont constamment réinterprétés et amalgamés pour constituer des systèmes de croyances *sui generis* qui sont l'expression de la nouvelle vérité. Aujourd'hui encore les fidèles de *la Voie de l'unité foncière*, *Yiguan dao*, vénèrent *la Vieille-mère-jamais-née* et perpétuent la tradition syncrétique du *Lotus blanc*. Jésus, Allah, Mahomet et Mani y côtoient Maitreya et Guanyin, Laozi et l'Immortel Lü Dongbin, Confucius et Mencius.

Se réclamant, comme aux premiers siècles, de l'une des deux grandes religions — taoïsme et bouddhisme — ou affichant des couleurs de plus en plus syncrétiques, les sectes se voulurent toujours les garantes de la culture chinoise et des valeurs authentiques de l'ensemble de ses traditions. Le sectarisme chinois ne se pose pas en effet en terme d'hérésie, c'est-à-dire en opposition à une Église et à sa doctrine. Jamais les courants sectaires ne furent déclarés schismatiques par les religions officiellement constituées.

Des premières Apocalypses taoïstes et bouddhiques de la Chine médiévale aux «rouleaux précieux», *baojuan*, produits par les sectes affiliées au *Lotus Blanc*, la

BIBLIOGRAPHIE

DELUISIN L., « The I-kuan Tao Society », in J. CHESNEAUX (ed.) *Mouvements populaires et sociétés secrètes en Chine 1840-1950*, Gallimard, Paris, 1970.

GROOT J.J.M. de, *Sectarianism and Religious Persecution in China : a page in the History of Religions*, Johannes Muller (2 vol.), Amsterdam, 1946.

JORDAN D.K., OVERMYER D.L., *The Flying Phoenix. Aspects of Chinese Sectarianism in Taiwan*, Princeton University Press, Princeton, 1986.

KALTENMARK M., « The ideology of the T'ai-p'ing ching », in H. WELCH, A. SEIDEL (ed.), *Facets of Taoism : Essays in Chinese Religion*, Yale University Press, New Haven, 1979.

KUHN Ph. A., *Rebellion and Its Enemies in Late Imperial China : Militarization and Social Structure, 1796-1864*, Harvard University Press, Cambridge (Mass.), 1970.

MOLLIER Ch., *Une Apocalypse taoïste du ve siècle, Le Livre des incantations divines des grottes abyssales*, Mémoires de l'Institut des Hautes Études Chinoises, Paris, 1989.

NAQUIN S., *Millenarian Rebellion in China : the Eight Trigrams Uprising of 1813*, Yale University Press, New Haven, 1976.

OVERMYER D., L., « Folk Buddhist Religion : Creation and Eschatology in Medieval China », *History of Religions*, 12, n° 1, 1972.

OVERMYER D.L., *Folk Buddhist Religion : Dissenting Sects in Late Traditional China*, Harvard University Press, Cambridge (Mass.), 1976.

SEIDEL A.K., « The Image of the Perfect Ruler in Early Taoism : Lao-tzu and Li Hung », *History of Religions*, 9, 1970.

STEIN R.A., « Remarques sur les mouvement du taoïsme politico-religieux au IIe siècle après J.-C. », *T'oung Pao 50*, Paris, 1963.

continuité idéologique, institutionnelle et liturgique sont étonnante. Les rituels et les serments d'initiation, le contrat entre maître et disciple, l'inscription des fidèles dans les registres, le prosélytisme par la pratique thérapeutique, les cultes domestiques et collectifs, l'utilisation de talismans et d'incantations, la confession des péchés, la méditation et les arts martiaux, la diète végétarienne et les rites sexuels, la vénération des livres sacrés, les pratiques médiumniques et spiritistes, l'accomplissement d'actes méritoires, le paiement des contributions et les donations, le système d'entraide sont demeurés les composantes essentielles des sectes chinoises de tous les temps.

Malgré les répressions incessantes et souvent sanglantes, la tradition du sectarisme a survécu jusqu'à nos jours, à Taïwan, à Hong-Kong et en Asie du Sud-Est où de puissantes organisations telles que le *Yiguan dao* véhiculent leurs croyances eschatologiques et messianiques. En Chine populaire, le même type de sectes, comme l'*Association du ciel et de la terre, Tiandi hui*, ressurgissent de l'ombre, réajustées aux besoins de la société moderne, et célèbrent des cultes pour la paix du pays, les bonnes récoltes et la longue vie du Parti communiste !

Christine Mollier

REPÈRES DANS
L'HISTOIRE CULTURELLE CHINOISE

5000	Culture du riz au Zhejiang (Hemudu), du millet au Henan.
3500	Première cité à Liangchenzhen (culture de Longshan).
1600-1400	Âge du bronze, civilisation urbaine, découverte de l'écriture par signes (pictogrammes), culture Shang.
1027 (date traditionnelle)	Renversement brutal des Shang par les Zhou.
650	Apparition du fer.
VIIe siècle	*Le Shujing*, Livre de l'histoire, un des Cinq Classiques.
Vers 500	*Le Shijing*, Livre de la poésie, un des Cinq Classiques.
551-479	Confucius.
VIe-Ve siècles	Lao-tseu (Laozi), taoïsme.
372-289	Mencius.
IVe siècle	Invasion des Xionghu (Huns ?), lutte avec les nomades.
Fin du IIIe siècle	Construction de la Grande Muraille. Administration centralisée, unification de l'écriture, des poids et mesures, de la largeur des essieux de chars, création des fonctionnaires d'État. Légisme.
Env. − 100	Invention du papier. Confucianisme, doctrine d'État.
Ier siècle	Invention de la boussole. Conquête du Sud, fleuve Bleu, et au-delà. *Shuowen :* premier dictionnaire connu.
Vers 450	Les examens impériaux trouvent leur forme définitive. Extension du bouddhisme à toute la Chine (Terre pure, Quatre Écoles, Illumination progressive, Illumination soudaine).
868	Invention de l'imprimerie.
IX-Xe siècles	Invention de la poudre.
1054	Observation de l'explosion de la nébuleuse du Crabe.
Vers 1130	Néo-confucianisme doctrine d'État. Plusieurs écoles.
Vers 1550	Le *Voyage vers l'Ouest*, de Wu Cheng'an.
1600	Les jésuites à Pékin.
Vers 1750	*Le Rêve dans le Pavillon rouge* de Cao Xueqin.
1810-1830	Expulsion des missionnaires étrangers.
1839-1842	Guerre de l'opium, ouverture forcée à l'Occident.
1911	Révolution et fin de la dynastie mandchoue.

Dynasties et événements majeurs

FONDATEURS ET DYNASTIE MYTHIQUE DES XIA

Les Trois Augustes et les Cinq Empereurs

Les Trois Augustes sont : Fuxi, Shennong, Huangdi ; ou bien Fuxi, Nügua, Shennong.

Les Cinq Empereurs sont : Shao Hao, Zhuan Xu, Di Ku, Yao, Shun.

Dynastie Xia *(2207-1766 ou 1558)*

2207 av. J.-C. : Yu le Grand (Da Yu), fondateur. (Jusqu'en 841 avant notre ère, une double chronologie traditionnelle est en usage, utilisée par les uns ou par les autres, sans que les historiens modernes aient les moyens de choisir l'une d'elles.)

DYNASTIES HISTORIQUES

Dynastie Shang Yin *(1765-1122 ou 1558-1050)*

Les capitales successives des Shang Yin se situèrent à :

Vers 1765 Bo (Henan).
Vers 1562 Ao (Henan).
Vers 1534 Xiang (Henan).
Vers 1525 Geng (Shanxi).
Vers 1401 Shang (Henan), retrouvée
ou 1384   près d'Anyang.

On appelle cette dynastie Shang Yin, parce que, sous les Zhou, son nom de Shang fut changé en celui de Yin, pour la période de l'histoire qui commence avec Pan Geng (1401 ou 1384).

Dynastie Zhou *(1121 ou 1111-256 ou 222)*

La dynastie Zhou se divise en deux périodes. La première est dite Zhou occidentaux (Xi Zhou), car elle avait sa capitale à Hao ou Feng, au Shenxi. La seconde est dite Zhou orientaux (Dong Zhou) car elle avait sa capitale à Luoyang, au Henan. Cette dynastie, nominale, recouvre plusieurs périodes.
841 : Début de la chronologie unifiée.
789 : Des « Barbares occidentaux » écrasent les armées de Zhou et fondent la dynastie « étrangère » des Zhou orientaux.
722-481 ou 464 : Période des « Printemps et Automnes », *Chunqiu*. Guerres incessantes (38 années de paix) entre plus d'une centaine de principautés indépendantes.

Le VIIe siècle est celui des Cinq Hégémons, qui regroupent pour un temps les principautés minuscules, avant de nouveaux éclatements.
Les Cinq Hégémons des Printemps et Automnes : Huan de Qi (685-643) ; Mu de Qin (659-621) ; Xiang de Song (650-637) ; Wen de Jin (635-628) ; Zhuang de Chu (613-591).

481/464/453/403 - 256/249/222 : Période des *Royaumes combattants*, ou *Zhanguo*. En 256, après 59 ans de règne, Nanwang abandonne son territoire aux Qin. Bien que la dynastie Zhou existe encore, nominalement, jusqu'en 221, date de la fondation de l'Empire par Qin Shihuangdi, le pouvoir réel est aux mains des rois de Qin.

Dynastie Qin *(255 ou 221-207)*

Capitale à Xianyang, près de Xi'an (Shenxi).
En moins de 40 ans, Qin bat les armées de tous les autres royaumes et les annexe successivement.
En 221, Wang Zhang, roi de Qin, devient l'Empereur Qin Shihuangdi, fondateur de la dynastie Qin.
En 213, il ordonne la destruction de tous les livres, pour tenter d'éliminer définitivement la pensée confucéenne et l'influence des taoïstes au profit des *Légistes*, qui pensent que l'homme, intrinsèquement mauvais et dominé par l'intérêt personnel, ne peut vivre que dans une société ré-

gie par la contrainte, des lois rigides et des sanctions sévères. Il fonde ainsi, en même temps que le premier Empire chinois, une société totalitaire, dont l'expression éminente est la formation d'une écriture « universelle », le « petit sceau », qui remplace autoritairement toutes les autres. En 209, début des révoltes, au pays de Chu, contre l'ordre des Qin qui s'est étendu à la majeure partie du territoire actuel de la Chine.

De 221 à 206, unification des murs qui séparent les anciens royaumes en une « Grande Muraille ».

Dynastie des Han antérieurs ou Han occidentaux
(206 av. J.-C.-8 ap. J.-C.)

Capitale à Chang'an (Xi'an, Shenxi).

Dynastie Xin *(9-25 ap. J.-C.)*

Capitale à Chang'an (Shenxi).

Dynastie des Han postérieurs ou Han orientaux *(25-220 ap. J.-C.)*

Capitale à Luoyang (Henan).

Trois royaumes *(222-265)*

A. Royaume de Wei, 220-265.
Capitale à Luoyang (Henan).
B. Royaume de Shu ou Shunan, 221-263.
Capitale à Chengdu (Sichuan).
C. Royaume de Wu, 222-280.
Capitale à Wuchang (Hubei) puis à Jianye (Nankin, Jiangsu).

Dynastie des Jin occidentaux ou Jin antérieurs *(265-316)*

Capitale à Luoyang (Henan).

Dynastie des Jin orientaux ou Jin postérieurs *(317-420)*

Capitale à Jiankang (Nankin, Jiangsu).
Cette dynastie règne sur un territoire situé plus au sud. Le Nord est perdu. Malgré la « Grande Muraille », les Barbares ont conquis tous les espaces de la Chine des origines. Seize royaumes se partagent la Chine du Nord, du Nord-Est et du Nord-Ouest.

Les Seize Royaumes *(304-439)*

Période des dynasties du Sud et du Nord *(420-589)*

A. Dynasties du Sud
1. 420-479 Liu Song, *capitale à Jiankang (Nankin, Jiangsu).*
2. 479-502 Qi du Sud, *capitale à Jiankang (Nankin, Jiangsu).*
3. 502-557 Liang du Sud, *capitale à Jiankang (Nankin, Jiangsu).*
3 bis. 555-587 Liang postérieurs, *capitale à Jiangling (Hubei).*
4. 557-589 Chen, *capitale à Jiankang (Nankin, Jiangsu).*

B. Dynasties du Nord
1. Wei du Nord. 386-534 dynastie Topa, *capitale à Pingcheng (Datong, Shanxi).*
2. 535-556 Wei occidentaux, *capitale à Chang'an (Shenxi).*
3. 534-550 Wei orientaux, *capitale à Luoyang (Henan).*
4. 550-577 Qi du Nord, *capitale à Ye (Hebei).*
5. 557-581 Zhou du Nord, *capitale à Chang'an (Shenxi).*

Dynastie Sui *(581 ou 589-618)*

Capitale à Chang'an (Shenxi).
605 : Achèvement du « Grand Canal » qui joint la basse vallée du fleuve Jaune à celle du fleuve Bleu.

Dynastie Tang *(618-907)*

Capitale à Chang'an (Shenxi).
630 : Victoire sur les Turcs orientaux.
634 : Premières relations officielles avec le Tibet.
638 : Expédition de reconnaissance en Inde centrale.
660 : Victoire sur la Corée.
663 : Victoire navale sur le Japon.
755-763 : Révolte et victoire sur l'empire de An Lushan, d'origine persane.

Les Cinq Dynasties *(907-960)* et les Dix Royaumes *(902-979)*

Durant cette période, cinq dynasties régnèrent successivement sur le nord de la Chine, tandis que le sud se divisait en de nombreux royaumes, connus sous le nom des Dix Royaumes.

A. Les Cinq Dynasties (Nord)
1. 907-923 Liang postérieurs, *capitale à Luoyang (Henan).*
2. 923-936 Tang postérieurs, *capitale à Luoyang (Henan).*
3. 936-946 Jin postérieurs, *capitale à Bian (Kaifeng, Henan).*
4. 947-950 Han postérieurs, *capitale à Bian (Kaifeng, Henan).*
5. 951-960 Zhou postérieurs, *capitale à Bian (Kaifeng, Henan).*

B. Les Dix Royaumes, 902-979 (dans le Sud)
1. 902-937 Wu, *capitale à Yangzhou (Jiangsu).*
2. 907-925 Shu antérieurs, *capitale à Chengdu (Sichuan).*
3. (902) 908-978 Wu Yue, *Capitale à Hangshou (Zhejiang).*
4. 909-946 Min, *capitale à Fuzhou (Fujian).*
5. (909) 917-971 Han du Sud, *capitale à Guanzhou (Guangdong).*
6. 925-963 Nanping (Ping du Sud), *capitale à Jingzhou (Hubei).*
7. 927-951 Chu, *capitale à Changsha (Hunan).*
8. (933) 934-965 Shu postérieurs, *capitale à Chengdu (Sichuan).*
9. 937-975 Tang du Sud, *capitale à Jinling (Nankin, Jiangsu).*
10. 951-979 Han du Nord ou Han de l'Est, *capitale à Pingyang (Taiyuan, Shenxi).*

Dynastie Song *(960-1279)*

A. Song du Nord, 960-1127.
Capitale à Bian (Kaifeng, Henan).
963-979 : Reconquête et réunification de la Chine.
1004 : Invasion des Khitan. Les Song paient un tribut annuel.

1126 : Les Jin, Barbares du Nord, capturent l'Empereur.

B. Song du Sud, 1127-1279
Capitale à Lin'an (Hangzhou, Zhejiang)
1129 : Les Song réfugiés au sud voient Nankin ravagé par les Jin.
1141 : Les Song paient un tribut aux Jin.
1279 : La dynastie Song est renversée par les Mongols.

Dynasties non chinoises du Nord et du Nord-Est *(907-1215)*

1. (907, 916) 947-1125 Liao (Kitan), *capitale à Yanjing ou Yandu (Pékin).*
2. 1124-1201 Liao occidentaux (Kara Kitan ou Kitan noirs), *capitale à Balasagun (Turkestan russe).*
3. 1032-1227 Xia occidentaux, *capitale à Ningxia (Gansu).*
4. 1115-1234 Jin du Nord, *capitale à Zhongdu (Pékin) puis à Kaifeng (Henan) en 1215.*

Dynastie Yuan [Mongole] *(1277-1367)*

Capitale transférée de Karakorum (Mongolie) à Yanjing (Pékin), qui devient Khanbalik, en 1264.

Dynastie Ming *(1368-1644)*

Capitale à Nankin, puis à Pékin à partir de 1409.
1405-1433 : Expéditions maritimes de découverte de Zheng He, qui ne découvre pas l'Amérique.
1514 : Arrivée des Portugais à Macao.
1582 : Le premier jésuite, Matteo Ricci, arrive en Chine.
1643 : Les Mandchous entrent à Pékin et commencent la conquête complète de la Chine.

Dynastie Qing *(1644-1911)*

Capitale à Pékin. La dynastie mandchoue, qui impose aux Chinois le port de la natte, est renversée en 1911.

HISTOIRE

Au terme d'un siècle de convulsions révolutionnaires, quel idéal les dirigeants de la Chine populaire proposent-ils à leur peuple ? La modernisation. Comme ce concept éculé a déjà beaucoup servi outre-Atlantique, il n'est pas étonnant que le peuple chinois soit lui-même fasciné par le modèle américain (et plus encore par le niveau de vie des Américains). Fallait-il une révolution pour en arriver là ?

Et si le rattrapage d'une société à la traîne avait dès l'origine représenté le but non déclaré de cette révolution ? Avant de devenir communiste, elle a d'abord été anti-impérialiste et cet anti-impérialisme, à l'évidence justifié par les incursions répétées des « Puissances » dans leur « semi-colonie » chinoise, s'est constamment nourri des humiliations provoquées par le sentiment de supériorité des Blancs. Puis des Japonais eux-mêmes, ces « nains » auxquels la civilisation chinoise a dispensé ses bienfaits et qui viennent conquérir la Chine en exploitant contre elle une modernisation acquise à l'école des Blancs. Les buts ne se dissocient pas plus que les motivations : on veut à la fois bouter l'impérialisme hors de Chine et mettre fin au retard d'un pays inadapté à une compétition mondiale conçue en termes darwiniens. Après Darwin, Marx, mais toujours dans la même optique : la conversion au marxisme doit beaucoup à l'efficacité des recettes léninistes de conquête du pouvoir dans un pays « arriéré ».

Le pouvoir une fois conquis, grâce à l'impérialisme japonais et à une organisation perfectionnée depuis Lénine (mais en en conservant soigneusement le cœur : révolutionnaires professionnels, centralisme et stratégie à long terme), la greffe marxiste-léniniste n'a pas prospéré sans encombre sur l'arbre chinois. Il a fallu gérer, outre le legs lénino-stalinien (le Parti, le régime), celui de Marx lui-même : les aspirations sociales surajoutées après coup ont bien failli compromettre la réalisation du grand dessein national. Imposé d'en haut par celui qui était à la fois le Lénine et le Staline de la révolution chinoise, le mythe de la cité égalitaire a pour un temps détourné vers une voie de garage la « longue marche de dix mille *li* ». Renonciation au rêve déguisée en panacée, la modernisation préconisée aujourd'hui permet au moins de faire progresser de quelques *li* une entreprise révolutionnaire qui va cahin-caha, mais moins mal qu'à l'époque où elle était à la merci des bouleversements « révolutionnaires ».

Lucien Bianco

Le «retard» chinois au début du XXᵉ siècle

Jusque vers la fin du XVIIIᵉ siècle, la Chine fait figure de pays «développé». Elle en impose à l'Europe, tant par ses institutions que par la vitalité de son économie. Les témoignages indépendants des jésuites et des agents des compagnies à monopole, comme la British East India Company, ou les successives compagnies des Indes françaises, concordent pour en projeter l'image flatteuse d'un empire policé, sagement gouverné par des souverains «éclairés», administré par une bureaucratie recrutée sur le critère du mérite, ainsi que d'un haut niveau de civilisation, et d'une vie économique active. La Chine jouit depuis plusieurs siècles d'une balance commerciale systématiquement positive, fondée sur l'exportation de produits artisanaux de luxe — porcelaines, laques, soieries et cotonnades — complétés par du thé. Les efforts pour pénétrer cet immense marché se soldent par des échecs : si l'on excepte quelques matières premières (coton, fourrures, métaux), l'empire n'est pas demandeur de produits occidentaux. D'où la tentation de développer la contrebande de l'opium indien.

La situation se renverse dans le courant du XIXᵉ siècle. A partir de la guerre de l'opium (1840), et surtout de la sanglante rébellion des Taiping (1851-1864), l'empire mandchou fait de plus en plus figure de nation vieillie, incapable de se moderniser. Face au Japon, qui rejoint à grandes enjambées le camp des puissances industrielles, la Chine s'enfonce jusqu'à devenir un espace ouvert aux entreprises de tous les impérialismes. Elle est devenue, comme l'empire turc, un «corps malade», pour lequel la seule solution est dans la soumission à l'Occident.

Sur la nature de ce «retard», les diagnostics et les avis divergent.

Faut-il, pour reprendre une formule fameuse de Mao Zedong, en rendre responsable un «impérialisme» ayant écrasé des «bourgeons de capitalisme», dont l'éclosion aurait suscité à terme une «modernisation» spontanée? Faut-il, à l'encontre, incriminer des «gènes culturels» interdisant le développement des potentialités?

La nature du retard, sa relativité

La thèse de l'impérialisme conserve ses défenseurs, aussi bien en Chine même qu'à l'extérieur (Taiwan et l'Occident). Le renversement de la conjoncture exceptionnellement favorable du XVIIIᵉ siècle et la mise en dépendance du pays dans le courant du XIXᵉ siècle ne prêtent guère à discussion, même si l'on ne s'accorde pas sur la chronologie. La chute des exportations traditionnelles (thé et produits de luxe) coïncide avec une montée des importations (cotonnades, filés de coton, articles manufacturés et opium). Les décisions économiques sont de plus en plus prises à Shanghai, ou dans les ports ouverts, où les prix fluctuent d'abord en relation avec le marché mondial. L'État, dont les ressources s'amenuisent, dépend de l'étranger, tant en ce qui concerne la diffusion des techniques nouvelles que le financement de la modernisation. Afin de mieux asseoir leur domination, les étrangers s'allient aux forces sociales conservatrices : les propriétaires terriens ou leurs représentants, ainsi qu'à une bourgeoisie de «compradores» née du développement de leurs entreprises. A beaucoup d'égards, la Chine de 1949 apparaît «blanche», dans la mesure où elle ne dispose pas encore d'une infrastructure moderne, que ce soit dans le sens matériel (réseau de transports, écoles, hôpitaux…) ou dans le sens « spirituel » (faiblesse numérique de l'intelligentsia, très forte proportion d'illettrés, persistance de nombreuses formes d'exploitation « féodale »).

Les traités inégaux n'expliquent pas tout. Même les tenants de la thèse de l'impérialisme admettent qu'il convient de tenir compte de certains faits de structure. L'un des mécanismes les plus souvent mis en cause se tant à l'étranger qu'en Chine, concerne l'évolution démographique. Du fait de « l'explosion démographique » du XVIIIᵉ siècle, la Chine se serait trouvée vers le milieu du XIXᵉ siècle dans une situation de « crise ». Grosso modo, le raisonnement, de type néo-malthusien, oppose une population en expansion continue à une agriculture stagnante, qu'il s'agisse des superficies cultivées ou des techniques. La surpopulation, déjà sensible dans certaines régions côtières dès le XVIIIᵉ siècle, déterminerait une double crise des subsistances et de l'environnement. Ce n'est pas un hasard si la rébellion des Taiping dévaste plus particulièrement le bassin du Yangzi et si plusieurs provinces n'auront pas encore « récupéré » en 1949 leur niveau du premier quart du XIXᵉ siècle. On peut objecter néanmoins que la majeure partie du pays a connu une croissance démographique ininterrompue, sans être autrement affectée par la crise économique qui ne touche, paradoxalement, que des zones relativement « avancées ».

Un troisième type d'explication gagne des partisans. Le retard chinois serait le résultat d'une résistance opposée à la modernisation par des institutions sociales et économiques spécifiques, c'est ainsi que plusieurs historiens mettent l'accent sur l'imbrication de l'agriculture et de l'artisanat ou sur le faible développement de l'élevage. La diffusion des techniques d'origine étrangère et leur adoption par la population seraient d'abord retardées par l'absence de besoin de la société. C'est ainsi que la croissance agricole paraît mieux assurée dans le cadre de minuscules exploitations familiales réagissant promptement aux fluctuations à court terme du marché et qu'à la veille de la Seconde Guerre mondiale, les cotonnades de consommation courante sont produites à meilleur compte dans des ateliers artisanaux que dans les usines modernes. Il en va de même dans les transports, où la batellerie conserve un rôle dominant, à côté d'un réseau ferré conçu pour permettre le raccordement des voies d'eau, ainsi que dans les circuits commerciaux, faisant fréquemment intervenir des solidarités régionales et familiales et donnant une grande importance au colportage. La vie quotidienne demeure organisée selon des structures traditionnelles et la modernisation reste confinée dans quelques secteurs.

Michel Cartier

L'échec de la seconde modernisation (1911-1949)

Dans l'histoire de la Chine contemporaine, la période républicaine (1911-1949) apparaît comme celle des plus grands espoirs mais aussi des rêves inachevés. Issue d'un vaste soulèvement des élites locales influencées par deux courants politiques rivaux, réformiste (Kang Youwei, Liang Qichao) et révolutionnaire (Sun Zhongshan, appelé aussi Sun Yat-sen), la révolution de 1911 a renversé la dynastie régnan-

Trois principes du peuple

Nationalisme, démocratie, socialisme. Cette doctrine politique et sociale fut énoncée en 1905 par Sun Yat-sen dans Le triple démisme *(Sanmin Zhuyi). Dégagés de leur gangue antimandchoue, les «trois principes» constituent l'idéologie officielle du Guomindang. Le troisième principe ou «bien-être du peuple» (minsheng) était suffisamment vague pour permettre l'interprétation socialisante qui en fut donnée après le rapprochement avec l'URSS en 1923, et qui est toujours en vigueur, à Taïwan en particulier.*

L. B., Y. C.

te des Qing (1644-1911) et donné naissance à la République de Chine. L'émergence d'un secteur moderne dynamique n'a pas suffi à transformer l'économie. Les avancées réalisées par une société profondément renouvelée, après la destruction du «modèle» impérial — mais encore insuffisamment structurée pour assurer seule le «décollage» de la nation, n'ont pas résisté aux prédations d'un État hégémonique mais impuissant, trop marqué par le passé.

La crise agraire, qui pèse sur l'économie depuis près de deux siècles, constitue un frein puissant au développement. La production agricole s'est depuis longtemps essoufflée à suivre la courbe ascendante de la croissance de la population. L'immense majorité des paysans continue à exploiter un terroir pratiquement figé, avec des techniques héritées des siècles passés. La moindre calamité peut rompre le fragile équilibre entre la vie et la mort. L'agriculture répond mal aux besoins de l'industrie nationale naissante et aux exigences de qualité du commerce international. L'enchevêtrement de multiples niveaux de marché dominés par autant d'intermédiaires isole les producteurs des consommateurs et fait obstacle à l'introduction de nouvelles méthodes et à de possibles améliorations. Enfin, les gouvernements successifs ne se sont jamais engagés, au-delà des vœux

pieux, dans une réforme en profondeur des campagnes chinoises. Les grandes villes situées sur la frange côtière de la Chine sont devenues des pôles d'activités économiques nouvelles. Amorcé avec l'implantation de petits établissements industriels étrangers et chinois à la fin du XIXᵉ siècle, l'essor d'un secteur moderne (banques, industries et services divers) s'accélère à partir de 1914, grâce au retrait momentané des entreprises occidentales. Ce remarquable essor économique, qui dure moins d'une décennie (1914-1923) ne résiste pas au retour en force de la concurrence étrangère, puis, après un court répit, à la crise généralisée qui secoue l'économie mondiale, à partir de 1931-1932.

La conjoncture n'explique cependant pas tout. Le secteur moderne comporte de graves faiblesses structurelles. L'industrie est constituée de petites entreprises à faible intensité de capital orientées principalement vers les couches urbaines (industrie légère de biens de consommation) et extrêmement vulnérables aux fluctuations du marché. L'esprit spéculatif qui préside à leur gestion est préjudiciable à leur financement, d'autant que ni les banques ni l'État n'ont la volonté de s'impliquer dans les activités industrielles.

Le développement de la Chine en cette première moitié du XXᵉ siècle

Le mouvement du 4 mai 1919

Manifestations étudiantes, boycottages marchands et grèves ouvrières à Pékin, puis dans de nombreuses villes chinoises, se développent lorsque la conférence de Versailles confirme la dévolution au Japon des intérêts allemands au Shandong. Plus largement, ce mouvement se confond avec l'entreprise d'occidentalisation et de radicalisation de l'intelligentsia qui précède la fondation du PCC en 1921. Il a servi de symbole à toutes les revendications des intellectuels et des étudiants, dès les années trente (conflit sino-japonais).

L. B., Y. C.

Sun Yat-sen (1866-1925)

Sun Zhongshan (Sun Yat-sen) est le fondateur de la République chinoise et du Guomindang, auxquels il a légué son idéologie : les « Trois principes du peuple ».

Né le 12 novembre 1866 dans une famille de paysans pauvres à quelques lieues de Macao, au cœur d'une région traditionnellement ouverte sur l'extérieur, il n'a que treize ans lorsqu'on l'envoie rejoindre son frère aîné établi à Hawaii. L'adolescent y acquiert une admiration sans borne pour les méthodes occidentales qui font la prospérité de la communauté chinoise d'Honolulu ; il peut constater l'impéritie et l'injustice des méthodes chinoises lorsque son frère le renvoie au village natal.

Le contraste entre le monde relativement américanisé où il vient de passer quatre années décisives (1878-1882) et l'univers traditionaliste qu'il retrouve s'avère assez vite insupportable : dès 1883, le jeune homme décide de s'installer à Hong-Kong. Il se convertit aussitôt au christianisme et, dans le même temps, prend langue avec la puissante Triade (Sansehui), organisation secrète anti-mandchoue. Il obtient en 1892 un diplôme de « licencié en médecine et chirurgie ». La politique le sollicite, le radicalise. Il en fera son métier, et, ce faisant, inaugure un type encore plus nouveau dans la société chinoise en transition que celui de l'intellectuel frotté de techniques occidentales : celui du révolutionnaire professionnel, qui est au brigand ou au lettré de la tradition ce que le docteur, l'ingénieur ou le professeur sont au bachelier et au médecin.

De 1896 à 1911, Sun Yat-sen mène l'existence errante du proscrit. Il ne remettra pas le pied sur le sol chinois avant d'être proclamé président de la République, à la fin de l'année 1911. Ayant coupé sa natte dès 1895 — le geste symbolise le refus d'obéissance aux Mandchous honnis —, il s'habille désormais à l'occidentale.

Lorsqu'il résume en une vaste somme l'expérience d'une décennie (Sanmin Zhuyi, les Trois principes du peuple, 1905), Sun Yat-sen rallie à son programme les divers groupes révolutionnaires ; il combine nationalisme, démocratie et socialisme (minsheng, ou « bien-être du peuple »). La formule continuera d'inspirer les générations révolutionnaires jusqu'en 1949, puis le régime nationaliste réfugié à Taïwan par la suite.

D'après Y. Chevrier, in Dictionnaire biographique du mouvement ouvrier international. La Chine, *Éditions ouvrières - Presses de la Fondation nationale des sciences politiques, Paris, 1985.*

se caractérise donc par une dualité qui oppose une masse rurale inerte, engoncée dans ses particularismes et ses habitudes, à un secteur moderne dynamique, résolument tourné vers l'extérieur, mais incapable à lui seul de propulser la Chine vers le développement. Elle oppose les régions maritimes, dont les villes deviennent — à l'exemple de Shanghai — le creuset d'une « autre Chine », aux provinces de l'intérieur qui continuent à vivre au rythme du passé et bénéficient peu des retombées du progrès.

Le splendide isolement des villes n'est que la consécration du lent processus de désertion des campagnes par les élites. Leur départ a signifié non seulement la disparition de fonctions essentielles d'encadrement social et technique, mais aussi l'élargissement du fossé séparant le monde des villes et celui des campagnes. La concentration des élites modernistes dans les centres urbains les a coupées des réalités du sous-développement et a fait naître des illusions sur les potentialités du recours au modèle occidental.

Un tissu social dense, mais fragmenté

La première moitié du XXe siècle a été marquée par une destructuration de la société impériale d'où sont issues de nouvelles couches sociales plus hétérogènes. Celles-ci ne parviennent pas à établir entre elles des rapports efficaces. Elles sont encore moins capables d'engendrer des mouvements politiques. Dans les grandes villes, tandis qu'un embryon de prolétariat se constitue autour des nouvelles industries, la fusion entre différents groupes de marchands et de lettrés conduit à la formation d'une bourgeoisie dynamique, novatrice mais composite et désunie.

Au cours des années 1910-1930, cette bourgeoisie a puissamment contribué à l'apparition d'une Chine moderne et prospère. L'idéologie de progrès qui l'anime se nourrit de l'immense brassage d'idées que lui apporte un autre groupe, les intellectuels, inquiets du destin de la Chine. Ces derniers dénoncent la culture traditionnelle, obstacle au progrès, et ébauchent un véritable discours de la modernité, hélas ! en décalage avec la réalité.

Ni les intellectuels, ni la bourgeoisie n'ont été en mesure de contrecarrer les visées de ceux qui ont dominé l'époque républicaine, les militaires. Détenteurs de la force armée, ils en ont usé à leur seul profit (les « seigneurs de la guerre », 1916-1927) ou pour investir l'État (Tchiang Kai-chek [Jiang Jieshi], 1927-1937) en croyant que la simple application de recettes militaires conduirait au salut de la nation. Ce poids des militaires, exceptionnel en Chine, rend compte de l'incapacité des nouvelles élites à s'ériger en contre-pouvoir face à l'État. Il faut peut-être en chercher la source dans la structure sociale particulière de la Chine.

La société est en effet puissamment intégrée en même temps que fragmentée. Elle est tout entière irriguée par de multiples organisations et réseaux informels (*guanxi wang*) qui cimentent de petits groupes particuliers autour d'intérêts communs tout en assurant les tâches de régulation de la population au niveau micro-social. Mais les effets intégrateurs d'une telle structure inhibent paradoxalement la réunion d'intérêts plus larges et l'émergence d'une conscience politique globale. A cet égard, l'affirmation tardive d'une société civile prenant appui sur les nouvelles élites urbaines représente un processus inachevé, trop bref et trop haché pour remédier à l'absence du pouvoir central ou, à l'inverse, pour s'opposer à la volonté hégémonique de l'État renaissant.

Un État pesant mais introuvable

La crise de l'État impérial qui dure déjà depuis le début du XIXe siècle — famines non jugulées, administration provinciale insuffisante (27 000 fonctionnaires actifs pour gérer la vie de 400 millions d'habitants) trouve ses prolongements dans les régimes de dictature molle (Guomindang, 1927-1949) qui ont dominé la période, dans l'incapacité des nouvelles institutions étatiques à assurer le développement du pays, et dans leur refus du dialogue avec la société. Les acteurs de la révolution de 1911 n'ont pas su traduire leurs idéaux libéraux et démocratiques dans une nouvelle forme d'organisation politique stable. Divisés dans leurs conceptions politiques et leurs projets, ils ont dû céder la place à un homme fort, Yuan Shikai, pour ramener l'ordre et l'unité dans le pays (1912-1916).

Cette tentative de restauration s'est muée en une dictature qui, pour garantir la prééminence de l'État, s'est heurtée aux intérêts locaux qu'elle voulait réduire. A sa mort en 1916, Yuan laisse un État en déshérence et un pays éclaté en une mosaïque de fiefs militaires autonomes. Pendant plus d'une décennie, guerres et affrontements de toutes sortes se succèdent tandis qu'une soldatesque brutale et rapace ravage le pays C'est la période des « seigneurs de la guerre », issus pour la plupart de l'éclatement de l'armée chinoise en cliques rivales. Ils se sont taillé de véritables royaumes plus ou moins grands qu'ils ont, à de rares exceptions près, exploités, voire pillés, pendant plus d'une décennie (1916-1927).

La victoire militaire des nationalistes du Guomindang en 1927-1928 n'apporte ni la fin des désordres ni le retour à un pouvoir démocratique. Certes, un nouvel État central parvient à s'imposer progressivement, mais son autorité est minée par des oppositions militaires résiduelles et la rébellion communiste écrasée à Shanghai en 1927, qui constituent autant de prétextes à la dérive autoritaire du nouveau régime. [Voir encadré.]

C'est dans le domaine économique que les gouvernements de la République ont administré la preuve de leur faiblesse. Yuan Shikai avait repris à son compte les réformes engagées par l'État impérial avant 1911. Ce mouvement des réformes, engagé en 1898 par un groupe de lettrés, avait représenté une tentative (éphémère) en vue de moderniser l'État, faisant suite à trois décennies d'essais infructueux de modernisation limités à l'acquisition du savoirfaire militaire des Occidentaux. Mais Yuan Shikai ne dispose pas des moyens et des relais nécessaires à leur mise en œuvre. Il s'active avant tout à la recentralisation du pouvoir qui lui aliène le concours indispensable des élites locales. Après sa disparition, les affrontements entre généraux rivaux à Pékin ne font qu'élargir la brèche des finances publiques sans apporter le moindre secours à l'économie nationale.

La « décennie de Nankin »

La décennie de Nankin (1927-1937) a pu constituer une heureuse exception, quoique d'une portée limitée. Le Guomindang de Tchiang Kai-chek gouverne sans opposition communiste vigoureuse (révoltes qui conduisent à la longue retraite que représente la Longue marche en 1935) et à l'abri des visées japonaises, qui remettront tout en cause lors de l'invasion de 1937 et du début de la guerre sino-japonaise (1937-1945). Diverses mesures de modernisation ont été effectivement prises (monnaie et impôts, secteur bancaire, etc.), mais leurs objectifs et leurs effets ont été dénaturés par la logique de profit immédiat du pouvoir. Le dévelop-

Le Guomindang

Issu d'un groupe révolutionnaire formé dès 1911, le Parti des nationalistes, ou Guomindang, est mis hors la loi en 1913 par Yuan Shikai. Un premier gouvernement dirigé par Sun Yatsen, entre 1917 et 1923, aboutit à la domination de presque toute la Chine entre 1923 et 1927 grâce à l'alliance avec les communistes. Sun Yatsen mort (1925), un de ses généraux, Tchiang Kai-chek, prend le pouvoir, rompt avec les communistes (mars 1927) mais ne parvient pas à mater les derniers « seigneurs de la guerre » (dujun). Les nationalistes développent alors surtout les régions qu'ils contrôlent, le Sud et la basse vallée du Yangzi (Shanghai-Nankin). En 1931, les Japonais envahissent la Mandchourie, créent en 1932 l'État du Mandchoukuo avec Pu Yi, l'héritier de l'impératrice Cixi renversée en 1911. En 1933, ils annexent la pro-vince du Jehol (elle disparaîtra en 1955) et tentent, en 1935, de constituer un gouvernement à leur solde en Chine du Nord. Dès lors, nationalistes et communistes n'ont plus qu'à s'unir pour se battre contre le Japon (1936). En 1937, la guerre éclate et le Japon conquiert militairement toutes les villes côtières et industrielles dès 1938. Les nationalistes se réfugient dans l'intérieur, au Sichuan, tout comme l'avaient fait les communistes après la Longue marche de 1934-1935 du Jiangxi au Shaanxi. Après la défaite du Japon dans la Seconde Guerre mondiale, les nationalistes installent à nouveau leur gouvernement à Nankin en 1945. La guerre civile avec les communistes reprend en 1946 et se termine par l'exode des nationalistes à Taïwan, en 1949.

P.G.

Tchiang Kai-chek

Tchiang est né dans une famille de négociants en 1887, à Fenghua (Zhejiang). Il apprend le métier des armes à l'Académie militaire de Tokyo et retourne en 1911 à Canton organiser la rébellion républicaine en s'appuyant sur les sociétés secrètes anti-mandchoues. Il commande bientôt l'armée du Guangdong, noyau de la force militaire du Guomindang, et choisit de suivre Sun Yat-sen. Le rapprochement de Sun avec Moscou permet à Tchiang d'aller se former à l'école de l'Armée rouge pendant tout le début des années vingt. Il rencontre Trotski et les responsables du Komintern. Séduit par la force du régime de parti unique, il revient à Canton en 1924 diriger l'Académie militaire de Whampoa, où il travaille avec les conseillers russes et les communistes chinois comme Zhou Enlai, tout en surveillant particulièrement la propagande. Après la mort de Sun Yat-sen en 1925, les luttes internes lui permettent d'abord de chasser les Russes, dès mars 1926, puis de décimer les communistes à Shanghai en avril 1927. Il fonde alors à Nankin un régime nationaliste et réactionnaire pour le seul parti du Guomindang, épouse une des filles de la très riche famille de banquiers Song et se convertit au méthodisme.

Il acquiert le surnom de Gemo (généralissime) lors des cinq campagnes contre les communistes, dont celle de 1934, qui les contraint à la Longue Marche pour éviter l'encerclement. Il est cependant obligé en 1936 de s'allier à eux pour lutter contre l'invasion japonaise. Lors de la Seconde Guerre mondiale, les alliés anglo-américains s'appuient sur lui alors que Staline n'a pas confiance en Mao. Dès 1943, il est associé aux grandes conférences internationales et passe pour le maître de la Chine. En 1945, il rompt le front commun avec les communistes. Pendant quatre ans, il assiste à la décomposition de son régime et une série de défaites militaires le contraint à abandonner la présidence de la République chinoise le 21 janvier 1949 et à se réfugier à Taïwan, avec 30 000 hommes environ. Mal accueilli par les Taïwanais, abandonné par les Américains, il doit au déclenchement de la guerre de Corée de reprendre du service. Il conquiert le pouvoir grâce au besoin que les Américains ont de lui, met alors en place un régime dictatorial, ultralibéral, et rêve d'une reconquête militaire du continent. Il meurt en 1975, laissant le pouvoir à son fils, Tchiang Ching-kuo.

P.G.

pement économique étant subordonné étroitement aux objectifs militaires d'un régime à l'assise territoriale étroite, la priorité a été donnée à l'exploitation des ressources les plus aisées à contrôler, c'est-à-dire le secteur moderne. Quand les temps de crise ont succédé aux périodes de croissance, des pans entiers de l'économie nationale ont été sinistrés sans que l'État apportât un quelconque soutien.

Dans l'exercice du pouvoir, l'équilibre des forces entre État et société a continué de se faire à l'avantage du premier. Les dirigeants, qu'ils s'appellent Yuan Shikai ou Tchiang Kai-chek (Jiang Jieshi) ne conçoivent d'autre modernisation que sous l'égide de l'État, l'émergence de groupes sociaux autonomes étant perçue comme une menace poten-

tielle plus que comme un atout sur la voie du progrès commun. Aucun régime, pendant la période républicaine, n'a su trouver l'articulation juste permettant à la société de s'exprimer et de s'activer tout en canalisant les initiatives individuelles dans le sens des objectifs de modernisation de la nation.

En définitive, l'échec de la modernisation sous la République a sanctionné l'absence des ingrédients fondamentaux — développement équilibré et régulier, constitution d'un État moderne, maturation d'une société civile forte — qui lui auraient été nécessaires. Ces faiblesses majeures n'avaient guère de chances d'être surmontées dans le contexte nouveau créé par la victoire du Parti communiste chinois (1949). Ce dernier, après un échec sanglant en avril 1927, lorsque Tchiang Kaichek décida de réprimer brutalement son allié de la veille, a entamé un long exil dans les provinces reculées de l'intérieur, il a su créer un formidable appareil étatique et militaire, qui a fait la preuve de sa supériorité écrasante en balayant littéralement en quelques années (1946-1949) un pouvoir nationaliste discrédité.

Christian Henriot

L'échec de la modernisation maoïste

De 1949 à 1978, la « construction du socialisme » s'effectue sous l'influence des idées et, jusqu'à sa mort, en 1976, des directives de Mao Zedong. L'idéologie de ce dernier (voir au chapitre « Pouvoir et société ») joue donc un rôle essentiel. On peut distinguer cependant quatre périodes rythmées par la mise en application de cette idéologie.

La première période, de 1949 à 1957, est une étape d'effacement relatif du maoïsme, alors que l'on se propose de suivre le modèle soviétique stalinien pour bâtir la Chine nouvelle. Le « traité d'amitié, d'alliance et d'assistance mutuelle sino-soviétique » de février 1950 intègre la Chine dans le camp socialiste et renforce le poids de ce modèle. La réforme agraire à partir de juin 1950 puis la collectivisation hâtée par Mao le 31 juillet 1955 permettent à l'État de prélever à sa guise sur la production paysanne de quoi financer la construction industrielle dans le cadre d'une planification qui donne priorité à l'industrie lourde. Les grands moyens de production et d'échange sont nationalisés dès 1956. Lors du 8e congrès du Parti communiste, en septembre 1956, on célèbre les succès d'une Chine socialiste, dominée par un Parti communiste tout-puissant.

Les « Cent fleurs »

La deuxième étape commence avec la critique de cet apparent suc-

cès par Mao Zedong lui-même. Il constate, en effet, les insuffisances des résultats, ne serait-ce que la stagnation de la production agricole qui, avec un taux de croissance tournant autour de 2 %, est à peine supérieure à la progression de la population. L'insuffisance des résultats agricoles retentit sur l'industrie qui s'essouffle, alors que la planification rigide multiplie les gaspillages. Le Parti tend à se bureaucratiser et à faire de ses cadres une nouvelle caste privilégiée. Or, le XXe Congrès du Parti communiste de l'Union soviétique a vu Nikita Khrouchtchev critiquer violemment Staline et déstabiliser le « modèle ». Les troubles de l'Octobre polonais et l'insurrection populaire hongroise, en 1956, prouvent que les contradictions entre le peuple et un parti communiste au pouvoir peuvent dégénérer. Mao Zedong, en février 1957, prononce ainsi son rapport sur « la juste solution des contradictions au sein du peuple » et invite le Parti, pour renouer ses liens distendus avec la population, à susciter un vaste débat critique sur le fonctionnement du nouveau régime. La *Campagne des Cent fleurs* qui tire son nom du mot d'ordre « Que cent fleurs s'épanouissent, que cent écoles rivalisent », et qui résulte de cette initiative entre la fin avril et le 8 juin 1957 surprend par la violence des critiques provenant du monde des intellectuels et des étudiants. Des paysans, silencieusement, commencent à quitter des coopératives. Le

Parti, inquiet, met fin à cet épisode, et Deng Xiaoping, secrétaire général à l'époque, lance la campagne antidroitière qui prive de liberté 400 000 personnes et en fait persécuter 1 700 000. Durant l'hiver qui suit, 8 % des adhérents du Parti sont exclus. Mao, qui contrôle ainsi parfaitement l'appareil, pense pouvoir lancer son peuple dans la recherche d'une voie originale vers le socialisme.

Le Grand bond en avant

C'est, en effet, à partir de mai 1958 le lancement du *Grand bond en avant*, directement inspiré de ses idées, qui donne naissance au mois d'août aux « communes populaires ». L'intention est de tirer avantage de ce qui est un handicap apparent.

La Chine est pauvre? Son peuple est à l'abri de la corruption de l'abondance et plus apte à se mobiliser pour des travaux collectifs générateurs de progrès : « sur une page blanche on écrit de beaux poèmes ». Les Chinois sont trop nombreux? Mais « une bouche c'est deux bras ». On va donc créer 26 000 communes, vastes ensembles de 15 à 25 000 personnes où seront intégrées les activités des anciennes coopératives regroupées, ce qui permettra aux plus pauvres d'entre elles d'être aidées par les plus riches, les activités industrielles étant décentralisées et mises au service de l'agriculture (« marcher sur deux jambes », avec les célèbres « petits

Mao Zedong

Mao Zedong (Mao-tse-tung, Mao tsé-toung) est né le 26 décembre 1893 à Shaoshan, (Hunan), dans une famille de paysans aisés; son père était marchand de céréales, et employait plusieurs ouvriers agricoles. Rebelle à seize ans, il quitta la ferme familiale pour une école du voisinage, puis la capitale provinciale, Changsha, en 1911, où il devint quelques mois soldat de la révolution. Il entra à vingt ans dans l'école normale de la ville, et se retrouva en 1918 à Pékin, où il obtint un emploi à la bibliothèque de l'Université. Gagné au marxisme en 1920, il représenta le Hunan en juillet 1921, à Shanghai, lors de la fondation du PCC par treize délégués nationaux. C'est vers 1926, comme directeur à Canton de l'Institut des cadres du mouvement paysan, qu'il acquit la certitude que la révolution chinoise serait paysanne ou ne serait pas, comme le montre son Enquête sur le mouvement paysan dans le Hunan *de 1927.*

De 34 à 56 ans, il mena une carrière de combattant révolutionnaire, justifiant la violence, nécessaire à la révolution, et appliquant sans relâche ses deux principes majeurs, la constitution d'une Armée rouge et l'enracinement local dans des bases révolutionnaires, selon lui seule stratégie adaptée à un pays « semi-colonial » arriéré. Jusqu'en 1935, il demeura mino-

ritaire au sein du PCC. Installé dans le Jiangxi, il recueillit les débris de la direction du PCC de Shanghai, décimée par Tchiang Kai-chek et le Guomindang. C'est à partir de la Longue Marche qu'il devint en janvier 1935 le chef de moins en moins contesté du Parti. Réfugié dans le nord-ouest de la Chine, à Yan'an, il prit le temps, installé à l'arrière des combats, de réfléchir et d'écrire.

Dès cette époque, il entre dans la légende, qui en fait une personnalité aussi énigmatique qu'exceptionnelle : calme et énergie du chef à la hauteur de sa tâche de géant, simplicité d'allure et de goûts du paysan hunanais, délicatesse et sensibilité de l'artiste, etc. Après 1949, le portrait s'est fait encore plus favorable, encore plus éloigné de l'être de chair et d'os qui lui sert de prétexte. Et pourtant, les vingt-sept années qui lui restent à vivre correspondent peu à l'image de sérénité qui a été diffusée ultérieurement lors de la mise en place du culte de la personnalité, mélange chinois de culte stalinien et de culte impérial. Mao n'est pas resté au-dessus de la mêlée, il a pris parti, il a changé à plusieurs reprises de tactique ou de politique, il n'est demeuré à l'abri ni des coups, ni des échecs. Il semble avoir réussi à imposer l'essentiel de ses vues jusqu'au lancement du Grand bond en avant, hauts fourneaux »), les collèges, la milice, la santé. Mao rêve d'une Chine devenue fédération de ces communes, où régneraient la discipline, l'unité idéologique, la frugalité, l'égalitarisme, et où la nourriture serait gratuite. Pour des millions de paysans, que la réforme agraire avait laissés trop pauvres et que la collectivisation dans des coopératives minuscules et sans moyens maintenait dans la disette, le rêve millénariste ressurgissait : encore deux ou trois ans d'effort, et ce serait l'abondance et le bonheur. La Chine parviendrait au communisme (« à chacun selon ses besoins ») avant les Soviétiques.

Dès l'hiver 1958-1959, on comprit qu'il fallait déchanter. Les statistiques truquées avaient multiplié abusivement une récolte simplement bonne, gâtée en partie par des calamités naturelles mais surtout par l'absence de dizaines de millions de paysans retenus loin de leur village par de gigantesques et souvent inutiles travaux de terrassement. On accroît néanmoins le montant des livraisons obligatoires très au-delà du tolérable. Le maréchal Peng Dehuai, lors de la réunion du Comité central de Lushan en juillet-août 1957 critique le projet et demande à Mao de faire marche arrière. Il est destitué et remplacé par Lin Biao : désormais, rien ne s'oppose plus à la catastrophe. Elle a lieu ; de l'hiver 1959 à l'hiver 1961, ce sont les *Trois années noires* durant lesquelles la famine que l'on avait vaincue reparaît dans les campagnes, coûtant la vie à 13 (chiffre reconnu en Chine) ou 30

dont il porte la responsabilité (1958). Surtout à partir du VIIIe congrès du PCC, réuni en 1956, Mao a dû se contenter de définir les grandes orientations, de secouer de temps à autre la bureaucratie du Parti. En juillet 1959, la politique maoïste fit l'objet d'une critique en règle, conduite par l'un des premiers compagnons de lutte de Mao, Peng Dehuai, le prestigieux ministre de la Défense, qui entraîna une sérieuse éclipse dans l'autorité de Mao entre 1959 et 1962. A partir du 10e plenum du VIIIe congrès du PCC, en septembre, il tenta en vain de reconquérir le Parti, malgré le soutien actif de Lin Biao, successeur de Peng Dehuai, et organisateur d'une « maoïsation » généralisée de l'armée.

C'est l'échec de moyens moins coûteux qui a pu décider Mao à déclencher la Révolution culturelle. Dès 1966, elle rétablit avec éclat Mao au premier rang, et porte au pouvoir ses proches, dont sa femme Jiang Qing et son ancien secrétaire Chen Boda.

Après l'élimination successive de Chen Boda (dès 1970) et de Lin Biao (en 1971), l'application sous l'égide de Zhou Enlai, puis de Deng Xiaoping revenu au pouvoir, d'une politique pour le moins infidèle aux idéaux de la Révolution culturelle incita, dans les dernières années de la vie de Mao, à poser la question du rôle qu'il continuait d'exercer. Acceptait-il de se renier en donnant son aval à une ligne proche de celle qui prévalait dix ans

plus tôt et à laquelle il avait mis un terme en déclenchant la Révolution culturelle ? Ou combattait-il en sous-main Zhou, puis Deng, en soutenant les campagnes menées contre eux par Jiang Qing et ses associés ? La mise à l'écart, au lendemain de la mort du Premier ministre Zhou en janvier 1976, de son héritier naturel, le premier vice-Premier ministre Deng, fournit une première réponse (Deng n'aurait pu être écarté sans le consentement de Mao), confirmée trois mois plus tard par l'élimination officielle de Deng Xiaoping, rendu responsable des « incidents contre-révolutionnaires » de la Place Tian An Men (Pékin, 5 avril 1976). Ces incidents (une manifestation qui tourna à l'émeute) constituaient un désaveu sans précédent du vieux lion. La disparition de Mao, survenue quelques semaines plus tard (9 septembre 1976), montra sans ambiguïté que la survie d'un octogénaire entêté en était venue à bloquer l'adaptation trop longtemps retardée du régime issu de la révolution. Débarrassé du Père fondateur, celui-ci a évolué depuis 1976 dans un sens diamétralement opposé au cap que Mao Zedong s'acharnait à maintenir. Et c'est le revenant Deng Xiaoping qui présida à cette démaoïsation.

Lucien Bianco
d'après Dictionnaire du mouvement ouvrier : Chine, Éditions ouvrières et Presses de la FNSP, Paris, 1985.

(évaluation américaine) millions de personnes. La bouffée d'utopie d'un été débouchait sur une tragédie atroce. Il fallait trouver des responsables. D'autant plus que la progressive rupture avec l'URSS, accusée de «révisionnisme» était consommée en 1963, alors que la Chine n'hésitait pas à provoquer «l'impérialisme américain» : la crise du détroit de Formose est contemporaine du lancement des communes populaires. Tout ceci interdisait la marche arrière : la Chine devait devenir le nouveau centre rouge de la révolution mondiale. Le maoïsme était condamné au succès.

La révolution culturelle

Alors commence la troisième étape. Après quelques années de convalescence durant lesquelles Deng Xiaoping et Liu Shaoqi remettent lentement le pays sur pied en laissant se développer diverses expériences qui anticipent sur la réforme poursuivie après 1978 et en totale rupture avec le maoïsme (rôle de l'exploitation familiale et des activités secondaires dans les villages, préférence aux experts sur les idéologues…) Mao s'entête sur sa voie. Le Grand bond en avant était une réponse fausse à des problèmes

Zhou Enlai

Né en 1898 à Huai'an (Jiangsu) dans une famille de notables originaire de Shaoxing (Zhejiang), Zhou Enlai est le seul communiste chinois qui ait appartenu sans interruption à la direction du Parti pendant près d'un demi-siècle (de 1927 à sa mort, en 1976). Chargé des relations extérieures du régime, Premier ministre pendant plus d'un quart de siècle, Zhou a exercé sans relâche un rare talent de diplomate et d'administrateur.

Arrêté à l'issue des manifestations patriotiques de 1919, il passe une centaine de jours en prison au début de 1920, puis, relâché, s'embarque pour la France en octobre 1920, dans le cadre du mouvement «travail-étude». Il adhère au mouvement communiste au début de l'année 1921.

Lorsqu'il quitte l'Europe au cours de l'été 1924, sa réputation d'organisateur efficace le précède en Chine. A vingt-six ans, il devient secrétaire du comité régional du PCC pour la province du Guangdong et surtout directeur-adjoint de la section politique de l'Académie militaire de Huangpu, fondée quelques mois plus tôt par le Guomindang et commandée par Tchiang Kai-chek. En mars 1927, il figure parmi les organisateurs de l'insurrection de Shanghai, après laquelle Tchiang Kai-chek rompt avec les communistes et les fait massacrer. On ignore comment il a échappé à l'exécution. Dès les derniers jours d'avril, Zhou Enlai assiste à Wuhan

au Vᵉ congrès du PCC qui l'élit au Comité central et au Bureau politique. Quelques mois plus tard, il organise avec d'autres le soulèvement de Nanchang (1ᵉʳ août 1927), célébré aujourd'hui en Chine populaire comme l'acte de naissance de l'Armée rouge.

Après avoir plusieurs années durant (1930-1935) lutté contre Mao Zedong, il se rallie à lui en 1935. Dès le printemps 1936, il devient le représentant attitré du communisme chinois auprès du gouvernement nationaliste basé à Chongqing.

En mars 1949, il entre aux côtés de Mao dans Pékin libéré. Dorénavant, il négociera avec le monde entier en tant que ministre des Affaires étrangères et Premier ministre de la nation la plus peuplée de la terre.

En 1972, la maladie (un cancer) le frappe. Lors du Xᵉ congrès du PCC (août 1973), il fait réhabiliter de nombreux cadres critiqués pendant la «révolution culturelle». Le plus important d'entre eux, Deng Xiaoping, apparaît en 1975 comme le successeur désigné du Premier ministre. Zhou fait référence aux «quatre modernisations» dans un discours de janvier 1975. Il meurt le 8 janvier 1976.

D'après L. Bianco, in Dictionnaire biographique du mouvement ouvrier international - La Chine, *Éditions ouvrières - Presses de la Fondation nationale des sciences politiques, Paris, 1985.*

La Bande des Quatre

Dénomination péjorative donnée après leur arrestation en octobre 1976 aux quatre principaux responsables de la «révolution culturelle», Jiang Qing, la femme de Mao Zedong, Zhang Chunqiao, écrivain, l'un des principaux théoriciens de la gauche maoïste, Yao Wenyuan, critique littéraire devenu responsable de la propagande, et Wang Hongwen, ouvrier, né en 1933, devenu «numéro 3» du PCC en 1973, ces trois derniers étant jusque-là connus comme constituants du «groupe de Shanghai».

réels ; ces derniers subsistent, aggravés par l'échec, mais on ajoute une nouvelle réponse fausse à la première que l'on maintient, portant ainsi l'erreur au carré. C'est la «révolution culturelle» (1966-1969). Mao mobilise le peuple, surtout les jeunes étudiants et lycéens, contre les cadres du Parti rendus coupables de l'échec antérieur, engagés qu'ils seraient dans la «restauration de la voie capitaliste». Mao, habilement, apparaît ainsi comme libérateur, invitant à la rébellion des millions de jeunes qui ne peuvent plus supporter la vie grise, le conformisme étouffant, la pénurie, la tyrannie des petits chefs. Les «gardes rouges» déferlent dans les villes et brisent les pouvoirs locaux sous la discrète surveillance de l'armée. Nouveaux drames, guerres civiles locales ; le Parti est durablement ébranlé,... et une dictature militaire menace. Le chaos s'accroît quand des millions de gardes rouges brisés sont envoyés se «rééduquer» dans de lointaines campagnes : une génération sacrifiée. L'isolement international de la Chine est quasi total, à l'Albanie et à la Roumanie près.

On entre enfin dans la quatrième étape. Rien ne peut être stabilisé sur les bases voulues par le «grand timonier» dont le culte atteint alors le délire. Le Parti, malgré deux congrès (le IXe en 1969 et

le Xe en 1973) séparés par l'élimination brutale de Lin Biao en septembre 1971, ne se rebâtit pas vraiment. L'aile dogmatique regroupée autour de l'épouse de Mao Jiang Qing, que l'on appellera la «bande des quatre», croit tenir le pouvoir. Mais les pragmatiques, autour de Zhou Enlai et de Deng Xiaoping sont à la contre-attaque depuis le début des années soixante-dix. Leur force est la lente et irrésistible pression de tout un peuple qui veut développer la production, améliorer ses conditions de vie. Derrière le chaos, en effet, la Chine opère enfin sa «révolution verte», et l'ouverture au monde, après la normalisation des rapports vec les États-Unis et le Japon, à partir de 1972, révèle aux cadres et aux intellectuels l'énorme retard du pays, qu'il faut combler. Certes, à la mort de Zhou Enlai, en janvier 1976, c'est le pâle Hua Guofeng qui devient président du Parti. A la mort de Mao, en septembre, arrêtant la «bande des quatre», il croit en octobre s'être assuré de l'avenir et pouvoir poursuivre un maoïsme bien tempéré.

Jiang Qing

Née en 1913, connue sous des noms différents : Li Jin, puis Li Yunhe, Lan Ping, nom d'actrice de cinéma jusqu'à son mariage en 1938 avec Mao Zedong, Jiang Qing a fait partie de 1938 à 1965 du groupe des censeurs des arts et lettres. Le déclenchement de la «révolution culturelle» lui a permis d'accéder au rang des principaux dirigeants, ce qu'elle n'avait pu faire auparavant malgré son mariage, en raison d'un passé mal éclairci à Shanghai avant 1938. Dès lors, elle applique avec rigueur les directives sur la culture qu'elle énonce elle-même. Son pouvoir s'étendra même sur l'armée. Elle accède au Bureau politique en 1969. Sa chute est celle de la Bande des Quatre. Elle est condamnée à mort avec un sursis de deux ans à l'issue de son procès en janvier 1981. La peine n'a pas été exécutée.
Suicide in prison 1993

Hua Guofeng

Né en 1920 dans le Shanxi, successeur éphémère de Zhou Enlai (février 1976-septembre 1980), et de Mao Zedong (octobre 1976-juin 1981), il est remplacé par Zhao Ziyang et Hu Yaobang à la tête du gouvernement et du Parti. Le XIIᵉ congrès du P C C l'a rétrogradé au rang de simple membre du Comité central (septembre 1982).

Après une carrière de bureaucrate provincial — mais dans la province du Hunan, et dans la région natale de Mao Zedong — il est appelé à Pékin au printemps de 1971 pour participer aux services de sécurité, sous le contrôle de Zhou Enlai. Il est un de ceux qui s'opposent le plus nettement aux ambitions de Lin Biao et, en septembre de la même année, après la mort en Mongolie du maréchal-traître, ancien dauphin de Mao, il est placé par Mao et Zhou au sommet de la Sécurité publique. Il en devient le ministre en 1973. Médiateur en 1975 entre les deux factions qui se disputent le pouvoir (celle de Deng Xiaoping et celle de Jiang Qing, l'épouse de Mao), il est désigné, par intérim, successeur de Zhou en février 1976. Toujours grâce à sa position au centre des factions et au cœur de la Sécurité publique, il devient, le 7 avril 1976, Premier ministre en titre après le limogeage de Deng Xiaoping (le 7 avril 1976). Cinq mois plus tard, dix jours après la mort de Mao, son coup d'avance celui de la veuve de Mao et de ses trois adjoints : il fait arrêter le 6 octobre la « Bande des quatre », devient président du P C C. Mais, dès juillet 1977, la faction de Deng obtient le retour de celui-ci au pouvoir. La guerre d'usure sera fatale à Hua.

D'après Y. Chevrier et W. Zafanolli in Dictionnaire biographique du mouvement ouvrier international. La Chine, *Éditions ouvrières — Presses de la Fondation nationale des sciences politiques, Paris, 1985.*

BIBLIOGRAPHIE

BERGERE M.-C., *La République populaire de Chine de 1949 à nos jours*, Armand Colin, Paris, 1987.

BIANCO L., CHEVRIER Y., (ed.), *Dictionnaire biographique du mouvement ouvrier international : La Chine*, Éditions Ouvrières et Presses de la F N S P, Paris, 1985.

DOMENACH J.-L. et RICHER Ph., *La Chine 1949-1985*, Imprimerie nationale, Paris, 1987.

FROLIC M.B., *Le Peuple de Mao : scènes de la vie en Chine révolutionnaire* (trad. de l'américain), Gallimard, Paris, 1982.

GUILLERMAZ J., *Le Parti communiste chinois au pouvoir* (2 vol.), Petite Bibliothèque Payot, Paris, 1979.

HINTON W., *Fanshen* (trad. de l'américain), Payot, Paris, 1971.

HINTON H.C. (ed), *The People's Republic of China 1949-1979, A Documentary Survey* (5 vol.), Delaware Scholarly Resources, Wilmington, 1980.

HUA Linshan, *Les Années rouges*, Seuil, Paris, 1987.

MAO Zedong, *Le Grand Bond en avant*, Inédits, Le Sycomore, Paris, 1980.

MAO Zedong, *Les Trois années noires*, Inédits, Le Sycomore, Paris, 1980.

ROUX A., *La Chine populaire* [Vol. 1 : *Les Fondations du socialisme chinois, 1949-1966*; Vol. 2 : *Du Chaos à la voie chinoise,1966-1984*], Éditions sociales, Paris, 1983 et 1984.

Il modifie même son aspect pour ressembler peu à peu au « grand timonier » dont il édite le tome cinq des *Œuvres* et érige le mausolée. C'était ne pas comprendre le sens des manifestations du 5 mars 1976 dans les villes et notamment Pékin qui avaient vu des millions de Chinois proclamer leur attachement à Zhou Enlai, et, par là même, à un socialisme différent de celui de Mao que Hua voulait prolonger. Le XIe congrès en 1977 n'y change rien, sinon qu'en réhabilitant à nouveau Deng Xiaoping, il donne un visage politique et un leader à cette exigence de réforme.

Alain Roux

Le cours de la réforme (1976-1989)

Après 1976, les successeurs de Mao Zedong, qui se réclament de moins en moins de son héritage, ont lancé le *gaige* — littéralement, révolution réformatrice, le plus fort des termes traditionnellement employés pour désigner un changement qui ne jette pas à bas le régime lui-même. Loin d'évoquer le souvenir des débats de ligne politique à l'intérieur de la social-démocratie allemande avant 1914, ou des bolcheviks russes après 1917, ce terme renvoie à la perspective des transformations internes aux dynasties impériales : l'enthousiasme avec lequel la presse chinoise d'outre-mer — au premier rang de laquelle il faut citer le magazine hongkongais *Zhengming* (*Émulation*), proche de l'aile réformatrice du PCC — s'est saisie des clivages nouveaux entre « conservateurs » et « réformateurs », de leurs affrontements et des rumeurs qui l'accompagnaient, témoigne de cette résurgence historique.

Mais cette évolution est aussi passée par des étapes majeures d'affrontement politique à l'intérieur du Parti communiste : octobre 1976, bien sûr, et la campagne d'élimination des radicaux maoïstes de la « Bande des quatre » ; juillet 1977 et le retour de Deng Xiaoping dans les instances nationales, grâce à la pression de ses partisans militaires et à la demande populaire ; décembre 1978 et l'autocritique des partisans de politique agraire maoïste, point de départ du *gaige* ; février 1980 avec le Ve plénum, qui voit les alliés de Deng remplacer ceux de Hua Guofeng au sommet ; XIIe congrès du PCC en septembre 1982, qui marque la mise à l'écart des militaires des instances dirigeantes et la victoire officielle de la ligne réformatrice ; septembre 1985 et une conférence nationale où certains alliés de Deng mettent en cause la libéralisation agraire ; janvier 1987 et le limogeage d'un des deux lieutenants de Deng, le secrétaire général Hu Yaobang ; août-octobre 1988, et le coup d'arrêt à la réforme économique, marqué par l'autocritique du second lieutenant de Deng, Zhao Ziyang, qui perd peu après tout contrôle sur la politique économique.

Ainsi, de 1978 à 1989, la progression des réformes a été marquée par des avancées brutales — en 1978-1979, en 1984-1985, et, sur le plan économique, en 1987-1988 —, mais aussi par des polémiques intenses, expression publique en 1978 des revendications sociales et de la dissidence intellectuelle (arrêt en mars 1979 du « printemps de Pékin », campagne contre la « pollution spirituelle » fin 1983, et contre le « libéralisme bourgeois » au début de 1987).

Deng au centre du jeu

Ces événements ont été dominés par le personnage, tantôt audacieux, tantôt rassembleur, de Deng

Xiaoping. Son intelligence politique a déjoué les pièges de la démaoïsation. Jusqu'au mois de mai 1989, où il a estimé, après avoir été mis en cause personnellement, que son régime était en danger, et qu'il fallait donc laisser faire les conservateurs, il avait toujours arbitré en faveur des réformistes le conflit entre dogmatisme et mouvement, concédant toutefois des garde-fous aux conservateurs : ce fut le cas en particulier en mars 1979, où il fixa quatre « principes fondamentaux » : l'adhésion à la voie socialiste, la dictature démocratique du prolétariat, le rôle dirigeant du P C C, le marxisme-léninisme et la pensée Mao Zedong. Cette déclaration de principe devait resurgir en 1987, en plein débat sur la réforme politique, et être utilisée en contradiction de celle-ci, pour devenir la règle absolue après les événements de juin 1989.

Entre-temps, il est vrai, la coalition très diverse qui avait soutenu Deng Xiaoping s'était en partie modifiée. Bien des vétérans s'en étaient séparés en cours de route : le maréchal Ye Jianying décédé en 1982 qui incarnait la continuité de l'appareil ; Peng Zhen, ancien maire à poigne de Pékin en 1957 mais solidaire des victimes de la « révolution culturelle », au nombre desquels il figura ; le dirigeant économique Chen Yun, parrain chinois des réformes économiques de la première génération post-maoïste.

Après dix ans d'utilisation tactique d'une semi-retraite qui lui a permis d'économiser, non seulement ses forces physiques, mais aussi une partie de son capital politique, Deng Xiaoping a dû céder du terrain sur les réformes (élimination de son protégé Hu Yaobang, secrétaire général du Parti, en 1987) puis soutenir le retour au pouvoir des « conservateurs » (élimination de son second protégé et « successeur désigné », Zhao Ziyang, secrétaire général du Parti après Hu, et destitué en juin 1989). Une nouvelle direction collégiale du P C C semble naître, fondée sur des cadres soit moins engagés dans la voie réformiste, soit carrément hostiles : Li Peng, Premier ministre et représentant de l'appareil

économique socialiste, Yang Shangkun, président de la République et détenteur de la légitimité de l'Armée rouge avec Deng lui-même, Qiao Shi, responsable de la sécurité à la tête du P C C, et quelques autres [voir portraits p. 235 et suiv.].

Plus généralement, le soutien populaire aux réformes n'était plus le même en 1989. Après 1978, les familles paysannes avaient retrouvé leurs terres, les salariés leurs primes, et bientôt les intellectuels une certaine liberté de créer, sinon de s'exprimer dans le domaine politique. Les uns et les autres devinrent progressivement plus sensibles à l'inégalité croissante des revenus, à une inflation qui ruine les titulaires de revenus fixes, à la corruption fréquente qui remplace les rouages d'un État moderne. Étudiants et intellectuels, déçus par la lenteur relative des résultats, regardaient de plus en plus directement vers l'Occident — ou vers le Japon et Taïwan, pour y trouver des modèles d'une plus grande productivité. Au terme de dix ans de croissance économique rapide, mais diversement répartie, la réforme entraînait une crise générale des espérances individuelles.

La logique du gaige

Et pourtant, le chemin parcouru est immense, comme l'avait été la construction économique du pays dans les premières années du régime communiste. Ce qui était, sous la houlette de Hua Guofeng, le successeur transitoire de Mao en 1977-1978, un programme d'achats à l'Occident et de grands travaux, est devenu une intégration de la Chine dans le commerce international : avec près de 50 milliards de dollars d'exportations en 1988, celle-ci occupe une place appréciable dans l'économie asiatique. L'ouverture du pays aux capitaux étrangers, délimitée par une loi sur les entreprises mixtes en 1979 mais sans cesse élargie depuis, a entraîné un flot croissant d'investissements directs industriels vers les Zones économiques spéciales et les plus grandes villes chinoises. Le relèvement des prix d'achat à l'agriculture et la réouverture des marchés ruraux en décembre 1978 ont été suivis, en 1980-1981, par l'attribution de la terre aux familles : l'essor qui en est résulté de l'économie paysanne et de ses prolongements (artisanat, commerce et services privés) a bouleversé les régions favorisées par leur situation géographique. La réforme urbaine et des entreprises industrielles, expérimentale à partir de 1979, lancée à l'échelle du pays en 1984, a été accompagnée par un relâchement notable à l'égard des entreprises individuelles et collectives. Les déséquilibres d'ensemble ont été symbolisés de façon spectaculaire par un déficit commercial de 15 milliards de dollars en 1985, et par un taux d'inflation de 26 % en 1988. Mais ils n'empêchaient pas une croissance industrielle et commerciale effrénée.

Cette évolution était dans la logique du *gaige* et de son inspiration politique : Deng Xiaoping a constamment utilisé les difficultés rencontrées par les premières réformes pour en lancer d'autres, souvent plus fondamentales. Sans doute existe-t-il un fil conducteur entre le dirigeant qui, en 1962, lançait un aphorisme pragmatique sur la couleur des chats (« Peu importe qu'un chat soit blanc ou noir, pourvu qu'il attrape les souris » : devise utilisée pour justifier le retour temporaire à l'agriculture familiale, dans les conditions de détresse suscitées par la faillite du Grand bond en avant) et l'homme d'État qui, recevant en 1988 le président éthiopien Mengistu, aurait, selon ce dernier, déconseillé aux pays qui envisagent aujourd'hui la voie socialiste de s'y lancer : par son ironie mordante, Deng Xiaoping a introduit officiellement le scepticisme historique parmi les dogmes communistes...

Quelles conséquences politiques ?

Les effets politiques de ce cours réformiste sont beaucoup moins évidents. Le régime a condamné en bloc la « révolution culturelle » et le Grand bond en avant. Il a désacralisé Mao, sans le condamner formellement : les derniers éloges appuyés, quoique marginalisés, de la pensée Mao Zedong remontent à l'automne 1984 dans la presse centrale ; la réapparition soudaine, lors du limogeage de Hu Yaobang en janvier 1987, des slogans mythiques de l'époque de Yan'an (1935-1942, entre l'échec de la « longue marche » et le début de la guerre anti-japonaise) et du stalinisme industriel chinois (Daqing et ses champs de pétrole plutôt que Dazhai et ses brigades paysannes...) a été sans lendemain : à la fin de l'année 1987, Zhao Ziyang, devenu secrétaire général du PCC, décidait la disparition du mensuel théorique du PCC, *Hongqi* (*Drapeau rouge*). Les dernières statues de Mao n'en finissent pas de tomber sur les places publiques — tandis que demeure son portrait sur la place Tian An Men, et le dogme de sa pensée, à laquelle on ne se réfère toutefois jamais concrètement dans les milieux officiels.

En parfaite symétrie, la libéralisation intellectuelle et politique paraissait un fait établi, mais qui n'avait jamais donné lieu à aucune reconnaissance formelle. Ce fut d'abord le retour, entre 1978 et 1981, de la plupart des déportés, des assignés à résidence et des jeunes envoyés à la campagne, et l'adoption progressive d'un régime légal mâtiné de dispositions d'exception. Presque aussi notable était l'étendue de l'occidentalisation des élites instruites (envoi de dizaines de milliers d'étudiants aux États-Unis, au Japon et en Europe — ils seraient 90 000 en 1989 —, ouverture du pays aux œuvres étrangères en tous genres). Le régime avait peu à peu toléré une circulation d'idées et de marchandises culturelles sans précédent. Les débats, d'experts plutôt que de simples citoyens, sur le cours du *gaige* devenaient nombreux, surtout depuis 1984.

Mais le régime, qu'il s'agisse de Deng Xiaoping ou des conservateurs, n'était pas disposé à légitimer le droit à une opposition, ni même une critique, entières : parfois débordé par les intellectuels (en 1979 avec la presse parallèle, en 1980 avec les écrivains, en 1986 avec de véritables activistes des réformes politiques, puis les manifestations étudiantes), souvent ignoré par les paysans dans leurs comportements quotidiens, fragilisé par l'autonomie croissante de certaines provinces (Guangdong, Zhejiang...), le gouvernement central s'efforçait de réaffirmer son autorité. C'était encore plus vrai concernant le cours de la direction politique, dont les mécanismes aussi centralisés qu'en 1979 étaient redevenus opaques en 1987.

En cela, les successeurs de Mao, bien qu'ayant initié la première réforme fondamentale d'un système communiste, situaient toujours leur action à l'intérieur des lois du centralisme démocratique, et se trouvaient par conséquent soumis aux crises de succession politique coutumières à ces systèmes.

François Godement

Repères chronologiques 1949-1989

1949
Janvier. Entrée à Pékin de l'Armée populaire de libération (A P L). Tchiang Kai-chek s'enfuit à Taïwan.
Juin. Discours de Mao Zedong sur « La Dictature démocratique du peuple ».
Octobre. Proclamation de la République populaire de Chine.

1950
Février. Signature à Moscou du Traité d'amitié, d'alliance et d'assistance mutuelle sino-soviétique, d'accords sur la rétrocession des intérêts soviétiques en Chine.
Avril. Loi sur le mariage.
Juin. Loi sur la réforme agraire.
Octobre. Envoi de « Volontaires » chinois en Corée.

1953
Juin. Premier recensement général de la population.
Novembre. Adoption d'un Système unifié d'achat et de vente des céréales.

1954
Octobre. Campagne de critique contre l'écrivain Hu Feng.

1955
Juillet. Rapport de Li Fuchun sur le premier plan quinquennal (1953-1957).
Discours de Mao Zedong prônant l'accélération de la collectivisation agricole (le 31), adopté au VIᵉ plenum du XIᵉ Comité central en octobre.

1956
Avril. Éditorial du *Quotidien du peuple*, intitulé « De l'expérience historique de la dictature du prolétariat, en réponse au Rapport Khrouchtchev.
Mai. Mao Zedong lance le slogan des « Cent fleurs ».

1957
Avril. Campagne des Cent fleurs.
Juin. Campagne de répression antidroitière.

1958
Avril. Formation de la première commune populaire, la Commune Weixing (Spoutnik), au Henan.
Mai. IIᵉ session du VIIIᵉ congrès du Parti, adoption de la Ligne générale pour la construction du socialisme, et lancement officiel du Grand bond en avant.
Novembre. Réunion du VIᵉ plenum du VIIIᵉ Comité central à Wuhan. Mao Zedong abandonne ses fonctions de président de la République.
Mars
Soulèvement de Lhassa (Tibet) et fuite du dalaï-lama vers l'Inde.
Avril. Liu Shaoqi est élu président de la République par l'Assemblée nationale populaire.
Juin. Abrogation par l'U R S S de l'accord de coopération atomique, signé le 15 octobre 1958.
Août. Réunion du VIIIᵉ plenum du VIIIᵉ Comité central à Lushan, et condamnation de Peng Dehuai, maréchal hostile à la politique de Mao Zedong.
Septembre. Lin Biao succède à Peng Dehuai au ministère de la Défense.

1960
Juin. Dénonciation du « gauchisme » chinois par Khrouchtchev.
Juillet. L'U R S S rappelle les experts soviétiques travaillant en Chine et suspend tous les accords de coopération scientifique et technique.

1962
Janvier. Critique de la politique du Grand bond en avant par Liu Shaoqi.
Accord de coopération économique et technique sino-albanais.
Avril. Émigration des Kazakh du Xinjiang vers le Kazakhstan soviétique.

Septembre. Le Xe plenum du VIIIe Comité central accepte le lancement d'un Mouvement d'éducation socialiste proposé par Mao Zedong.
Octobre. Début de la guerre sino-indienne à propos de la frontière.

1964
Octobre. Recensement général de la population, gardé secret jusqu'en 1982.
Premier essai nucléaire chinois.

1966
Mai. Circulaire du 16 mai établissant le Groupe de la « révolution culturelle » sous l'autorité de Chen Boda et de Jiang Qing.
Août. Réunion du XIe plenum au VIIIe Comité central qui adopte la décision en seize points, considérée comme la charte de la « révolution culturelle ».
Premier grand rassemblement de gardes rouges sur la place Tian An Men.
Décembre. Directives de Mao Zedong invitant les gardes rouges à porter la « révolution culturelle » dans les usines.

1967
Janvier. La Commission militaire du Parti invite l'Armée à soutenir les « véritables rebelles révolutionnaires ».
Septembre. Dénonciation de l'« ultra-gauchisme » par Jiang Qing.
Octobre. L'Armée de libération populaire reçoit le droit d'ouvrir le feu sur les manifestants.

1969
Mars. Graves incidents militaires sino-soviétiques le long de l'Oussouri.
Août. Graves incidents militaires sino-soviétiques à la frontière du Sinkiang.

1970
Mars. Pékin accueille le prince Sihanouk chassé du Cambodge par le coup d'État du général Lon Nol le 18 mars.
Août. Le IIe plenum du IXe Comité central, réuni à Lushan, condamne Chen Boda et refuse de rétablir le poste de président de la République au bénéfice de Lin Biao.

1971
Juillet. Visite secrète du secrétaire d'État américain Henry Kissinger en Chine.
Septembre. Mort de Lin Biao à bord d'un avion chinois tombé en République populaire de Mongolie.
Octobre. La République populaire de Chine est admise à l'O N U.

1972
Février. Le président Nixon visite la Chine.

1973
Août. Réunion du Xe congrès du Parti à Pékin où Deng Xiaoping retrouve son siège au Comité central.
Début de la Campagne contre Confucius.

1975
Janvier. La IVe Assemblée nationale populaire, réunie à Pékin, adopte une nouvelle Constitution, rétablit Deng Xiaoping dans ses fonctions de vice-Premier ministre, et approuve le programme des Quatre Modernisations présenté par Zhou Enlai.

1976
Janvier. Mort de Zhou Enlai.
Avril. Manifestations de Tian An Men.
Destitution de Deng Xiaoping et désignation de Hua Guofeng comme Premier ministre et premier vice-président du Parti.
Juillet. Tremblement de terre de Tangshan.
Septembre. Mort de Mao Zedong.
Octobre. Arrestation de la Bande des quatre.
Hua Guofeng devient président du Comité central.

1977
Juillet. Le IIIe plenum du Xe Comité central réintègre Deng Xiaoping dans ses fonctions de vice-Premier ministre et vice-président du Parti, et confirme Hua Guofeng dans celles de Premier ministre et président du Comité central.

1978

Novembre. Apparition des premières affiches sur le Mur de la démocratie à Pékin.
Décembre. Annonce du rétablissement des relations diplomatiques sino-américaines.
Le IIIe plenum du XIe Comité central consacre la victoire de la ligne de Deng Xiaoping, ajourne le plan économique décennal de Hua Guofeng et officialise la politique de libéralisation rurale.

1979

Février. Offensive militaire chinoise contre le Vietnam.
Mars. Arrestation de Wei Jinsheng et début de la répression du mouvement démocratique, dit « Printemps de Pékin ».
Juillet. Création des quatre zones économiques spéciales du Guangdong et du Fujian, et autorisation d'établissement d'entreprises mixtes sino-étrangères.

1980

Février. Réunion du Ve plenum du XIe Comité central. Les alliés de Hua Guofeng sont évincés du Bureau politique ; Zhao Ziyang et Hu Yaobang entrent au Comité permanent du Bureau politique.
Septembre. La IIIe session de la Ve Assemblée nationale populaire désigne Zhao Ziyang comme Premier ministre.
Le Document n° 75 du Comité central légalise l'exploitation familiale de la terre.
Novembre. Ouverture à Pékin du procès de la Bande des quatre et des complices de Lin Biao.

1981

Juin. Le VIe plenum du XIe Comité central, réuni à Pékin, adopte la « Résolution sur quelques questions concernant l'histoire du Parti », qui fixe l'interprétation officielle du rôle de Mao Zedong. Le plenum porte Hu Yaobang à la présidence du Comité central.

1982

Septembre. Le XIIe congrès du Parti, réuni à Pékin, exclut Hua Guofeng du Bureau politique, crée une Commission (honorifique) des conseillers du Comité central et adopte un programme de rectification du Parti en trois ans. Hu Yaobang abandonne son titre de président du Parti pour celui de secrétaire général.
Octobre. Publication des résultats du troisième recensement général de la population.
Décembre. Adoption d'une nouvelle Constitution par la Ve Assemblée nationale populaire.
Promulgation du sixième plan quinquennal (1981-1985).
Octobre. Le IIe plenum du XIIe Comité central approuve la campagne contre la « pollution spirituelle ».

1984

Janvier. Abandon de la campagne contre la « pollution spirituelle ».
Avril. Ouverture de quatorze villes côtières aux investissements étrangers.
Septembre. Déclaration commune sino-britannique sur Hong-Kong.

1985

Janvier. Deng Xiaoping : « La Chine restera socialiste. »
Février. Aux 31 villes ouvertes aux étrangers, le gouvernement en ajoute 67 autres, plus 87 avec permis spéciaux.
Mars. Arrivée de la première délégation parlementaire chinoise en U R S S depuis plus de vingt ans.
Le Premier ministre, Zhao Ziyang, annonce des difficultés économiques, un gel des salaires urbains, des mesures anti-inflationnistes.
Mai. Les prix de 1 800 produits sont libérés. Ils augmentent en moyenne de 50 % à Pékin.
L'accord sur Hong-Kong entre en vigueur.
Fin de la gratuité de l'enseignement supérieur.
Juillet. Pékin libère l'évêque catholique de Shanghai, emprisonné depuis 1955.
Des 14 villes côtières ouvertes aux capitaux étrangers, quatre auront la priorité : Shanghai, Tianjin, Dalian, Guangzhou.
Septembre. Session du Comité central du P C C. Démission des membres les plus âgés du Bureau politique et du Comité central.
Octobre. Pour la première fois depuis 1949, la population est autorisée à détenir des devises étrangères.

1986

Janvier. La corruption inquiète le Comité central. En onze mois, en 1985, 55 000 cadres ont été condamnés pour « crimes économiques ».

Mai. Incident entre étudiants chinois et africains à Tianjin.

Juin. Accord sino-américain pour le lancement de satellites américains par des fusées chinoises.

Juillet. Dévaluation de 15,8 % de la monnaie chinoise (1 dollar de 3,20 à 3,70 yuans).

Novembre. Création de bourses de valeur à Shanghai, Chongqing et Wuhan.

Décembre. Protestations étudiantes à Hefei (Anhui) contre la conception qu'a le P C C des « élections universitaires ». Le mouvement s'étend à 19 autres villes. Apparition du slogan : « Vive la démocratie ».

1987

Janvier. 3 000 étudiants défilent place Tian An Men pour demander « La démocratie », et leurs organisations dénoncent la manière dont la presse « déforme la vérité ». Deng Xiaoping, après réflexion, décide la répression du mouvement, ce qui entraîne une purge dans le monde académique.

Les contrats d'investissements étrangers signés en 1986 sont inférieurs de moitié à ceux de 1985 (3 contre 6 milliards de dollars).

L'U R S S est devenue en 1986 le cinquième partenaire commercial de la Chine, devant Singapour (4 % du total) mais loin derrière le Japon (23 %).

La Chine comptait au 1er janvier 1 060 millions d'habitants.

Avril. Signature de l'accord prévoyant la rétrocession de Macao à la Chine en 1999.

Juin. Explosion nucléaire dans le Lob Nor (Xinjiang).

Juillet. La loi martiale, en vigueur à Taïwan depuis 1947, est abrogée.

Août. Loi sur le rétablissement du commerce privé, qui réglemente l'activité de 12 millions d'établissements commerciaux.

Septembre. Taïwan autorise ses ressortissants à se rendre en Chine.

Selon des sources officielles, 40 millions de Chinois n'ont pas de quoi vivre décemment. Premières manifestations à Lhassa (Tibet) contre la sinisation.

Octobre. Le 1er, manifestations à Lhassa en faveur de l'indépendance du Tibet, réprimées violemment.

Zhao Ziyang est nommé secrétaire général du Parti.

Novembre. Li Peng est nommé Premier ministre intérimaire.

Le ministre des Affaires étrangères chinois reconnaît que la Chine a été trop laxiste dans ses ventes d'armes.

1988

Janvier. Mort de Tchiang Ching-kuo, président de Taïwan, en fonction depuis la mort de son père, Tchiang Kai-chek, en 1975.

Le contrôle des prix est rétabli en Chine populaire sur les combustibles, les transports, les matières premières de base.

Avril. Yang Shangkun est élu président de la République en remplacement de Li Xiannian.

Manifestation d'étudiants place Tian An Men contre leurs conditions de travail. Elles reprennent le 2 juin et sont réprimées par la police.

Juin. Le dalaï-lama propose un plan d'autonomie pour le Tibet, qui deviendrait une « entité démocratique autonome associée à la Chine ».

Juillet. La dette extérieure atteint 30 milliards de dollars.

Août. Les paysans sont autorisés à avoir un second enfant si le premier est une fille.

Décembre. La police chinoise ouvre le feu sur des manifestants à Lhassa (Tibet). Affrontements violents entre étudiants chinois et africains à Nankin.

1989

Mars. Trois journées d'émeute à Lhassa (Tibet) aboutissent à l'instauration de la loi martiale.

Avril. A la 2e session de la VIIe Assemblée populaire nationale, de vives oppositions apparaissent sur plusieurs sujets.

De grandes entreprises industrielles connaissent une situation difficile en raison de la croissance des créances impayées. Certaines doivent suspendre leur production faute de matières premières et/ou d'énergie.

Le 15, décès de Hu Yaobang, démis de ses fonctions de secrétaire général du Parti le 16 janvier 1987 pour ses idées « trop réformistes ». [*Voir au chapitre « Pouvoir et société » le déroulement et l'analyse de la crise du printemps 1989*].

Source : Chronologies publiées trimestriellement dans *Problèmes politiques et sociaux, série Extrême-Orient*, La Documentation française, Paris.

LA VIE QUOTIDIENNE

CADRE DE VIE

Vivre en ville : un rêve, mais quelle réalité !

Les villes chinoises : de vieux logements exigus et des autobus surchargés. Des trottoirs annexés par les riverains, et des rues étroites au trafic perturbé par les piétons ou les vélos. Des espaces verts trop rares, une pollution endémique de l'air et de l'eau. Les habitants ont pourtant de fortes réticences à quitter cette situation pour les banlieues ou les villes satellites. Mais comment peut-on vivre en ville en Chine ?

Il existe schématiquement trois sortes de logements dans les villes chinoises : les vieux quartiers d'avant-guerre, les logements de la reconstruction (de la Libération aux années soixante-dix), et les grands

ensembles de tours et de barres, en pleine expansion depuis cette date. Dans les centres-ville, vétustes, dominent soit les maisons à cour traditionnelles (*siheyuan*) de Pékin, soit les courées (les fameux *lilong*), si fréquentes dans le périmètre des anciennes concessions de Shanghai et de Tianjin. Cinq à douze familles cohabitent dans les maisons à cour, et dix à vingt dans les courées shanghaiennes. Sur-densité et promiscuité forment les deux mots clés de ces quartiers anciens : la vieille ville de Shanghai (Nan Shi) et celle de Tianjin (Cheng Li) hébergent en effet entre 920 et 1 350 habitants à l'hectare, dans des maisons comportant un étage au maximum. D'où une sur-occupation de la pièce unique (ou des deux pièces), qui ne laisse en moyenne que quatre mètres carrés par habitant. Il s'ensuit de là une promiscuité multiforme : combles aménagés sous un mètre cinquante pour y glisser une couchette et un coffre, annexes de briques dans la cour ou sur le trottoir adjacent, pour loger dans quelques mètres carrés les grands-parents ou les jeunes mariés. Et aussi, de façon plus insidieuse, l'évident contrôle social qu'introduisent la cuisine commune (où chaque foyer dispose d'un branchement de gaz pour son réchaud) ou l'habitude de laisser sa porte ouverte sur l'escalier, habitude peut-être liée à l'idée que l'air doit circuler dans la maison comme le *qi* (souffle) dans le corps. Ne rien fermer, pas même les fenêtres en hiver, pour que les miasmes délétères ne puissent se concentrer et les démons agir. On ne ferme la maison qu'au moment des rites de

Pékin assassiné

Le régime communiste restera dans l'histoire comme le meurtrier de Pékin — c'est-à-dire non seulement d'une ville, mais surtout d'une idée.

Quand le Parti communiste choisit de récupérer pour capitale la cité de la dernière dynastie régnante, les Mandchous, il marquait sa légitimité et renouait avec la tradition des pouvoirs forts, toujours exercés depuis le Nord. Mais ses ambitions dynastiques lui firent croire qu'il jouissait du droit moral d'imposer un nouvel urbanisme. Les « frères » soviétiques furent appelés à la rescousse pour remodeler l'espace architectural de la ville en fonction d'une nouvelle cosmologie : celle de la petite-bourgeoisie rurale dont la plupart des nouveaux maîtres de la Chine étaient issus.

Le meurtre fut perpétré par étapes successives. D'abord, les murailles, symboles hautement suspects de la défiance urbaine face aux campagnes : rasées dès les premières années du régime, à l'exception de quelques tronçons qui ne furent nivelés que dans les années soixante. Puis ce fut le tour des portes, ainsi que d'une bonne partie des monuments qui matérialisaient les organes de l'être mythique Nezha, autour duquel avait été bâtie la ville. Dans les rues, les pailou ou portiques qui rythmaient l'espace furent démolis pour laisser s'écouler une circulation qui n'existait alors... que dans l'imagination des bureaucrates.

A la fin de la « révolution culturelle », unités militaires, usines polluantes et administrations opaques avaient mis la main sur la quasi-totalité des monuments historiques de Pékin, à l'exception de la Cité interdite et de deux ou trois hauts lieux architecturaux. Le Parti communiste fit croire à la nécessité de « rééquilibrer » l'axe nord-sud de l'ancienne cité par l'ouverture d'un axe est-ouest. La seule fonction de cette tranchée était en fait de mettre en valeur la monstrueuse collection d'ouvrages architecturaux massifs réalisés dans un style gréco-stalinien destinés à matérialiser le passage au pouvoir du Parti, pour le dixième anniversaire du régime, en 1959.

La suite donnerait raison à ceux qui crièrent alors au scandale — trop tard, hélas ! Vers la fin des années quatre-vingt, le régime entreprit des travaux importants pour reconstruire quelques monuments dans l'espoir d'attirer les touristes et de ressusciter cette organisation cosmique chère aux Pékinois : une tour de guet au coin sud-ouest de l'ancien mur d'enceinte ; un temple surplombant, du haut d'une colline artificielle reconstituée, les lacs qui se succèdent entre le cœur de la ville et sa limite septentrionale ; au temple des Nuages-blancs, des moines taoïstes appointés par le gouvernement maniaient la pelle pour finir de rebâtir le fameux pont sous lequel les fidèles jetaient leur pièce de monnaie pour conjurer le sort. Si l'on pouvait se féliciter de voir les usines et brigades de soldats quitter progressivement les monuments historiques, les « rénovations » d'édifices saccagés par les Gardes rouges se faisaient généralement avec un minimum de moyens techniques et un maximum d'ignorance artistique.

Mais cela ne pouvait de toute façon équilibrer la destruction irréparable en 1977 de l'idée majeure qui orientait la ville dans l'axe nord-sud : l'érection du mausolée de Mao Zedong sur la place Tian An Men, juste sur la ligne sacrée qu'aucun empereur, depuis les origines de la ville, n'avait osé briser. Beaucoup de Pékinois du petit peuple pensent que cette profanation n'était que le prélude aux événements horribles qui devaient culminer sur la place dans la nuit sanglante du 3 au 4 juin 1989. Les dérisoires tentatives de réconciliation avec l'héritage culturel ne font que souligner l'échec moral d'un régime acharné pendant quatre décennies à anéantir l'idée même d'attachement au passé.

Francis Deron

passage (surtout au nouvel an) avant de la rouvrir, sous la protection des gardiens des portes.

Des centres anciens vétustes

A cette sur-occupation s'ajoute le manque de confort. Peu de logements anciens disposent de l'eau courante ou du gaz : le branchement se trouve dans la cour ou la cuisine collective. Et si l'électricité est présente à tous les étages (mais il y a de fréquentes coupures, surtout entre juin et septembre), le chauffage n'est en général assuré que par un poêle à bois ou à boulets (si l'on est en rez-de-chaussée), parfois par un appareil à résistance électrique si l'on vit en appartement. Mais un appoint est toujours nécessaire, même lorsque l'immeuble dispose des prestations incertaines d'un chauffage central.

C'est parce que les logements sont exigus que la vie familiale déborde sur les espaces extérieurs tels que la cour, le trottoir et la ruelle, afin d'y trouver la place et la lumière qui font tant défaut. Le trottoir est ainsi le prolongement organique des logements anciens : on accroche à l'arbre voisin un bambou pour y faire sécher le linge, on y allume l'infernal poêle à charbon, les enfants y font leurs devoirs sur une petite table, et l'on y dort parfois sur une natte ou une chaise longue pour tenter d'échapper à la chaleur moite des nuits d'été.

L'énorme mouvement de reconstruction engagé durant les vingt-cinq premières années du régime a couvert les villes chinoises et leurs banlieues de logements industrialisés, souvent repris de modèles soviétiques. En général hauts de trois à quatre étages, ils y alignent leurs interminables rangées de bâtiments, que seul leur numéro, peint sur quatre mètres carrés de façade, permet de distinguer les uns des autres. Ces logements ont représenté un progrès quant à la surface habitable et au confort. Mais la plupart

ont très mal vieilli, les rendant au bout de vingt ans plus proches des cités d'urgence de la France des années cinquante que de la moyenne des H L M. Ce qui les fit dénoncer comme « de gigantesques épaves échouées sur une grève » par l'écrivain Liu Xinwu à Pékin.

Ceux qui y résident n'ont, par ailleurs, que très peu de chances d'être expulsés. En effet, la construction de grands équipements ou la percée d'une voie nouvelle comme la rue Chengdu à Shanghai concernent plus souvent les centres-ville, encore peu remaniés, que ces faubourgs récents. L'espoir d'une expulsion reste toutefois contradictoire : on veut certes bien partir pour un logement plus spacieux, mais dans une banlieue pas trop lointaine et bien desservie par les transports, bien équipée en écoles, dispensaires, et centres commerciaux. A l'urbanité des vieux quartiers s'ajoute l'intérêt des liens familiaux, chaque famille utilisant au maximum les services de tous, pour loger un cousin arrivé de la campagne plus ou moins clandestinement, pour faire garder un enfant, parfois pour donner un repas de fête chez ceux qui disposent de l'espace le plus approprié.

Louer ou acheter ?

Les loyers sont en général symboliques, environ trois à six yuans par mois, soit quelques pour cents du revenu familial. On les collecte selon deux méthodes. Chaque famille possède un « livret de loyer » : certains le déposent à l'entreprise, qui prélève directement le loyer sur le salaire, mais la plupart préfèrent payer directement à la banque. Cette situation a deux conséquences négatives. D'une part, il était impossible aux pouvoirs publics, et surtout aux entreprises, qui sont les plus gros propriétaires, d'entretenir les logements grâce aux seuls loyers. D'autre part, le niveau de ceux-ci est si bas qu'il n'incite aucunement les habitants à chercher à acquérir un logement. La situation a commencé à évoluer en février 1988 avec la mise en place d'une réforme nationale des loyers, qui entraîne souvent leur multiplication par sept ou douze dans des villes comme Yantai (Shandong). Pour aider les ménages urbains, très touchés par l'inflation (40 % en 1988), les autorités jouent sur des formules de primes ou d'aides individuelles allant jusqu'à 25 % du salaire. Associées à des prêts, ces primes permettent d'envisager une politique d'accession à la propriété : fin 1988, l'État envisageait ainsi de vendre à ses employés la moitié de son patrimoine, soit environ 40 millions de logements représentant 1,2 milliard de mètres carrés. L'inflation a contrarié cependant cette volonté d'orientation de l'épargne privée vers la pierre pour freiner l'achat massif de biens de consommation : le prix du mètre carré de logement à Shanghai est passé en effet de 350 à 1 000 yuans entre 1985 et 1988. Les candidats devaient payer le tiers du prix total, le reste étant avancé par l'État et les entreprises. Dans le même état d'esprit, la vente aux enchères de droits d'usage de terrains pour cinquante ans (voire soixante-dix à Hainan ou quatre-vingt-dix à Fuzhou) a tendu à se développer après 1987. Elle prévoyait que ces droits seraient transférables et renouvelables, pour en augmenter l'attractivité auprès des clients potentiels.

Des transports inadaptés

La question du logement est chaque jour la source de discussions interminables et de multiples combines. Mais le problème des transports représente l'autre casse-tête quotidien des habitants des villes. Environ la moitié d'entre eux optent pour le vélo (43 % à Shanghai, 56 % à Tianjin), ce qui aboutit parfois à de gigantesques encombrements, comme à Tianjin, dont les principaux carrefours voient défiler 22 000 vélos aux heures de pointe ! Deuxième solution : les bus et trolleybus (qui ont en général remplacé les tramways depuis la guerre). Ils assurent un tiers des déplacements domicile-travail à Pékin ou Shanghai, au prix d'une longue attente et d'une ascension problématique dans des véhicules hébergeant en moyenne dix personnes au mètre carré. Restent, en troisième recours, la possibilité d'aller à pied (15 à 20 % des citadins) ou le ramassage par des véhicules d'entreprises, plus utilisés que le métro (3 à 4 % des déplacements à Pékin et Tianjin). Moderniser le métro de Pékin ou le construire à Shanghai représente pourtant la meilleure alternative aux embouteillages croissants dans les grandes villes. Les rues y sont en effet trop étroites pour accueillir à la fois les vélos (2 à 3 millions par ville), les bus et les automobiles. Le trafic de celles-ci a notablement crû à compter de 1983, sous l'effet d'une politique effrénée d'achats de taxis et de véhicules administratifs (110 000 en trois ans à Pékin, soit dix fois le montant des investissements de voirie). A quoi s'ajoute la négligence du piéton chinois, qui multiplie les causes d'accidents (730 morts à Pékin en 1986).

Mais le deux-roues garde un bel avenir en Chine, avec 10 % de croissance annuelle et le rachat des brevets de fabrication du Solex, ce qui ne manque pas de contraster avec la prolifération de projets de périphériques à échangeurs ou de boulevards en viaduc.

Au risque de paraître encore griser le tableau, on ne peut négliger l'omniprésente pollution urbaine qui régnait dans les villes chinoises. Elle provient aussi bien de l'enfumage des trottoirs par les poêles à charbon que des rejets directs dans les fleuves (3 millions de tonnes de déchets par jour dans la Suzhou à Shanghai en 1987), en passant par le demi-milliard de mètres cubes de gaz et polluants divers que rejetaient encore, en 1985, les usines de Shanghai. D'où le brouillard jaune ou brun qui recouvre parfois les grandes villes, ou les épidémies telles que l'hépatite virale qui coucha 200 000 personnes à Shanghai en février 1988.

Un fossé inquiétant est apparu

─────────── *BIBLIOGRAPHIE* ───────────

ARLINGTON L.C., LEWINSON W., *In Search of Old Peking*, Henri Vetch, Pékin, 1935 ; rééd. avec introd. de G. Barmé, Oxford University Press, Hong-Kong, 1987.

HOA L., *Reconstruire la Chine*, Éd. du Moniteur, Paris, 1981.

LEYS S., *Ombres chinoises*, Bibliothèque Asiatique, Union générale d'éditions, Paris, 1975.

SEGALEN V., *René Leys*, 1922, Gallimard, Paris, 1971.

clairement dans ce contexte, entre cette difficile vie quotidienne de la majorité et tout ce que symbolise la floraison de tours de bureaux et d'hôtels à Pékin, Shanghai, Canton et ailleurs.

Gilles Antier

Les ruraux et leur maison

De 1978 à 1988, le revenu moyen annuel des paysans chinois a beaucoup augmenté : de 133,6 à 462,6 yuans, soit 12,3 % par an, compte tenu de la hausse des prix. Bien que les disparités se soient accrues à l'intérieur du monde paysan, les dépenses des familles rurales ont globalement augmenté. Le logement a bénéficié en priorité de ces gains nouveaux : en dix ans, les dépenses ont augmenté de 1 470 % pour le logement, de 520 % pour les articles d'usage courant, de 160 % pour la nourriture.

En 1987, les paysans disposaient en moyenne de 16 mètres carrés par personne, le double de 1978. Différences régionales : partout l'alimentation est le premier poste de dépenses ; mais, dans le centre et sur la côte, le logement vient ensuite ; dans l'ouest il ne vient qu'après les articles d'usage courant et les vêtements.

La tradition, dans les campagnes chinoises, est d'accumuler, parfois tout au long d'une vie, assez d'argent pour construire une maison, pour soi ou pour ses fils. De la façon dont on peut loger ses fils dépend la qualité des épouses qu'on leur trouve. Le logement est le premier indicateur du niveau de vie de chaque famille. Par ailleurs, si, depuis 1978, beaucoup de paysans ont abandonné la culture de leurs terres pour exercer une autre activité, les familles qui ont quitté leur village sont peu nombreuses (*li tu*, *bu li di*). La construction d'une maison, ou de plusieurs, reste donc au premier rang de leurs préoccupations.

Dans bien des endroits, l'habitat était dispersé, surtout là où l'on avait construit en respectant les impératifs de la géomancie (*fengshui*). Il a fallu concentrer l'habitat, les entreprises rurales et les services, le plus souvent sur le modèle d'une ville traditionnelle : symétrie des axes, orientation vers les quatre points cardinaux, administration au centre du village, rangées parallèles de maisons, toutes orientées vers le sud. Les villages sont souvent entourés d'un mur, ils sont complétés par les aires de battage (premiers terrains construits après la décollectivisation), les réservoirs d'eau, les porcheries, l'école, une salle de rassemblement, un bazar, une scène de théâtre, éventuellement un dispensaire et un atelier de réparations. Ce regroupement a eu aussi pour but de faciliter les services et de permettre l'installation de l'eau courante et de l'électricité chez les particuliers. Dans les années quatre-vingt, les temples sont rouverts ou rebâtis, s'ajoutant à ce cadre de vie villageois.

Des villages en extension

La Constitution de 1983 garantit aux paysans la possession de leur maison, mais non de la terre. Ils peuvent la réparer, l'agrandir, la vendre, en hériter. Il n'y a pas d'actes de propriété. L'occupation fait foi. La maison est agrandie ou réduite selon les cycles d'expansion de la famille. Héritages et partages se font selon un droit coutumier.

Depuis le début des années quatre-vingt, un grand changement dans les rapports familiaux a provoqué aussi un changement dans l'occupation des pièces habitables. Dans les villages où ne se sont pas développées des entreprises locales, où la main-d'œuvre masculine jeune ne peut s'employer sur place, et où les chefs de clan n'ont pas su garder le pouvoir économique, la gestion des biens de production et de l'emploi de leur parenté, les relations entre générations se sont « modernisées », les hommes jeunes ont pris leur indépendance économique, ne versent plus leurs revenus au père de famille, font cuisine à part et, si les revenus de la famille le permettent, se font construire une maison nouvelle et quittent la cour paternelle. Dans les villages où désormais les fils à peine mariés se séparent de leurs parents, la construction de demeures à la périphérie du vieux village a été encore plus importante qu'ailleurs. La terre nécessaire pour construire une maison doit être accordée par la collectivité, par les cadres. Ceux-ci ont dû, depuis le début des années quatre-vingt, décider de prendre sur les terres arables qui entourent le village la superficie nécessaire pour répondre à la demande. Mais par là ils réduisent encore une surface cultivable déjà très faible, et bien souvent ces terres sont parmi les meilleures. Au début cela a permis un désengorgement de l'habitat ; mais, à la longue, les centres de certains villages se désertifient : dans les maisons anciennes, mais spacieuses, ne vit plus qu'un vieux couple. A la mort des parents, la maison des ancêtres reste vide car les maisons construites à la périphérie sont plus petites, répondant mieux aux besoins d'un couple avec de jeunes enfants.

La rareté du sol disponible et la forte demande ont poussé les cadres, bien souvent, à la vente des terres, illégale pourtant. Par exemple, dans un village du Nord Shanxi, dès 1983, les ventes de parcelles de trois dixièmes de *mou* (200 m²) ont commencé, devenant chaque année plus chères (50 ont été vendues, en 1986, pour un prix variant de 500 à 1 800 yuans). Dans un autre village, n'osant vendre le sol nu, les cadres ont fait construire des maisons très petites et bon marché pour vendre ensuite la terre « construite » environ 8 000 yuans.

Chères maisons neuves

Les paysans dépensent aussi beaucoup pour améliorer leur logement, le restaurer, le moderniser. Les briques et le béton armé représentaient 37 % des matériaux de construction en 1978, 57 % en 1987. 83 % des maisons construites en 1987 l'ont été en briques et en béton armé. En 1984, il ne restait plus que des maisons en pisé et en chaume. Dans des régions où la place manque vraiment, dans le Sud, surtout, on a construit des maisons à un, deux ou trois étages. Dans une région riche comme le Jiangsu environ 50 % des maisons sont maintenant à plusieurs étages. Le luxe est de se faire aménager une salle de bains, avec baignoire et, en corollaire, une cuve de réserve d'eau et un chauffe-eau. Cette installation peut être accompagnée du chauffage central.

Le coût d'une maison varie selon les régions, selon le choix des matériaux, la taille et la main-d'œuvre employée. En 1988, dans un même village du Shanxi, deux familles terminaient la construction de leur nouvelle maison. L'une, composée

BIBLIOGRAPHIE

BUREAU D'ÉTAT DES STATISTIQUES, « Amélioration du niveau de vie des paysans », *Beijing Information*, n° 48, Pékin, 28 nov. 1988.

FENG Jing, « La vie des Chinois ordinaires - Les familles rurales du Shandong », *Beijing Information*, n° 27, Pékin, 4 juil. 1988.

KNAPP R.G., *China's Traditional Rural Architecture*, University of Hawaï Press, Honolulu, 1986.

LIU Dun-Zhen, *La Maison chinoise*, coll. Architectures, Berger-Levrault, Paris, 1980.

des parents et de trois enfants, dont deux en âge scolaire, avec des revenus de 2 932 yuans en 1986 et 2 572 yuans en 1987, sont d'une aisance moyenne. En ajoutant les économies réalisées les années précédentes, ils se sont construit une maison de cinq pièces de 5 000 yuans dont 1 200 yuans pour l'achat du terrain, 600 yuans pour 12 000 briques, 450 yuans pour les tuiles, 1 730 yuans pour le bois et 400 yuans de main-d'œuvre. Le père a presque tout fait seul, ou avec quelques parents.

L'autre famille, composée des parents, de trois fils ayant des revenus, et d'une fille en âge scolaire, avec un revenu de 20 000 yuans en 1986, procuré par la réalisation d'un chantier dans le bâtiment, puis de 2 400 yuans en 1987 et des économies réalisées les années précédentes, a pu se construire une maison de cinq pièces, une cuisine, deux réserves, une cour cimentée et des toilettes couvertes et bétonnées, en dépensant 23 050 yuans. La main-d'œuvre a coûté 8 000 yuans ; l'achat du terrain (ancienne maison d'un voisin) : 3 800 yuans ; les briques : 2 300 yuans ; les tuiles : 500 yuans ; le bois : 5 000 yuans ; le chauffage central et la salle de bains : 1 700 yuans ; le sol en ciment : 500 yuans ; le gravier dans le ciment : 200 yuans ; les carreaux de céramique : 300 yuans ; les vitres : 350 yuans ; et deux fourneaux : 400 yuans. Les coûts ont beaucoup augmenté. En 1980, une maison classique de cinq pièces coûtait en moyenne de 2 000 à 3 000 yuans. En 1988, elle revenait à 10 000 yuans.

Les statistiques officielles estiment que parmi les 175 millions de foyers ruraux en Chine, 40 % n'ont pas encore l'électricité à domicile. Pour ceux qui sont reliés à un réseau de distribution, l'usage de l'électricité s'est complètement transformé dans les années quatre-vingt. Jusque-là l'électricité ne leur servait qu'à l'éclairage. Si bien que, souvent, ils préféraient ne pas payer et voir l'électricité coupée. Mais, depuis qu'ils ont acquis divers appareils électroménagers, dont le sèche-cheveux, qui remplace le soufflet activé manuellement pour maintenir le feu actif sous la marmite, et dont, surtout, la télévision (24,38 téléviseurs pour 100 familles en 1987 — 14,5 fois plus qu'en 1982), les familles ont besoin de l'électricité. On paie pour la consommation réelle et non plus au forfait. Des compteurs ont été installés sur chaque maison. La télévision en entrant dans les foyers ruraux ne transforme pas seulement l'attitude des paysans vis-à-vis de l'énergie domestique ; au même titre que les réformes économiques, grâce à l'ouverture qu'elle leur apporte sur l'ensemble de la Chine, Hong-Kong, et le monde, elle détache les paysans de leur culture locale et leur fait découvrir les normes de la vie urbaine.

Odile Pierquin-Tian

Quel avenir
pour les gros bourgs ruraux ?

La stratégie maoïste s'est long-temps vantée de pouvoir dévelop-per le pays en évitant les maux d'une urbanisation à l'occidentale. Or c'est la politique réformiste des suc-cesseurs — et adversaires — de Mao Zedong qui semble voir se réaliser, avec l'essor des gros bourgs ruraux, le vieux rêve maoïste. Mais s'agit-il véritablement d'un développement sans urbanisation ?

La stragégie maoïste passée s'est efforcée en effet de limiter au maxi-mum l'exode rural, de contenir au-tant que possible le développement urbain. Aidée en cela par les struc-tures collectives de l'agriculture fixant la main-d'œuvre paysanne sur le terroir des villages, puissam-ment secondée par le système poli-cier du contrôle des populations avec l'institution des *hukou* (enre-gistrement et maintien autoritaire des populations dans leur lieu d'ori-gine), cette politique a réussi au-delà de toute espérance.

Après le retour forcé dans leurs villages de plus de trente millions de paysans partis en ville à la faveur du « grand bond en avant » (1958-1960), l'exode rural a été réduit à un mince filet au cours des années 1964-1976 : un million seulement de départs chaque année, plus que compensés par l'envoi autoritaire à la campagne, lors de la « révolution culturelle », de dix-sept millions de jeunes instruits urbains. Le taux d'urbanisation, recensant la popu-lation « urbaine » *stricto sensu* (ur-bains non agricoles), qui était passé de 10 % en 1952 à 18 % en 1960, retombe à 14 % en 1964 et 12 % en 1976...

Les effets de cette « ruralisation » de la Chine ont été dramatiques. Dans les campagnes surpeuplées, le sous-emploi a augmenté considéra-blement, plus du tiers des travail-leurs agricoles, à la fin des années soixante-dix, étant officiellement considérés en surnombre. Les gas-pillages de la main-d'œuvre, occupée à des travaux sans grande utilité dans les collectifs, sont alors colossaux : on compte aux paysans 600 journées de travail pour un hectare de récolte de riz qui, normalement, n'en nécessiterait que 200... La baisse de la productivi-té du travail, jointe aux bas prix des livraisons obligatoires et aux li-mitations portées aux activités pri-vées de morte-saison, lamine les revenus paysans, creuse l'écart avec les villes (à la fin des années soixante-dix, le rapport revenus ur-bains/revenus paysans est de l'or-dre de 3 à 1).

Exode rural
et exode agricole

La décollectivisation, rendant leur liberté de mouvement aux pay-sans (le système du *hukou*, mainte-nu, n'empêche plus les ruraux d'aller en ville pour des temps plus ou moins longs), renverse ces ten-dances involutives. L'exode rural reprend, trois millions de départ par an entre 1976 et 1982, dix millions pour chaque année suivante... Et le taux d'urbanisation décolle, 15 % en 1982, près de 25 % dès 1987.

Au regard de la masse paysanne (830 millions de ruraux dont 390 millions de travailleurs en 1987), cet exode serait toutefois à lui seul in-suffisant pour résoudre le problè-me de la surpopulation agricole. Et c'est là que le phénomène de l'essor des gros bourgs prend toute son im-portance. Entre 1982 et 1988, leur nombre a triplé pour atteindre le chiffre des 10 000. Leur population, englobant celle des villages voisins participant à leur vie économique, approche les 250 millions (dont la moitié sont comptés comme « urbains »). C'est dans ces bourgs que se concentre la majeure partie des 60 millions d'emplois non agricoles créés dans les campagnes entre 1982 et 1987, grâce à la multiplication des petites entreprises rurales et des ateliers familiaux, absorbant les surplus de main-d'œuvre libérés par la décollectivisation. Ces créations d'emplois, cet « exode agricole » constituent peut-être l'évolution la plus décisive de l'économie chinoise des années quatre-vingt.

En effet, et pour la première fois, le nombre absolu des travailleurs agricoles a commencé de décroître, passant sous la barre des 300 millions en 1987. A cette date, la main-d'œuvre agricole ne constituait plus que 55 % du total des actifs et les trois quarts seulement de la main-d'œuvre rurale (contre 90 % au début des réformes). Le sous-emploi agricole a été réduit de moitié et le fossé entre revenus urbains et ruraux a commencé de se combler (rapport de 2,5 à 1). Les autorités espèrent continuer sur cette lancée et, à l'horizon 2000, réduire de cette manière la proportion des agriculteurs à la moitié des ruraux, les entreprises rurales non agricoles absorbant 40 % des actifs des campagnes (seuls les 10 % résiduels migrant vers les villes). Ainsi serait réalisé ce fameux « développement sans urbanisation » (hormis celle des gros bourgs ruraux), les actifs agricoles tombant alors, en cette fin de siècle, à moins du tiers de l'ensemble des travailleurs.

Ce schéma séduisant a cependant fort peu de chances d'être réalisé et sans doute ne pourra-t-on éviter à l'avenir un véritable exode rural se substituant à l'exode « agricole » observé aujourd'hui (déjà des millions de travailleurs « temporaires », venant des campagnes, arrivent maintenant dans les grandes villes, préfigurant ce que pourrait être un exode futur...). En effet, dans une certaine mesure, la croissance des emplois ruraux non agricoles relève d'un phénomène de rattrapage après vingt ans de gel de l'économie rurale.

Sur les 85 millions de travailleurs que comptaient les entreprises rurales non agricoles en 1987 (les employés de l'administration, de l'enseignement et de la santé n'étant donc pas comptés dans ce total), le quart, soit un peu plus de 20 millions, étaient ceux de petites entreprises familiales du commerce, des services ou des transports : ils étaient moins de trois millions, cinq ans auparavant ! Après avoir ainsi comblé les vides des anciennes structures étatisées du secteur tertiaire dans les campagnes, il est douteux que ce secteur d'activités puisse progresser davantage.

Reste l'industrie rurale qui occupe plus de la moitié de cette main-d'œuvre non agricole. L'analyse montre que sa progression est la plus rapide, surtout pour ses branches les plus dynamiques (textile, petite mécanique...), dans les zones développées, fortement urbanisées des côtes est et sud de la Chine, autour de Shanghai et de Canton. Dans une certaine mesure, ces entreprises « rurales » prospèrent donc surtout à l'ombre des grandes cités pour lesquelles elle travaille souvent en sous-traitance.

Les gros bourgs ruraux ne se substitueront donc probablement pas à une véritable urbanisation. Ils n'en proposent pas moins une transition bien venue, et, par le biais du dynamisme de leurs entreprises (dont un bon exemple est celui du petit capitalisme familial du « modèle de Wenzhou »), ils constituent une véritable amorce du développement, bousculant les citadelles urbaines de l'industrie étatique.

Claude Aubert

Le cauchemar des transports

Quand les Gardes rouges de Mao ont pris d'assaut les trains, en 1966, sous les ordres du Grand Timonier, pour répandre à travers la Chine le message de la « Révolution », ils s'emparaient alors du seul lien de transport efficace du pays.

Les trains chinois faisaient la gloire des communistes ; leur réputation d'efficacité dépassait les frontières du pays et ne souffrait aucune comparaison. Il est vrai qu'ils étaient gérés, jusqu'aux échelons du nettoyage, par un corps spécial militaire, le Génie des voies ferrées.

Aujourd'hui, si les Gardes rouges revenaient en force, ils opteraient sans doute, par souci d'efficacité et de rapidité, pour les services de l'Administration de l'aviation civile chinoise, le CAAC, la compagnie aérienne nationale. Pratiquement inexistante en 1966, la CAAC contribue davantage, par la multiplication de ses vols à travers le pays, à l'unité et à la modernisation de la Chine que les chemins de fer, dont les horaires, les voies et les wagons n'ont fait que vieillir et s'encombrer davantage depuis 1966. L'ennui est que, ni les trains, ni les avions de la CAAC ne font maintenant l'envie du reste du monde.

L'improvisation privée

Si le train a vieilli sous le poids du nombre de ses clients et de la lenteur de ses progrès, l'aviation civile demeure encore une aventure moderne hasardeuse. Les réussites économiques relatives des réformes de Deng Xiaoping — plus de 16,5 % d'augmentation de la production industrielle en 1987, selon *The Economist* — ont créé une augmentation foudroyante de la demande de moyens de transport que les entreprises d'État n'ont pas réussi à satisfaire.

Parallèlement au système public maintenant débordé, une infrastructure d'abord marginale, en grande partie financée par des capitaux privés, souvent fondée sur l'improvisation et l'aventure, a cherché à tirer profit de la nouvelle demande. Elle crée ainsi, dans le domaine des transports collectifs, à la ville comme à la campagne, une forme d'anarchie révélatrice du désarroi engendré par la rapidité des réformes, et confirme cette constatation de Deng Xiaoping, reprise par le mensuel économique *Jeune Afrique*, en février 1987 : « Les erreurs commises ces dernières années ont été causées par des espoirs trop grands et une rapidité excessive, ne tenant pas compte de la réalité du pays. »

Dans la province du Fujian, un réseau de minibus privés fait maintenant la navette entre Xiamen et Fuzhou, la capitale ; pour 8 yuans, l'équivalent de 1,50 dollar américain — somme prohibitive — une nouvelle génération de cadres et de gens d'affaires en arrivent ainsi à contourner l'engorgement et la lenteur des transports publics. A partir de Wuhan, la capitale du Hubei, Lu Guowei, soixante-six ans, un ancien capitaliste autrefois persécuté par les maoïstes, a lancé Datong, un consortium privé qui compte développer le transport fluvial le long du Yangzi et concurrencer les bateaux de transport de passagers de l'État devenus presque insalubres. Partout en Chine, les riches unités de travail investissent dans l'industrie du taxi. Il y avait à peine quelques centaines de voitures-taxis dans tout le pays à l'époque des Gardes rouges, on en comptait plus d'un millier à Pékin seulement déjà au début des années quatre-vingt.

Voyager pour mieux vivre

La revue *China News Analysis* constatait dès juillet 1985 que non seulement des motivations économiques avaient contribué à augmenter la demande de moyens de transport, mais aussi des motivations liées purement à la qualité de la vie : « De plus en plus de Chinois voyagent maintenant. On peut encore voir des cadres se rendant à des réunions comme à la belle époque, dans les endroits touristiques les plus spectaculaires, mais on voit aussi de plus en plus de voyageurs s'arrêtant à Pékin pour une journée ou deux de visite de monuments. A ceux-là, il faut maintenant ajouter une nouvelle catégorie de véritables touristes, en voyages organisés ou en groupes plus restreints, qui ont bénéficié des réformes économiques et prêts à dépenser une partie de leurs revenus pour le plaisir de visiter des endroits renommés. Retraités, jeunes mariés, étudiants en vacances, paysans riches constituent une clientèle de rêve pour les agences de voyages et les hôtels. Dès 1983, le *China Daily* parlait de 100 millions de voyageurs supplémentaires pendant la période entourant la célébration du Nouvel An lunaire.

Au lieu de s'adapter à cette nouvelle demande, les entreprises d'État, dans le domaine des transports, se sont d'abord contentées de la subir passivement. Résultat : les infrastructures ont vieilli plus rapidement que prévu et les circuits trop peu nombreux se sont engorgés. En 1988, il fallait plus de temps au train pour effectuer la liaison normale entre Shanghai et Pékin qu'il n'en fallait en 1966, parce que la circulation sur les voies était souvent bloquée.

A son arrivée à la direction de la CAAC, en 1985, Hu Yizhou, cinquante-sept ans, un ancien technicien en aéronautique, promettait que sa compagnie serait à la hauteur du nouvel engouement des Chinois pour les voyages. « ... Plus de 30 % de nos passagers, disait-il au cours d'une entrevue à la télévision canadienne, en octobre 1985, font partie de cette nouvelle classe d'entrepreneurs. Ils veulent gagner du temps, économiser de l'énergie, et surtout ne pas être en retard à leurs rendez-vous d'affaires. » Les centaines de millions de Chinois aux prises avec leurs problèmes quotidiens de transport étaient sans doute en mesure d'apprécier ce genre d'optimisme, mais M. Hu lui-même, malgré son enthousiasme, allait devoir faire face à un cauchemar bureaucratique.

Dès la fin de 1985, malgré le fait que la compagnie eût doublé en deux ans ses capacités de transport de passagers et de marchandises, la CAAC avouait que plus d'un million d'individus au cours de l'année n'avaient pas réussi à obtenir de place dans un avion. Quatre ans plus tard, en 1989, il fallait toujours plusieurs heures d'attente aux bureaux de la compagnie nationale à Pékin pour obtenir une réservation. L'on n'y dispose pas encore de réservations téléphoniques ni d'ordinateurs affectés à la clientèle.

L'automobile privée, un rêve ?

Pour surmonter la lourdeur bureaucratique et l'incapacité des structures à s'adapter aux nouveaux besoins, les citoyens, soudainement incités, même par l'État, à suppléer aux carences étatiques par l'initiative privée et l'appât du gain, ont inventé leurs propres solutions à leurs problèmes de transport.

Et, déjà, les planificateurs entrevoient l'avènement de l'automobile en tant que phénomène de masse. Citant des sources officielles, *Asia Week*, le 11 décembre 1987, prévoyait que la demande annuelle de voitures passerait à 200 000 au cours des années quatre-vingt-dix, et à plus d'un million à la fin du siècle. C'est beaucoup lorsque l'on considère qu'il n'y avait pas plus de 200 000 voitures de passagers, au total, en 1987. « Si la Chine continue à encourager certains secteurs de la société à s'enrichir par rapport à d'autres, ajoutait *Asia Week*, il faudra bien offrir aux riches des façons de dépenser leur argent. » Entretemps, le pays, qui ne dispose que de 100 000 kilomètres de routes carrossables, devra investir des fortunes pour préparer le développement de l'automobile. Il faudra investir aussi pour rétablir la réputation des chemins de fer et réaliser les rêves de la C A A C dans le domaine de l'aviation. Les autorités ont fait du développement des transports une priorité nationale depuis le douzième congrès du P C C. D'ici là, les Chinois, aux prises avec la pénurie, pourront toujours se remémorer la belle époque des Gardes rouges où seul voyageait qui avait obtenu la permission de son unité de travail, où tout était organisé à l'avance, où il y avait toujours une place à bord, puisque « les autres » ne voyageaient pas.

Jean-François Lépine

CONSOMMATION

Manger, une affaire importante

Années soixante-dix : il est impossible d'acheter la moindre denrée alimentaire qui n'aurait pas été fabriquée dans le pays. L'alimentation, comme tous les secteurs de la vie, est soumise aux impératifs de la politique. Sujet trivial et bourgeois, elle doit avoir pour unique fonction la sustentation, sans le moindre excès, sans le moindre plaisir. Tout comme les amateurs d'opéra doivent se contenter de la demi-douzaine de livrets offerts au public par la générosité de Mme Mao, les cuisinières ne disposent comme source d'inspiration que d'un seul petit volume, diffusé à l'échelon national, intitulé *Recettes des larges masses*, recueil des recettes les plus simples, fournies par

les restaurants du pays transformés en cantines. L'écrivain Lu Wenfu, dans son roman *Meishi-jia : Vie et passion d'un gastronome chinois*, a bien montré comment les grands chefs se sont trouvés réduits au rôle de tenanciers de soupes populaires à peine améliorées et leurs clients sommés d'en accepter les tristes conséquences sur le plan gustatif !

Les marchés d'État des grandes villes, approvisionnés en produits variés, présentent des étals d'une esthétique d'autant plus parfaite qu'ils ne risquent guère d'être dérangés par d'éventuels achats : ils ne sont là que pour la montre. L'industrie alimentaire est alors cinq fois moins importante que ce qu'elle sera en 1986. Bonbons, gâteaux secs et boîtes de conserve sont des produits de luxe.

Les restaurants, peu nombreux et peu remplis (par qui ?), offrent aux quelques étrangers qui les fréquentent des préparations raffinées et délicieuses, comme si les cuisiniers, heureux de pouvoir parfois exercer sans crainte leurs talents inexploités, s'en donnaient à cœur joie. Hormis les quelques colporteurs de spécialités comme les azeroles au caramel, vendues dans les rues glaciales de Pékin, aucun marchand ambulant ne risque par sa présence de provoquer un attroupement ou un trouble qui serait néfaste à l'idéal de pureté révolutionnaire.

Un changement de mentalité

Quinze ans plus tard, tout avait changé. La libéralisation politique a entraîné un bouleversement des modes de vie et un renouveau des activités liées à l'alimentation : la gastronomie, considérée de nouveau comme un art traditionnel et l'industrie alimentaire sont à l'ordre du jour. En 1980, le ministère du Commerce lance la revue *Cuisine chinoise*, et dans l'éditorial du premier numéro, son auteur, le vice-ministre du Commerce de l'époque, déclare que la défense et l'illustration de la cuisine doivent faire partie des quatre modernisations ; l'art culinaire chinois, héritage d'un long passé, et célèbre dans le monde entier, est un des atouts culturels du pays pour s'imposer au-delà de ses frontières.

L'industrie alimentaire, à un niveau très bas aux lendemains de la Libération de 1949, a multiplié sa valeur globale par 8,8 entre 1952 et 1986, en prenant un véritable essor de 1976 à 1986 avec une augmentation régulière chaque année de 11 à 13 % environ. Ses domaines d'expansion la plus rapide sont les produits de l'aquaculture et de la pêche, les oléagineux, les condiments et aromates, les industries du sucre, du sel et de la conservation. Un effort particulier à l'exportation a été entrepris vers des pays plus lointains que les clients habituels Hong-Kong, Macao et le Japon. Viandes et poissons congelés, fruits et légumes en conserve se trouvent désormais assez fréquemment dans les rayons des supermarchés d'Europe occidentale.

Parallèlement, la Chine s'est aussi ouverte aux produits étrangers. Mais si les Pékinois ont théoriquement la possibilité de s'offrir une coûteuse baguette ou un crème-croissant dans l'un des nombreux nouveaux grands hôtels de la capitale, ce sont surtout les mentalités qui ont changé. Une intense curiosité des modes alimentaires venus d'ailleurs s'exprime un peu partout, mais cet intérêt ne représente que la marge d'un mouvement plus large en faveur de tout ce qui tourne autour de la nourriture. On ne cesse d'ouvrir de nouveaux restaurants, de gestion privée ou publique, qui sont toujours combles ; les marchés libres, même s'ils ne sont fréquentés que pour des achats exceptionnels, ont un grand succès ; la vie de la rue, surtout dans les villes du sud, est presque entièrement occupée par les petites échoppes ambulantes de « bouffe ».

Moins de céréales, plus de protéines animales

Curieusement, cette débauche d'initiatives, cette activité redoublée semblent se faire aux dépens de la qualité et de la tradition. Pris dans un tourbillon de demandes et prisonniers de la rentabilité, les restaurants ne parviennent plus à offrir à leur client la qualité culinaire qui faisait leur renommée quelques années auparavant.

Manger reste une affaire importante en 1988. Mais le pays est à une croisée des chemins. Alors qu'en 1985, la ration alimentaire moyenne se composait encore, à plus de 85 %, de céréales, les années quatre-vingt auront vu, pour la première fois depuis la Libération, une diminution de la consommation de céréales au profit de protéines animales, surtout dans les zones urbaines. Avec 100 millions de « mal nourris » souffrant de déséquilibres nutritionnels et avec désormais une petite proportion de personnes dont le régime est devenu trop riche, la Chine a-t-elle les moyens de s'engager sur la voie alimentaire des pays industrialisés fondée sur les protéines animales ? C'est la question qui préoccupe les autorités sanitaires, inquiètes en effet d'un mouvement lié à la frénésie de consommation qui atteint le pays dans son ensemble. Dans le souci de respecter la tradition gastronomique et diététique chinoise, elles préconisent donc l'objectif suivant : atteindre d'ici la fin du siècle un régime de 2 400 calories par personne dans lequel les céréales occuperaient 60 % et seraient complétées par un apport de 20 à 25 % de protéines issues d'espèces animales et de produits dérivés du soja.

Françoise Sabban

BIBLIOGRAPHIE

CROLL E., *The Family Rice Bowl : Food and the Domestic Economy in China*, United Nations Research Institute for Social Development, Report n° 82, Genève, 1982.

AUBERT C., « Chine, le décollage alimentaire », *Études rurales*, Paris, juil.-déc. 1985.

La gastronomie, art et passion

La gastronomie chinoise est un art extrêmement complexe qui ne date pas d'hier : dans les *Élégies* de Chu, du IIIᵉ siècle av. J.-C., on peut déjà lire une ode à un défunt que ses proches tentent de faire revenir sur terre en l'attirant par... la gourmandise. On propose à cette âme « des tortues fraîchement tuées, des succulents poulets à la mode de Chu, du porc confit, du chien cuit dans un lit d'herbes amères, du hachis parfumé au gingembre et de la salade d'armoise ni fade, ni trop assaisonnée... » Et encore « de la grue rôtie, du canard à la vapeur, des cailles bouillies, des brèmes sautées, des pies marinées, des oies vertes grillées... » Mis à part les pies, peut-être, on pourrait sans trop de peine refaire le festin de Chu, aujourd'hui même, dans presque n'importe quelle grande ville de Chine. Comme les Français, les Chinois ne connaissent pas les tabous alimentaires. Tout ce qui peut se cuire et s'assaisonner est bon à manger ! Avec une exception notable tout de même : le cheval.

Les Chinois préfèrent parler de leurs cuisines, au pluriel, plutôt que de « la » cuisine. Faut-il les suivre dans ce sens ? Certes, la cuisine du Nord est moins épicée que celle du Sud, plus influencée par les voisins « barbares » du nord et de l'ouest, notamment en ce qui concerne l'usage du mouton ; la cuisine du Sichuan et du Hunan est de loin la plus pimentée, celle de la région de Shanghai-Nankin-Yangzhou la plus sucrée, celle de Canton la plus riche. Certes on ne mange pas autant de riz dans le Nord qu'au sud, les « nordistes » faisant une grande consommation de nouilles, pains, crêpes, beignets, raviolis et autres plats à base de farine. Malgré tout, du nord au sud, de l'est à l'ouest, on peut constater de fortes similitudes qui donnent à la cuisine une unité indiscutable. Nous ne pensons bien sûr ici qu'à la cuisine proprement « han », les cuisines ouïghoures, tibétaines, mongoles et autres étant évidemment très différentes, notamment par l'usage que font les « minorités nationales » des laitages (beurre, yaourts, fromages) qui sont inconnus dans la cuisine chinoise proprement dite.

Manger à la baguette

Il y a tout d'abord la façon de manger qui est la même à travers toute la Chine. Dire que les Chinois mangent avec des baguettes est une banalité, mais cette coutume entraîne une similitude de comportements vis-à-vis de la nourriture : tout d'abord, tout est préparé en cuisine. Le travail de coupe ne se fait jamais sur la table ; pour deux raisons, la première étant liée au confort : il est entendu qu'un plat est toujours préparé de façon à ce que chaque morceau constitue une bouchée. Il suffit alors de saisir un morceau et de le porter à sa bouche, ce qui, comparé à la façon occidentale de couper, tartiner, assaisonner, etc., à table, est plus simple. La seconde raison est plus subtile. Les Chinois sont de véritables alchimistes de la cuisine. Ils ont étudié soigneusement l'influence que les goûts peuvent avoir les uns sur les autres et ils ont remarqué que le métal avait un goût assez prononcé qui était susceptible de nuire à la finesse de certains plats, c'est pourquoi le métal (couteau ou casserole) ne doit pas entrer en contact avec la bouche, d'où l'usage de bois pour les baguettes, de porcelaine pour les cuillères et les bols.

Parce que tout est découpé avant d'être accommodé, les aliments sont généralement cuits très rapidement, afin de garder leur couleur, leur goût, et leurs vitamines. La méthode de cuisson la plus répandue consiste à faire sauter quelques morceaux de viande mélangés à des morceaux de légumes dans une casserole creuse, le *wok*. Mais on fait aussi beaucoup de fritures, de cuisine à la vapeur, de soupes, de marinades, de cuisson à l'étouffée, et la liste est encore bien longue. Ce qui est moins fréquent, c'est la cuisson au four, bien qu'elle soit utilisée pour le fameux canard laqué.

La base de la nourriture est la céréale, riz ou farine de blé. Plus un repas est simple, plus il comprend de céréales ; plus il est élaboré, plus il comprend de « plats » (car on distingue bien le plat, qui accompagne, de la céréale) et moins de céréales. Dans un grand banquet, le riz est généralement servi dans de tout petits bols qu'il convient de repousser pour montrer qu'on est repu. Un repas de fête commence généralement par des entrées froides, véritables œuvres d'art : tranches de viandes, de légumes, d'œufs arrangées de façon à représenter un phénix, un poisson rouge, une rose, ou tout autre motif propice. On trouve souvent dans ces entrées des œufs « de mille ans », cuits et conservés cent jours dans la chaux, d'où leur aspect gélatineux et noirâtre en même temps qu'une valeur nutritionnelle accrue. Se succèdent ensuite six, huit plats, ou plus, dont la composition et l'agencement répondent à des critères aussi précis que subtils. Les aliments dits « chauds » ou « froids » doivent alterner, avec une préférence pour les aliments « chauds » en hiver et « froids » en été. Le navet, le chien sont « chauds », la poire est « froide ».

Manger, c'est d'abord bon pour la santé

Un Chinois avisé sait les aliments qu'il doit éviter s'il est enrhumé, s'il a la peau sèche, s'il est nerveux ou si tout autre déséquilibre s'est manifesté dans son organisme. Cette connaissance se transmet au sein de la famille depuis des milliers d'années et donne à la nourriture une valeur qui transcende le simple plaisir gustatif.

On mange généralement le poisson vers la fin du repas pour des raisons moins austères : poisson se dit « *yu* » et se prononce comme le mot qui signifie « abondance », « surplus ». Manger du poisson signifie qu'on n'a pas épuisé ses réserves, qu'il y a encore « plus » à la cuisine. De même le poulet, qui se prononce « *ji* », homophone du mot qui signifie « propice », est-il censé porter bonheur. La soupe vient en tout dernier, souvent même après le dessert, parce que l'absorption d'un liquide chaud à la fin du repas aide la digestion.

De même qu'il convient d'alterner « chaud » et « froid », il convient également d'alterner les textures des plats, qui seront croustillants, glissants, moelleux, croquants, fondants ou secs pour flatter œsophage et arrière-palais. Les saveurs aussi ne doivent pas se mêler sans discrimination. L'amer, le pimenté, le sucré, le salé, l'aigre sont exaltés par les sauces et les épices. La sauce de base que l'on retrouve dans pratiquement tous les plats, est la sauce de soja. Elle tient lieu de sel. Les épices les plus courantes sont l'ail, le gingembre, le poivre, la cannelle, les clous de girofle, la badiane et, hélas ! le *weijing* ou glutamate de sodium inventé par les Japonais au début du siècle. On se sert aussi beaucoup de coriandre et de *jiucai*, qui ressemble à la ciboulette. Mais les herbes

──────── *BIBLIOGRAPHIE* ────────

LU Wenfu, *Vie et passion d'un gastronome chinois* (introd. de F. Sabban, trad. de A. Curien), Picquier, Arles, 1988.

TIGIER L., WOLF R., *Le Goût de la Chine*, Flammarion, Paris, 1986.

aromatiques, de même que la salade, sont malgré tout relativement peu utilisées fraîches, à cause de la phobie du cru. Tout, même l'eau, doit être cuit avant d'être consommé.

Moins connus que la cuisine, les « vins » chinois sont également fort diversifiés. Généralement fabriqués à base de céréales (riz ou sorgho), ce sont en fait des alcools distillés. Ils sont toujours consommés avec des « plats », jamais avec du riz. Le plus célèbre est le *maotai*, du Guizhou, réservé à l'élite fortunée. Les Occidentaux apprécient surtout un produit fermenté, le vin jaune, de Shaoxing, qui se boit chaud, un peu comme le saké japonais. Mais, dans les repas de fêtes, les Chinois boivent surtout de la bière, dont la fabrication, enseignée par les Allemands au début du siècle, est devenue industrielle. Contrairement à l'idée reçue, le thé se boit *toujours* en dehors des repas.

Quel est l'avenir de la gastronomie ? En ces temps de grandes mutations — copies de Coca-Cola, « fast-food » divers et sandwichs se répandent partout dans les grandes villes — on a pu remarquer une baisse sensible de la qualité des plats servis dans la plupart des restaurants. Il faut sans doute y voir le contre-coup de l'inflation : le prix des denrées alimentaires augmentant plus vite que les salaires, les restaurants ordinaires ou bons font des économies sur les matières premières. Mais la gastronomie n'est pas morte pour autant. Elle se réfugierait plutôt dans les très grands hôtels et restaurants.

Marie Holzman

La course à la consommation

Moteur des « quatre modernisations » initiées par le « numéro un » chinois Deng Xiaoping en novembre 1978, la course à la consommation est devenue, à partir de 1986, une des causes les plus graves d'une croissance économique et d'une inflation rapides que Pékin tente de dompter. Mais les dirigeants ont bien du mal à tempérer cet engouement du milliard de Chinois pour les attributs du modernisme. D'autant que la propagande s'était employée, huit ans durant, à stimuler les appétits. Ainsi les Pékinois avaient-ils pu rêver, à l'occasion de la fête nationale du 1er octobre 1984, devant de séduisants chars de parade représentant de gigantesques réfrigérateurs bien garnis, machines à laver, télévisions, chaînes hi-fi, thermos d'eau chaude dernier modèle, etc. La presse officielle, dont le leitmotiv devint « acheter n'est pas bourgeois », incitait le tout un chacun à consommer davantage pour « stimuler l'économie nationale ». N'hésitant pas à fustiger les réfractaires à cette nouvelle échelle des valeurs, elle alla jusqu'à s'en prendre aux habitudes vestimentaires « trop conservatrices » des hauts dirigeants. Le poste de télévision, encore difficilement accessible aux 800 millions de ruraux, reste le bien le plus prisé des Chinois. Cent millions de postes noir et blanc ou couleurs sont regardés par 600 millions de spectateurs et 72,2 % des citadins en sont possesseurs.

Ces nouvelles exigences sont vantées par une publicité ostentatoire de plus en plus omniprésente, par voie d'affiches dans la rue, sur les ondes et dans la presse. Inexistantes au début des années quatre-vingt, les entreprises de publicité, souvent rudimentaires il est vrai, avaient déjà dépassé le nombre de 800 en juin 1988. Parallèlement, le volume publicitaire à la télévision s'est accru de 47 %, entre 1987 et 1988. Malgré un budget qui se montait, fin 1988, à peine à 190 yuans mensuels (300 FF) pour deux salaires, le ménage urbain se serre la ceinture pour acquérir ces symboles tangibles de la réussite sociale. Un Chinois sur quatre possédait une bicyclette à la mi-1988 et 15 000 automobiles privées avaient déjà trouvé acquéreurs.

On préfère les produits étrangers, japonais notamment. Les produits locaux, le plus souvent sans garantie, sont affectés par de nombreux vices de fabrication. 1988 a vu la création d'une des premières associations de défense des consommateurs. Phénomène sans précédent, certains ont assigné des fabriquants en justice, et obtenu gain de cause. Bien que la production nationale soit passée du simple au double depuis 1978 et que les revenus aient triplé, Pékin a été contraint, en hiver 1988, de rationner le sel, pour la première fois depuis la fondation de la République populaire. Le gouvernement, qui avait libéré, début 1987, les prix des œufs, des légumes, du sucre et du porc, a également, peu après, réinstauré le rationnement sur les marchés d'État. En mai 1988, il a accordé des « subventions alimentaires », pouvant aller jusqu'à 10 yuans mensuels, pour les 200 millions de citadins. L'inflation, qui était officiellement de 30 % en 1988, en réalité plus du double, notamment pour les fruits et légumes, incite les citadins à vider leurs bas de laine. Les dépenses des familles se répartissaient, en 1987, comme suit : 53,4 % pour l'alimentation ; 13,6 % pour l'habillement ; 11,2 % pour les biens de consommation durables ; 8,5 % pour le loyer, l'électricité, l'eau, l'éducation, les soins médicaux et les transports ; et 5,5 % pour les loisirs. Le gouvernement craint surtout que les consommateurs n'aillent déverser leur « épargne cachée » de 200 milliards de yuans sur un marché déjà chaotique.

Philippe Grangereau

ÉQUIPEMENT DES MÉNAGES URBAINS		
	1982	1987
Machine à coudre	73,6 %	75 %
Ventilateur	53,2 %	104 %
Magnétophone	18 %	57,4 %
Appareil photo	5,6 %	14,3 %
Réfrigérateur	0,7 %	19,9 %
Machine à laver	16 %	66,8 %

Le costume «Mao» est-il démodé ?

Lorsque Peng Li est revenue au pays, en septembre 1988, après avoir remporté un premier prix à un concours international de mode en Italie, le gracieux mannequin de vingt ans a fait la « une » des journaux. Même si elle reste dépendante des mouvements politiques, la mode a commencé, au début des années quatre-vingt, à être de moins en moins considérée comme une valeur bourgeoise par les dirigeants.

En conséquence, hommes et surtout femmes s'habillent désormais autant par plaisir que par nécessité. Du moins dans les grandes villes.

« Les jeunes n'hésitent plus à porter des vêtements aux formes originales et aux couleurs voyantes. Même les personnes d'âge moyen viennent parfois regarder nos nouveautés », explique ce vendeur d'un des fameux marchés libres de Pékin. Dans les stands, s'empilent pantalons, jupes et blousons, de *jean* ou de cuir, chemises en tout genre et robes à fleurs en été ; anoraks, manteaux verts, roses ou jaunes en hiver. Chaque année, la mode indique la couleur dominante. Scénario semblable à Shanghai, Canton et dans la plupart des métropoles. Phénomène récent en rupture complète avec l'austérité vestimentaire qui régna entre 1950 et 1980. Chine de l'ouverture, Chine de la libéralisation des mœurs. La réforme économique encourageant le petit commerce, de nombreux jeunes se sont lancés, entre autres *business*, dans la vente des vêtements.

L'approvisionnement passe le plus souvent par Canton qui fabrique ou importe de Hong-Kong. Mais la confection locale existe aussi. Styliste n'est plus un métier inconnu. Des écoles spécialisées forment des milliers d'élèves à cette nouvelle profession. A partir de 1980, les échoppes de tailleur sont également réapparues. La confection sur mesure coûte un peu cher mais bien se vêtir est devenu un réel plaisir. La frustration a assez duré !

Adieu aux vêtements de toutes les traditions

Consommons, puisque c'est une des devises de la Chine version Deng Xiaoping. Sur les marchés libres de 1989, l'achat d'un pull, d'une chemise et d'un pantalon reviennent à plus d'un mois de salaire moyen. Tout comme un manteau bien coupé. Ces articles sont moitié moins chers dans les grands magasins d'État mais le choix est plus limité, les couleurs et le style moins attrayants. Les jeunes boudent ces lieux qu'ils considèrent comme des vestiges de la Chine d'avant l'ouverture. Ils préfèrent économiser afin de se payer le modèle dernier cri marqué d'une étiquette « Paris ». Ils sont aidés dans leur conduite par les médias : presse écrite et télévision proposent régulièrement des rubriques mode ; la publicité murale et sur petit écran vante aussi les charmes de la beauté vestimentaire. Conscient de la percée de la mode, le magazine *Elle* a même lancé une édition chinoise, en 1988. Et les étrangers, de plus en plus nombreux en Chine, sont une source d'influence et d'inspiration non négligeable pour les vendeurs et les consommateurs. Le costume trois pièces est indispensable au jeune homme pour son mariage. Quant à sa future épouse, elle se pare d'une robe rouge, de coton ou de soie selon les saisons. Pas de blanc, symbole du malheur et de la mort. Bien que, pour les inconditionnelles de la robe blanche de mariée, il soit possible de détourner la tradition en agrafant sur la robe blanche une fleur rouge, symbole du bonheur. Pour la photo-studio qui immortalisera l'événement, au diable les tabous. Vive la robe longue et le voile. Tout de blanc vêtue ! Les jours de fête et de congé, nouvel an et premier mai, sont une occasion de s'endimancher. Du bébé aux grands-parents. Si la physionomie des personnages est bien chinoise, les vêtements n'ont que peu de caractère national. Les défilés de mode ont beau présenter des collections où les formes s'inspirent des habits des dynasties impériales, la tenue quotidienne des Chinois des années quatre-vingt lorgne du côté de l'Occident.

A la campagne, la mode pénètre moins vite. Tout d'abord parce que les travaux des champs et la vie dans un village ne « nécessitent » pas d'être chic. Et parce que les traditions sont plus persistantes qu'en ville. De plus, les difficultés d'acheminement des marchandises dans les campagnes privent les paysans des vêtements en vogue dans les zones urbaines.

Il est difficile de définir un type d'habillement du paysan chinois compte tenu de la diversité des régions et de la variété des climats. A l'Ouest, dans les provinces du Shaanxi ou du Gansu, les paysans, hommes et femmes, portent plutôt un large pantalon court, une veste de coton croisée et une serviette sur la tête afin de se protéger du soleil et de la poussière. En hiver, la veste ou le manteau ouatés et fourrés sont de rigueur. Mais dans le Sud, les hivers n'étant pas féroces, les habits ne varient guère d'une saison à l'autre : pantalon droit, chemisette blanche, chapeau de paille ou de bambou. Globalement, dans la moitié est du pays, partie la plus urbanisée, les vêtements ressemblent à ceux portés par les citadins quelques années auparavant. Les jeunes subissent plus l'influence des villes. Les *jeans* ne sont plus introuvables dans les villages, de même que les chaussures de sport ou les T-shirts bariolés de logos étrangers. Le costume et la cravate, en nombre limité, ont fait leur apparition parmi les foyers les plus riches et les jeunes filles s'intéressent de plus en plus aux bas et aux talons hauts. En fait, seules les minorités nationales conservent leurs costumes traditionnels, à cause d'un attachement culturel plus profond et d'un isolement plus grand. L'éloignement des villes ne permet pas à la mode de se répandre immédiatement dans les campagnes. Certains villages le regrettent. D'un autre côté, les paysans ne sont pas victimes des caprices du pouvoir. Car l'habillement, comme beaucoup de comportements sociaux est lié lui aussi aux décisions politiques.

Vêtement et politique

Depuis des millénaires, dans les sociétés chinoises de type féodal, les couleurs, les styles, les matériaux des vêtements avaient pour but de différencier les classes sociales. Au lendemain de la fondation de la République, en 1911, le président Sun Zhongshan proposa un nouveau costume pour remplacer les robes de la dynastie Qing déchue. Son port devint une véritable institution après 1949, d'où l'appellation en Occident de costume « Mao ». Mais l'illustration la plus frappante de la virulence du tandem politique-habillement reste sans conteste l'uniformité imposée durant la « révolution culturelle ». Une tenue

pour les hommes, une autre pour les femmes. Des couleurs obligatoires : gris, noir, bleu foncé et surtout vert militaire. En 1974, Jiang Qing, femme de Mao et membre de la Bande des quatre, exigea qu'on lui dessine une robe, suivant ainsi l'exemple de l'impératrice Tang, Wu Zetian, qui changea de style de robe lorsqu'elle monta sur le trône. Porter la « robe Jiang Qing » devint une tâche révolutionnaire pour les femmes chinoises des grandes villes... Plus récemment, en 1983 et 1987, lors des campagnes contre la pollution spirituelle et le libéralisme bourgeois, certains dirigeants voulurent étendre la lutte idéologique à l'habillement. Réaction immédiate, plusieurs administrations de la capitale interdisent à leurs employés la tenue en jean sur le lieu de travail. Le ministère de l'Industrie textile émit une circulaire rassurante précisant que « l'habillement rend la vie colorée et n'a rien à voir avec une quelconque libéralisation bourgeoise ». En janvier 1987, pour annoncer l'éviction du secrétaire général du Parti, Hu Yaobang, le présentateur du journal télévisé de 19 heures troqua son trois-pièces occidental contre un costume Mao. Directive de cadres apeurés, sentant le vent conservateur souffler très fort... Lors de la session de l'Assemblée nationale de mars 1988, un député déclara : « J'ai essayé de compter, parmi les 3 000 députés, ceux qui portaient le costume Sun Zhongshan et ceux habillés à l'occidentale. Un excellent sondage pour savoir qui soutenait et qui était contre la réforme. » Quelques mois plus tôt, en octobre 1987, au XIIIe congrès du Parti, les cinq membres du nouveau comité permanent du Bureau politique se présentèrent à la conférence de presse de clôture en costume occidental. « De fabrication chinoise », avait précisé alors Zhao Ziyang, secrétaire général du Parti...

Style occidental, fabrication chinoise. Telle était la tendance des années quatre-vingt en matière d'habillement. On a cependant vu revenir à la mode officielle les anciens costumes Mao à partir de juin

1989, et chez les présentateurs de la télévision. Et si dans les nombreuses écoles qui entraînent les futurs mannequins, la musique est américaine, le magnétophone à cassettes est chinois...

Philippe Massonnet

Les dépenses fastueuses d'une vie ordinaire

Les étapes capitales qui ponctuent l'existence d'un Chinois créent bien souvent des occasions de dépenses fastueuses. Contraignantes, ruineuses parfois, ces dernières sont dictées avant tout par le réflexe de la tradition ou bien, au contraire, apparaissent consécutivement aux nouvelles règles de vie conditionnées par la réorientation économique du pays engagée en 1979.

Il faut faire la part belle aux coûts liés à des événements de caractère cyclique, dominés par les nombreuses fêtes du calendrier lunaire ; au premier plan, la nouvelle année. Celle-ci entraîne des festivités importantes, pendant lesquelles chacun s'attache à régler ses dettes, à honorer les membres de sa famille, les amis, les relations sociales... autant d'activités coûteuses, mais nécessaires à la fondation de bases saines pour l'année à venir. Ces frais représentent la charge financière la plus importante pour le foyer si, toutefois, aucun événement de caractère extraordinaire ne les supplante en cours d'année : décès, naissance ou mariage.

C'est au cours du mariage d'un fils que s'effectue la plus grande débauche d'argent. Elle se compose de deux échéances distinctes. La phase la plus importante, la plus longue aussi, commence bien souvent dès la naissance du garçon, prenant la forme d'une épargne systématique de la part du foyer de l'enfant. L'effort est colossal. Il faudra acheter tous les effets nécessaires à la vie du futur couple. L'ensemble, très fonctionnel, devra servir également à séduire de façon définitive la future épousée et à rassurer sa famille, qui conserve un avis plus que consultatif. Le moment venu, si les sommes réunies ne sont pas suffisantes, obligation sera faite d'emprunter aux parents éloignés ou aux amis. Ces dépenses sont centrées sur un mobilier satisfaisant aux critères de la modernité : ainsi, le lit remplace de plus en plus le *kang*, la télévision et le magnétophone apparaissent systématiquement chez les paysans, la machine à laver et le réfrigérateur chez les citadins. Enfin, il faudra, en dernière condition, trouver un lieu d'habitation. Point crucial des unions à la ville, le problème ne se pose pas à la campagne, certaines personnes n'hésitent pas à faire construire une maison pour cette occasion.

La deuxième phase concerne la célébration du mariage proprement dit. Ce jour-là, la famille du jeune homme se doit de faire bonne figure. Elle régalera abondamment, sous forme d'un banquet, l'ensemble des deux parties, mais aussi le voisinage et les relations sociales. Il faudra que des mets rares, réputés et chers apparaissent durant le déjeuner, preuve de l'importance que les proches du marié accordent à l'arrivée parmi eux d'une nouvelle venue. Le nombre des convives présents dépassera toujours plusieurs centaines. Ceux-ci participeront au financement des ripailles, sous forme d'une offrande au couple en début de repas. Ce sera là une des seules contributions de provenance extérieure à la famille du garçon. L'installation d'un nouveau ménage représente donc, en général, un effort financier unilatéral.

L'entourage de la jeune fille se

préoccupera, quant à lui, uniquement de la confection d'un trousseau. Outre le mariage, d'autres événements sont l'occasion de dépenses lourdes pour le maigre budget d'un Chinois. Les cérémonies et l'enterrement qui suivent le décès d'un parent fournissent un autre exemple : offrir une sépulture décente aux aînés de la famille appartient aux enseignements fondamentaux du confucianisme.

Enfin, le dernier poste de dépenses non négligeables est en liaison directe avec l'apparition d'une politique de limitation des naissances : c'est l'enfant unique. Il crée une rupture avec le sens traditionnel de la famille et tous les espoirs des parents vont se reporter sur cette seule descendance, mâle ou femelle. Rien ne sera trop beau pour la réussite de son éducation ; l'augmentation frénétique des achats de pianos dans la ville de Pékin en est une preuve éloquente.

Même si la notion de somptuosité en Chine paraît, à l'aune occidentale, une définition très relative, il convient de retenir que le prix d'un piano équivaut à environ une année de salaire pour un Chinois moyen qui gagne l'équivalent de trois cents francs par mois...

Jean-Maurice Hébrard

AMOUR ET SEXUALITÉ

Sexualité : un climat moins puritain ?

Lorsque, en décembre 1988, une exposition consacrée à des peintures de nus, réalisées en Chine même, s'est ouverte au Musée des Beaux-Arts de Pékin, avec la bénédiction du vice-ministre de la Culture, on a pu croire un moment que la séculaire pudibonderie tendait à disparaître. Erreur, erreur ! Cinq jours après l'ouverture qui attira plus de dix mille visiteurs par jour, un article de *Nouvelles de la jeunesse de Chine* faisait état des véhémentes protestations des modèles qui avaient accepté de poser à l'Institut central des Beaux-Arts : celles-ci se plaignaient en effet d'être victimes, depuis le début de

l'exposition, de persécutions diverses, telles que lettres anonymes, réflexions désobligeantes, etc. Elles prétendaient qu'on leur avait promis de ne pas exposer publiquement les peintures, et voilà qu'en plus de l'exposition, un livre et des séries de cartes postales reproduisant les œuvres étaient en vente à Pékin et dans les grandes villes de Chine !

Ce petit incident reflète bien la situation actuelle en matière de sexualité : les mœurs changent tellement vite que les individus ont de la peine à suivre le rythme. Il y a quarante ans à peine, l'amour était censé naître du mariage et non le contraire. Les parents choisissaient un conjoint à leur enfant et le mariage était considéré comme un acte social, aussi inévitable que la naissance ou la mort, aussi peu déterminé par l'individu concerné. Vinrent le régime communiste et ses réformes : liberté du mariage pour tous, suppression des mariages arrangés, interdictions des mariages entre enfants, fortes pressions pour supprimer les pratiques « féodales » d'échanges de cadeaux, les grandes fêtes à l'occasion du mariage, etc. Mais, à côté de ces mesures destinées à protéger la liberté individuelle, s'instaurait une morale qui allait devenir de plus en plus répressive jusqu'à la « révolution culturelle ». La thèse était simple : chaque Chinois se doit totalement à l'édification du socialisme. Toute pensée, tout acte ayant pour conséquence de détourner les énergies du droit chemin est contre-révolutionnaire et, par conséquent, passible de punition. La Chine entrait dans la période de répression sexuelle la plus

La prostitution refleurit

Meijuan a dix-neuf ans. Elle travaille dans le bordel Nanganglou, *le plus sûr de Sanya au sud de l'île de Hainan. Un petit immeuble sur trois niveaux construit à deux pas d'une annexe du Bureau de la sécurité publique et mitoyen de celui du percepteur. Le Palais du gouverneur se dresse également au bout de cette ruelle, où, chaque matin, les paysannes organisent un marché libre et sur laquelle donne le porche circulaire du bordel.*

Meijuan aime parader sur le marché. Contrairement aux Pékinois, les méridionaux ne dénigrent pas les prostituées. Ils méprisent avant tout les pauvres. Meijuan et la dizaine d'autres jeunes prostituées qui travaillent à Nanganglou *s'habillent et se parfument à la mode de Canton, telle qu'elles se l'imaginent. Le bordel ouvre tôt le matin et ferme avant minuit. Quelques filles traînent dans la salle déserte du rez-de-chaussée et sirotent du thé avec leur* papasan *(maquereau), le caissier ou le patron. Elles attendent le client. Des marins, des cadres en déplacement, des commerçants, des hommes seuls... La passe se déroule dans une des mini-chambres du deuxième étage ou de l'arrière-salle et coûte trente yuans. Un tiers pour la fille, un tiers pour le patron, un tiers pour les flics. Ce bordel, c'est l'univers de Meijuan. Elle a été achetée enfant par le patron, élevée par le* papasan *; et sa condition lui semble normale, car elle n'est jamais sortie de* Nanganglou, *et elle ne connaît rien d'autre.*

Sur le continent, la prostitution est moins visible. Néanmoins elle y existe. A Canton, les bordels se camouflent derrière les échoppes de certains barbiers, tandis que des prostituées souvent « protégées » par un « ami », augmentent, voire décuplent, leur salaire d'ouvrière ou de vendeuse, en chassant tous les soirs un client dans les dancings et les grands hôtels. Certaines sont belles, les plus jeunes ont quinze ans.

Pékin. Une « vieille » prostituée se tient tous les soirs contre un arbre à un carrefour de la rue commerçante de Wangfujing. Elle a la quarantaine, ne réclame que cinq yuans (en 1986) et les nombreux liumang *(voyous) du quartier se moquent d'elle car, selon la tradition, « une prostituée doit être très jeune ». A Pékin, les bordels se cachent dans les arrière-cours des pâtés de masures du centre-ville.*

Yongdingmen, gare ferroviaire et routière excentrée ; des milliers de voyageurs y transitent chaque jour. Sous les porches des cours intérieures, le long de la rivière envasée, dès la nuit tombée, deux ou trois femmes racolent les passants. La nuit, dans les grandes et les petites villes, les prostituées et leurs clients fréquentent les gares.

Parallèlement, dans les beaux quartiers des diplomates, les hôtels de luxe, les discos *internationaux, renaît une prostitution réservée aux étrangers. Ces prostituées, comme les autres, peuvent être professionnelles ou occasionnelles, « protégées » ou indépendantes, mais elles évitent de coucher avec leurs compatriotes et ne travaillent ni chez elles ni dans un bordel. A Pékin, elles-mêmes ou leur « ami » racolent les étrangers dans le magasin de l'Amitié, l'Hôtel de Pékin, le bowling de l'Hôtel Lido, autour du quartier des résidences étrangères. L'Hôtel de Kunlun a la réputation de proposer les plus jolies filles de la capitale, avec des garanties exceptionnelles. Les étrangers sont riches, et le prix de la nuit — qui se passe toujours dans leur chambre — dépasse les cent yuans (plus d'un mois de salaire moyen). La prostitution avec les étrangers est d'ailleurs plus sévèrement punie car « elle fait perdre la face à la Chine ». Mais il faut vouloir la découvrir.*

Marc Boulet

systématique de son histoire. Le président Mao lui-même, bien connu pourtant pour ses quatre mariages et ses multiples aventures sentimentales, donnait des consignes précises : un couple ne doit pas faire l'amour plus d'une fois par semaine, deux au maximum. Si la chair vous taraude, prenez des douches glacées et faites plus de sport, ne portez pas de vêtements serrés, ne traînez pas dans votre lit le matin...

La littérature suivait le même chemin. La moindre allusion au corps ou aux penchants sentimentaux disparut complètement des écrits publiés en Chine, et les écrits occidentaux, films, reproduction d'œuvres d'art, furent brûlés, interdits, confisqués. Qu'en 1988, une exposition de peintures de nus ait pu faire scandale n'avait donc rien de surprenant.

La réapparition de l'amour

Ce n'est qu'à partir de 1978 que l'amour fit une réapparition timide dans la littérature chinoise, dans les œuvre de Liu Xinwu, et encore ne s'agissait-il que des pures émotions d'adolescents troublés par des sentiments nouveaux. En 1985, le roman de Zhang Xianliang, *La Moitié de l'homme, c'est la femme*, qui décrit de façon assez explicite la misère sexuelle d'un homme qui se marie vierge à trente-huit ans pour découvrir qu'il est impuissant, provoqua une véritable tempête de polémiques.

La constatation du fait que l'ignorance et la frustration provoquaient de plus en plus de crimes d'ordre sexuel dans le pays a fini par pousser le Parti et l'État à sortir de leur réserve et à se lancer dans une campagne d'éducation sexuelle destinée aux jeunes et aux moins jeunes. C'est ainsi qu'on a vu fleurir, à partir de 1985, les cours destinés aux adolescents, aux jeunes mariés, aux enseignants, en même temps que proliféraient les bals-rencontres destinés à aider les cœurs solitaires à rencontrer l'âme-sœur.

Malgré ce relatif relâchement de la surveillance exercée sur les amoureux, le climat social est resté puritain : en 1987, un nouveau roman de Zhang Xianliang, *Bonjour les amis*, dans lequel l'auteur controversé décrivait l'éveil sexuel d'une lycéenne, a été interdit sous prétexte qu'il incitait la jeunesse à penser à « l'amour libre, contraire à la loi et à la morale socialiste ». De même, les rééditions successives du célèbre roman érotique du XVIe siècle, *Jin Ping Mei*, ont elles été toutes sai-

sies et interdites. Cela n'empêche pas le vif succès d'innombrables ouvrages « jaunes » (pornographiques) importés de Hong-Kong, d'Occident ou réalisés sur place, qui circulent sous le manteau et se vendent à prix d'or. Les responsables de cette « pollution spirituelle » risquent gros : en 1987, un cheminot a été exécuté pour avoir montré des cassettes pornographiques à un public de quatre-vingts personnes.

Le « virus de l'occidentalisation »

Pourtant, l'ouverture sur l'extérieur a entraîné inévitablement un changement profond dans le comportement des jeunes. Le phénomène est particulièrement facile à observer parmi les étudiants. Ceux-ci représentent l'élite de la jeunesse, car ils sont soumis à des examens extrêmement rigoureux avant d'être admis à l'Université. Ils bénéficient d'avantages que le reste de la jeunesse n'a pas : d'abord, ils habitent dans des dortoirs, loin du regard pesant de leur famille et de leurs voisins. Ensuite, ils sont libres de leurs mouvements, de leurs lectures et de leurs fréquentations. Enfin, ils sont, plus que le reste de la population, influencés par les idées occidentales. Il n'est pas impossible de s'arranger entre résidents d'une même chambrée pour avoir une soirée tranquille avec son ou sa petite amie. Mais si les parents des jeunes en question sont informés de la situation et s'ils désapprouvent le choix de leur enfant (considéré comme « petit » jusque vers l'âge de vingt-deux ans), ils ont la possibilité d'intervenir auprès des « répétiteurs », personnages chargés de l'éducation idéologique des jeunes. Ne pas se soumettre à la discipline peut alors entraîner des sanctions graves, telles que renvoi de l'Université ou mauvaise affectation professionnelle à l'issue des études.

À l'autre bout de la Chine, à Canton, antichambre de Hong-Kong, les passions se déchaînent. La pros-

Le tabou homosexuel

La plupart des Chinois refusent habituellement de reconnaître que l'homosexualité (tongxing lian'ai) existe dans la société chinoise au même titre que dans les autres sociétés humaines. Elle fut associée, à partir de 1949, aux dépravations qui ne peuvent être que le fait des étrangers. Une telle attitude de réprobation ne favorise pas la connaissance du phénomène, sur lequel enquêtes officielles et médias sont muets. On ne dispose donc, dans ce domaine, que des observations faites ici et là sur les comportements.

La répression, si le fait homosexuel est avéré, est toujours évoquée sous le signe de la mort. On a souvent dit, dans les années soixante, qu'un homosexuel reconnu méritait d'être fusillé. Jean Paqualini, dans son ouvrage Prisonnier de Mao, cite l'exemple d'un co-détenu de son camp de travail qui fut exécuté pour ce motif. Jusqu'à la publication du Code pénal, qui ne prévoit pas de peine contre l'homosexualité, mais qui n'est pas partout encore appliqué, c'était la police qui se chargeait de la répression, et envoyait en prison ou dans les camps de rééducation, pour quelques mois et jusqu'à trois ans, les homosexuels reconnus. A Hong-Kong, l'homosexualité est toujours punie d'emprisonnement.

Il est nécessaire de lier la question de l'homosexualité aux comportements des populations de culture chinoise pour tout ce qui concerne le sexe. Le tabou demeure très fort quant à l'expression publique, voire familiale (l'adulte n'y fait jamais allusion devant les jeunes, le jeune devant les adultes) de ce domaine de la vie privée. Il est renforcé par les sanctions sévères qui frappent toutes les transgressions. La force de ce tabou est à chercher dans la culture traditionnelle, en particulier la réserve taoïste et le puritanisme confucéen. Les relations « contre nature » (la sodomie se pare joliment du nom de « jeu avec la fleur du jardin de derrière ») sont encore plus mal vues que les autres en raison du rapport que les Chinois ont au corps. Il faut le conserver le plus possible intact, pour la transmission ultérieure de la lignée, ne pas en gaspiller les essences vitales. Par la « perte de substance » qu'il entraîne, le rapport homosexuel est donc particulièrement condamnable.

La force du tabou n'empêche évidemment pas l'homosexualité d'exister. On la connaît de longue date. Au XVIIᵉ siècle, un traité, les Actes de la Manche Coupée, recense les cas d'homosexualité masculine mentionnés dans la littérature. Hong-Kong aujourd'hui abonde en jeunes homosexuels. En Chine populaire, le Club des homosexuels de Canton a pignon sur rue depuis 1981, et les touristes occidentaux qui se promènent les soirs d'été dans les parcs de Shanghai (voire de Pékin) croisent des couples qui ne sont pas tous hétérosexuels. L'homosexualité féminine a toujours bénéficié d'une certaine tolérance, tant qu'elle ne s'affirme pas en public et se pratique à l'intérieur des maisons. Elle fut très répandue dans les anciens temps, et favorisée plus tard par la promiscuité.

On se gardera de prendre pour homosexuelle toutes les attitudes et les menus gestes par lesquels filles entre elles et jeunes hommes entre eux se portent témoignage public d'affection. Le faible niveau des inhibitions dans ce domaine, peut-être face inversée du tabou, serait lié à la nécessité de trouver un exutoire affectif nécessaire. Un bon indice de cet état général concernant l'homosexualité doit être relevé dans le fait que la langue chinoise ne connaît pas d'équivalent à l'injure « pédé », à la différence d'autres cultures (maricon, farfalla, queer, peder, etc.).

Ji Jian

titution refleurit. Les homosexuels ont leurs clubs. Les maladies sexuellement transmissibles se répandent de façon inquiétante. En 1988, un patron de maison close y a été condamné à mort : il employait une trentaine de jeunes femmes... Pékin voit ce « pourrissement moral » d'un très mauvais œil, mais le « virus de l'occidentalisation » semble décidément bien installé dans l'empire du Milieu.

Marie Holzman

BIBLIOGRAPHIE

MASPERO H., « Les procédés de "nourrir le principe vital" », dans *Le Taoïsme et les religions chinoises*, Gallimard, Paris, 1971.

VAN GULIK R., *La Vie sexuelle dans la Chine ancienne*, Gallimard, Paris, 1971.

Tabous et convenances

La sexualité a toujours passionné les Chinois. Pourtant, elle reste un sujet de conversation tabou en public, alors qu'il est fréquemment abordé entre amis et intimes. Évidemment, ce qui passionne le plus, c'est la vie sexuelle du voisin... Quant à celle des étrangers, elle intrigue encore plus.

Le sujet de conversation le plus constamment abordé entre amis, c'est la sexualité. Il n'est cependant jamais mentionné dans une conversation à laquelle participent plusieurs générations, et les parents interdisent à leurs enfants toute connaissance liée à la sexualité. Le résultat est qu'aux yeux des adolescents, celle-ci est considérée comme chose mystérieuse, lourde de culpabilité.

Le point de vue traditionnel est le suivant : pour les hommes, faire l'amour est un privilège et une jouissance, mais cela peut nuire à la santé ; pour les femmes, faire l'amour ne sert qu'à procurer du plaisir aux hommes. Une expression réunit les êtres les plus méprisables de la société en ces termes : « Les hommes se livrent au pillage, les femmes à la prostitution ». Morale : ce qu'un homme peut faire de pire, c'est de voler ; une femme, de coucher avec n'importe qui. L'homme « coureur » est libidineux, la femme qui recherche la compagnie des hommes (sans nécessairement coucher avec eux) est une putain. « Libidineux » n'est pas déshonorant ; « putain » reste une des pires insultes qui soient. Cela n'est qu'un des aspects de l'inégalité entre les hommes est les femmes.

Depuis que le régime politique est devenu totalitaire, le peuple a adopté un mode de vie où l'hypocrisie triomphe. En apparence, tout le monde s'est sagement rangé à la morale ambiante. En réalité, chacun fait ce qu'il désire et ne s'interdit aucun geste. Les Chinois disent souvent : « Passé le seuil de ma porte, c'est moi l'empereur. »

Depuis la mise en place d'un système de contrôle des naissances rigoureux, l'acte sexuel est davantage perçu comme une simple satisfaction des sens. Chez les jeunes, l'acte sexuel se pratique de plus en plus couramment avant le mariage, notamment à cause de la politique de mariage tardif appliquée par le gouvernement. Si, cependant, la « vertu » triomphe encore, la cause en est plus la pénurie des logements dans les villes, qui interdit toute promiscuité « coupable », qu'un véritable contrôle des mœurs.

L'homosexualité, en revanche, reste clandestine. Bien que la police n'arrête plus les homosexuels, l'opinion continue à condamner énergiquement l'homosexualité. Ceci n'empêche pas la plupart des homosexuels de trouver des partenaires.

La masturbation est toujours considérée comme une activité « malsaine ». Mais le point de vue médical, selon lequel la masturbation ne peut pas affecter la santé des individus, commence à se répandre.

Bien qu'elle reste interdite, la prostitution continue à exister et même prolifère. Lorsqu'elles sont prises sur le fait, les prostituées sont condamnées à trois ans de rééducation par le travail. Cette situation n'est peut-être pas sans rapport avec le nombre élevé de crimes sexuels en Chine.

Depuis des millénaires, la morale a changé fréquemment, en fonction des gouvernements en place. Celle prônée par les autorités est rongée d'incohérences et d'hypocrisie et la crise de confiance dans le communisme ne devrait pas manquer d'entraîner un refus systématique de toute interdiction officielle. Ira-t-on d'un extrême à l'autre ?

Wang Keping

LA FAMILLE

Du clan à l'enfant unique

Le cadre architectural de la vie de famille a changé : les vastes maisons à cour traditionnelles font de plus en plus souvent place à des résidences divisées en petits appartements du type deux-pièces-cuisine-salle d'eau. Cette évolution est parallèle à un resserrement de la famille qui tend à ressembler aux familles restreintes des pays industrialisés. Cependant, si l'on y prête attention, le passage de la famille étendue regroupant « trois ou quatre générations sous un toit » à la famille nucléaire à enfant unique correspond moins à une tendance sociale spontanée qu'à la mise en œuvre volontariste d'une politique de la famille attribuant un caractère « moderne » au modèle restreint.

La famille élargie faisant cuisine commune sous l'autorité des aïeuls représentait beaucoup plus un idéal de vie qu'une réalité. Les recensements et enquêtes d'avant 1949 montrent à l'évidence que les « grandes familles » ne regroupaient qu'une fraction de la population. Selon les données de l'immédiat après-guerre, la taille moyenne du foyer n'aurait été que d'environ 5,3 personnes. On est loin des clans en regroupant plusieurs dizaines ! Plusieurs raisons expliquent la rareté des familles élargies. Tout d'abord, la modicité des ressources de la majorité des foyers et la taille très restreinte des exploitations agricoles familiales — en moyenne un hectare — rendaient très difficile le maintien de familles comptant plus de cinq membres. En second lieu, le niveau de mortalité était tel que la coexistence de personnes de générations différentes était rare. On estime que, passé l'âge de trente ans, la probabilité de conserver ses parents en vie était faible. Les unités familiales, réduites et instables, visaient à assurer la survie des personnes âgées. En cas de crise grave, on se débarrassait d'abord des fillettes, puis, si la situation s'aggravait, on n'hésitait pas à vendre femme et enfants.

La mise en œuvre, dès 1949, d'une nouvelle politique familiale symbolisée surtout par la réforme du mariage eut pour effet de limiter la taille des familles, qui passa en moyenne de 5,3 à 4,4 personnes. L'entrée dans la transition démographique [*voir chapitre « Démographie »*] détermina, paradoxalement, une remontée du nombre moyen des membres des familles jusqu'à 4,8 personnes vers 1970. Du seul fait de l'amélioration des conditions d'hygiène, le nombre moyen des enfants élevés par une femme serait passé entre 1950 et 1970 de 3 à 5. Les effets de l'allongement de la vie humaine se font sentir beaucoup plus lentement pour deux raisons : les personnes atteignant leur soixantième anniversaire dans les années cinquante ne représentent qu'une faible fraction des personnes nées avant 1900, et la famine de 1959-1961 a éliminé des vieux en grand nombre. Il en est résulté un net rajeunissement de la société : la proportion des jeunes de moins de quinze ans s'accrut brutalement pour dépasser les 40 % tandis que la tranche des plus de soixante-cinq ans diminuait relativement pour ne plus représenter que 4 % au recensement de 1964.

Le planning familial

Les années soixante et soixante-dix correspondent curieusement à une sorte d'âge d'or de la famille, conçue moins comme une unité de production, puisque la collectivisation est alors à son zénith, que comme une unité de consommation. C'est particulièrement vrai dans les campagnes où les familles se voient garantir leur subsistance sous la forme d'un approvisionnement en céréales. A la ville comme à la campagne, les taux de participation au travail n'ont jamais été aussi élevés. Le recensement de 1982 montre que la quasi-totalité des hommes âgés de vingt à soixante ans et près de 90 % des femmes de vingt à quarante ans exercent une activité rémunérée. En revanche, l'extrême faiblesse des salaires urbains et l'habitude prise dans les communes populaires de verser aux chefs de familles rurales l'ensemble des gains obtenus par leurs dépendants sous forme de points de travail font qu'il est pratiquement impossible pour les jeunes de fonder des familles autonomes. La société offre donc l'aspect d'un ensemble de familles solidaires où l'on se serre les coudes, et où les maigres ressources des ménages sont mises en com-

mun, les grands-parents aidant par ailleurs les mères à élever une progéniture plus nombreuse. C'est également le temps où les conditions de logement se détériorent largement, en particulier dans les villes où la surface utile — pièces habitables — tombe, faute d'une politique de construction, à quelques mètres carrés par habitant.

La mise en œuvre du planning familial à partir de 1972, puis sa radicalisation sous la forme de la politique d'un enfant par couple en 1978 et les réformes économiques engagées à partir de 1979 modifient considérablement les données du problème. La chute de la fécondité intervient dès les années soixante-dix : le nombre moyen d'enfants par femme passe en l'espace de sept ou huit ans de 6 à moins de 3. A familles moins nombreuses correspond une longévité supérieure. Les effets de la nouvelle politique sont sensibles dès le recensement de 1982 : les enfants de moins de quinze ans ne représentent plus que 33 % de la population totale tandis que la proportion des personnes âgées de plus de soixante-cinq ans remonte au-dessus de 6 %. Résultat, des familles plus restreintes, en moyenne de 4,5 personnes. L'évolution se poursuit, en dépit d'un arrêt de la chute de la fécondité. Les chiffres de 1987 font état d'une nouvelle réduction de la famille, une moyenne de 4,2 personnes, corrélative à une diminution du nombre des jeunes. Dans le même temps, la décollectivisation des campagnes et l'application des réformes urbaines ont considérablement amélioré les conditions de vie des citoyens, aussi bien en ville qu'à la campagne.

Généralisation de la famille nucléaire ?

Les nouvelles conditions économiques vont-elles hâter la « modernisation » de la famille en généralisant la famille nucléaire ? Contrairement à ce que beaucoup de sociologues attendaient, la modification des structures familiales semble moins rapide que prévu. En effet, s'il ne fait guère de doute que les familles étendues, qui n'ont jamais constitué le modèle dominant, sont devenues très rares et ne se rencontrent plus que dans les provinces les moins développées (la taille moyenne des familles demeure nettement plus élevée dans l'Ouest), on semble assister à une multiplication des familles « verticales » à trois générations : grands-parents, un fils marié et ses enfants. Ce phénomène s'explique d'abord par la situation de dépendance de beaucoup de personnes âgées. La croissance démographique du troisième âge — on prévoit que l'effectif des plus de soixante-cinq ans atteindra 10 % de la population totale dès le début du siècle prochain — tendra d'ailleurs à rendre la situation des personnes âgées plus précaire. Il semble, par ailleurs, que la réduction des progénitures joue dans le sens d'un renforcement de la cohésion familiale, avec une réorganisation autour d'enfants devenus plus précieux parce que moins nombreux. Il s'agirait d'un véritable bouleversement des valeurs familiales qui étaient centrées autour de la protection des personnes âgées.

Si le spectre d'une société « inversée », où deux couples de grands-parents devraient se partager un unique petit-enfant, ne semble pas près de se réaliser — du fait des résistances opposées par la population au planning familial, les mères d'enfants uniques restent minoritaires —, il existe des différences sensibles entre la ville et la campagne. Les familles à enfant unique sont d'ores et déjà nombreuses dans les villes où l'on commence à redouter les effets du vieillissement et la multiplication de situations où les personnes âgées se retrouvent sans ressources. On peut s'attendre à ce que l'assouplissement de la politique de l'enfant unique gagne progressivement les villes qui enregistreraient une remontée de la natalité et de la taille des familles.

Michel Cartier

Pour les femmes, toujours l'inégalité des chances

Être femme en Chine n'a pas la même signification en ville et à la campagne, dans une région riche et dans une zone pauvre. Dans ce pays essentiellement rural, les femmes vivent des situations très différentes, voire opposées d'un endroit à un autre, des situations en perpétuelle mutation. La grande majorité des femmes appartient au monde agricole (78 % d'entre elles travaillent dans l'agriculture, où elles représentent 46,2 % de la force de travail). A la campagne, la réforme a signifié pour certaines retour absolu à l'autorité du chef de famille, tandis que, pour d'autres, elle a entraîné l'émancipation économique. En ville, les conditions de vie se sont dégradées ; la majorité des femmes travaillent et rencontrent beaucoup de difficultés pour concilier vie professionnelle et vie familiale. Dans l'emploi et l'éducation, elles subissent de constantes discriminations. Une enquête menée en 1988 auprès de 660 usines, dans onze provinces, par la Fédération des femmes, a révélé que seulement 5,3 % des directeurs consentaient à embaucher des femmes. Dans un secteur traditionnellement occupé par la main-d'œuvre féminine, sur 89 usines textiles, 75 % des directeurs ne souhaitaient pas embaucher des femmes...

La décollectivisation des terres repose le problème du rôle de la femme au sein du monde paysan, puisque l'unité de production de base se trouve, de nouveau, être la famille. Cette dépendance des femmes se retourne souvent contre elles. Les cas de femmes maltraitées, ou dont les droits ne sont pas respectés, notamment en matière de liberté dans le mariage, d'éducation ou d'héritage, se sont multipliés. Du point de vue économique, le travail n'étant plus organisé collectivement, les femmes ne reçoivent plus de salaire et perdent ainsi leur indépendance. Mais la réforme dans les campagnes a eu aussi d'autres conséquences, dont il est difficile de mesurer toute la portée. Les réformes ont permis à certaines paysannes de se trouver investies de nouvelles responsabilités au sein de la famille en tant que cellule économique. Depuis 1983, des bourgades se sont développées et ont vu la multiplication de petites entreprises où les femmes trouvent des emplois dans l'artisanat, le commerce ou les services. Elles apportent au foyer une part substantielle de ses revenus, parfois même supérieure à celle de leurs conjoints. La proportion de femmes employées dans les entreprises des bourgs peut atteindre 50, voire 60 à 70 % de la main-d'œuvre.

En ville, l'augmentation du coût de la vie, la dégradation des transports en commun, le mauvais approvisionnement des marchés, le manque d'appareils ménagers, l'insuffisance des services, la difficulté de se loger compliquent la vie des femmes. Selon un sondage effectué en 1985-1986 par la revue *La Chine en construction*, sur 39 770 foyers citadins, 62,6 % possédaient une cuisine particulière, 6,5 % une cuisine commune ; les autres devant se contenter d'un réchaud dans le couloir qui dessert trois ou quatre logements. 57,4 % disposaient de l'eau courante, 15,8 % d'un point d'eau collectif ; 96,7 % avaient l'électricité et 8,4 % le gaz. Les tâches ménagères reposent principalement sur elles et c'est pourquoi les entreprises préfèrent employer des hommes, plus disponibles. En raison de la politique de l'enfant unique, les femmes chinoises sont limitées dans leur désir de maternité, et pourtant elles subissent des brimades dans leur vie professionnelle parce que le coût de la maternité repose sur les entreprises. Certaines n'hésitent d'ailleurs pas à licencier des employées pendant leur grossesse ou après un accouchement, pour ne pas avoir à payer la prime de l'enfant unique ou pour ne pas avoir à organiser de crèches. La garde des enfants est devenue un problème épineux. Le nombre des crèches n'a pas suivi l'explosion démographique ; on comptait en 1987 94 millions d'enfants de moins de quatre ans pour 1 140 250 places de crèches. Les grands parents ne sont pas toujours disponibles et employer une bonne n'est pas à la portée de tous. Il faut non seulement avoir un appartement assez grand, mais des revenus en proportion. Une bonne, à Pékin, gagne en 1989 de 50 à 60 yuans par mois alors que le salaire mensuel moyen est de 70 à 80 yuans.

Discriminations

Pour toutes ces raisons, le pourcentage des femmes occupant des postes de direction sur le plan économique et politique demeure faible. Dans le domaine politique, la proportion des femmes ayant des responsabilités ne cesse de diminuer, surtout au niveau local. Seulement 5 % des cadres des équipes dirigeantes au niveau des districts, des préfectures et des provinces sont des femmes. Les femmes entrent difficilement au Parti, où elles ne représentaient, en 1985, que 14 % des 40 millions de membres. Il n'y a, en 1989, aucune femme au bureau politique. La situation n'est guère plus brillante dans le secteur économique. Certes, des femmes dirigent effectivement de grosses entreprises, d'autres en ont fondé dans le secteur privé ; mais le pourcentage de celles qui ont des postes de responsabilité reste insignifiant. Beaucoup d'entreprises ne comptent aucune femme cadre. D'après *Women of China*, en 1988, seulement 5 des

─────── BIBLIOGRAPHIE ───────

« Chinese Women », *Chinese Sociology and Anthropology*, Sharpe, New York, vol. XX 1-3.

HOOPER B., « China Modernization : Are Young Women going to lose out », *Modern China*, Univ. of California, Los Angeles, juil. 1984.

ROBINSON J.C., « Of Women and Washing Machines : Employment, Housework, and the Reproduction of Motherhood in Socialist China », *China Quaterly*, Londres.

SHEN Man-ch'ing, « The Role of Women in Society in Mainland China », *Issues and Studies*, Taipei, n° 11, 1986.

WANG Yalin, LI Jinrong, « The Development of Big Cities and the Control of their Population », *Social Sciences in China*, Pékin, 1986.

« Working Women », *China News Analysis*, Hong-Kong, mai 1987.

100 grandes et moyennes entreprises de Pékin étaient dirigées par des femmes.

Ce phénomène s'explique aussi par l'inégalité des chances pour les femmes d'accéder à l'éducation. A tous les niveaux de l'enseignement, le pourcentage des filles demeure inférieur à celui des garçons. Selon un article paru en 1986 dans le *Zhongguo funu bao* (*Journal des femmes chinoises*), les filles ne représentent que 43,8 % des enfants des écoles, 40 % des lycéens et 30 % des étudiants. De plus, avec les nouvelles possibilités d'emploi qui s'offrent, surtout à la campagne, les parents préfèrent placer leurs enfants et surtout leurs filles dans les nouvelles entreprises. Certaines universités pratiquent une discrimination ouverte contre les étudiantes et vont jusqu'à rejeter des candidats qui ont des résultats supérieurs à leurs camarades, justifiant cette discrimination par le fait que les femmes diplômées ont moins de chance de trouver un emploi que les hommes.

A travail égal, les femmes ne reçoivent pas toujours un salaire égal. En théorie, la Fédération des femmes chinoises, proche du Parti communiste défend leurs intérêts, mais en réalité, son rôle se limite à un travail d'éducation, insuffisant dans bien des cas.

Jacqueline Nivard

Le mariage, entre tradition et modernité

Se marier est une obligation envers sa famille et la société. Ne pouvoir l'assumer peut apparaître comme une infortune, presque une malédiction. Pendant des millénaires, les législateurs en avaient défini les règles, toujours en accord avec le principe immuable de l'infériorité de la femme et de sa totale soumission à son mari. Mais, depuis 1931, après avoir proclamé que « tout le système féodal du mariage est aboli », ils ont dû le remplacer en s'inspirant de celui en vigueur dans le monde occidental. Une première « loi sur le mariage » fut promulguée le 1er mai 1950 ; une seconde, peu différente, la remplaça le 1er janvier 1981. Fondée sur « le libre arbitre des conjoints, la monogamie et l'égalité des droits entre les deux sexes », elle fixe l'âge légal du mariage à vingt-deux ans pour l'homme et vingt ans pour la femme et impose l'enregistrement au bureau du district. Il est également stipulé que « le mariage décidé par les familles, le mariage mercantile et tout autre acte violant la liberté du mariage sont interdits ».

Mais les préparatifs et la célébration du mariage demeurent une affaire privée où interviennent des traditions et des convenances héritées du passé. Ainsi, dix siècles avant notre ère, le *Livre des Odes* qui constatait : « Comment faire pour prendre femme ? Sans marieur on ne peut pas ! » a-t-il encore quelque actualité. L'entremetteur agréé ou sollicité peut être une marieuse (*hongniang*), un parent, un ami, un collègue de travail ou un délégué du syndicat, dont la mission est essentiellement de préparer une rencontre acceptée de part et d'autre. L'alternative est le recours aux agences matrimoniales (*hunyin jieshaosuo*) ou à la rubrique des petites annonces des journaux.

La rencontre individuelle, sans intermédiaire, suscitée ou fortuite et suivie du « coup de foudre » n'est pas exclue : on estimait à 35 % les mariages d'amour dans les villes et à 15 % dans les campagnes en 1985. Mais, tout en les recommandant, les plus hautes instances politiques avaient ouvert un débat sur le thème « Quelle conception de l'amour et du mariage doit-on établir ? ». La préférence va au mariage dit *réfléchi* (65 % à Pékin) qui prend en compte la personnalité, la situation, le caractère du futur conjoint, critères de choix très révélateurs de l'évolution des mentalités.

Toujours un peu marqués par les images du passé, les garçons recherchent une compagne douce et obéissante, épouse vertueuse et bonne mère (*xiangqi liangmu*), raisonnablement jolie et point trop instruite, en somme imprégnée des vertus confucéennes. A l'inverse, les filles des villes manifestent des exigences sur l'éducation, les goûts et les revenus et les perspectives de carrière d'un mari. En spécifiant l'éclat que devra avoir la cérémonie du mariage et les cadeaux indispensables. Ceux-ci, qui en 1960 étaient « montre-machine à coudre-vélo », en 1986 se résumaient dans les « trois ors » (bague, bracelet, collier) et les « quatre grands articles » (TV couleurs, réfrigérateur à deux portes, machine à laver, magnétophone). Cette tendance au marchandage, jadis réservé aux familles, peut conduire au mariage *de convenance* dans lequel l'épousée accorde la priorité aux avantages matériels ou au départ à l'étranger. Elle a été considérée comme une perversion de la « morale féodale » dont on découvre d'autres survivances avec le mariage-achat ou le mariage-échange imposé par la famille et accepté par la femme.

Ce fut un beau, un beau mariage

Dans sa forme actuelle, la cérémonie du mariage évoque toujours « l'entrée publique » d'une épouse dans la maison et la famille de son mari. Les pratiques telles que consultations astrologiques, prosternations et offrandes devant l'autel du Ciel et de la Terre ou les tablettes des ancêtres sont condamnées mais pas toujours abandonnées. De même que, si le banquet classique et dispendieux est déconseillé, il reste l'élément indispensable d'un *beau* mariage qui donne « de la face » au marié.

Selon les rapports des sociologues chinois et les revues spécialisées, les couples mariés découvrent difficilement les recettes d'une entente harmonieuse. On évoque même l'existence d'un « malaise conjugal » dont les causes principales reconnues sont les difficultés de logement dans les villes, la présence souvent pesante de la belle-mère, l'enfant unique, la mésentente sexuelle. Il se traduit par l'indifférence ou la froideur, voire les disputes quotidiennes, et pour y remédier, il est suggéré aux couples en perdition de se découvrir un

—— BIBLIOGRAPHIE ——

« Guanyu hunyin wendingxing de taoling » (Discussion sur la stabilité du mariage), *Jiating*, Canton, mars et mai 1988.

HOANG P., *Le Mariage au point de vue légal*, Imprimerie de la Mission catholique, Chang-Hai, 1915, 259 p.

« La nouvelle loi sur le mariage », *Beijing Information*, n° 11, Pékin, 1981.

« Le Mariage et le divorce aujourd'hui en Chine », *Beijing Information*, n° 18, Pékin, 1981.

MEYER Ch., *Histoire de la femme chinoise*, J.C. Lattès, Paris, 1986, 295 p.

intérêt commun pour la danse, la culture des plantes d'appartement, la collection des timbres-poste. A Canton, ils ont à leur disposition un « programme d'éducation familiale spécialisée » suivi par plus de 100 000 personnes.

Les maris sont assez souvent accusés de cultiver des idées rétrogrades sur la supériorité masculine et, comme en témoignent les plaintes nombreuses de femmes battues, d'avoir à l'occasion un comportement oppressif et brutal. Ils s'en défendent et se disent choqués par l'évolution trop rapide des femmes dont les revendications à l'égalité cachent mal une volonté d'indépendance teintée d'agressivité. Et, ajoutent-ils, elles *osent* demander le divorce... que 83,5 % des ouvriers jugent immoral !

La crise de l'institution matrimoniale apparaît dans toute sa complexité à l'analyse des causes de divorce : la difficulté à *partager* ce qui jadis était domaines séparés : *nei* l'intérieur et *wai* le dehors, traduite par « disputes sur les tâches ménagères » (28 %) ; l'intervention de « la troisième personne », c'est-à-dire l'adultère favorisé par le travail des femmes (25 %). Elle se lit dans les chiffres : au début des années quatre-vingt, il y avait 35 millions de veufs, divorcés et célibataires, dont 68,6 % de femmes.

Charles Meyer

La socialisation des enfants

Une question majeure devient prioritaire pour les Chinois : que faire de leurs très honorables traditions ? Si l'on décide de les jeter par-dessus bord, comment se retrouver sans elles ? Le Parti regarde son peuple, le professeur regarde ses élèves, le père regarde son fils, les médias regardent les besoins du public, l'histoire regarde le présent, et tous paraissent lisser leurs respectables barbes blanches et se demandent comment transmettre — au moment d'entrer dans une société compétitive, soumise à toutes les tentations de l'extérieur — ce savoir essentiel qui consiste à être un Chinois.

Être Chinois, pour Confucius, était obéir au souverain, au père, au frère aîné et au mari. Pour Mao, c'était obéir aux ordres du Parti communiste. Dans les deux modèles, on doit soumission totale à quelqu'un toute la vie durant, et on est toute la vie traité en enfant.

Rester un enfant

Luxun, dans son *Journal d'un fou*, mettait dans la bouche de son personnage, obsédé par des idées cannibales, ce cri terrible contre cette « culture mangeuse d'hommes » : « Sauvez les enfants ! » Parents, éducateurs et départements de la propagande s'adonnent aujourd'hui à cette tâche : les uns essaient de sauver les enfants d'une emprise trop grande des autres.

Pour l'État, les problèmes posés par les enfants renvoient aux dilemmes stratégiques posés par la modernisation du pays : comment mener celle-ci à bien sans perdre le pouvoir ? Dans ses visées éducatives, cela s'entend : comment mener à bien la politique de l'enfant unique, destructrice des ancestrales familles aux « trois générations sous le même toit », tout en gardant ses valeurs : la solidarité, l'effort désintéressé et le sens des obligations sociales ?

Le pouvoir vit dans la crainte que la nouvelle génération ne soit dépourvue de base morale, et ne cesse de rappeler les parents à leurs devoirs fondamentaux ; d'autre part, il impute aux enfants uniques les charges suivantes : ils ne veillent qu'à leur propre intérêt ; ils sont imbus d'eux-mêmes ; leur santé est fragile ; ils sont hypersensibles, avec des tendances dépressives ; nerveux, voire hystériques ; égocentriques ; peu courageux ; manquant de sens pratique ; fanfarons. On leur reconnaît, en revanche, une grande capacité de pénétration, une confiance en soi et une franchise supérieures à celles des enfants des familles nombreuses.

Pour ces enfants, dans les villes, l'éducation commence à trois ans. Avant, la plupart d'entre eux évolue sous l'œil bienveillant d'une grand-mère, ou bien dans les crèches, avec un personnel nullement qualifié, qui monte la garde plus qu'il ne la fait.

Mais à trois ans, on passe au domaine du secrétariat d'État pour l'Éducation, qui prend en charge les crèches, où sont admis 80 % des petits citadins. Il s'agit de corriger, dans un délai de deux à trois ans, les mauvaises habitudes acquises pendant les premières années de la vie. On va socialiser l'enfant, en lui inculquant le sens « du sain, du bon, des connaissances et du beau ». L'émulation, la mémoire, la con-

formité sont les méthodes pédagogiques privilégiées pendant toute la préscolarité. Côté parents, les priorités s'inversent : la course aux connaissances passe avant tout le reste. L'enfant unique expérimente, à la maison, toutes les tensions dont il constitue l'enjeu, seul dépositaire du patronyme familial, mais aussi du devoir de nourrir les personnes qui aujourd'hui sont à ses petits soins : quatre grands-parents et deux parents.

A la campagne, où la terre est distribuée au prorata du nombre des habitants, on ne s'embarrasse pas de telles considérations : on procrée contre toutes les interdictions et on retire son enfant de l'école dès qu'il est apte au travail.

Trop de vies pour peu de destins

On investit massivement dans l'enfant ; on espère qu'il « deviendra un dragon », on le submerge de jouets, de leçons de violon, de cours d'anglais… On le vitaminise à tout prix, en stimulant par tous les moyens son oralité. Le rapport traditionnel à la terre opère ici un transfert sur la notion de futur : il y a trop de vies en Chine pour peu de destinées et il faut mettre toutes les chances de son côté.

L'enfant unique devient aussi une « arme » entre les mains de ses parents, qui comptent sur lui pour se venger d'un système qui a trop abusé de leur crédulité. Arme d'autant plus redoutable qu'elle peut être à double tranchant. Exemple extrême : une mère tua sa fille et se suicida, en décembre 1987 : frustrée par les mauvais résultats scolaires de l'adolescente, qui ne permettaient aucunement à son unique héritière d'obtenir une bonne situation, la mère avait compris qu'elle ne pourrait jamais quitter les contrées inhospitalières du Qinghai, où elle avait été envoyée quelques années auparavant, et retourner dans son pays natal, en Chine intérieure.

De toute évidence, l'heure n'a pas encore sonné de l'affranchissement des enfants et tout se passe comme si l'histoire (sortie de sa fascination ethnocentriste), le professeur (qui ne s'est pas encore remis des coups de la « révolution culturelle »), le Parti (avec la crise de confiance que l'on sait) et les médias (qui se savent perdants d'avance face à Walt Disney, les polars américains et les bandes dessinées japonaises), essayaient de retaper une image de la famille traditionnelle et de l'autorité parentale, laquelle constitue le dernier rempart d'une identité forgée sur la notion d'obéissance.

Jorge Svartzman

Quelle place préparer pour les vieux ?

Si l'on se fie à la composition du gouvernement tel qu'il apparaissait à la fin des années quatre-vingt, la hiérarchie des âges, ébranlée un moment par la « révolution culturelle », est aussi ferme que jamais depuis le temps où Confucius disait : « Piété filiale et respect des aînés ne sont-ils pas la racine même du bien ? » Les dirigeants octogénaires sont venus à la rescousse de Deng Xiaoping lors de la crise du printemps 1989. Ils ne céderont pas volontiers un pouvoir qu'ils ont reconquis de haute lutte. La place des vieux est-elle aussi sûre à la base ? On peut en douter, et les personnes âgées sont peut-être l'une des catégories qui ont le plus à perdre à l'évolution de la société.

D'exception, la vieillesse est en train de devenir la règle [*voir chapitre « Démographie »*]. Les cent millions de retraités actuels représentent une charge considérable, et leur nombre est appelé à bientôt doubler. Cette charge pèse surtout sur leurs proches, car la retraite, prise en principe à cinquante ans pour les femmes et à soixante pour les hommes, ne donne le plus souvent droit qu'à une pension misérable. Les paysans et la plupart des femmes n'ont rien, les ouvriers des petites entreprises non plus. A Shanghai, la moitié des retraités touchent moins de 50 yuans par mois ; 6 % seulement ont plus de 100 yuans, ce qui permet à peu près l'indépendance financière. Parmi ces privilégiés, on trouve les cadres d'État et les officiers supérieurs qui sont seuls à recevoir des pensions confortables.

L'institution d'un régime général des retraites fait l'objet de nombreuses discussions qui ne sont pas près d'aboutir du fait de l'ampleur du problème. Jusque-là, les retraités restent à la charge de leurs enfants et petits-enfants. « Retraité » est presque synonyme de « grand-parent » dans l'esprit des Chinois. Ceux-ci attendent des services en retour, grand-mère fait le ménage et le repas de midi des enfants, l'école ne disposant pas de cantine, grand-père fait la queue aux magasins. Leur journée est bien occupée et peu d'entre eux ont le loisir de jouer aux échecs ou de pratiquer le *taiji quan* dans les parcs publics. La tradition — et la pénurie de logements — ont fait que jusqu'à ces dernières années, il était fréquent que trois générations vivent sous le même toit et que les jeunes couples s'installent chez les parents du marié. Depuis 1984, dans les campagnes où les paysans prospèrent, les parents construisent du neuf ou rajoutent une aile neuve à leur ferme quand ils en ont les moyens. Mais dans les régions pauvres, on continue de partager avec les vieux les quelques pièces du logis commun.

La loi fait explicitement obligation aux grands-parents d'entretenir leurs petits-enfants mineurs lorsque les parents sont décédés ; les enfants et petits-enfants ont le devoir symétrique de soutenir leurs grands-parents (loi du Mariage de 1980). La ligne officielle est donc conforme à la tradition et, très probablement, aux vœux de la majorité des Chinois qui ne conçoivent pas autrement le troisième âge. Les vieux sont heureux de revenir sous le toit familial passer des journées tranquilles auprès de leurs petits-enfants. Quand les relations sont bonnes, cela évite l'isolement et la marginalisation progressive que connaissent les personnes âgées dans la société occidentale. Tout n'est pas rose, bien sûr ; la presse est pleine d'articles sur les mauvais traitements que subissent les vieux et de caricatures dénonçant leur métamorphose en lave-vaisselle. Mais c'est quand l'âge et la maladie les empêchent de remplir même cette humble fonction que leur situation se dégrade vraiment. Inutiles et sans ressources, ils deviennent une charge que la famille accepte de plus en plus mal. N'oublions pas qu'en ville, le logis n'offre en moyenne que 4,4 mètres carrés par personne et que l'on commence à juger indispensables télévision, réfrigérateur et lave-linge, qui sont hors de portée du budget moyen... Les disputes se multiplient donc entre belle-mère et belle-fille, on fait cuisine à part faute de pouvoir déménager ou de pouvoir placer l'ancêtre en maison de retraite, institution pratiquement inconnue.

L'allongement de l'espérance de vie ne va donc pas sans problèmes dans une société où la quête du bien-être matériel occupe l'espace laissé vide par le déclin de l'idéologie maoïste, et cela bien qu'elle soit encore une société de pénurie. Dans l'avenir prévisible, les personnes âgées resteront financièrement dépendantes. Aujourd'hui, on peut penser que les services qu'elles rendent équilibrent la charge qu'elles représentent. Cet équilibre pourra-t-il se maintenir ? Le succès, même incomplet, de la politique de l'« enfant unique » mène à une structure familiale où les vieux sont plus nombreux que les jeunes enfants. Leur valeur d'utilité diminue alors que le coût global de la vieillesse augmente. L'appel aux vertus familiales ne suffira bientôt plus. Les projets de caisse de retraite ou d'assurance restent embryonnaires. La collectivité publique n'offre aux vieux sans famille que les « cinq garanties », dont celles d'un enterrement décent et un revenu minimum inférieur à 30 FF par mois. Une intervention plus massive de l'État est peu probable à une époque où la ligne officielle est la « responsabilité » dans l'économie. Les années qui viennent risquent d'être dures pour les vieux.

Hua Chang-Ming

LA SANTÉ

Le système de santé à la croisée des chemins

Mis en place de manière coerciti-ve selon le principe maoïste de « la participation des masses au travail sanitaire », le système de santé a néanmoins amélioré les conditions de vie des Chinois. Dès 1950, de petites unités d'hygiène publique avaient été créées sur tout le terri-toire. Les réformes des années quatre-vingt ont complètement dé-sorganisé ce système, qu'il faut re-constituer autrement.

L'organisation du système de santé est calquée sur la structure verticale du système politico-admi-nistratif. Ses quelque 203 000 unités médicales (2 lits pour 1 000 habi-tants) employant 4,4 millions de personnes, étaient présentes dans 80 % des cantons (hôpitaux) et 87 % des villages (centres de soins) en 1987. La politique sanitaire a consisté, de 1949 à 1958, à amélio-rer l'hygiène publique au moindre coût, en créant des centres anti-épidémiques au niveau des districts (vaccination contre les maladies contagieuses et lutte contre l'opium, les maladies vénériennes et la lèpre). Le « mouvement patriotique pour l'hygiène », lancé en 1952, avait amélioré la prévention du choléra par la généralisation de latrines et l'usage d'engrais organiques. Ces mesures complétées par la construc-tion de maternités et de cliniques de pédiatrie, ont rendu les pratiques des sages-femmes moins dange-reuses pour la santé des jeunes mères, et permis indirectement un allongement de l'espérance de vie au cours des années cinquante.

A la fin de l'année 1968, un systè-me de soins curatifs fut à son tour mis en place, grâce à la formation, par des hospitaliers, de « médecins aux pieds nus ». Ces derniers étaient généralement des paysans (mar-chant pieds nus dans les rizières, d'où leur nom), choisis par les ha-bitants de leur village pour servir d'auxiliaires sanitaires à temps par-tiel. Payés en points-travail, ils étaient assistés par des volontaires et aides-soignantes, et étaient éga-lement chargés d'encourager la pla-nification des naissances. Après la disparition des communes populai-res et des « médecins aux pieds nus », en 1984, des programmes se sont effondrés. Quelques « méde-cins aux pieds nus » se sont re-

convertis en médecins ruraux et ont ouvert des officines privées (116 000 en 1985), où ils font payer leurs consultations. La qualité et le coût des soins varient de plus en plus d'un canton à l'autre. En ville (à part le bureau municipal de la santé et les hôpitaux généraux ou militaires, les crèches et les jardins d'enfants), les comités de quartier traitent les affections bénignes à domicile, ou dans des cabinets médicaux sommairement équipés, gérés par des hospitaliers détachés pour un an. Les soins, peu coûteux, sont payés par l'État pour les cadres et les étudiants, et payés par les entreprises pour les ouvriers et employés ; ils sont semi-gratuits pour les enfants et personnes âgées, mais entièrement payants pour les travailleurs temporaires. Devant la diminution du nombre des assurés dans le cadre des contrats de travail depuis 1980, un système coopératif d'assurance-maladie, financé par des subventions des autorités locales et du ministère de la Santé, complétées par des souscriptions familiales, a été repris à l'essai à la fin des années quatre-vingt. Pour ceux qui ont les moyens d'y séjourner, les maisons de retraite, où passent les médecins des comités de quartier, commencent à remplacer les sanatoriums municipaux. Le renouvellement du corps médical est déficient à Pékin, Tianjin et au Guangdong, alors que des épidémies réapparaissent. Les investissements d'État à la production d'équipements ne s'étant élevés qu'à 2 % des dépenses de santé à la fin des années quatre-vingt, plusieurs centaines de millions de dollars ont dû être dépensés chaque année en importations. Faute de spécialistes et d'équipements, 80 % des malades mentaux ne peuvent être soignés. Depuis 1984, la campagne nationale de prévention du SIDA, dont est responsable le Bureau des épidémies graves, fait appel à des messages télévisés et à un dépistage obligatoire pour les résidents étrangers et les Chinois en contact avec des étrangers. Le don de sang est obligatoire à Shanghai tous les cinq ans, depuis 1989.

Une des originalités du système de santé est la pratique complémentaire de la médecine traditionnelle et de la médecine occidentale. Les « tradipraticiens » sont les plus nombreux dans le Centre et le Sud. Pour promouvoir la pharmacologie (qui est aussi à la base de réseaux locaux de médecine tibétaine, ouigoure, dai,...), le gouvernement a institué, en 1986, un Bureau d'État de la médecine traditionnelle, désormais statuairement indépendante de la médecine occidentale, sous l'autorité du ministère de la Santé.

L'auto-financement des communes populaires ayant disparu, la Santé aurait besoin d'être rebudgétisée, car le vieillissement de la population ne garantit plus les pensions de retraite créées dans les années soixante-dix, ce qui augmente la détresse des personnes âgées, privées d'autres ressources par la politique de l'enfant unique.

Pierre Sigwalt

─────── BIBLIOGRAPHIE ───────

AKHTAR S., *Health Care in the People's Republic of China, a Bibliography with Abstracts*, Ottawa, 1975.

BANISTER J., *China's Changing Population*, Stanford University Press, Stanford, California, 1987.

JAMISON D.T. *et alii*, *China, The Health Sector*, Banque mondiale, Washington D.C., 1984.

« Les services de santé publique en Chine », *Beijing Information*, n° 29, Pékin, 1988.

LIN Tsung-Yi, EISENBERGER L., *Mental Health Planning for One Billion People. A Chinese Perspective*, University of British Columbia Press, Vancouver, 1985.

Santé publique et Sports, coll. « Connaissance de la Chine », Éditions en langues étrangères, Pékin, 1984.

Une médecine traditionnelle encore bien vivante

Après l'avènement de la première République en 1912, la biomédecine devint la médecine officielle, et plusieurs décrets visèrent à abolir la médecine traditionnelle, laquelle n'en continua pas moins d'être active, notamment dans les campagnes. Sous Mao, la biomédecine resta la médecine de référence, malgré une recherche de la combinaison possible de cette biomédecine avec la médecine traditionnelle. En 1980, le ministère de la Santé décida de diviser en trois sections la formation et la recherche médicales : une section de biomédecine, une section alliant bio-médecine et médecine traditionnelle, et une section de médecine traditionnelle pure, donnant officiellement à cette dernière, et pour la première fois au XXᵉ siècle, un statut important dans le système médical. Néanmoins, si sa confrontation avec la biomédecine n'a aucunement ébranlé ses fondements théoriques, elle a entraîné un certain nombre de modifications pratiques. C'est ainsi que l'enseignement dispensé pour la formation de médecins traditionnels porte pour un tiers environ sur des notions de médecine occidentale (anatomie, physiologie, pathologie, médecine interne). En outre, la pa-

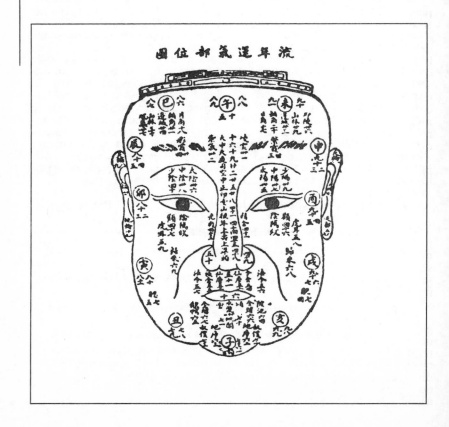

thologie traditionnelle a intégré certains termes de la pathologie occidentale.

L'étiopathogénie, ou le malade dysharmonieux

La vie est due à la concentration de l'énergie ou souffle (*qi*), la mort à sa dispersion. Un individu reste donc en bonne santé dès lors qu'il conserve l'intégrité de ce souffle, le nourrit et l'entretient par un mode de vie harmonieux et dénué d'excès, une diététique appropriée, des exercices gymniques, respiratoires et mentaux. L'action préventive a toujours joué un rôle prépondérant en Chine, et le bon médecin est celui qui soigne avant l'apparition de la maladie due à une perte de l'harmonie.

On distingue six causes externes principales, à savoir le chaud, le froid, le vent, le sec, l'humide, le feu, et sept causes internes : l'excès de joie, de tristesse, de peur, de mélancolie, de réflexion, d'angoisse, de colère. Les causes internes sont en résonance avec chacun des cinq viscères : par exemple, un excès de colère affecte le fonctionnement du foie, et inversement un mauvais fonctionnement du foie induit un excès de colère.

La détermination du processus pathogénique vise à remonter à l'origine de la maladie, conçue comme un enchaînement de phénomènes pathologiques successifs ou concomitants. Les termes désignant les différentes phases du processus pathogénique suggèrent directement le processus thérapeutique : s'il y a blocage du souffle, on utilise un remède ou une action thérapeutique destinés à débloquer le souffle.

La médecine traditionnelle a englobé quelques entités nosologiques occidentales, dont le cancer, réinterprété selon les concepts de la pathologie traditionnelle ; on distingue par exemple entre cancers de type chaud ou froid, cancers dus à une déficience du souffle *yang* ou du souffle *yin*, cancers dus à une accumulation de souffle, etc.

Il existe quatre modes de diagnostic traditionnels : l'observation, l'interrogatoire, le sentir et l'écoute, et la palpation. L'interrogatoire, long et détaillé, prend en compte tous les symptômes, même les plus infimes. Une attention particulière est en outre accordée aux sensations du patient : sensation de lourdeur, d'augmentation de volume, de gonflement, d'engourdissement, d'anesthésie, de blocage, douleur erratique, pongitive, sourde, profonde, superficielle, intermittente, aiguë, violente, tous ces signes étant significatifs pour la définition de la démarche thérapeutique à appliquer.

La palpation ou prise du pouls s'effectue le plus souvent au poignet sur l'artère radiale, en trois emplacements correspondant chacun à deux organes, l'un palpé en superficie, l'autre en profondeur. Elle permet de savoir quel est l'état du souffle interne et quel est l'organe déficient. Ces principaux modes de diagnostic sont employés généralement d'une manière complémentaire.

De la pharmacie à la gymnastique

La Chine a non seulement développé des modes d'action sur la maladie très diversifiés, mais elle les a tous conservés au cours des siècles, établissant des rapports de complémentarité entre eux. Le choix d'une thérapie peut dépendre de la nature de la maladie, de sa gravité, de son origine, du milieu social du patient et de ses croyances propres. La pharmacothérapie reste cependant le mode thérapeutique le plus usité.

L'acupuncture consiste à piquer certains points du corps, soit pour éliminer les agents pathogènes de l'intérieur du corps, soit pour compléter les insuffisances du souffle interne. Elle est souvent complémentaire de la moxibustion, qui consiste à chauffer avec l'armoise portée à incandescence certains

BIBLIOGRAPHIE

DESPEUX C., *Taiji quan, art martial, technique de longue vie*, Éditions Trédaniel, Paris, 1981.

DESPEUX C., *La Moelle du phénix rouge. Santé et longue vie dans la Chine du XVIᵉ siècle*, Éditions Trédaniel, Paris, 1988.

HOIZEY D., *Histoire de la médecine chinoise*, Payot, Paris, 1988.

LU GWEI-DJEN, NEEDHAM J., *Celestial Lancets : a History and Rationale of Acuponcture and Moxa*, Cambridge University Press, Cambridge, 1980.

PORKERT M., *The Theoretical Foundations of Chinese Medecine : Systems of Correspondance*, MIT Press, Cambridge (Mass.), 1974.

SIVIN N., *Traditional Medecine in Contemporary China*, University of Michigan, Ann Arbor, 1987.

UNSCHULD P., *Medecine in China*, A History of Ideas, Berkeley University Press, Berkeley, 1985.

points ou secteurs du corps. Ces deux thérapies sont très employées pour des affections psychosomatiques, des troubles locomoteurs, affections digestives, circulatoires, douleurs diverses. Les développements modernes de l'acupuncture, tels que l'auriculothérapie, l'emploi analgésique de l'acupuncture découvert vers 1958, ont perdu de l'importance après la « révolution culturelle ». La pharmacothérapie emploie des remèdes animaux, minéraux et végétaux, le plus souvent prescrits en combinaison, leur action pouvant se renforcer mutuellement, se contrôler ou au contraire se limiter et se contrarier. Ils sont pris sous forme de décoction, de pilules ou de poudre conditionnée dans des gélules. Le *qigong* (maîtrise du souffle) reprend sous un terme moderne les anciennes techniques taoïstes et médicales appelées jadis techniques d'entretien du principe vital (*yangsheng*), consistant en exercices gymniques, respiratoires et mentaux. Celui qui sait maîtriser le souffle reste à l'abri de la maladie et peut de surcroît l'utiliser pour soigner autrui. Les principaux instituts de médecine traditionnelle (Pékin, Shanghai, Canton) possèdent maintenant des centres de recherche sur le *qigong*, ainsi que des médecins soignant par cette méthode. Le *Taiji quan*, technique pouvant avoir une fonction martiale, prophylactique ou thérapeutique, est un art très pratiqué en Chine le matin dans les parcs, ainsi que le *qigong*.

Catherine Despeux

LES LOISIRS

Les loisirs, le sel de la vie

Nulle part, peut-être, le fossé entre les institutions et la société réelle est plus sensible qu'à propos des loisirs. Cette idée n'est certes pas encore inscrite dans les préoccupations politiques ou académiques. Fait révélateur : il n'existait, fin 1988, aucune recherche sur le sujet à la prestigieuse Académie des sciences sociales.

Pourtant, dans la pratique, la population a renoué avec son passé en réapprenant, selon les possibilités financières de chacun, à vivre son temps libre de manière moins débilitante qu'elle n'avait pu le faire en quarante années de régime socialiste. Il existait, dans la Chine d'avant 1949, une tradition bien ancrée des distractions. Elle dépassait de loin le cadre sulfureux des concessions internationales, seule image qu'auront retenue de cette époque bien des Occidentaux et la propagande communiste. Le catalogue de ces activités formerait un livre entier couvrant des domaines aussi variés que les beaux-arts, le cirque, l'artisanat, la gastronomie, l'ornithologie ou le bricolage.

L'ère révolutionnaire fit table rase de tout cela. Sous la férule du Parti, l'idée même qu'un individu puisse s'adonner à une activité non productive, fût-ce pour se régénérer par la détente, devint hérétique. Le culte de l'« homme nouveau » maoïste excluait l'idée de distraction : l'élan collectif du moment — selon les périodes, la « révolution » ou la production — ne l'aurait pas tolérée.

Le paroxysme fut atteint avec les œuvres « modèles-révolutionnaires » de la « révolution culturelle », subies par les Chinois comme une punition du ciel. Le sport perdit tout caractère ludique pour devenir instrument de contrôle social et arme diplomatique. Même la gymnastique traditionnelle au petit matin devant un beau paysage, fut « collectivisée » par les comités de quartier. Le régime maoïste s'était approprié le temps libre des Chinois.

Le retour des distractions

Ce n'est qu'avec la détente progressive des années soixante-dix que les loisirs individuels ou par groupes spontanés réapparurent. En premier lieu, les parties de cartes acharnées, le soir à la lueur d'un réverbère, avec le bord du trottoir pour table de jeu. On jurait alors ne

pas mettre un sou sur le tapis des paris. L'homme « nouveau » fut enterré, et l'ancien, qui aime à s'amuser, refit surface. Le jeu d'argent aussi, nécessairement clandestin.

Il est impossible d'inventorier tous les divertissements que s'offrent les Chinois. Mais pour n'avoir pas le faste des divertissements occidentaux, ils n'ont pas non plus leur étroitesse de choix.

On serait tenté de les classer en deux catégories nettement différenciées. D'une part, distractions appartenant à l'univers chinois, ressuscitées de l'oubli où le régime maoïste les avait plongées : l'oiseau promené dans sa cage, dressé pour chanter ; le restaurant, la maison de thé ; la foire de village, de préférence près du temple, où le petit commerce et le cirque côtoient le stand de tir et le coiffeur.

L'autre catégorie est composée de tous les divertissements introduits depuis le début des années quatre-vingt, avec l'ouverture du pays à l'Occident. Les « académies de billard » installées au coin des rues, entourées de fanatiques de la « boule » à l'américaine, aux poches trop pleines de l'argent de leurs affaires privées pour se fatiguer à travailler plus que quelques heures par jour. Les loisirs plus individualistes, aussi, comme le tourisme inorganisé — sous toutes ses formes.

Ce classement, pourtant, ne rend pas entièrement compte de la diversité des distractions, et a le défaut de suggérer des clivages d'âge qui se font, en fait, moins sentir que dans les sociétés occidentales contemporaines. Ainsi, des occupations tout à fait traditionnelles comme l'élevage d'orchestres d'oiseaux à Pékin ne sont pas, il s'en faut, exclusivement réservées aux personnes âgées ayant connu la « vieille Chine ».

La percée du « disco »

Inversement, le « disco » est devenu un passe-temps prisé par quantité de vieux qui se rassemblent autour d'un radio-cassette dans un parc, le matin, à l'heure de la gymnastique, ou encore dans un foyer communal autrefois consacré aux séances d'étude de la « pensée-Mao Zedong », pour se secouer collectivement — pas trop fort mais avec bonne humeur et entrain, au rythme d'une rengaine importée de Hong-Kong ou de Taïwan. A l'autre pôle social, les boîtes de nuit ultramodernes commencent à apparaître pour le bénéfice des jeunes assez fortunés pour frayer régulièrement avec des étrangers.

L'introduction du « disco » a donné lieu à une argumentation de la presse officielle qui donne l'exacte mesure de la place des loisirs dans les méandres idéologiques chinois. Loin de signaler une dissolution des mœurs socialistes et une « libéralisation bourgeoise », il est abruptement déclaré — en totale contradiction avec des années de propagande hostile — que la danse à l'occidentale représente l'accession de la Chine à un niveau supérieur de civilisation et offre à ses adeptes l'avantage d'un travail profitable de certains muscles.

Au niveau dirigeant, la réhabilitation des loisirs passe par l'adoption des mœurs politiques de l'Asie non communiste : le golf, en particulier, devient un *must* en République populaire, comme à Tokyo ou Bangkok, autant que le bridge, qui a rendu célèbre Deng Xiaoping.

Plus salutaire, en fin de compte, parmi les effets de la libéralisation économique, a été l'apparition d'une catégorie nouvelle d'oisifs nullement salariés par l'État mais simplement assez riches pour se permettre de passer une bonne partie de leur temps à se distraire. Car, contrairement aux prolétaires improductifs que fabriqua par millions le régime communiste, ceux-là savent le prix de la liberté d'entreprise.

Francis Deron

La vie est une série de fêtes

A l'évidence, le Chinois a le sens de la fête : le moindre événement est, pour lui, sujet à réjouissance. Conscientes de cette particularité, les autorités essaient de transformer ces manifestations qui pourraient représenter des dépenses inutiles en source de devises, attirant par une publicité parfois mensongère les touristes qui payent en monnaie forte. L'année est jalonnée de dates plus ou moins importantes, plus ou moins nationales, chômées ou pas, mais fêtées.

Sur le calendrier lunaire vient d'abord la fête du printemps (*chunjie*), fin janvier ou début février. C'est l'occasion de réunir toute la famille, même les membres nommés dans les marches lointaines, de coller des *nianhua*, dessins réservés à cet usage, représentant la richesse, le bonheur, la fertilité. Traditionnellement, toutes les dettes devraient être réglées la veille de la fête. Les étrennes aux enfants et un repas somptueux sont plus importants que les problèmes financiers depuis que le niveau de vie s'est amélioré. Minuit éclate d'une multitude de pétards destinés à écarter pour l'année qui s'ouvre tous les maléfices.

Quatorze jours plus tard, la fête des lanternes est l'occasion d'accrocher un peu partout des lanternes aux formes infinies. Début avril, c'est la fête des morts (*qingmingjie*), jour où l'on balaie les tombes. Ce jour-là, en 1979, naquit le « printemps de Pékin », alors qu'on honorait la mémoire de feu Zhou Enlai.

Le cinquième jour du cinquième mois (double cinq) est la fête des dragons. On organise, en particulier dans le Sud, des courses de bateaux dont la proue figure un dragon. On jette également dans les rivières des petits gâteaux triangulaires (*zongzi*) destinés à nourrir l'âme du célèbre poète Qu Yuan qui se jeta dans un fleuve pour avoir été injustement calomnié, vers 290 av. J.-C.

Du onzième au quinzième jour du huitième mois, la fête de l'automne donne lieu à la confection de « gâteaux de lune » ; au soir de la pleine lune, on monte, si possible, sur une colline pour admirer l'astre dans sa plénitude.

Sur le calendrier grégorien, l'occidental, solaire, les fêtes sont : le nouvel an (*yuandan*), la fête internationale des femmes (8 mars), celle du travail (1er mai), celle de la jeunesse (4 mai, anniversaire du soulèvement des étudiants pékinois de 1919), celle des enfants (1er juin), celle de l'armée (1er août, anniversaire de la fondation de l'Armée rouge, en 1927, à Nanchang). A ces dates s'ajoutent la fête nationale (1er octobre 1949, fondation de la République populaire à Pékin), ainsi que des « journées nationales » (instituteurs, infirmières, etc.).

Avec la politique d'ouverture engagée en 1979, les religions ont pu refaire timidement surface. Aussi Noël est-il célébré dans les principales églises, ainsi que Pâques. La plus spectaculaire des fêtes musulmanes se déroule à Kashgar, en septembre, où des dizaines de milliers de fidèles se rassemblent devant la mosquée principale ; certains viennent du Japon, d'autres du Pakistan proche. Le ramadan est observé d'un bout à l'autre de la Chine et se termine, au Xinjiang du moins, par le Kurdan, cérémonie locale. Les Mongols organisent leurs propres fêtes, dont la plus importante est celle du mouton, les Dai, celle de l'eau, en avril, les Yi et les Bai, celle des torches, en août. Chaque « minorité nationale » a ses propres fêtes, surtout dans le Sud, à la frontière avec le Vietnam. Mais c'est au Tibet que le gouvernement fait les plus grands efforts pour restaurer des festivités qu'il interdisait lui-même depuis les années cinquante. Il convient de signaler tout particulièrement le Monlam, du 7 au 17 du premier mois lunaire (courant février). Cette fête, dédiée à Sakyamuni, se déroule devant le Jokhand, à Lhasa, en présence de milliers de fidèles, de bonzes et de touristes. Au neuvième jour, on procède à la fête des lanternes, brûlant du beurre. On procède également au Gexi (savoir et vertu),

examen important pour le bonze.

Il est impossible de recenser l'intégralité des fêtes chinoises, tant elles sont nombreuses, mais leur vitalité ou leur résurrection prouvent que les autorités n'ont plus les moyens ni peut-être l'envie de contrôler les particularismes locaux ou religieux, non plus que les mouvements de foule spontanée.

Patrick Doan

La passion du jeu

« Ils ont la passion du jeu ! » Jadis tous les voyageurs européens l'affirmaient avec une nuance de réprobation en y voyant un fait de société. L'ont-ils conservée ? Pour ce qui est des jeux d'adresse exigeant coup d'œil et agilité, comme pour ceux de l'intellect, assurément oui.

Les jeux populaires traditionnels, où chacun doit montrer son habileté plus que sa force sont innombrables. Un des plus anciens, très prisé dans les provinces du sud, est le *ti-jianzi* version chinoise de l'éteuf dans laquelle les joueurs s'évertuent à relancer du pied une sorte de volant qui ne doit pas toucher le sol. Il a son prolongement naturel dans le ping-pong et le badminton...

Mais l'élite leur préfère des jeux plus nobles qui font appel à la réflexion et tiennent une place de choix dans la formation de la pensée chinoise : le *xiangqi* et le *weiqi*. Le premier, réputé « jeu des moines » et sans doute venu de l'Inde, est très proche des échecs, se joue sur un damier à 64 cases coupé par une rivière (*ho jie*). Dans chaque camp, les pièces comprennent un général, deux ministres, deux éléphants, deux cavaliers, deux chars de guerre, cinq soldats et deux canons ou balistes. Avec pour enjeu la capture du général. Trop classique pour ne pas connaître une certaine désaffection...

Le *weiqi* a retrouvé, en revanche, une faveur qu'il avait un peu perdue en Chine alors qu'il triomphait au Japon sous le nom de *go*. Ce « jeu de siège » fondé essentiellement sur une stratégie de l'encerclement sur un damier à 324 cases, avec 181 pions noirs et 180 pions blancs, repose en effet sur la formation et la conquête de territoires. A ce titre, il pouvait être considéré dans son inspiration comme relevant du *kriegspiel*. La suprématie japonaise en la matière apparaissait comme un symbole insupportable et l'on comprend mieux que la première victoire chinoise dans un tournoi contre les tenants du titre ait été célébrée comme un événement national.

Quant aux jeux de hasard, la Chine nouvelle les juge nocifs et les interdit, car ils se transforment inévitablement en passion dès lors qu'ils impliquent une mise d'argent. Cela n'empêche pas qu'ils prolifèrent discrètement. Longtemps, cette condamnation englobait même ceux où la part de hasard est corrigée par des règles réservant une place à l'intelligence. Par exemple, les dominos (*tianjiu*) et surtout le mahjong (*majiang*) qui était si populaire dans la société urbaine du sud de la Chine, non seulement par la diversité des combinaisons possibles, mais aussi par l'agrément que procure le toucher des pièces en bambou ou en ivoire ainsi que le bruit que l'on fait en les mêlant (*xipai*) ou

--- **BIBLIOGRAPHIE** ---

PECORINI D., TONG SHU, *The Game of Weï-ch'i*, Longsmans, Green and Company, Londres, 1929, 128 p.

SLOBODCHIKOFF L.A., « Le jeu d'échecs des Chinois », *Bulletin de l'Université l'Aurore*, Série III, tome IV, n° 1, Changhai, 1945.

en les plaquant (*dapai*) sur la table de bois. Un jeu qui ne pouvait être clandestin, ce qui lui fut fatal.

Les cartes avaient, elles aussi, été proscrites et accusées d'encourager la paresse. Deng Xiaoping les réhabilita en affichant son goût pour le bridge. On joue désormais sans se cacher sur les bancs des jardins publics aux « quatre couleurs » (*sise*) ou autres jeux venus d'ailleurs, sans toutefois « intéresser » ouvertement la partie. En effet, les jeux d'argent proprement dits sont toujours sévèrement interdits et punis, et les tripots qui proposaient jadis un extraordinaire assortiment de tables de dés, de roulettes et de « trouvailles » venues de tous les casinos du monde ont disparu de la vue du public.

Il semble que la passion du jeu qui, durant un temps, provoqua ruines et désespoirs, soit éteinte ou assoupie, depuis que le « quitte ou double » n'est plus la seule issue pour tenter de sortir de la misère.

Mais le « jeu de hasard » au quotidien, sous une infinité de formes, demeure pour beaucoup une méthode pour recueillir un « signe » ou susciter un présage, un peu comme un substitut moderne à la consultation de l'oracle dans les pagodes. Un jardin secret plein de recettes éprouvées ou inventées...

On ne saurait oublier enfin les « jeux à boire » qui accompagnent banquets et réjouissances. Ceux des gens simples, qui s'affrontent dans une partie de *caihuaquan*, version de la mourre italienne où chacun montre simultanément un certain nombre de doigts en criant un chiffre qui doit être leur somme. Ceux des lettrés, comme le jeu poétique dit *xingjiuling* (ronde de l'alcool) où chacun doit fournir sur-le-champ l'enchaînement d'un poème. Ici et là un défi à l'intuition ou à l'érudition du partenaire qui donne ou fait perdre « la face ».

Charles Meyer

La Chine bientôt grande puissance sportive ?

Le sport n'est plus subordonné à l'idéologie. La pratique du sport est conçue comme un moyen d'améliorer les qualités physiques et morales de la population et pour contribuer au progrès des forces productrices et de l'amitié des peuples. L'esprit de compétition est développé et le succès sportif est désormais récompensé pour lui-même.

Le *sport à caractère de masse* (environ 300 millions de pratiquants) est répandu aussi bien en ville qu'à la campagne (60 000 des 80 000 localités disposent d'un équipement sportif). Les principales spécialités en sont le tennis de table, le badminton, le football, le volley-ball, le basket-ball, l'athlétisme et la natation. Beaucoup d'usines, d'entreprises et d'administrations ont leurs propres équipes sportives. Des manifestations sportives locales et régionales ont souvent lieu. Des jeux nationaux variés — pour enfants et adolescents, ouvriers, ruraux urbains, pour des minorités... — se déroulent régulièrement.

DARRIGAUD N., « Le sport chinois », *Éducation physique et Sport*, n° 209, Paris, janv.-fév. 1988.

FRÉDÉRIC L., *Dictionnaire des Arts Martiaux*, Éd. du Félin, Paris, 1988.

GUO Bian, « China, a Growing Force in Sports », *China Sports*, n° 1, Pékin, 1988.

HABERSETZER R., *Kung-fu originel*, Éd. Amphora, Paris, 1985.

HOBERMAN J.M., *Sport and Political Ideology*, University of Texas Press, Austin, 1984.

RIGOIR M., « Sport et politique en Extrême-Orient », *Problèmes politiques et sociaux*, n° 589, La Documentation française, Paris, 1988.

ZHANG Wubin, « Spare-time Sports Schools », *China Sports*, n° 11, Pékin, 1989.

Le sport chinois englobe aussi les *disciplines traditionnelles* (plus de soixante-dix), comme la lutte (*shuai jiao*) ou les diverses pratiques d'art martial (*wushu*). Parmi elles, le *taiji quan*, le *baguaquan* (des huit diagrammes), le *xingyiquan* sont des variétés de boxe de style « souple » (*nei-chia*). Le *kungfu*, un *karaté* pratiqué à « main ouverte », est de style « dur » (*waichia*). Des compétitions nationales sont organisées dans ces disciplines depuis 1985.

Le *taiji quan* est aussi un exercice très populaire d'hygiène de vie. Les gestes, lents en apparence, demandent une forte concentration. C'est une gymnastique quotidienne entreprise à tous les âges, individuellement ou en groupe, dans la rue, sur les lieux de classe ou de travail. Par ailleurs, des exercices physiques dits « de production » sont conçus pour entretenir voire améliorer la santé des ouvriers et des employés.

Le *sport à l'école* tient une place importante. Le principe chinois en matière d'éducation repose à la fois sur la formation morale, intellectuelle et physique des élèves. Les programmes de sport sont élaborés conjointement par la Commission d'État pour l'éducation et la Commission d'État pour la culture physique et le sport.

Pour donner aux jeunes une formation de base solide et l'habitude de l'effort, la scolarité inclut un entraînement dès le plus jeune âge (« jardins d'enfants sportifs »).

Les élèves et étudiants des écoles primaires, secondaires et des universités ont deux heures de sport par semaine. Les élèves font, en plus, des séances d'exercices physiques et des activités sportives hors-*cursus*. Des équipes sont formées où règne l'esprit de compétition. Certaines écoles sont spécialisées dans une discipline sportive (par ex. natation, *wushu*...). Les jeunes espoirs reçoivent une formation plus poussée dans des « écoles de sport » (admission entre cinq et treize ans). Au niveau « primaire » les élèves vont s'y entraîner après les heures de cours. Aux niveaux « intermédiaire » et « avancé », les élèves y sont inscrits à temps complet. Ils suivent les cours du programme scolaire et consacrent l'après-midi à l'entraînement. En 1988, 305 000 élèves fréquentaient 3 600 de ces écoles, dont 23 500 dans 136 écoles « avancées ». Le personnel enseignant est formé dans un des quatorze instituts de culture physique ou dans le département de sport d'une centaine d'universités.

La majorité de l'élite sportive (80 % des membres des équipes nationales, 90 % des détenteurs de records) est passée par des écoles de sport.

Le pays met aussi la science et la recherche au service du sport. Elles contribuent au progrès des équipes et athlètes nationaux. L'Institut national de recherche sur le sport, situé à Pékin (budget annuel de 15 millions de yuans), dispose de 300 chercheurs spécialisés en biochimie, biomécanique, psychologie, médecine du sport... Il existe 32 autres instituts provinciaux, employant chacun entre 30 et 100 personnes. Aux derniers jeux nationaux de Guanzhou, en décembre 1987, reflet des capacités sportives, plus de 7 000 athlètes ont battu 17 records mondiaux, 48 records asiatiques et 65 records nationaux.

Le sport de haut niveau est un des éléments de la politique nationale d'ouverture et de réforme. Les athlètes chinois participent à toutes les grandes compétitions mondiales (jeux Olympiques et asiatiques, universiades, championnats du monde...) et leurs succès sont d'autant plus remarqués. La Chine est membre de 111 organisa-tions sportives internationales, dont 38 sont asiatiques.

L'objectif de la Chine est d'être « une grande puissance sportive d'ici la fin du siècle ». Parmi les directives du ministère des Sports, on relève la volonté de diversifier le système de financement des équipes et d'augmenter le nombre d'athlètes à plein temps.

La politique sportive s'est traduite par l'envoi, dans le cadre de la coopération, de 1 500 entraîneurs dans 70 pays entre 1979 et 1988 et par l'aide à la construction de 42 équipements sportifs dans 23 pays.

La Chine devait organiser les XIe jeux asiatiques à Pékin en 1990. Elle espère aussi accueillir les Olympiades en l'an 2000.

Martine Rigoir

LES ARTS
ET LA CULTURE

Une conception militaire de la culture

Nous luttons pour la libération du peuple chinois sur maints fronts différents ; deux d'entre eux sont le front de la plume et de l'épée, c'est-à-dire le front culturel et le front militaire. Pour vaincre l'ennemi, nous devons nous appuyer en premier lieu sur l'armée qui a le fusil à la main. Mais à elle seule, cette armée ne saurait suffire, il nous faut aussi une armée de la culture, indispensable pour unir nos rangs et vaincre l'ennemi. Depuis le Mouvement du 4 Mai 1919, une telle armée de la culture s'est constituée en Chine.

Mao Zedong, 2 mai 1942

Dans ce qui demeure aujourd'hui encore la référence obligée de tout membre du Parti chinois dès qu'il est question de culture, les « interventions aux causeries sur la littérature et l'art de Yenan », Mao met en place le mécanisme qui fonctionnera tout au long des quarante et quelques années suivantes. Il s'ingéniera à construire une littérature et un art au service du Parti, en appelant parfois Marx, Lénine, voire Staline à la rescousse. Le marxisme « détruit à coup sûr les dispositions créatrices féodales, bourgeoises, petites-bourgeoises, libérales, individualistes, nihilistes, celles de l'art pour l'art, celles qui sont aristocratiques, décadentes, pessimistes et toutes les autres dispositions créatrices non populaires, non prolétariennes. Faut-il détruire ces dispositions si elles existent chez des écrivains et artistes prolétariens ? Je pense que oui, et cela de la manière la plus radicale. » (*Ibidem.*)

Les créateurs embrigadés

Une telle position de départ, présentée comme une position de classe, ne peut que mener au combat. On le voit dès la période 1942-1947, quand la volonté de Mao de plier les intellectuels à son service suscite une fronde qui sera durement réprimée et conduira à l'exécution en 1947 de l'écrivain Wang Shiwei. On le voit également en 1949-1951, quand le premier groupe des écrivains et poètes « compagnons de route » (Ding Ling, Ai Qing, etc.) rejoint par des économistes, sociologues, philosophes, ralliés sur la base de la reconstruction nationale, et non pas du communisme (Fei Xiaotong, Feng Youlan, Ma Yinchu, etc.), est sommé de renoncer à la fois aux valeurs confucéennes de la tradition et aux aspirations libérales d'Occident. Tout le secteur culturel, des artistes aux maîtres de l'école primaire, est contraint de se plier à des autocritiques. En 1952, le Parti croit contrôler toute la culture et la communication. Avec l'Union des écrivains, fondée sur le modèle soviétique, il tente de s'attacher par des prébendes ceux qui deviendront les « écrivains officiels ». On le verra parfaitement bien au moment de la « révolution culturelle » (1966-1969). La conception de Mao mène également à une lutte contre la critique, qui ne peut être supportable par le Parti que s'il en est l'instigateur et le bénéficiaire. Sinon, il s'agit d'une « critique contre-révolutionnaire », d'un « point de vue erroné », qu'il est nécessaire soit de détruire, soit de réformer.

C'est bien parce que « la littérature et l'art sont subordonnés à la politique » (*ibidem*) que toute la production culturelle, selon ce schéma, doit d'abord être passée au filtre de la propagande. Et que, par conséquent, tout artiste doit être rééduqué s'il s'écarte de ce service. L'application de ces principes à la culture s'est faite, dans la Chine communiste, selon deux modes : l'un très strict au moment où l'orthodoxie était mena-

Un point de vue de Han Shaogong

En matière de littérature, je suis ouvert à tout ce qui se présente, mais je garde l'esprit critique.

Lorsque, paysan, n'ayant rien à manger, l'idée me vint que la littérature pourrait me servir de monnaie d'échange contre des aliments, il me parut qu'écrire un roman était en quelque sorte garder des cochons avec ma plume, ou couper de quoi remplir une palanche de petit bois.

J'en ai éprouvé de la honte, plus tard. J'ai voulu me servir de l'expression littéraire pour pousser au progrès social. La Case de l'oncle Tom aurait conduit à la guerre de Sécession disait-on : je rêvais de faire de même. Mais, plus mes romans, qui exprimaient des protestations politiques, avaient du succès, plus, paradoxalement, le doute me venait. Les officiers nazis pouvaient réciter Goethe et Dante ; ils tuaient cependant. L'humanité a plusieurs milliers d'années de littérature derrière elle : qui saurait dire si les hommes d'aujourd'hui sont meilleurs que les Athéniens ?

Je quittai le social pour l'étude, et me mis à concevoir la littérature comme un divertissement intellectuel personnel, esthétique, mais inutile. Mais ce point de vue posait aussi problème. Si la littérature n'est qu'un moyen de se faire plaisir ou de se consoler, à quoi bon publier ses œuvres, pourquoi aller prendre l'argent des lecteurs ?

Il y a beaucoup d'écoles littéraires de par le monde, et beaucoup de débats animés. Mais les « ismes » ne font pas les œuvres. A les suivre, l'écrivain risque d'y perdre son latin : il doit écrire comme bon lui semble. Que la balle de ping-pong soit frappée la raquette inclinée ou droite, l'essentiel est de marquer le point ; mais la littérature n'est pas une balle. Comment décider qu'une œuvre est bonne ou non ?

Zhuangzi a dit : « La raison la plus profonde est inexprimable. » L'Ecole Chan dit aussi : « Les mots que l'on arrive à exprimer sont par nature étrangers au Chan. » En réalité, l'essence même de la littérature ne peut pas davantage être objet de débat. Il m'est arrivé de dire à un ami, professeur de littérature contemporaine : « Tu peux exposer à tes élèves données générales et techniques artistiques ; mais pour dire ce qu'est la littérature, mieux vaut se taire, et laisser les élèves contempler les étoiles, les soirs d'été. Ce qu'elles nous suggèrent de l'immensité, de la solitude, de la peur, du mystère ou de la clarté approche plus de la vérité que cent monuments théoriques. A ma surprise, mon ami avait acquiescé.

Peut-être un jour serons-nous conduits à changer de point de vue. S'il s'agit de lutter pour survivre, je garderai à nouveau les cochons avec ma plume. Ce faisant, je serai toujours en accord avec moi-même.

H.S.

cée, l'autre, plus souple, quand le Parti avait un urgent besoin de la créativité des intellectuels.

L'application souple s'est manifestée clairement, pour des raisons de tactique politique, au moment du lancement du mot d'ordre « Que cent fleurs s'épanouissent, que cent écoles rivalisent ! », en mai 1956, à propos duquel Mao Zedong déclarait qu'il serait « préjudiciable au développement de l'art et de la science de recourir aux mesures administratives pour imposer tel style ou telle école au détriment de tel autre style ou de telle autre école », et que, pour accepter « ce qui est nouveau et juste, l'épreuve du temps est souvent nécessaire ». Et de citer Copernic, Darwin, et... Marx, tout en prenant un pari aventureux : « Si le marxisme craignait la critique, s'il pouvait être battu en brèche par la critique, il ne serait plus bon à rien. »

Au bout d'un an de critiques, le Parti de Mao dut se livrer à une répression sévère pour faire taire les intellectuels et les étudiants qui ébranlaient tout l'édifice. On revenait à l'application stricte, par la définition de « critères politiques pour déterminer s'il s'agit de fleurs odorantes ou d'herbes vénéneuses... « Est juste ce qui favorise :

— l'union et non ce qui provoque la division ;

— l'édification socialiste et non ce qui lui nuit ;

BIBLIOGRAPHIE

ARAY S., *Les Cent fleurs, Chine 1956-1957*, Flammarion, Paris, 1973.

BERGERE M.-C., *La République populaire de Chine de 1949 à nos jours*, Armand Colin, Paris, 1987.

FOKKEMA D.-W., *Litterary Doctrin in China and Soviet Influence 1956-1960*, Mouton & Co, La Haye, 1965.

GOLDMANN M., *Litterary Dissent in Communist China*, Harvard Univ. Press, Cambridge (Mass.), 1967.

MAO Zedong, *De la Juste solution des contradictions au sein du peuple*, Éditions en langues étrangères, Pékin, 1958 (rééd. 1966).

MAO Zedong, *Intervention aux causeries sur la littérature et l'art à Yenan*, Éditions en langues étrangères, Pékin, 1967.

— le renforcement de la dictature démocratique populaire et non ce qui la sape ;
— le renforcement du centralisme démocratique et non ce qui le sape ;
— le renforcement de la direction du Parti communiste et non ce qui la rejette et l'affaiblit ;
— la solidarité internationale socialiste et celle de tous les peuples pacifiques et non ce qui leur porte préjudice.

De ces six critères, le plus important est celui de la voie socialiste et celui du rôle dirigeant du Parti. » Telle fut la politique définie par Mao au sortir des « Cent Fleurs ».

Nombre d'écrivains et d'artistes connus se retrouvèrent brutalement privés de leurs droits civiques, étiquetés « droitiers », déportés en « Chine extérieure » pendant des années, certains jusqu'à la réhabilitation octroyée en 1979.

Libéralisation/répression

Les phases de libéralisation/répression, qui caractérisent le rapport du Parti chinois aux intellectuels, suivent toutes le même schéma : on autorise un temps les publications, puis on choisit un homme ou une œuvre dont on fait une arme pour abattre ceux qui s'éloignent de l'orthodoxie. En 1954, le vieux lettré Yu Pingbo sera éliminé à partir de l'affaire du *Rêve dans le pavillon rouge*, célè-bre roman qui sera interdit. En 1955, le philosophe et compagnon de route Hu Feng, qui dirige la trop indépendante revue *Wenyi Bao* (*Journal des Arts et Lettres*), est violemment critiqué, arrêté, et disparaît. En 1961, l'historien Wu Han profite du soutien du maire de Pékin pour faire des remontrances à Mao Zedong au moyen d'une pièce de théâtre, *La Destitution de Hai Rui*, haut fonctionnaire du XVIe siècle qui traite l'empereur de despote obstiné. A partir de 1966, c'est toute la production intellectuelle qui est considérée comme néfaste. D'autodafés symboliques en destructions de bibliothèques, on aboutit à la fermeture des universités pendant trois ans et à la constitution d'un corpus d'ouvrages révolutionnaires qui, sous la houlette de Jiang Qing, épouse de Mao, ne dépasseront pas le chiffre huit.

Toutes ces affaires font que l'art et la culture sont constamment bâillonnés par l'idéologie, les écrivains et artistes menacés dans leur vie. La Chine communiste ne diffère pas, en cela, du régime impérial qui avait fait des intellectuels, depuis deux mille ans, des lettrés-fonctionnaires à la solde d'un empereur et lui devant une obéissance toute militaire.

Cette curieuse constante dans le comportement du pouvoir fait que les intellectuels intégrés au système n'ont pas d'autre choix que d'être des exécutants de directives (Guo Moruo, Zhou Yang, Mao Dun, etc.) ou des contestataires mal vus qui soudain s'exposent aux pires vexations par le courage de leurs remontrances. Encore, dans l'Antiquité, l'intellectuel avait-il la possibilité de se retirer dans les montagnes ou dans son village. Sous le régime communiste, il est soit brisé par les « confessions » successives de ses « crimes », soit poussé à l'exil. La fonction d'intellectuel, d'écrivain ou d'artiste reconnu par le pouvoir demeure périlleuse. Dans la tradition, l'artiste véritable est celui qui se situe « ailleurs ». Aujourd'hui, toute la question tient en une seule phrase : existe-t-il, dans la Chine communiste, des espaces où l'écrivain, le peintre, le cinéaste peuvent donner libre cours à leur créativité et avoir, avec leur public, les relations indispensables à l'exercice de leur art ? Avant le 4 juin 1989, la réponse pouvait être ambiguë. Depuis, c'est non.

Pierre Gentelle

Le rôle majeur de l'écriture

L'écriture remonte en Chine à la dynastie des Shang (XVIIIᵉ-XIᵉ siècles avant J.-C.), elle fut liée à l'origine à des rites divinatoires pratiqués notamment sur des écailles de tortue. Mais c'est à partir de la fin du IIIᵉ siècle avant notre ère, qu'à la suite de l'unification des normes graphiques imposée par l'empereur à tout le pays, elle est devenue — et est restée — l'un des instruments les plus efficaces de l'unité chinoise. Aucune norme orale ne fut obligatoire jusqu'à nos jours, et le même texte peut donc être lu à haute voix dans des dialectes différents.

Cette invariance du signe lui confère durée et pouvoir. Il faudra attendre le début du XXᵉ siècle pour que soit démantelée la langue classique, le *wen yan*. Le pouvoir de l'écriture est fonction de sa qualité esthétique, c'est pourquoi l'écriture est inséparable de l'art calligraphique. Les talismans que tracent les moines taoïstes n'ont de chance d'assurer une bonne communication avec l'au-delà que s'ils sont exécutés à la perfection. Le taoïsme populaire, répugnant aux sacrifices sanglants, abonde en rites d'oblation de documents ou mémoires écrits pour être brûlés. C'est en copiant, ou faisant copier, les textes canoniques bouddhistes que les fidèles s'acquièrent des mérites, proportionnels à la qualité de leur calligraphie.

L'écrit rythme aussi l'ensemble de la vie sociale, ce qui n'a pas empêché pour autant un fort taux d'analphabétisme. Du simple point de vue architectural et décoratif, on trouve partout des caractères porteurs de symboles : sur les bâtiments publics, sur les sentences parallèles ornant la porte des maisons, sur divers objets d'usage quotidien... Il existe en outre une série de documents écrits, maîtrisés par quelques spécialistes, qui ordonnent largement la vie des gens : généalogies, manuels de vie sociale et familiale, almanachs, etc.

La prééminence de l'écriture

A une autre échelle, la vie de l'empire est ordonnée par les Annales, qui fixent une version officielle de l'histoire. Le modèle du genre est fourni au premier siècle avant notre ère, par les *Mémoires historiques* de Sima Qian, et la tradition se poursuit jusqu'à l'empire sino-mandchou. C'est, à l'origine, pour disposer de chroniqueurs en nombre suffisant qu'a été instauré le système des examens littéraires (*keju*), à partir des Tang et surtout depuis les Song (Xᵉ siècle). Les lauréats, les « lettrés fonctionnai-

---
BIBLIOGRAPHIE

PRUSEK J., *The Lyrical and the Epic*, Indiana University Press, Bloomington, 1980.

GOLDMAN M., *Modern Chinese Litterature in the May Fourth Era*, Harvard University Press, Cambridge (Mass.), 1977.

res », ont formé la classe dirigeante chinoise jusqu'à la fin de l'empire. Un fossé sépare la masse des illettrés de cette aristocratie de l'esprit qui monopolise le privilège de l'éducation.

Esthètes, les lettrés cultivent leur amour des beaux-arts, par excellence la poésie, la peinture et la calligraphie ; ce sont de purs intellectuels, souvent méprisants à l'égard des gens du peuple.

L'administration de l'empire est donc assurée pendant des siècles par des lettrés dont la formation repose sur la maîtrise des Classiques hérités de l'Antiquité. L'écriture a toujours servi à codifier, standardiser et préserver la connaissance. L'élite éduquée est attachée au service de l'État. Mais une autre tradition veut que les lettrés protestent contre un dirigeant tyrannique ou arbitraire. C'est ainsi que le poète Qu Yuan, qui, selon la légende, s'est noyé après avoir été désavoué par l'empereur, est devenu un modèle de patriotisme intègre dès la dynastie des Han (Ier siècle).

A partir de la fin du XIXe siècle, des intellectuels réformistes comme Liang Qichao plaident en faveur de la reconnaissance et du développement d'une nouvelle littérature romanesque. Un domaine que les lettrés excluaient de leur champ d'écriture, le jugeant « vide » car manquant de « vérité », d'éléments fondés sur des faits réels ou une expérience personnelle. S'ouvre alors une période où les intellectuels jugent souvent que la littérature peut servir à une prise de conscience sociale et politique. Leurs écrits innovent en bien des points. S'agissant de nouvelles et romans, ils ont à créer une structure inconnue auparavant, car ces genres, de tradition orale, étaient relégués, et catalogués comme vulgaires. Lu Xun, en particulier, a renouvelé le genre. En partie inspirés par les littératures étrangères, les écrivains ont su agrémenter leurs récits de recherches de structure, d'expressions sociales ou psychologiques fouillées, qui n'étaient pas autrefois au centre des préoccupations.

La langue classique n'étant pas adaptée à ces nouvelles aspirations, ils l'abandonnent, et imposent une langue plus accessible, plus près du peuple : le *bai hua*. Dans le même temps, la réforme politique supprime les examens : les lettrés fonctionnaires disparaissent avec la langue qui symbolisait leur pouvoir. Mais l'héritage classique, confucéen surtout, n'a pas disparu : les écrivains sont nourris de l'idée qu'ils ont une responsabilité à assumer. En même temps, sensibles à des idées occidentales, ils souhaitent prendre du recul vis-à-vis de la société pour pouvoir la juger et la critiquer.

Écrivains sans liberté

Les événements aidant, nombreux sont ceux qui, à partir des années trente, s'engagent plus nettement dans le combat politique. Durant la Seconde Guerre mondiale, à Yan'an, Mao Zedong demande aux écrivains de mettre leur plume au service des ouvriers, paysans et soldats. La littérature reste ainsi attachée à la tradition pédagogique, mais le public visé a changé : les lettrés ont cédé la place aux « masses populaires ». Cette politisation atteint un paroxysme caricatural pendant la « révolution culturelle » (1966-1969), mais l'écrit garde son pouvoir : dans un contexte appauvri jusqu'à la nullité, c'est par écrit que se font les autocritiques...

Vertu pédagogique, force du témoignage, ces constantes sont encore d'actualité dans la littérature des années quatre-vingt, apparue depuis la chute de la « Bande des quatre » en 1976. Anciens écrivains jugés droitiers en 1957 ou « jeunes instruits » qui ont dû interrompre leurs études secondaires pour aller à la campagne, ceux qui prennent la plume le font d'abord pour rendre compte des conditions exceptionnellement dures dans lesquelles ils ont vécu, au plus profond d'une société arriérée. Il n'existe, à vrai dire, pas beaucoup d'autres moyens que la voie littéraire pour le faire, en l'absence de la liberté de la presse.

Cependant, les conditions de la prééminence de l'écrit ne sont plus toutes réunies : la connaissance du dialecte de Pékin, le mandarin, est maintenant assez répandue par les effets combinés de l'éducation et de l'audiovisuel ; la langue anglaise est de plus en plus utilisée par les scientifiques, desquels dépend entre autres la modernisation du pays. Le rôle du support écrit risque donc bien de devoir être repensé dans le contexte d'une Chine moderne ouverte sur le monde.

Annie Curien

L'ART ET SON PUBLIC

Pour le public, l'accès à l'art reste difficile

Comment trouver un public, comment faire connaître une œuvre nouvelle ? A la fin de 1976, quand la création artistique devient possible, écrivains, peintres, dramaturges, etc., cherchent, sans les trouver, les structures nécessaires à la diffusion de leurs œuvres. Elles n'existent pas. Tout est à faire. Ainsi, les auteurs, membres ou non de la très officielle Association des écrivains, doivent commencer par faire circuler leurs manuscrits sous le manteau,

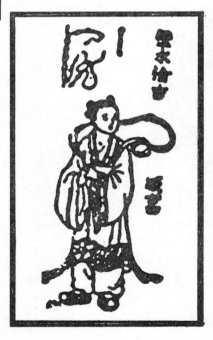

dans un cercle d'initiés. De jeunes auteurs en viennent à créer des revues parallèles aux revues officielles. Mais l'expérience dure peu de temps, faute d'argent et sous l'effet des pressions politiques. L'édition à compte d'auteur devient alors fréquente, apparaissant comme le moyen d'ouvrir les portes et de faire sauter les verrous de la censure. Pour le théâtre, aujourd'hui encore, il n'existe pas de vraie politique culturelle. Les pièces nouvelles, quand elles peuvent être jouées, le sont à huis clos. Les peintres rencontrent des difficultés semblables pour faire connaître leurs œuvres.

Pour la littérature surtout, au cours des années quatre-vingt, la situation s'était améliorée, même si des revues parallèles ont continué à se créer en Chine ou à l'étranger (aux États-Unis notamment). L'ingérence des organes officiels dans la politique des revues et des maisons d'édition s'est faite moins pesante. Des auteurs, boudés jusqu'alors par des organismes ayant pignon sur rue, ont été publiés. Cela, toutefois, n'a pas correspondu à un élargissement du public : livres et revues n'ont pas accru leurs tirages, bien au contraire. Pour le public, l'accès à l'art reste d'une difficulté extrême. Le chemin est encore très long qui mènera à la satisfaction de la demande.

Chantal Chen-Andro

Parler pour les sans-voix

Toujours au centre des débats politiques depuis la fondation de la République populaire, la littérature jouit d'une place particulière. Depuis le 4 mai 1919, et depuis plus longtemps, si l'on considère les grands ancêtres comme Qu Yuan (?-277), ou Du Fu (712-770), certains écrivains considèrent que leur rôle consiste à parler pour les sans-voix, en un mot, à se faire les porte-parole de la société opprimée par un pouvoir envahissant.

Si, en arrivant au pouvoir, les communistes ont cherché à détourner ce rôle pour le mettre à leur service, l'histoire montre qu'ils n'y sont pas parvenus complètement. Des récriminations de la période des « Cent fleurs » (1956-1957) aux dénonciations des excès de la « Bande des quatre » (1977-1979) contenues dans la « littérature de cicatrices », une partie des écrivains n'a jamais perdu de vue ce rôle traditionnel renforcé par les drames que la Chine a connus dans la période contemporaine.

« Bien que nous ne vous connaissions pas, si vous avez besoin de nous, nous vous protégerons, nous nous occuperons de vous, car vous avez écrit ce que nous avions sur le cœur. » Cette lettre d'un ouvrier adressée à Liu Binyan pour le féliciter d'avoir écrit *Entre hommes et démons*, est une bonne illustration du type de rapport existant entre l'écrivain engagé et ses lecteurs.

Dans un pays où une presse aux ordres n'aborde guère les problèmes sociaux immédiats, l'écrivain peut assumer le rôle qu'ailleurs tient le journaliste. Spécialistes de littérature de reportage comme Liu Binyan ou Su Xiaokang, grands représentants de la « littérature de cicatrice », néo-confucianistes soucieux d'éduquer le peuple et d'avertir les dirigeants comme Liu Xinwu, tous ces auteurs ont établi avec leurs lecteurs un type particulier de liens. De nombreuses catégories sociales s'identifient aux héros des romans publiés : ainsi, les intellectuels d'âge moyen ont inondé Shen Rong de lettres lorsqu'elle a publié *Vers l'âge mûr* tandis que les victimes des abus des cadres écrivent à Liu Binyan non seulement pour le féliciter de la qualité de ses œuvres, mais pour attirer son attention sur de nouvelles injustices, lui fournissant, de son propre aveu, la matière de nouveaux reportages. Le succès étonnant de *Crépuscule couleur de sang* de Lao Gui, qui conte la vie quotidienne d'un jeune instruit dans une ferme militaire de Mongolie intérieure, est encore un exemple du lien quasi charnel qui lie l'écrivain à ses lecteurs, en l'occurrence les dix-sept millions de jeunes gens qui, au cours des années 1966-1976, furent expédiés dans les campagnes.

Aujourd'hui, nombre de jeunes auteurs veulent échapper à ce stéréotype et souhaitent qu'on les lise pour leur qualité artistique, demandant que la littérature échappe au carcan que lui a imposé la situation politique du pays. Dans une certaine mesure, ils ont réussi, puisque les revues littéraires présentent aujourd'hui un plus grand nombre d'œuvres n'ayant aucun caractère de dénonciation. L'une des conséquences de cette évolution est cependant que le nombre de lecteurs diminue, et que ces romans et nouvelles suscitent moins d'enthousiasme et de controverses dans le public. La littérature chinoise serait-elle en train de se normaliser, et avec elle, le lien unissant l'écrivain au lecteur ?

Jean-Philippe Béja

Les revues, lieux de débats

Le nouveau mouvement culturel du début du siècle avait stimulé l'apparition de toutes sortes de revues littéraires et artistiques dont les plus célèbres furent sans aucun doute *Le mensuel du roman* et *Croissant*. Les débats suscités dans leurs colonnes couvraient de vastes champs : courants de la pensée, orientation politique, philosophie de l'existence, problèmes sociaux. Ce libre échange d'opinions s'essouffla pendant la guerre civile et la guerre de résistance antijaponaise pour cesser totalement en 1949. De la fondation de la République populaire jusqu'à la veille de la « révolution culturelle » (1965) l'entreprise littéraire fut sous le contrôle de l'État. La littérature était assujettie au politique, qui la voulait « au service des paysans-ouvriers-soldats ». En 1966, toutes les revues littéraires furent interdites.

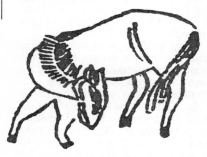

En 1976, à la mort de Mao, la société réduite au silence depuis trop longtemps, tenta de s'exprimer par le canal de la littérature. Ce fut une explosion de revues populaires, créées souvent par de jeunes intellectuels, dans tous les coins du pays. Pas de vrais débats au début, mais un formidable désir de s'exprimer. Le mouvement fut vite cassé car, en 1979, le gouvernement interdit toute cette presse spontanée pour ne plus soutenir que les revues émanant d'organisations officielles. La situation qui prévalut ensuite a donc été le contrôle des revues par la Fédération des lettres et des arts, les maisons d'édition ou les bureaux de la culture. La décentralisation de la production de revues est réelle. Les revues régionales ou municipales ont parfois une diffusion nationale ou font appel à des collaborateurs dans tout le pays, mais elles doivent donner la priorité à la découverte et à la promotion des talents locaux, amateurs ou professionnels. Des écrivains qui ont acquis une renommée nationale ont fait leurs débuts dans ces revues locales.

Lorsqu'une œuvre publiée connaît un certain retentissement auprès du public, les sections locales de la Fédération des lettres et des arts ou de l'Association des écrivains invitent leurs membres à un colloque dont les actes sont publiés dans les revues locales.

Les revues ont des rubriques consacrées au roman, à la poésie et à des commentaires. Cette dernière rubrique peut reprendre les débats qui se déroulent sur le plan national ou poser des problèmes théoriques, mais la plupart du temps, il s'agit de préserver un lieu d'échanges entre critiques, auteurs et public local. Les rubriques « point de vue des lecteurs » sont assidument fréquentées par des critiques locaux de valeur, venus du public. L'intérêt se porte sur les œuvres qui critiquent les valeurs sociales et morales et donnent lieu à des débats, d'où leur nom d'« œuvres à controverses ». *Jeunes écrivains*, éditée au Sichuan, a ouvert une rubrique sous ce nom. C'est également le titre d'une revue de Tianjin qui collationne toute œuvre de ce type et critique. Ceci va dans le sens d'une plus grande libéralisation des esprits.

Fu Jie

LA LITTÉRATURE CONTEMPORAINE

1919, 1979, deux jalons

1919-1979, deux dates dont le rapprochement pourra paraître conventionnel mais qui sonnent pourtant comme des dates anniversaires. Au lieu de 1919, le choix de 1905 aurait peut-être paru plus pertinent. En effet, avec la suppression des examens mandarinaux, les lettrés (les intellectuels ?), rejetés hors de la sphère du pouvoir, auraient pu acquérir une autonomie de critique plus grande. Ce ne fut pas le cas. Quant à la seconde, on aurait pu retenir 1976, avec les deux manifestations populaires qui l'ont marquée, encadrant la chute de la « Bande des quatre ».

Pourtant ces deux dates, 1919 et 1979, s'appellent l'une l'autre. Si le mouvement du 4 mai 1919 constituait un aboutissement du processus de réflexion mené par les intellectuels sur l'ouverture de la Chine à la modernité, avec le slogan « science et démocratie » revendiqué par Chen Duxiu, en 1979, la suppression du Mur de la démocratie à Pékin entendait mettre un arrêt aux revendications qui visaient à obtenir que les réformes économiques fussent accompagnées d'avancées démocratiques, certains des intellectuels contestataires étant même allés jusqu'à faire de cela la priorité des priorités.

Ces deux dates représentent donc deux crêtes de la prise de conscience des intellectuels dans un contexte similaire d'ouverture économique et sociale favorisant l'apparition d'une société civile.

La première impression qui se dégage de cette mise en parallèle est, dans les deux cas, celle d'un foisonnement. Foisonnement des idées :

les intellectuels chinois du début du siècle ont essayé en quelques décennies d'assimiler plusieurs siècles de l'évolution des idées en Occident. Ceux de « l'après Mao » s'efforcent en quelques années d'absorber ce qui s'est passé à l'extérieur de la Chine pendant vingt ans de fermeture du pays. Foisonnement aussi, dans les deux cas, des revues et des associations comme soutien du pouvoir politique. On a avancé le chiffre de quatre cents publications en langue vernaculaire pour la seule année 1919. En 1935 l'écrivain communisant Mao Dun recensait la création de plus de cent revues ou

associations de 1922 à 1925. L'explosion de la fin des années soixante-dix a été accentuée par une plus grande décentralisation des publications au niveau des provinces. Certaines revues reprennent même les noms prestigieux de leurs aînées. Beaucoup d'entre elles se voient contraintes d'arrêter la publication faute de financement, comme en 1919, ou parce qu'elles sont frappées d'interdiction (la revue *Aujourd'hui* cesse de paraître au bout de quelques numéros).

Langue et genres littéraires

Autre question clef : la langue. Le problème qui se posait aux intellectuels de mai 1919 était celui de détrôner une langue littéraire (*wenyan*) qu'ils jugeaient sclérosée pour créer, à partir de tendances existantes mais minoritaires, une langue littéraire vivante à la portée de tous (*baihua*). A la chute de la Bande des quatre (1976) le problème qui se pose aux écrivains reste bien celui de l'achèvement de cette langue littéraire moderne que préconisait Hu Shi au début du siècle. En effet, pendant les vingt ans qui ont suivi la campagne antidroitiers de 1957, la « langue de bois » employée dans les textes officiels devait marquer fortement les œuvres littéraires. Si l'on ajoute à ce handicap le fait que bon nombre de jeunes écrivains (les « jeunes instruits ») n'ont pas toujours reçu une formation scolaire « normale », l'on se montrera indulgent pour les balbutiements du début, et optimiste aussi devant l'énorme avancée qui a été réalisée dans les dix ans qui ont suivi.

Dans le domaine de la création proprement dite, au niveau des genres littéraires, le renouveau de mai 1919 avait entraîné la prolifération du récit, de la nouvelle essentiellement et de l'essai polémique, puis poésie et théâtre avaient fait leur percée. Peu de grands romans étaient apparus avant la fin des années vingt (ceux de Ba Jin). Le même phénomène s'observe au tournant des années soixante-dix avec une production littéraire axée essentiellement sur le récit court, genre le plus populaire (nouvelles ou reportages) et sur la poésie. Il faut mentionner également la création de pièces de théâtre ; elles restent cependant réservées à un public restreint. Le roman, comme dans les années vingt, semble à la traîne, surtout le roman long, bien que de nombreuses œuvres aient été publiées à partir de 1985. S'agit-il d'un problème de langue, évoqué plus haut, ou de celui de la conception du genre en lui-même ?

La revendication humaniste

Si l'on en vient au problème de la tonalité d'ensemble de la production littéraire des deux périodes, une même revendication « humaniste » réunit les acteurs des deux mouvements. Elle est liée à la redécouverte des valeurs humaines qui se traduit par une quête de l'identité, une affirmation de l'individu. Cai Yuanpei, Hu Shi, Zhou Zuoren, au contact des littératures occidentales (influence d'Ibsen, des poètes de Nara), ont appelé de tous leurs vœux une littérature vivante et humaine. Ils reprochaient à la littérature traditionnelle d'être marquée fondamentalement par l'hypocrisie, de n'avoir pas su porter le phénomène humain. « Littérature de cannibales » disait Lu Xun. Ils voulaient une littérature où l'exaltation de l'individu fût dans le même temps celle de l'humanité tout entière. Pour Fu Sinian cette « humanisation de la littérature » passait par l'occidentalisation. Il écrit en 1918 : « Si la littérature traditionnelle ne nous satisfait pas, c'est qu'elle n'est nullement adaptée au phénomène humain, qu'elle se désintéresse de l'émotion, c'est une littérature qui ignore le principe d'"humanisation"... Or c'est sur un tel principe que s'est développée la littérature occidentale contemporaine... Pour parvenir à cette humanisation il nous faut donc, dans un premier temps, occidentaliser notre littérature. » Mais si, au début du mouvement, l'imitation de l'Occident permet effectivement d'aller plus vite, dans un deuxième temps l'on se rendra compte que l'occidentalisation ne résout pas tous les problèmes.

Les auteurs qui prennent la plume à la fin des années soixante-dix entendent, eux aussi, valoriser l'individu, l'affirmer face au fait collectif qui s'était employé pendant vingt ans à gommer la différence. Il faudrait, écrit Liu Xinwu en 1979, que chacun puisse « cultiver son jardin secret », son « lopin d'âme individuel ». Mais si ce retour à une littérature plus humaine, à une revalorisation des liens entre les êtres fondés sur le respect de la personne humaine, va bien dans le même sens que l'effort accompli par les écrivains de mai 1919, il en diffère en ce qu'il n'est pas lié intrinsèquement, comme en 1919, au problème de l'occidentalisation.

En 1919, les jeunes écrivains ne se contentaient pas de présenter à leur public les littératures occidentales, et souvent des œuvres très contemporaines (Andréiev, Tolstoï, Gorki, Anatole France, Strindberg, les auteurs de l'Europe de l'Est). Ils les plagiaient, forts du principe selon lequel tout ce qui venait de l'Occident était supérieur, bon à prendre. Après un long repli de la littérature chinoise (si l'on peut employer le mot « littérature » pour désigner la production des années soixante et soixante-dix), les auteurs étrangers cités au tout début de l'ouverture sont le plus souvent ceux-là mêmes qui étaient présentés soixante ans auparavant : Elliott, Tagore, Tolstoï... Mais, très vite, les œuvres les plus contemporaines sont présentées au public et donnent lieu à des débats. Cependant l'heure n'est plus, comme en 1919, à l'imitation servile, même si l'on peut repérer l'influence de tel auteur étranger chez tel auteur chinois (Faulkner chez Mo Yan, Kundera dans les recherches de Han Shaogong).

Il existe par ailleurs un courant dit des « racines », qui s'efforce de retrouver l'identité de l'âme de la « Chine profonde ». Moins que le manque de connaissance des œuvres étrangères contemporaines, le fait le plus marquant est sans doute la quasi-absence de réflexion théorique sur la création, tant dans le domaine de la poésie que du roman. L'ouverture de 1979 rejoint par là le mouvement de mai 1919 qui s'était bien posé le problème de l'avènement d'une langue littéraire, mais non celui de la nature même du fait littéraire. Aucune recherche autonome ne cherche à expliquer la littérature par l'activité littéraire. Or de tels débats théoriques avaient nourri près de vingt siècles de création littéraire quand bien même la littérature ne s'était jamais dégagée de l'emprise d'une éthique. Peut-être trouve-t-on là l'une des causes, sinon *la* cause du flottement qui prévaut dans la création au tournant des années quatre-vingt.

Chantal Chen-Andro

Après Mao : « la littérature des cicatrices » (1977-1980)

On attendait beaucoup des premières manifestations de la littérature du dégel, après la mort de Mao et la chute de la « Bande des quatre », en 1976 ; mais celles-ci ont été plutôt décevantes. Aucune œuvre marquante comme *Une Journée d'Ivan Denissovitch* n'est apparue, aucun Soljenitsine chinois ne s'est révélé. Un nouveau courant littérai-

─── *BIBLIOGRAPHIE* ───

SIDANE V., *Le Printemps de Pékin*, Gallimard, coll. « Archives », Paris, 1980.

BEJA J.-Ph., ZAFANOLLI W., *La Face cachée de la Chine*, Éditions Pierre-Émile, Paris, 1982.

DENES H. (trad.), *Le Retour du père et autres récits*, Belfond, Paris, 1981.

re devait toutefois émerger, dès l'année 1978, la « littérature des cicatrices ».

Ce terme s'est imposé au détriment de plusieurs autres qui ont pu, à un moment ou à un autre, caractériser la période : « littérature des ruines », « des révoltes », « issue des ténèbres », « de renaissance », etc., autant d'appellations qui suggèrent que la littérature était bien auparavant sinistrée et que les textes initiaux du dégel ont été d'abord de pures dénonciations des exactions et des injustices politiques ou sociales commises sous le despotisme de Mao et de ses épigones.

La « littérature des cicatrices », ainsi nommée par allusion aux stigmates et flétrissures de la « révolution culturelle » qu'il s'agit maintenant de révéler, regroupe plusieurs générations d'écrivains. Ba Jin, auteur en 1979 d'un récit émouvant sur la mort de sa femme, *En Souvenir de Xiao Shan*, appartient à celle des années trente. D'autres, comme Bai Hua ou Liu Binyan, étaient déjà actifs dans les années cinquante, mais taxés alors de « droitiers », ils ont été contraints au silence pendant vingt ans. Ils reprennent la plume pour témoigner de leur expérience et surtout pour vitupérer les privilèges des nantis et la malversation des hauts fonctionnaires (*Entre homme et démon* de Liu Binyan, 1979 ; *Une Liasse de lettres* de Bai Hua, 1980).

Mais les plus prolifiques sont incontestablement des créateurs plus jeunes, qui font leur entrée sur la scène littéraire : Liu Xinwu, dont *Le Professeur principal* (1978) marque sans doute le début de l'épanouissement du genre ; Lu Xinhua, dont la nouvelle *La Cicatrice* donne son nom au mouvement ; Wang Yaping, auteur de *La Mission sacrée* ; etc.

Leurs écrits, inlassablement consacrés aux victimes faussement accusées sous le règne de la Bande des quatre, ne vont pas toujours sans poser quelques problèmes aux bureaucrates de la Culture, dont beaucoup étaient déjà en poste à l'époque maoïste. Ces derniers réussissent souvent, sinon à interdire complètement des textes, du moins à les écarter momentanément. L'ère des « affaires » littéraires n'est pas close. Certes, les écrivains intrépides qu'on vilipende ne finissent plus dans des camps de « rééducation », mais ils sont souvent sèchement rappelés à l'ordre dès qu'ils manifestent des velléités d'esprit critique ou d'hétérodoxie jugés excessifs par les autorités. A la fin de janvier 1980, une table-ronde officielle est ainsi organisée pour débattre de trois œuvres théâtrales ou scénarios dont les intrigues, inhabituelles, dérangent : *Dans les archives de la société* de Wang Jing et *La Voleuse* de Li Kewei mettent en scène des jeunes filles devenues délinquantes après avoir été violentées par des cadres qui ont abusé de leur pouvoir ; *Si je l'étais pour de bon* de Sha Yexin narre l'histoire vraie d'un escroc qui se fait passer indûment pour un fils de dignitaire du régime et qui bénéficie, de ce fait, de véritables prérogatives féodales.

Les diatribes des « cicatrices » portent aussi sur le présent. Dans un long poème intitulé *Général, vous ne pouvez agir ainsi* (1979), Ye Wenfu stigmatise un officier supérieur récemment réhabilité qui fait allégrement raser un jardin d'enfants pour se faire bâtir une somptueuse villa.

Cette « littérature des cicatrices » sera jugée, avec le recul, quelque peu conventionnelle. Elle n'a pas toujours évité le manichéisme primaire qui caractérisait les écrits du réalisme-socialiste militant du début des années soixante-dix, à cette différence près que les rôles sont inversés entre les « bons » et les « méchants ». Cependant, dès la fin de l'année 1978, on assiste également, en dehors du mouvement des « cicatrices », aux premières tentatives, encore timides, de produire une littérature plus originale, aussi bien dans la forme que par le contenu. Elle n'est pas encore accueillie dans les périodiques officiels, mais elle trouve à s'exprimer dans la presse parallèle, sinon clandestine, qui accompagne le « mouvement démocratique » connu sous le nom de Printemps de Pékin. Plusieurs revues proprement littéraires voient alors le jour : *Lumières, Terre fertile, Fruits d'automne* et surtout *Aujourd'hui*, créée par les poètes Bei Dao et Mang Ke en décembre 1978, qui publie des traductions d'œuvres occidentales et les premiers textes avant-coureurs de l'« école moderniste » qui marquera plus tard le milieu des années quatre-vingt.

Alain Peyraube

Années quatre-vingt : recherches et mûrissement

Forte d'une vitalité à peine retrouvée, la littérature des années quatre-vingt livre une production romanesque très importante, dans des domaines et des styles plus variés que lors des décennies précédentes, plus riches aussi que dans la période immédiatement post-maoïste de la fin des années soixante-dix. Ce sont des nouvelles et des romans, avec une tendance nette à l'augmentation du nombre de romans.

L'expérience qu'ont eue les écrivains d'une vie forcée à la campagne durant la « révolution culturelle » (et parfois davantage), et — passé l'époque de la dénonciation (la « littérature des cicatrices ») — la réflexion en profondeur qu'ils ont pu mener sur cette expérience, sont les éléments essentiels de ce mûrissement littéraire. Cette réflexion s'est parfois accompagnée de tentatives pour renouer avec la tradition et les littératures étrangères. Le climat politique de cette décennie a montré un peu plus de tolérance à l'égard de la littérature, qui a joui d'une relative « liberté de création » : les mouvements de critique contre les intellectuels, qui visent souvent au premier chef les écrivains, ont perdu de leur intensité. Pourtant ils ont ressurgi périodiquement : luttes contre le libéralisme bourgeois en 1981 et 1987, lutte contre la pollution spirituelle en 1983. La liberté s'est traduite aussi en voyages : les écrivains les plus connus invités en Europe, aux États-Unis, obtiennent les visas nécessaires. Avec les événements du 4 juin 1989, tout a été à nouveau remis en cause. Le bilan qui suit concerne les années quatre-vingt et s'arrête à cette date.

La tendance réaliste se perpétue et reste majoritaire. Elle hérite de la tradition du 4 mai 1919, tout en se nourrissant de littératures étrangères, la littérature russe relayée par la soviétique, et l'expression réaliste française du XIXe siècle. Ce genre est revendiqué par la grande majorité des auteurs, qui cherchent, à travers leurs œuvres, à peindre la société contemporaine, pour en dénoncer certains aspects. Leurs œuvres traitent de la vie à la campagne (Gao Xiaosheng, Gu Hua) ou de réalités urbaines (Liu Xinwu, Shen Rong, Zhang Jie) ; elles peuvent être intrinsèquement liées à un lieu (la ville de Suzhou pour Lu Wenfu). Le lecteur revit des pans d'une ac-

BIBLIOGRAPHIE

A. CHENG, *Les trois Rois* (trad. de N. Dutrait), Alinéa, Aix-en-Provence, 1988.

«Chine, une nouvelle littérature», *Europe*, n° 672, Paris, 1985.

KINKLEY Jeffrey C., *After Mao, Chinese Literature and Society*, Harvard University Press, Cambridge, Mass., 1985.

«La littérature chinoise», *Magazine littéraire*, n° 242, Paris, 1988.

LU Wenfu, *Vie et passion d'un gastronome en Chine* (trad. A. Curien et Chen Feng), Picquier, Arles, 1988.

MA Jian, *La Mendiante de Shigatze* (trad. I. Bijon), Actes Sud, Arles, 1988.

La Remontée vers le jour, anthologie de nouvelles chinoises, 1978-1988, Alinéa, Aix-en-Provence.

ZAFANOLLI W., «Le nouveau cours littéraire», *in* C. AUBERT *et alii*, *La Société chinoise après Mao, entre autorité et modernité*, Fayard, Paris, 1986.

ZHANG Xinxin, *Une passion d'orchidées* (trad. de Cheng Yingxiang), Arles, 1988.

tualité qui peut remonter à quelques décennies. Cette fonction d'enquête sociale pallie la déficience de la presse. Sur le plan littéraire, l'expression est rendue avec art et vie, et ne manque ni de véracité, ni de psychologie. Le lecteur est devenu particulièrement friand d'une «littérature-vérité», bien représentée par la romancière Zhang Xinxin : un genre qui, comme la littérature de reportage (Liu Binyan), s'appuie sur des enquêtes sociologiques, mais s'en différencie par une écriture plus sensible.

«Flux de conscience» et «recherche des racines»

A partir de 1982-1983, des brèches sérieuses se font jour. Curieux des littératures occidentales contemporaines et même tout à fait actuelles — le retard de traduction accumulé commence à se combler —, un certain nombre d'auteurs, plus jeunes dans l'ensemble que les auteurs dits réalistes, tentent des innovations, qui touchent plus la forme (composition, syntaxe) que le fond, toujours très réaliste, bien qu'une dimension de conscience individuelle et d'introspection se développe. Un courant dit de «flux de conscience», représenté par Wang Meng, Dai Houying, Zong Pu, évoque un peu des auteurs comme Virginia Woolf ou James Joyce. Une conception théâtrale nourrie de théories occidentales, qui brise les limites entre les genres, est mise en œuvre (Gao Xingjian) : elle est mal tolérée par les autorités, tout comme l'ensemble de ces approches dites «modernistes».

Cependant, une autre évolution opère en profondeur, celle d'un lien plus marqué à l'histoire et à la culture. C'est le sens de la «recherche des racines», dont on trouve l'expression surtout chez de jeunes auteurs. Ce courant a acquis toute sa force à partir de 1985. Les œuvres de Han Shaogong, A Cheng, Zhang Chengzhi, Mo Yan ou Jia Pingwa expriment la recherche d'un sens esthétique, voire philosophique. Sur le plan de la forme, elles témoignent elles aussi de bien des innovations, qui ne sont pas sans rappeler celles d'auteurs comme Kafka, Faulkner, Garcia Marquez, voire d'écrivains du «nouveau roman». Certains écrits, ceux de Wang Zengqi par exemple, par la sobriété et l'élégance de leur style comme par l'expression d'un attachement profond de l'homme à la nature, tiennent aussi de la prose poétique, traditionnellement prisée.

A côté de la littérature dite «pure», une littérature «populaire» (*tongsu wenxue*) a envahi les nouvelles librairies de rue — des sortes d'étals — qui sont apparues avec le marché libre. Littérature de *kung-fu*, policière, pornographique, romans à l'eau de rose, etc. Rude concurrence : l'augmentation impressionnante du prix du papier aidant, les revues littéraires qui prospéraient dans les années qui ont suivi la mort de Mao Zedong, tout comme les éditeurs, sont sans doute désormais confrontés à des choix épineux.

La littérature des années quatre-vingt a donc offert l'image d'un vaste terrain de défrichage. Les auteurs chinois ont eu enfin la chance de ne pas se trouver acculés par l'histoire à ne pas pouvoir choisir leur voie créative. Beaucoup d'œuvres de cette période, bien accueillies en Chine et à l'étranger, resteront.

Annie Curien

La littérature de reportage, un genre à part entière

La littérature de reportage a acquis un statut de genre littéraire à part entière. Située entre l'écriture journalistique et l'œuvre de fiction, elle a à la fois favorisé l'accès des journalistes au domaine littéraire, moins contrôlé idéologiquement que la presse, et, à l'inverse, permis aux écrivains de se rapprocher d'une réalité dont les éloignaient leurs œuvres de fiction. Son essor vient de ce qu'elle possède des antécédents célèbres dans la grande littérature classique. Quand Sima Qian, au Ier siècle avant notre ère, décrivait le combat qui oppose Xiang Yu et Liu Bang, le fondateur de la dynastie des Han, ne faisait-il pas œuvre d'historien-reporter de la même manière qu'au XXe siècle Liu Baiyu chante la gloire des résistants à l'occupant japonais ?

En outre, la littérature de reportage, à l'instar de la plupart des textes de prose classique, n'est jamais neutre. De ce fait, le mouvement prolétarien en a vivement encouragé la création. N'était-elle pas l'outil idéal pour la propagation des idées révolutionnaires puisque, en s'attachant à décrire la réalité, elle pouvait devenir dénonciation des situations les plus inhumaines ?

Une autre source de la littérature de reportage est la littérature soviétique qui abonde en œuvres de ce genre. Le mouvement littéraire de gauche, dès les années trente, produit les classiques du reportage : en 1936, *Ouvrières de louage* de Xia Yan dénonce les conditions de travail des ouvrières du textile dans les usines japonaises de Shanghai. La résistance antijaponaise, puis, après 1949, la guerre de Corée, sont les sujets de prédilection d'auteurs comme Liu Baiyu (1951) ou Wei Wei (1951).

Paradoxalement, l'exigence de vérité inhérente à cette forme littéraire pousse très tôt les auteurs désireux de critiquer certains aspects du régime communiste à recourir à cet outil, qui avait tant aidé à sa mise en place. Dès 1956, Liu Binyan et Wang Meng dénoncent la bureaucratisation du régime, telle qu'elle est vécue par le peuple. Ces écrits (*Informations confidentielles parvenues à notre journal* ou *Un Jeune arrive au Département de l'organisation*) leur valent d'être taxés de « droitisme » et d'être condamnés au silence pour vingt ans. A partir du Grand bond en avant de 1958, la littérature de reportage s'éloigne de plus en plus de la réalité qu'elle est censée décrire jusqu'à devenir, comme l'ensemble de la création artistique, un pur et simple outil de propagande entre 1966 et 1976.

Après la mort de Mao Zedong, l'une des œuvres les plus fortes dans

CHEN Xiao-mei, « Genre, Convention and Society : A Reception Study of Chinese Reportage », *Yearbook of Comparative & General Literature*, n° 34, 1985.

DUTRAIT N., « La littérature de reportage chinoise », *Europe*, n° 672, Paris, 1985.

DUTRAIT N. (sous la dir. de), *Ici la vie respire aussi, et autres textes de reportage*, Alinéa, Aix-en-Provence, 1986.

LIU Binyan, « Entre hommes et démons », *in La Face cachée de la Chine*, présenté et traduit par J.-P. Béja et W. Zafanolli, Éditions Pierre-Émile, Paris, 1981.

LIU Binyan, « Le monde à l'envers », *in La Remontée vers le jour*, Alinéa, Aix-en-Provence, 1988.

LIU Binyan, *Le Cauchemar des mandarins rouges*, présenté, annoté et traduit du chinois par J. Ph. Béja, Gallimard, Paris, 1989.

la critique du régime est un reportage, *Entre hommes et démons*, de Liu Binyan, qui reprend la plume en 1979. Il analyse dans ses moindres détails les rouages de la société post-maoïste et conclut que c'est la nature même du régime qui permet les déviations qu'il dénonce.

Depuis 1977, tous les grands problèmes de la société sont évoqués et disséqués par les innombrables œuvres de reportage paraissant dans les nouvelles revues littéraires. Le vieil écrivain Xu Chi, dans un reportage publié à la une des principaux quotidiens, soulève le problème de la réhabilitation des intellectuels (*Le Problème de Goldbach*, 1978), le jeune auteur Li You décrit les difficiles conditions de vie de la génération des trente-quarante ans (*Éloge de l'âge moyen*, en 1978), Liu Binyan, encore lui, traite de la difficile réhabilitation des « droitistes », etc.

Outre ses deux caractéristiques littéraire et journalistique, la littérature de reportage prend une très nette coloration sociologique. Le lecteur se réjouit de voir qu'un auteur ose traiter un problème qui est au centre de ses préoccupations, et le public admire beaucoup le courage de ceux qui servent de cible aux critiques officiels. A la fin des années quatre-vingt, la question du divorce a été abordée par Su Xiaokang dans *La Grande Fission entre le yin et le yang*, celle de l'enfant unique dans *Le « Petit empereur » chinois* de Han Yi. Le tremblement de terre qui fit, en 1976, des centaines de milliers de victimes, a fait également l'objet d'un reportage très réaliste qui a remporté un succès énorme : *Le Grand Tremblement de terre de Tangshan* de Qian Gang.

Ancienne arme de propagande au service du mouvement prolétarien, la littérature de reportage, qui n'a jamais connu un succès aussi considérable, joue en Chine le rôle de la presse d'opinion en Occident : dépositaire des préoccupations du grand public, elle peut, plus librement que les médias officiels — trop liés au Parti —, évoquer les problèmes et proposer des solutions pour attirer l'attention des dirigeants et faire évoluer les mentalités.

Noël Dutrait

La poésie, une lucidité menacée d'isolement

Dans la tradition, la poésie a été invariablement investie d'une fonction politique. Recommandant à ses disciples d'étudier le *Canon de la poésie* (*Shi jing*), Confucius précisait : « Il vous permettra de faire des allusions métaphoriques, de surveiller les bonnes mœurs, de vous tenir en société et d'exprimer vos griefs. Il vous aidera à servir votre père chez vous et votre souverain au-dehors ». Vingt-cinq siècles durant, l'histoire littéraire consista, en schématisant à peine, en une succession d'élaborations théoriques et pratiques de ces préceptes. Génération après génération, les lettrés donnèrent à la poésie une prépondérance qu'elle n'a jamais eue en Occident, au prix d'une distorsion résolument anti-esthétique. Moyen détourné d'exprimer un ressentiment politique et, plus généralement, de communiquer des vertus civilisatrices, la poésie, à quelques genres mineurs et exceptions près, ne fut jamais envisagée pour elle-même.

A la fin des années soixante-dix, durant le trop bref Printemps de Pékin, se produisait une révolution en la matière. Elle était le contrecoup de la tragédie vécue par la génération que la « révolution culturelle » avait laissée culturellement en friche et qui se mettait alors à exprimer en vers et en prose son angoisse existentielle. Ses porte-parole se regroupaient autour de la revue parallèle *Aujourd'hui* (*Jintian*). Citons Shu Ting, une poétesse qui a vu le jour en 1952 : « J'ai rejeté toutes les doctrines, / J'ai brisé toutes les chaînes, / Et, de mon cœur, il ne reste plus / qu'un vaste désert. »

L'invention de l'individu

Le revers de ce désenchantement était l'invention de l'individu, de-venu, pour ces jeunes poètes, le seul refuge de l'être. Mais, issu du reflux de la Némésis révolutionnaire, non du flux des Lumières, l'individualisme dont ils se réclamaient privilégiait une thématique de l'absurde et du refus qui les plaçait de plain-pied avec le modernisme occidental. Le poème *Réponse*, de Bei Dao (né en 1949), apparaît comme l'emblème de la « génération perdue » (dénomination due à Ai Qing, autorité poétique à la tête chenue) : « Que je te prévienne : le monde, / Je - n'y - crois - pas ! / (...) L'azur du ciel, je n'y crois pas, / L'écho du tonnerre, je n'y crois pas, / Je ne crois pas que les rêves sont fallacieux, / Je ne crois pas au pardon des trépassés. » En érigeant son Moi dolent en modèle du monde, Bei Dao ne sombre pas pour autant dans un romantisme de la désillusion. Au contraire, suivant une démarche analogue à celle de Camus, sa prise de conscience de l'équivalent chinois de la mort de Dieu le conduit à une révolte permanente, dont l'enjeu n'est rien de moins que la liberté : « La liberté, ce n'est rien d'autre / Que la distance séparant le chasseur de sa proie. »

Hâtivement qualifiée d'« obscure » (*menglong*) par ses détracteurs, tenants d'une littérature au service du Parti ou du Peuple, la nouvelle poésie repose, en fait, sur un parti pris de lucidité absolue à l'égard de soi-même. Avec Gu Cheng (né en 1956), cet art de l'observation personnelle possède son entomologiste (faute d'autres livres, il a nourri son enfance des *Souvenirs entomologiques* de J.-H. Fabre ...) : « Toi, / Tantôt tu me regardes, / Tantôt tu regardes la nuée. / A moi, tu sembles / Distante quand tu me regardes, / Proche quand tu regardes la nuée. » Infatigable spectateur de lui-même, Gu Cheng, dans sa quête, frôle plus d'une fois Baudelai-

BIBLIOGRAPHIE

BARME G., MINFORD J., « Seeds of Fire », *Far Eastern Economic Review*, Hong-Kong, 1986.

« Chine : une nouvelle littérature », *Europe*, n° 672, Paris, avril 1985.

« Chinese Literature Today », *Renditions*, n° 19 et 20, 1983.

McDOUGALL B. S. (trad. et int.), *Notes from the City of the Sun*, Cornell University, Ithaca (New York), 1984.

McDOUGALL B. S., « Bei Dao's Poetry : Revelation and Communication », *Modern Chinese Literature*, mars 1985.

GOLDMAN M., *Literary Dissent in Communist China*, Harvard University Press, Cambridge (Mass.), 1967.

GU Cheng (trad. de I. BIJON et A. CURIEN), *Les Yeux noirs*, Cahiers du Confluent, Montereau, 1987.

HAFT L., *Phien Chih-lin, a Study in Modern Chinese Poetry*, Floris Publications, Dordrecht et Cinnaminson, 1983.

JULLIEN F., « L'indirect poétique : conditionnement politique et stratégie lettrée », *Extrême-Orient/Extrême-Occident*, Cahier n° 4, Paris, automne 1984.

LIN J. C., *Essays on Contemporary Chinese Poetry*, Ohio University Press, Athens (Ohio), 1985.

RICKETT A. A., *Chinese Approaches to Literature from Confucius to Liang Ch'ich'ao*, Princeton University Press, Princeton, 1978.

ZAFANOLLI W., « Le nouveau cours littéraire : portrait d'une génération individualiste », *in* C. AUBERT *et alii*, *La Société chinoise après Mao*, Fayard, Paris, 1986.

re : « Bien que la nuit noire m'ait fait les yeux noirs, / Je dois, de la clarté, me faire le miroir. »

Par contraste avec le style quasi minéral des souvenirs d'égotisme de Gu Cheng et le ton sarcastique de ceux de Bei Dao, Shu Ting, elle, excelle, dans une poésie du sentiment, toute en retenue et en demi-teintes : « Pourquoi, dans les moments les plus radieux, / Les yeux s'emplissent-ils de larmes ? / Pourquoi, quand on aurait mille choses à se dire, / Les mots viennent-ils à manquer ? » Un autre bord de la nouvelle palette poétique est figuré par Mang Ke (né en 1950). Son vers, à l'inverse de celui de Shu Ting, déborde d'un érotisme qui l'inscrit dans une veine presque orphique : « Ah ! automne, / Combien de visages recèles-tu ? / Tes crépuscules sont le peignoir des jeunes filles après le bain. / Tes flots se jouent de leurs pudeurs. / Tes nuits étreignent les femmes à la folie. / Automne, automne, tu ne renonces pas ! »

D'abord l'objet de multiples tra-casseries (en août 1980, la revue *Aujourd'hui* est contrainte d'interrompre sa publication), la jeune poésie devait finalement (à partir de 1984) obtenir massivement droit de cité sur la scène littéraire officielle. Mais, paradoxalement, cette conjoncture favorable risque de lui être fatale : traduisant une expérience unique, le traumatisme de la « révolution culturelle », et ne bénéficiant d'aucun des relais offerts par une vraie société civile, elle est en effet condamnée à fonctionner en circuit fermé. Cette menace d'enclavement n'est sans doute pas étrangère au fait que, depuis 1985, l'inspiration du Shu Ting se soit beaucoup appauvrie. Ni non plus à la décision prise en 1987 par Bei Dao de s'expatrier (à Durham, où il étudie la poésie anglaise). Est-il vraiment inévitable que l'astre confucéen finisse par éclipser l'éclat sans pareil dont, durant plusieurs années, la poésie chinoise a brillé ?

Wojtek Zafanolli

L'éveil de l'esprit critique

Désorientée et déphasée au lendemain des ivresses d'idéologie maoïste, la critique littéraire s'apprêta à faire son propre procès. Celui-ci fut bel et bien gagné grâce, en partie, au mouvement « libération de la pensée », qui représenta une tentative d'ouverture idéologique dès 1978. De nombreux articles d'introspection ont ainsi vu le jour.

Cette introspection, à l'origine, avait pour but de briser le joug du dogmatisme marxiste et de rompre avec les stéréotypes paralysants. Mais elle conduisit vite à un débat théorique sur la méthodologie de la critique et la conception de la littérature. C'étaient là deux opérations peu familières, un appel urgent au renouvellement de la manière de penser. Une ère de soupçon se dessinait. Une abondante production s'ensuivit et trois colloques furent consacrés à ce sujet en mars, avril et août 1985, à Xiamen (Amoy), Yang Zhou et Pékin où l'on constata afflux et confrontation des nouvelles tendances.

De l'extérieur vers l'intérieur : la nature du fait littéraire étant intérieure à la littérature elle-même, la critique renonce nécessairement à explorer les antécédents socio-historiques au bénéfice d'une analyse formelle et immanente de l'œuvre. *De la microlecture à la macrolecture :* la critique ne saurait se borner à étudier isolément un écrivain ou une œuvre. Désormais elle les met en relation avec un faisceau d'événements et d'informations vus dans une perspective synthétique. *Du monisme au pluralisme :* la richesse et la complexité des lettres exigent des approches multicouches (esthétique, philosophique, psychologique, éthique, linguistique, stylistique, etc.). Rien n'est plus nuisible à la santé de la critique que le monopole de la vérité. *De l'objet au sujet :* une approche fondée sur l'ontologie, appliquée aux sujets de la littérature — sujet-créateur, sujet-personnage, sujet-récepteur. Chacun d'eux a une autonomie de la volonté, animée par le mouvant et le dynamisme. La critique qui se veut humaine ne saurait plus ni réifier ni déifier, alors qu'elle encourageait autrefois les personnages idéalisés, ou les percevait comme des rouages. *De la sensibilité à la scientificité :* fort contestée dès le départ et accusée de scientisme, cette critique met en œuvre les moyens de l'informatique et de la systématique. Les ordinateurs travaillent ainsi sur la statistique lexicale du roman *Le Rêve dans le pavillon rouge.*

BIBLIOGRAPHIE

CHENG Wenchao *et alii*, « Questions linguistiques et progressions de la recherche littéraire », *Revue littéraire*, n° 1, 1988.

GAO Xingjian, *Petit Traité de l'art du roman moderne*, Éd. Hua-Cheng, Canton, 1981.

LIN Xingzhai, « Sur le système des caractères de A Q, personnage d'un roman de Luxun », *Luxun Yanjiu* (Études sur Luxun), n° 1, 1984.

« Application de la méthodologie de la systématique sur l'étude littéraire », *Wenxue Pinglun* (Revue littéraire), n° 1, 1986.

LIU Zaifu, « De l'ontologie de la littérature », *Wenxue Pinglun* (Revue littéraire), n° 6, 1985, n° 1986.

LU Shuyuan, « La littérature vue dans une perspective psychologique », *Wenxue Pinglun* (Revue littéraire), n° 4, 1985.

WANG Yuanhua, *Méditations littéraires*, Éd. littéraires de Shanghai, 1982.

Il reste à préciser qu'en Chine, la critique littéraire n'a jamais éprouvé pour l'Occident une telle avidité qu'au cours de la décennie 1978-1988, ce dont témoigne un grand nombre de traductions et de commentaires : formalisme, structuralisme, narratologie, sémiologie, psychanalyse, phénoménologie, critique archépale et esthétique de réception. Mais la linguistique reste encore un terrain à explorer.

Chen Lichuan

La littérature orale, une tradition vivace

Sous le nom de *quyi* sont regroupés différents « arts oraux » (conte, ballade, dialogue comique) que les traditions, les modes de transmission et la diversité régionale rendent fondamentalement vivants. En 1988, on recensait 355 *quyi* différents, mais, au sein des provinces, des dialectes et des genres, les écoles et les artistes célèbres qui les ont marquées en font une réalité plus complexe encore, comparable en cela à celle de l'opéra.

Cette réalité est aussi déterminée par l'histoire du pays. Par une équation simple, toute littérature orale, c'est-à-dire populaire, est à l'honneur depuis 1949. C'est pourquoi une critique féconde n'a cessé de débattre des origines lointaines des *quyi* et d'évoquer, par exemple, les genres qui fleurissaient dans les quartiers de divertissement de Hangzhou, capitale des Song du Sud (1127-1279).

Mais les maisons de thé où se produisaient conteurs et chanteuses sont devenues très rares, et les *quyi* sont représentés de façon différente par les « artistes fonctionnaires » et par les « amateurs » dans le « théâtre de la rue ». Les premiers assurent, dans les compagnies d'État, la formation des élèves, et se produisent devant un public toujours plus âgé et clairsemé ; ils figent parfois leur art dans une esthétique de rondeur et de propreté, mais cherchent aussi à le moderniser. Ailleurs, dans des quartiers particuliers des villes, les amateurs rassemblent de véritables foules à certaines heures de l'après-midi (produisant à chaque fois *l'événement* qui est l'essence même de cette littérature « orale », de performance), tandis que, dans les campagnes, des conteurs-paysans parcourent leur province à la saison morte. Eux seuls donnent à entendre certaines courtes pièces qui ne figurent pas au répertoire publié, enregistré, reconnu.

Depuis 1976, ce répertoire a remis à l'honneur les pièces traditionnelles, historiques, légendaires et romanesques, après avoir été largement épuré et « renouvelé » pendant la « révolution culturelle ». En 1988, aux côtés de pièces contemporaines, et parmi d'autres cycles de tradition ancienne, le classique *Rêve dans le pavillon rouge* a pu faire l'objet d'une adaptation scénique en douze tableaux, avec décor voilé, lumières tamisées et danseuses, instruments occidentaux dans la fosse, en sus des deux chanteuses de *pingtan* (ballade de Suzhou). L'auteur en était Zhu Qingtao, membre de la Compagnie de *pingtan* de Shanghai qui, en 1985, proposait de chanter en *putonghua*, langue nationale, au lieu du dialecte caractéristique du genre. Les tentatives en cette ère de réforme ne sont pas toutes aussi sacrilèges, et elles atteignent le plus souvent leur but : réunir un auditoire plus jeune et plus nombreux — les conteurs touchant naturellement un public plus large encore par la radio et la télévision. Mais le répertoire traditionnel permet d'observer une

―――― BIBLIOGRAPHIE ――――

MACKERRAS C., *The Performing Arts in Contempory China*, Routledge & Kegan Paul, Londres, 1981.

PIMPANEAU J., *Chanteurs, conteurs, bateleurs*, Université Paris VII, Centre de publication Asie orientale, Paris, 1978.

continuité, et ce de diverses façons.

En 1988, le plus grand classique des romans historiques, les *Trois Royaumes*, était conté tous les soirs à la radio shanghaienne par Tang Gengliang, célèbre artiste de *ping-tan*. A la même époque, celui-ci offrit à un auditoire de cadres et de dirigeants des plus grandes unités de production de Shanghai une « leçon » de sa composition, nourrie d'exemples tirés des *Trois Royaumes*, et sous le titre « Comment utiliser les hommes (quand on est au pouvoir) ». Car toute histoire, et toute littérature (qu'elle soit ou non « populaire ») se départit rarement, en Chine, du politique.

De cette tradition, l'art du *xiangsheng* ou dialogue comique (caractéristique de Pékin mais qui trouve son équivalent dans le *dujiaoxi* de Shanghai par exemple) est un meilleur exemple encore. L'humour qui caractérise tous les genres de conte joue là le premier rôle, et par la radio ou la télévision, le *xiangsheng* touche quotidiennement le plus large public populaire qui soit. Il met en scène non-sens, malentendus et satires, accordant une grande place à l'imitation d'animaux, de voix, de types de personnages et de genres d'opéra, de dialectes régionaux. C'est, parmi les *quyi*, le seul qui ait été « épargné » par la « révolution culturelle », la satire se tournant alors contre les ennemis du moment. Et il s'agit, comme le soulignait son plus célèbre représentant Hou Baoling, plus que jamais d'un « art du langage » ; car, depuis 1949, la technique comique aime s'attacher aux contradictions entre le *putonghua* et les dialectes. Le *xiangsheng* en tout cas est le genre qui paraît bénéficier de la plus grande liberté dans son évolution passée et à venir.

Valérie Lavoix

LA LITTÉRATURE CHINOISE TRADUITE EN FRANÇAIS *

Histoire littéraire et essais

DIENY Jean-Pierre, *Le Symbolisme du dragon dans la Chine antique*, Institut des hautes études chinoises, 1987, 270 p.

DUTRAIT Noël (éd.), *Ici la vie respire aussi : littérature de reportage 1926-1982*, Alinéa 1986, 167 p. (diff. Payot).

GANDINI Jean-Jacques, *Pa Kin ; le coq qui chante dans la nuit*, Atelier de création libertaire, Lyon, 1985, 46 p. (diff. Alternative).

GIRAUD Daniel (éd.), *Ivre dans le tao, Li Po, poète, voyageur et philosophe en Chine au VIIe siècle*, Albin Michel (Spiritualités Vivantes poche 73), 1989, 160 p.

HUANG Shengfa, *Qu Yuan et Li Sao : textes, études et commentaires*, Ed. en langues étrangères, Pékin, 1985, 162 p., texte en français et en chinois (diff. Centenaire).

KWONG Hing Foon, *Wang Shaojun : une héroïne chinoise de l'histoire à la légende*, Institut des hautes études chinoises (Mémoires 27), 1986, 479 p.

LEVY André (ed.), *L'Antre aux fantômes des collines de l'Ouest*, Gallimard UNESCO (Connaissance de l'Orient poche, 21. Série chinoise), 1987, 182 p.

LU Xun, *Œuvres choisies*, Ed. en langues étrangères, Pékin.

LU Xun, *4 essais 1934-1936*, Ed. en langues étrangères, Pékin, 349 p. (diff. Centenaire).

QIAN Zhongshu, *Cinq essais de poétique*, présent. et trad. du chinois de N. Chapuis, Bourgois, 1987, 222 p.

SEGALEN Victor, *Essai sur l'exotisme et autres textes*, 1986, LGF (Le livre de poche, Biblio essais, 4042).

VAN HEURCK Philippe, *Chants attribués à Tsang Yang Gyatso, sixième Dalaï Lama, contribution à l'étude de la littérature tibétaine*, Rikon (Suisse).

* Titres parus entre le 1.1.1985 et le 30.6.1989.

Tibet-Institut, 1984, 145 p., Ed. bilingue tibétain-français (diff. Trimégiste).

WEN Yiduo, *Œuvres - Littérature chinoise*, 1987, 144 p. (Panda, diff. Centenaire).

Centre de recherches sur la poésie contemporaine (éd.), Cahiers de l'Université de Pau, n° 11, *Victor Segalen : actes, colloque, international*, 13-16 mai 1985, Université de Pau et des pays de l'Adour, 1988 (2 vol.), 607 p. (diff. Didier-Eurédition).

« Chine, une nouvelle littérature », *Europe*, n° 672, Messidor-Temps actuels, 224 p.

« Vues de Chine », *Corps écrits*, n° 25, PUF, 1988, 192 p.

Lu Xun : le legs d'un écrivain, catalogue/exposition, 1986-1987, Notices Marc Vanhove, Bibliothèque royale Albert Ier, Bruxelles, 1986, 38 p.

Mythes, amour et fantastique, Théâtre et littérature en Chine, Catalogue d'exposition (Paris 1987), Musée Kwok-on, 1987, 60 p.

Théâtre et spectacle

ARMANET François, ARMANET Max, *Ciné kung fu*, Ramsay, 1988, 208 p.

SEGALEN Victor, *Le Combat pour le sol*, Fata Morgana (Bibliothèque artistique et littéraire), 1987, 168 p. (diff. Distique).

Cinéma chinois, Centre G.-Pompidou (Cinéma/pluriel), 1984, 320 p.

Opéra de Pékin, texte R. Alley, Ed. du Nouveau Monde, Pékin, 1984, 103 p. (diff. Centenaire).

Poésie

AI QING, *Le Chant de la lumière*, trad. du chinois par NG Yak-Soo, Les Cent fleurs, 1989, 99 p.

Cent poèmes lyriques des Tang et des Song, trad. du chinois par Xu Yuanzhong, Éditions en langues étrangères, Pékin, 1987, 193 p.

CHENG Wing Fun, COLLET Hervé (éd.), *Tao poétique, vrais poèmes du vide parfait : mandarins, moines et ermites dans la Chine des T'ang*, calligr. Cheng Win Fun, Moundarren, 1986.

DEMIÉVILLE Paul, *Poèmes chinois d'avant la mort*, Éd. J.-P. Dieny, Asiathèque, 208 p.

Éloge de l'ivresse : le tao du vin et ses vertus, trad. du chinois par Cheng Wing Fun, H. Collet ; calligr. Cheng Wing Fun, Moundarren, 1988 (diff. Centenaire).

GYATSHO Tsanyang (sixième dalaï lama), *La Raison de l'oiseau*, trad. du tibétain par B. Vilgrain, Fata Morgana (Les Immémoriaux), 1986, 96 p.

HAN SHAN, *Cent huit poèmes* (trad. du chinois par H. Collet, Cheng Wing Fun), Moundarren, Millemont (Yvelines), 1985 (éd. bilingue chinois-français).

HAN SHAN, *Le Mangeur de brumes, l'œuvre de Han Shan, poète et vagabond*, Phébus (Domaine chinois), 1985, 384 p.

JACOB Paul (éd.), *Poètes bouddhistes des Tang*, Gallimard, UNESCO, (Connaissance de l'Orient). 1988, 12 p.

LI PO, *L'Immortel banni sur terre : portrait et poèmes*, éd. et trad. du chinois par H. Collet et Cheng Wing fun, 2e éd. corr. et augm., Moundarren 1985 (éd. bilingue français-chinois).

LI PO, *Parmi les nuages et les pins*, Bilingue français-chinois, Arfyen, 1984, 49 p.

LO TA-KANG, *Roses et vase nocturne* (préf. P. Seghers), 1987, 100 p. (Roncevaleries 2), (diff. Desvigne).

PO CHU YI, *Un Homme sans affaire*, trad. du chinois par Cheng Wing Fun, H. Collet ; calligr. chinoise Cheng Wing Fun, Moundarren, 1988.

Poèmes à chanter Tang et Song préf. de Yun Shi, trad. du chinois par J. Chatain, Comp'act 1987, 176 p. (diff. Distique).

« Révolution intérieure », n° 5, *Poésie chinoise*, D. Giraud, 1987, 62 p.

SEGALEN Victor, *Odes : Thibet*, éd. M. Taylor, Gallimard (Poésie 203), 1985, 128 p.

SEGALEN Victor, LEYS Simon (éd.), *Stèles*, prés. Simon Leys, La Différence, (Orphée 2), 1989, 128 p.

SU Tung Po, *Fumée du Lu Shan, marée du Che Kiang*, trad. du chinois par Cheng Wing Fun, H. Collet, calligr. Cheng Wing Fun, Moundarren, 1986, 192 p.

TAO Yuanming, *L'homme, la terre, le ciel : enfin je m'en retourne*, trad. du chinois par Cheng Wing Fun, H. Collet ; calligr. Cheng Wing Fun, Moundarren, 1987.

TU FU, *Dieux et diables pleurent*, trad. du chinois par Cheng Wing Fun, H. Collet ; calligr. Cheng Wing Fun, Moundarren, 1987 (diff. Centenaire).

YANG WAN LI, *Le Son de la pluie*, trad. du chinois par Cheng Wing Fun, H. Collet ; calligr. Cheng Wing Fun, Moundarren, 1988, non paginé (diff. Centenaire).

WANG WEI, CARRE Patrick (éd.), *Les Saisons bleues*, œuvres complètes de Wang Wei, poète et peintre, trad. du chinois par P. Carré, Phébus (Domaine chinois), 1988, 374 p.

Romans et nouvelles

ARONEANU Pierre, CHEN Dehong, *Le Maître des signes, Chen Dehong*, Syros, 1989, 77 p.

CHEN FOU, *Récits d'une vie fugitive*, trad. du chinois par J. Reclus, préf. de P. Demiéville, Gallimard (Connaissance de l'Orient, poche), 1986, 182 p.

CHOW CHING LIE, *Concerto du fleuve Jaune*, J'ai lu, 1989, 288 p.

DAI Houying, *Étincelles dans les ténèbres*, trad. du chinois par Li Tchehoua, P. Bourgeois, J. Alézais, Seuil, 1987, 441 p.

DAVID-NEEL Alexandra, YONGDEN, *La vie surhumaine de Guésar de Ling, le héros tibétain, raconté par les bardes de son pays : lama Yongden*, Rocher, 1986, 346 p.

DELTEIL Gérard, *Les Huit dragons de jade*, Picquier, 1989, 256 p.

DENG Youmei, *La Tabatière*, Littérature chinoise (coll. Panda), 1988, 329 p.

DING Ling, *Le Soleil brille sur la rivière Sanggan*, Éd. en langues étrangères, Pékin, 1984, 506 p. (diff. Centenaire).

DING Ling, *Nouvelles des années trente*, Littérature chinoise, Pékin, 1985, 293 p. (Panda, diff. Centenaire).

GU Hua, *Hibiscus*, trad. du chinois par Ph. Grangereau, Laffont (Pavillons), 1987, 264 p.

GU Hua, *La Colline de la pagode*, Éd. en langues étrangères, Pékin, 1988, 339 p. (Panda, diff. Centenaire).

HOIZEY D. (éd.), *Dans la gueule du tigre : contes chinois*, L'Arbre, 1985, 77 p.

JIANG Zhenli, (Adapt.), *Shi Han et l'escargot d'eau*, III, Éd. en langues étrangères (Contes populaires chinois), Pékin, 1985, 38 p. (diff. Centenaire).

Jin Pin Mei, Fleur en fiole d'or, trad. A. Lévy, Gallimard (Pléiade), 2 vol., 1985.

KINGSTON M. Hong, *Les Hommes de Chine*, Rivages, Littérature étrangère, 1986, 312 p.

KOUO Mo-Jo, *Kiu Yuan*, Gallimard (Connaissance de l'Orient, poche), 1988, 210 p.

LANSELLE R. (éd.), *Le Poisson de jade et l'épingle du phénix*, Gallimard, 1987, 468 p.

LAO SHE, *La Cage entrebâillée*, trad. du chinois par P. Bady, Li Tche-houa, Gallimard (Du monde entier), 1986, 348 p.

LAO SHE, *L'Enfant du nouvel an*, trad. du chinois par P. Bady et Li Tche-houa, Gallimard (Du monde entier), 1986, 216 p.

LAO SHE, *Le Tireur de pousse*, Éd. en langues étrangères, Pékin, 344 p. (diff. Centenaire).

LÉVI Jean, *Le Grand Empereur et ses automates*, Albin Michel, 1984, 346 p.

LI Guangtian, *Le Fils de la montagne*, trad. du chinois par Pan Ailian, Éd. en langues étrangères, Pékin, 222 p. (diff. Centenaire).

LIN YING (adapt. de WANG JUSHENG), *Hong Yu*, Éd. en langues étrangères (Contes fantastiques de Liaozhai), Pékin, 54 p. (diff. Centenaire).

LIU Shaotang, *Nouvelles du terroir*, Éd. en langues étrangères (Panda), Pékin, 1986, 272 p.

LOUO Kouan-Tchong, *Les Trois royaumes*, trad. du chinois par Nghiem Toan et L. Ricaud, Flammarion, (Aspects de l'Asie), 1987, 2 vol., 512 p.

LU Wenfu, *Le Puits*, Éd. en langues étrangères (Panda), Pékin, 1988, 359 p.

LUXUN, *Histoire d'AQ, véridique biographie*, trad. du chinois par M. Loi, UGF (Le livre de poche 3116), 1989, 122 p.

LUXUN, *La Vie et la mort injuste des femmes*, trad. du chinois par M. Loi, Mercure de France (Mille et une femmes), 1985, 336 p.

MAO Dun, *Le Chemin*, trad. du chinois par Ng Yok-Soon, L'Harmattan (Lettres asiatiques, Chine), 1988, 169 p.

MAO Dun, *L'Épreuve*, trad. du chinois par Shen Dali, Zhag Shangci, Acropole (Littérature du monde), 1985, 310 p.

MIN Yang, adapt. de ZHANG Zengmu, *Ah Bao*, Éd. en langues étrangères (Contes fantastiques de Liaozhai), (diff. Centenaire), Pékin, 54 p.

PA Kin, *Automne*, trad. du chinois par E. Simar-Dauverd, Flammarion (Aspects de l'Asie), 1989, 686 p.

PA Kin, *Famille*, LGF (Le livre de poche, 3119), 1989, 384 p.

PA Kin, *Le Rêve en mer : conte pour enfants à une jeune fille*, trad. du chinois par Ng Yok-Soon, L'Harmattan (Lettres asiatiques, Chine).

PU Songling, *Contes fantastiques du pavillon des loisirs*, Éd. en langues étrangères, Pékin, 1986, 420 p. (diff. Centenaire).

P'OU Song-ling, *Contes étranges du cabinet Leao*, trad. du chinois par L. Laloy, Calligraphe, 1985, 175 p.

QIAN Zhongshu, *La Forteresse assiégée*, trad. du chinois par S. Servan-Schreiber, Bourgois, 1986.

ROU Shi, *février*, trad. du chinois par Wang Chun-Jian, Actes Sud, 1986, 180 p.

Scandale au palais des Han, roman érotique de la dynastie Ming, trad. Kontler C., Picquier, 1988, 200 p.

SONK, CONVARD Didier, *A l'ombre des dieux : contes des montagnards Méos*, Lombard (Histoires et légendes), 1986, 64 p.

SU Manshu, *Les Larmes rouges du bout du monde*, trad. du chinois par Don Chun et Gilbert Soufflet, Gallimard (Connaissance de l'Orient), 1989, 272 p.

VAN GULIK Robert, *Le Collier de la princesse : les nouvelles enquêtes du juge Ti*, trad. de l'anglais par A. Krief, UGE (10/18-1686), 229 p.

VAN GULIK Robert, *Le Fantôme du temple*, trad. de l'anglais par A. Krief, UGE (10/18-1741), 1985, 283 p.

VAN GULIK Robert, *Le Juge Ti à l'œuvre*, trad. de l'anglais par A. Krief, UGE, (10/18-1794), 1986, 284 p.

VAN GULIK Robert, *Le Mystère du labyrinthe*, trad. de l'anglais par A. Sechanet et J. Simons, UGE (10/18-1673), 1984, 347 p.

VAN GULIK Robert, *Le Singe et le tigre*, trad. de l'anglais par A. Krief, UGE (10/18-1765), 1986, 180 p.

VAN GULIK Robert (éd.), *Trois Affaires criminelles résolues par le juge Ti*, roman anonyme chinois du XVIIIe siècle, trad. de l'anglais par A. Krief, Bourgois, 1987, 311 p.

VAN GULIK Robert (éd.), *Trois Affaires criminelles résolues par le juge Ti*, roman anonyme chinois du XVIIIe siècle, trad. de l'anglais par A. Krief, UGE, (10/18, Domaine étranger), 1988, 320 p.

WOU King-Tseu, *Chronique indiscrète des mandarins*, trad. du chinois par Tchang Foujouei, Gallimard (Connaissance de l'Orient, poche 11), 1986, 2 vol.

XIAO Hong, *Terre de vie et de mort*, Littérature chinoise, Pékin, 1987, 266 p. (Panda, diff. Centenaire).

YA Ding, *Les Héritiers des sept royaumes*, Stock, 1988, 204 p.

YA Ding, *Le Sorgho rouge*, Stock, 1987, 256 p.

YE Yonglie, *L'Ombre des espions sur l'île de Jade vert*, trad. du chinois par Ng Yok Soon, Pierre-Émile, 1986, 145 p.

YIXIDANZENG, *Les Survivants*, (trad. du tibétain par Shen Dali et J. Desperrois), Littérature chinoise, Pékin, (Panda), 1987, 313 p. (diff. Centenaire).

ZHANG Jie, *Ailes de plomb*, M. Sell, 1986, 288 p.

ZHANG Xianliang, *Mimosa. Xor bulak, l'histoire d'un routier*, Éd. en langues étrangères (Panda), Pékin, 1986, 322 p.

ZHANG Xianliang, *Mimosa*, trad. du chinois par Pan Ailian, P.-M. Favre, 246 p.

ZHANG Xinxin, *Le Courrier des bandits*, trad. du chinois par Em. Péchenart, Actes Sud (Lettres chinoises), 1989, 384 p.

ZHANG Xinxin, *Une folie d'orchidées*, trad. du chinois par Cheng Yingxiang, Actes Sud, 1988, 72 p.

ZHANG Xinxin, *Sur la même ligne d'horizon*, trad. du chinois par Em. Péchenart et H. Houssay, Actes Sud, 1987, 180 p.

ZHULIN Yeshi, *Belle de candeur, ou histoire non officielle de Zhulin*, roman érotique chinois de la dynastie Ming, trad. du chinois par Ch. Kontler, Picquier, 1987, 174 p.

En mouchant la chandelle, Nouvelles chinoises des Ming, trad. du chinois par J. Dars, Gallimard (L'imaginaire 162) 1986, 220 p.

Treize récits chinois : 1918-1949, trad. du chinois par M. Vallette-Hémery, Picquier, 1987, 220 p.

Littérature de reportages

BACOT Jacques, *Le Tibet révolté : Népémako, la terre promise des Tibétains; Impressions d'un Tibétain en France*, R. Chabaud (Domaine tibétain), 1988, 390 p. (diff. CCLS).

BODARD Lucien, *Les Grandes murailles*, Grasset, 1987, 450 p.

DODWELL Christina, *Voyage au cœur de la Chine*, Albin Michel (Aventure au XXe siècle), 1987, 356 p.

HUC Régis-Evariste, *L'Empire chinois* (nouv. éd.), Rocher (Civilisation et tradition), 1986, 528 p.

HUC Régis-Evariste, *Souvenir d'un voyage dans la Tartarie et le Tibet*, Astrolabe (Domaine tibétain), 1987, 2 vol. (diff. Étai).

HUC Régis-Evariste, PLANCHET Jean-Marie (éd.), *Souvenirs d'un voyage dans la Tartarie et le Tibet pendant les années 1844, 1845 et 1846*, Éd. Jean-Marie Planchet, R. Chabeaud (Domaine tibétain), 1988, 2 vol., 932 p.

KISH Georges, *Tibet au cœur : la vie de Sven Hedin*, R. Chabaud (Domaine tibétain), 1988, 320 p. pl. ill.

LÉVY André (éd.), *Nouvelles lettres édifiantes et curieuses d'Extrême-Occident : par des voyageurs lettrés chinois à la Belle-Époque*, Seghers (Étonnants voyageurs), 1986, 256 p.

MA Jian, *La Mendiante de Shigatze*, trad. du chinois par Isabelle Bijon, Actes Sud (Terres d'aventure), 1988.

Bernard Lalande

ARTS PLASTIQUES ET ARCHITECTURE

Au cours des années quatre-vingt, les beaux-arts restaient marqués par le double mouvement, sans cesse repris au cours du XXᵉ siècle, de la recherche fébrile d'une adhésion à l'art occidental et de la volonté d'ancrage dans la tradition artistique chinoise, l'une des plus brillantes au monde.

Malgré une volonté affirmée de s'émanciper de la conception d'« arme » ou d'« outil » révolutionnaire et social, et de réhabiliter l'« art pour l'art », les beaux-arts se débattaient entre l'influence soviétique ou l'académisme traditionnel, un naturalisme douceâtre ou un symbolisme larmoyant, et s'essayaient à toutes les manières formellement reprises de l'Occident.

Confrontés pourtant à une réelle émancipation, les arts plastiques pâtissaient alors d'un faible système de diffusion encadré dans les associations d'artistes, écoles d'art, salles d'expositions et maisons d'édition officielles, privé de musées d'art moderne et de tout marché de l'art, y compris d'une véritable politique de commandes institutionnelles.

Pourtant, sous l'impulsion des jeunes, de nombreuses expositions personnelles ou de groupes, non clandestines mais forcément discrètes, eurent désormais lieu, plus libres que des arts au contenu plus explicite tels que la littérature ou le cinéma, du fait précisément de la faiblesse de leur audience et de leur impact.

L'ouverture vers l'étranger, si elle n'était pas le départ pur et simple, avait pour certains de vraies conséquences économiques : des galeries d'Amérique du Nord passaient commandes et contrats à de jeunes virtuoses des techniques académiques de la peinture « occidentale », tandis que le métier calligraphique et du lavis traditionnel s'exportait bien vers le Japon et l'Asie du Sud-Est.

En effet, pour la plupart des artistes les plus ambitieux, y compris ceux formés dans les années cinquante ou soixante, et certains anciens de renom, le voyage et l'exposition hors de Chine devenaient un impératif. C'était en tout cas le rêve de la nouvelle génération au sortir de la « révolution culturelle », celle des écoles d'art recrutée par des concours très sélectifs, ou de bon nombre d'artistes à l'itinéraire plus singulier, qui manifestaient une réelle connaissance de l'art contemporain et des avant-gardes internationales et s'engageaient dans les voies créatives les plus diverses avec d'authentiques désirs de renouvellement esthétique.

Jean-Louis Boissier

La peinture
après l'explosion des styles

Le style « réaliste-socialiste » s'est imposé du début des années cinquante au milieu des années soixante. Les artistes devaient représenter les difficultés de la construction socialiste, témoigner du travail des masses et « magnifier les succès de la Révolution ». Le chef-d'œuvre du genre est la *Naissance de la Chine nouvelle*, de Don Xiwen.

La période 1966-1976 marqua l'apogée de l'intervention du pouvoir politique dans la peinture, avec l'instauration de la « méthode des Trois » : le *thème* de l'œuvre était donné par les dirigeants politiques, le *contexte* par le peuple, l'artiste apportant sa *technique*. La nouvelle définition du style fut alors « réalisme et romantisme révolutionnaires ». Les sujets principaux : portraits de Mao Zedong, héros populaires, paysans, ouvriers, soldats. Pour répondre à l'idée que se faisait le pouvoir du communisme, les œuvres devaient être pourpres, lumineuses et grandioses. La production est caractérisée par le maniérisme.

En 1978, les idées d'extrême gauche furent abandonnées. Des recherches commencèrent à se manifester dans plusieurs directions. Évocation des erreurs liées à l'oppression politique (*La peinture blessée*, 1968, *Date X... Neige* de Cheng Conglin) ; portraits de miséreux (*Père* de Luo Jonglin) ; vie quotidienne des minorités (comme *Série de Tibétains* de Chen Danqin). Une troisième direction se rattacha au style décoratif : mythologies, contes et légendes. L'œuvre principale de cette étape, qui se trouve à l'aéroport international de Pékin, est une série de dix fresques murales intitulées *Purgation des démons par l'eau*.

Dès 1979, le gouvernement autorisa les expositions personnelles. La plus célèbre, « Étoiles », donna lieu

à une floraison de styles : réalisme, réalisme critique, expressionnisme et surréalisme. Les principaux thèmes présents étaient l'angoisse, la douleur et les caricatures de grands dirigeants politiques. « Étoiles » marqua le commencement du renouveau de la peinture chinoise.

Fin 1980, Wu Guangrong écrivit un article sur l'esthétique de l'art abstrait, considéré auparavant comme décadent. Il avait lui-même peint quelques toiles abstraites. Mais l'expression personnelle, bannie jusque-là, était trop crûment en conflit avec les idées socialistes. Le pouvoir voulut « nettoyer les pollutions de l'âme », en mettant fin au renouveau moderniste en 1983. Il souhaita faire prendre conscience aux artistes de l'importance de leur influence sur la société et organisa alors la plus grande exposition depuis 1949. Ce fut un échec total, et l'opération « nettoyage des pollutions de l'âme » dut cesser.

Libéralisme et réalisme

Une nouvelle liberté créative se manifesta à la mi-1989, qui se traduisit en 1986 par des expositions dans plusieurs provinces : Jiangsu, Guangdong, Zhejiang, Hubei, Hunan, Shanxi. Des groupes de peintres se constituèrent à Pékin, Shanghai, Quanzhou, Chongqing, mêlant organisations officielles et initiatives privées.

L'année 1987 fut plus animée. On y vit une véritable explosion de styles : expressionnisme, surréalisme, abstraction, hyperréalisme, art minimal, nouvel expressionnisme, nouvelle figuration. Ces tendances allaient autant à l'encontre de l'idéologie socialiste que de la peinture chinoise traditionnelle. Les peintres manifestaient librement

—— BIBLIOGRAPHIE ——

CHEN Ying Teh, « Art in Mainland China after 1949 », *Artist*, Taipei, 1987.

CLARK John, « Problems of modernity in Chinese painting », *Oriental Art*, n° 3, 1986.

LI Xiaoshen, « Point de vue de l'art traditionnel contemporain », *Beaux-Arts de Jiangsu*, n° 8, 1985.

WEI Ximei, « Nouvelle génération », *Fine Arts in China*, n° 16, 1985.

WU Guangjong, « De l'esthétique abstraite », *Mensuel des Beaux-Arts*, n° 10, 1980.

leurs sentiments, puisant entre autres leur inspiration dans ia littérature et la philosophie. Cette évolution rapide de la peinture moderne s'accompagna en revanche d'une désaffection du public, décontenancé par la variété des formes et des sujets.

Plusieurs articles de presse sur le manque de lisibilité de la peinture moderne par rapport à la peinture chinoise traditionnelle, ou de la peinture occidentale en comparaison de la peinture régionale, eurent un certain retentissement. Dans le même temps, on commença à parler de l'intérêt de renouer avec les sources de la peinture. Ce débat fut alimenté sur le plan théorique par de nombreux traditionalistes.

En 1987, le Parti s'inquiéta de cette prolifération du modernisme. Ce fut le début d'un nouveau mouvement : « Critique de la libération bourgeoise » ou « Anti-libéralisme », qui se donnait pour objectif de calmer et de faire réfléchir les peintres modernes. Il dut vite être abandonné et, le Parti adoptant une position moins intransigeante, laissa les cou-dées franches aux modernistes. Il est vrai que ceux-ci avaient dans le même temps modéré leurs ardeurs et instauré une nouvelle tendance réaliste et classique. Partant de scènes de la vie quotidienne, en costumes traditionnels, ils représentaient l'environnement du peuple en s'appuyant sur des techniques rigoureuses et délicates. Mais une pensée métaphysique souvent diffuse entrait en contradiction avec l'idéologie socialiste. Cette tendance restait prévalente à la fin des années quatre-vingt.

Le changement général de politique vis-à-vis de Taïwan a entraîné un vif intérêt pour la production locale et permis d'établir des relations d'échange. Moins sujette aux pressions politiques, la peinture à Taïwan a continué de s'inspirer des sujets et des techniques traditionnels, tout en diversifiant ses styles à partir de 1960. En cette fin des années quatre-vingt, les artistes de part et d'autre du détroit apprenaient à se connaître.

Chen Yingteh

Calligraphie : comment être moderne ?

La calligraphie, art plusieurs fois millénaire en Chine, a traversé, depuis le début de ce siècle jusqu'aux années soixante-dix, la crise la plus sérieuse de son histoire. Dès le XIXe siècle, devant l'expansion économi-que et l'agression militaire des pays capitalistes occidentaux, la valeur de la culture chinoise fut remise en question. L'écriture, véhicule principal de cette culture, était accusée de tous les maux : difficile à apprendre, à écrire, à manier, pour tout dire outil inefficace, arriéré ; juste bon à maintenir le peuple dans l'ignorance. Influencés par la pensée évolutionniste de l'époque, beaucoup de linguistes considéraient que toute écriture, tôt ou tard, deviendrait alphabétique. Ils proposaient donc que l'alphabet latin remplaçât les idéogrammes.

Après la fondation de la République populaire, en 1949, le pouvoir communiste envisagea sérieusement de réformer l'écriture. Mais pour que l'alphabétisation soit possible, il fallait d'abord unifier la langue parlée, ce qui demandait du temps. En attendant, on simplifia certains caractères. Après trente ans d'étude, on s'aperçut que l'écriture était étroitement liée aux spécificités de la langue, monosyllabique et sans flexion. A la mort de Mao Zedong, en 1976, le projet de réforme de l'écriture fut mis au placard.

La politique d'ouverture des nouveaux dirigeants apporta un air frais et vif dans tous les domaines de l'art, l'art moderne occidental ouvrit aux artistes de nouveaux horizons : la calligraphie renaquit. On notera cependant qu'en préparant la mort de l'écriture idéographique, tous les dirigeants, Mao Zedong le premier, demeurèrent des amateurs de calligraphie. Cet art figurait parmi les matières des examens impériaux pour la sélection des fonctionnaires. Les dirigeants continuent à utiliser ce moyen traditionnel pour fasciner le peuple et rallier les intellectuels. Pendant la « révolution culturelle », tout le monde maniait le pinceau pour écrire son *dazibao* (journal mural en gros caractères). Ce qui montre combien cet art est profondément enraciné dans le psychisme et le comportement du peuple.

En 1979, une exposition nationale de calligraphie eut lieu à Pékin. Depuis, des expositions des anciens maîtres et des artistes nouveaux se sont succédé dans les villes, grandes et petites. Des associations, des écoles par correspondance, des stages, des concours, et des festivals ont été organisés partout dans le pays. L'Association des calligraphes de Chine a été fondée en 1981. Les échanges avec le Japon, où la calligraphie est florissante, se sont multipliés. L'audace des calligraphes d'avant-garde japonais et la grâce des femmes-calligraphes japonaises ont été un stimulant pour les Chinois.

Les deux revues les plus importantes sont *Calligraphie*, à Shanghai, et *Calligraphie chinoise*, à Pékin. Mais on ne peut ignorer *Les calligraphes* du Henan, *L'art calligraphique du nord*, du Heilongjiang, *L'art calligraphique de Lingnan*, de Canton, etc. On peut lire, dans ces revues, des articles sur les anciens maîtres et également des critiques sur les artistes actuels. Les reproductions sont nombreuses. Certains auteurs tentent d'appliquer de nouvelles théories esthétiques à la calligraphie. On y trouve aussi des nouvelles sur les activités calligraphiques comme les salons, les conférences, les publications, les grands prix, etc.

Comment trouver du nouveau ?

En octobre 1987, eut lieu à Lanzhou un congrès national sur le bilan des dix dernières années. Les caractéristiques se résument en quatre points : grande variété de styles ; très grand nombre de jeunes calligraphes ; développement de la théorie et de l'esthétique ; développement dans l'éducation populaire. Parmi les problèmes ardemment débattus, on s'interroge sur la façon d'appliquer à la calligraphie les idées issues de l'esthétique, de la psychologie, de la sociologie, de l'ethnologie..., on se demande comment améliorer la critique actuellement si peu rationnelle et objective ; enfin, on cherche à préciser la signification de « moderne » dans la calligraphie.

Le problème qui préoccupe le plus les calligraphes est certainement celui de la modernité, comme dans les autres domaines de l'art ; mais il est plus difficile à résoudre

─── *BIBLIOGRAPHIE* ───

Art de la Chine (chapitre sur la calligraphie par R. Goepper), Office du Livre, Fribourg, 1964.

BILLETER J.-F., *L'Art chinois de l'écriture*, Skira, Genève, 1989.

CHANG L. L. Y., *La Calligraphie*, Le Club français du livre, Paris, 1971.

CHIANG Yee, *Chinese Calligraphy*, Methuen, Londres, 1966.

HSIUNG Ping-Ming, *Zhang Xu et la calligraphie cursive folle*, Mémoire de l'Institut des hautes études chinoises, vol. XXIV, Diffusion de Boccard, Paris, 1984.

VANDIER-NICOLAS N., *Art et Sagesse en Chine — Mi Fou*, PUF, Paris, 1963.

ici qu'ailleurs. Comment donner un accent moderne à un art étroitement lié à la tradition et à son moyen d'expression, conçu comme système de signes ? Depuis Li Si (?-208 avant J.-C.), Premier ministre de l'empereur Qin Shihuangdi, premier calligraphe dont le nom nous soit parvenu, jusqu'à la « cursive folle » de Zhang Xu (VIIIe siècle) et à Xu Wei (XVIe siècle), artiste qui sombra dans la folie, toutes les expressions semblent avoir été exploitées, des plus raffinées aux plus violentes, des plus structurées aux plus libres, des plus puissantes aux plus délicates, des plus rationnelles aux plus échevelées.

Comment trouver du nouveau ? Sur cette question, deux camps s'opposent : les conservateurs préconisent une évolution lente et naturelle ; les avant-gardistes proclament la rupture avec la tradition et la liberté vis-à-vis du texte. Puisque la peinture admet l'art abstrait, pourquoi ne pas faire de même en calligraphie, en créant un art indépendant de la lecture textuelle ? Les jeunes sont tentés par des essais de toutes sortes. Ils s'inspirent des peintres tachistes, gestuels et surréalistes. Mais leur tentative laisse encore trop voir les influences. Une calligraphie composée de taches et de lignes indéchiffrables est-elle une calligraphie ? Où se trouve la démarcation entre calligraphie et peinture ? C'est un problème en cours de discussion. Entre les deux extrêmes, la plupart des calligraphes travaillent leur style personnel, et, par une originalité authentique, tentent d'y insuffler l'esprit de leur temps.

Hsiung Ping-ming

Retour aux sources pour la gravure sur bois

En cette fin des années quatre-vingt, la gravure sur bois demeure en Chine un artisanat de l'image, et une forme créative originale. D'une part, la gravure sur bois reste la technique sophistiquée d'interprétation fidèle des effets subtils du pinceau, des encres, couleurs à l'eau et papiers de la peinture traditionnelle : ainsi le studio Rong Baocai à Pékin tire des reproductions limitées de peintures et calligraphies de grands maîtres.

D'autre part, la gravure sur bois demeure le procédé d'impression en nombre de l'estampe de Nouvel An, la planche gravée reproduisant un dessin très figuratif, colorié de teintes vives à la planche, au pochoir ou à la main. Ces images sont diffusées de nouveau localement à la campagne — après l'interdit des années soixante-dix —, mais surtout vers l'Asie du Sud-Est et les communautés chinoises de part le monde. Elles sont typiques d'une imagerie populaire, conservée depuis plusieurs siècles, certes abâtardies par la copie et par des tentatives de réformes au XXᵉ siècle, mais dont l'esthétique et les fonctions révèlent les origines. La gravure sur bois, mode de diffusion figuratif et narratif d'un enseignement religieux puis technique et scientifique est typiquement chinoise. L'estampe de Nouvel An, image domestique porte-bonheur, témoigne de la persistance, voire de la recrudescence [*voir article sur les religions populaires*] du besoin d'expressions symboliques. Elle perpétue cette chorégraphie de héros, paysans, enfants et dieux mêlés, cette profusion de produits et présents, où tout parle, sous forme de rébus, d'envies de fortune et de bonheur futurs, de succès, d'honneurs ou de consommation. Les principaux centres de fabrication sont Weifang, Yangliuqing (Tianjin), Taohuawu (Suzhou), Kaifeng. De petits ateliers se reconstituent dans les provinces.

La gravure sur bois s'affirme encore comme art autonome, comme l'un des beaux-arts, emblème de tradition et de modernité, connoté d'esprit critique et démocratique. A Pékin, un enseignement en est donné à l'Institut central des beaux-arts. Sa création, au début des années cinquante, fut le fait de graveurs comme Li Hua, Gu Yuan, Wang Qi..., praticiens d'un art engagé dans la résistance contre le Japon (1937-1945), à la manière des post-expressionnistes européens, Käthe Kollwitz ou Frans Masereel.

Parée d'une aura révolutionnaire, la gravure sur bois se voulait le fer de lance de l'art « socialiste ». Mais la faillite d'un art de propagande volontariste, évidente dans les années soixante, et entérinée dès 1980, devait conduire à la recherche de styles régionaux, repli vers un réalisme étroitement descriptif. Installées dans les écoles des beaux-arts, dès les années soixante, notamment à Chongging au Jiangsu, à Canton, ces écoles régionales purent ainsi traverser la « révolution culturelle ».

A la fin des années quatre-vingt, une perspective plus innovante et plus courageuse était ouverte par de jeunes artistes urbains avec le retour aux sources de ce médium et la recherche des interférences entre cette écriture particulière et l'art brut et populaire du découpage aux ciseaux, de la gravure sur pierre et de la calligraphie.

Liliane Terrier

BIBLIOGRAPHIE

BARBIZET L., *La Collection de gravures sur bois chinoises du Musée des deux guerres mondiales, 1937-1948*, Bibliothèque de documentation internationale contemporaine, Paris, 1981.

BOISSIER J.-L., MELOT M., TERRIER L., *et alii, 50 Ans de gravures sur bois chinoises, 1930-1980*, catalogue pour l'exposition de la Maison de la culture de Grenoble et la Bibliothèque nationale, 1981.

ELIASBERG D., *Imagerie populaire chinoise du Nouvel An*, Cahiers de l'école française d'Extrême-Orient/CNRS, Paris, 1978.

WANG Shucun, *Ancient Chinese Woodblock New Year Prints*, Foreign Langages Press, Pékin, 1985.

Les arts paysans, entre conservation et exportation

Dans le décor familial campagnard, on a constaté, dans les années quatre-vingt, à la fois la multiplication d'images industriellement imprimées (affiches et calendriers domestiques, photographies de magazines) et une certaine résurgence, au moins régionale, du papier découpé. Cette pratique, aux origines aussi anciennes que le papier lui-même, s'était trouvée reprise dans des manufactures qui en avaient fait, depuis les années cinquante, un produit d'exportation, démonstratif d'une grande virtuosité mais considérablement affadi. L'expérience d'une découpe directe aux ciseaux, sans dessin préalable, s'était pourtant conservée chez des paysannes du nord de la Chine, Hebei, Shanxi, Shaanxi, Gansu.

Entravé par les anathèmes de la « révolution culturelle », l'intérêt porté à la conservation des arts populaires s'exerça de nouveau au début des années quatre-vingt. Croissant érudition et passion du terrain, quelques spécialistes comme Jin Zhilin dans le Nord Shaanxi, organisèrent patiemment relance de la création, collectes et inventaires thématiques et stylistiques. De vieilles femmes révélaient des motifs quasi inchangés depuis des siècles. On s'enthousiasma, dans les écoles d'art, pour ces formes primitives, préservées depuis les Han dans la mémoire paysanne. La jeune génération des peintres, à l'affût d'un art à la fois plus libre, plus abstrait et plus violent, y trouvait un « retour aux sources » et aux philosophies antiques, un moyen d'émancipation autre que le regard vers l'étranger — où ils pouvaient d'ailleurs repérer des emprunts à la Chine ancestrale —, une manière d'« art nègre » des expressionnistes et cubistes européens, mais dans leur propre patrimoine.

Un débat s'ouvrit sur les méthodes de conservation des arts populaires : estampes, broderies, batiks, jouets de chiffon ou de terre, papiers découpés, etc. La question se posa dans les instituts d'art du choix de leur enseignement, pratique ou seulement théorique, car peut-on faire un art « populaire » en étant intellectuel ? Des spécialistes des pôles les plus riches d'une tradition ancienne encore préservée, Guizhou, Fujian, Shandong, Shanxi, Shaanxi, Gansu, ou Sichuan — où une équipe travaillait discrètement depuis les années cinquante —, envisagèrent la fondation de musées d'arts et traditions populaires, des formes de conservatoires vivants, en ateliers et stages. Les amateurs étrangers étaient là, à qui des paysans offraient les pièces familiales anciennes. L'artisanat populaire le plus authentique devenait aussi source de revenus, au risque de se perdre...

Parallèlement, dans bon nombre de provinces, l'idée des « peintres paysans » — groupes encadrés de professionnels —, dont les heures de gloire remontaient aux tâches de propagande du Grand bond et à la « révolution culturelle », évoluait vers une formule largement inspirée des arts plastiques folkloriques traditionnels, versant de fait dans la recette d'un art « naïf » de qualité et tendant naturellement à l'artisanat d'exportation, tel l'atelier animé par Wu Tongzhang à Jinshan, au sud de Shanghai.

Jean-Louis Boissier

B.D. et illustrés, le succès des «images enchaînées»

L'image imprimée n'atteint pas, dans la Chine des années quatre-vingt, l'omniprésence qu'elle a au Japon, en Europe ou en Amérique du Nord. Les moyens de fabrication restent en effet comparativement faibles, mais elle occupe cependant une place typique et considérable, du fait d'une tradition culturelle et technique majeure et des usages intensifs qu'en ont fait, au cours du XXe siècle, propagande et éducation.

L'essentiel de la consommation populaire en matière d'imagerie se trouve dans ces innombrables bandes dessinées, réunies dans les librairies et petites bibliothèques de rue spécialisées, et aperçues bien sûr entre les mains des enfants et adolescents, mais aussi, largement, chez les adultes. C'est qu'au-delà de leur saveur artistique et récréative propre, les «images enchaînées» furent, et sont encore, pour un public peu lettré, un accès à tout un fonds de légendes, fables, pièces, récits et romans classiques et populaires, histoires d'amour, policières ou de cape et d'épée, aventures documentaires et de science-fiction, adaptations de livres, films ou théâtres étrangers. Alors que les revues (deux titres d'audience nationale et une trentaine à diffusion régionale en 1988) ont des mises en page comparables à la bande dessinée occidentale, dans des styles graphiques variés et pour des récits courts, le support ordinaire, le fascicule de tout petit format horizontal, avec un dessin au trait et un texte par page, est une survivance d'une création proprement chinoise des années vingt et trente.

Le dessin au pinceau manifeste en effet l'héritage de l'illustration classique, l'apport des cadrages et découpages cinématographiques, avec une propension à l'authenticité des détails et des situations qui ménage pourtant l'interprétation théâtralisante et humoristique, comme chez le maître autodidacte de Shanghai, devenu professeur, He Youzhi (né en 1921). Les dessinateurs, attachés aux maisons d'édition des capitales provinciales, se recrutent aussi parmi les artistes-enseignants, puisque plus de la moitié des peintres, dessinateurs et graveurs travaillent pour l'illustration.

En 1980-1982, un livre édité sur cinq était soit une bande dessinée, soit un livre illustré pour enfants. La libéralisation de l'édition en 1985-1986 se traduisit par une flambée, suivie bientôt d'une crise du fait de la médiocrité, redondance et pénurie des scénarios, auxquels s'est ajoutée la contestation des parents et éducateurs désormais préoccupés de réussite scolaire des enfants.

Jean-Louis Boissier

— BIBLIOGRAPHIE —

BOISSIER J.-L., DESTENAY P., PIQUES M.-Ch., *Bandes dessinées chinoises*, Centre Georges Pompidou/Université Paris VIII, Paris, 1982.

HE Youzhi, *Images enchaînées*, Musée des Beaux-Arts d'Angoulême/Amitiés franco-chinoises, Paris, 1988.

Quatre générations de photographes

La photographie s'est d'abord construite avec la tentation d'imiter la tradition picturale et d'en intégrer les caractéristiques (perspective verticale, traitement linéaire des sujets). Avec le bouleversement des années trente qu'entraînent la guerre sino-japonaise et la révolution maoïste, une partie des photographes se tourne vers l'engagement. La valeur idéologique des images va peu à peu prendre le pas sur les préoccupations formelles et créatives.

Quand Wu Yinxian (né en 1900 et considéré comme le père de la photographie chinoise) réalise en 1934 la photographie intitulée « auto-portrait - force » sa volonté est claire : « Je voulais trouver une façon d'exprimer la force humaine pour montrer la force populaire, la force des ouvriers. C'était difficile, je cherchais une forme, une lumière particulière, j'essayais aussi avec des traces de crayon et de pinceau de renforcer cette idée, [...] je n'étais pas vraiment un photographe militant, j'étais plutôt mécontent de cette société où se côtoyaient la misère du peuple et les maisons bourgeoises » (entretien, mars 1988).

Partie d'une photographie militante ayant de grandes qualités esthétiques, la photographie chinoise s'enferme progressivement dans un carcan idéologique. Cet enfermement culmine avec la « révolution culturelle », la photographie n'étant plus qu'un outil de propagande et l'espace photographique une mise en scène où toutes les attitudes sont fortement connotées. Bon nombre de photographes voient leur activité interdite et leurs œuvres détruites.

Paradoxalement, en parallèle à cette production d'images stéréotypées, la photographie, en intégrant certaines caractéristiques de la tradition picturale, s'émancipe de l'illusion de transparence inhérente au médium photographique : l'image photographique n'est qu'un matériel que l'on peut déconstruire et reconstruire à volonté, l'idée de trucage devient étrangère à l'artiste. Des photographes qui bien souvent ont passé leur jeunesse aux champs ou à l'usine veulent construire une nouvelle photographie. Ils sont porteurs d'un projet politique et culturel. En réaction, ils se coupent du passé et de la tradition picturale pour emprunter toutes les voies qu'offre le champ photographique.

Chen Baocheng, né en 1939, travaillait pour la propagande pendant la « révolution culturelle ». Il réalise aujourd'hui des séries d'images dans le nord du Shaanxi. Il est un des héritiers de cette dialectique difficile s'articulant entre tradition picturale, enfermement idéologique et liberté vis-à-vis de l'outil photographique. Ses reportages exaltent la beauté de la région où il vit et il n'hésite pas à travailler et à monter ses images dans la chambre noire, la photographie n'étant plus un lieu où l'on enferme un sujet, mais un lieu où l'on raconte.

Ling Fei est né en 1953. Il fait partie de ce qu'on appelle aujourd'hui la « génération sacrifiée ». Après avoir été tourneur sous la « révolution culturelle », puis basketteur international, il reprend ses études et devient photographe. Il est, en 1989, enseignant, très actif dans les cercles de Pékin. Ses travaux vont du reportage à des réalisations plus plastiques. Avec lui, une toute nouvelle génération se profile, les moins de trente ans. N'ayant pas (ou peu) connu le choc de la « révolution culturelle », ils s'engagent dans la production d'images l'esprit plus libre. Ils sont souvent en relation avec les arts plastiques.

BIBLIOGRAPHIE

BOISSIER J.-L., WILLAUME J., *30 Ans de photographie chinoise, 1930-1960*, Presses Universitaires de Vincennes, Paris, 1984.

«Chine, Les Rencontres de la photographie d'Arles», n° spécial du journal *Le Monde*, juin 1988.

Zhang Hai er, diplômé de l'institut des beaux-arts de Canton, section peinture à l'huile, est né en 1957 et vit à Canton. Après avoir été décorateur pour la télévision, il se tourne vers la photographie et réalise des séries d'images urbaines en pose ou la nuit, au flash, à la volée et des commandes de mode. Il a appris de la tradition picturale. Mais, dans les sujets qu'il développe, c'est « l'air du temps » qu'il nous donne à voir, une Chine prise entre ses certitudes ancestrales, les bouleversements de l'ère maoïste et ses aspirations occidentalisées.

Karl Kugel

Architecture : la diversité est à l'ordre du jour

Le renouveau de l'architecture date de la fin des années soixante-dix. Considérée comme un « art bourgeois », au même titre que le piano, l'architecture avait été reléguée au magasin des accessoires et les architectes envoyés à la campagne. Ils ont été rappelés à l'œuvre quand Deng Xiaoping s'est effrayé du « mur de la honte », ensemble de logements qui s'édifiaient le long de l'avenue Chang'an à Pékin. Les universités se sont alors à nouveau mises à former des architectes.

L'architecture est confrontée à la nécessité d'une construction de masse dans un pays aux ressources faibles, avec une pénurie de matériaux et un nombre insuffisant d'hommes qualifiés. Qu'il s'agisse des types de logements collectifs, des techniques de la construction standardisée en béton, de la formation des quartiers neufs ou des villes satellites industrielles, toute création se heurte d'abord aux modèles importés de l'étranger.

Dès les années cinquante, aux beaux jours du socialisme conquérant, le slogan était « une forme nationale pour un contenu socialiste ». Les grandes constructions sous influence soviétique se voyaient alors parées de grands toits « à la chinoise » et couvertes de tuiles vernissées... La Bibliothèque nationale inaugurée à Pékin en 1988 relève à nouveau de cette conception.

1959 avait vu fleurir les « dix grands projets » qui ont transformé le centre de la capitale par l'aménagement de la place Tian An Men et les grandes constructions néo-classiques qui l'entourent. L'imagination créatrice revenait au pouvoir au début des années soixante et des débats riches se nouaient sur les relations entre la tradition et l'innovation, le contenu et la forme, la théorie et la pratique. La recherche se développait sur l'histoire de l'architecture, des techniques, de l'art des jardins. Mais la « révolution culturelle » étouffera dans l'œuf ce renouveau, réduisant l'architecture à la seule expression de la construction économique, dépourvue de toute réflexion.

Identité régionale

Les bienfaits de la réforme économique entreprise à la fin des an-

BIBLIOGRAPHIE

« Chine 1949-1979 », *Architecture d'aujourd'hui*, n° 201, fév. 1979.

Hoa L., *Reconstruire la Chine, trente ans d'urbanisme 1949-1979*, Le Moniteur, Paris, 1981.

« Pékin », *Bulletin d'informations architecturales*, n° 79, oct. 1983.

nées soixante-dix dans les campagnes ont redonné aux paysans les moyens financiers et matériels de reconstruire leur logement. On a vu ainsi éclore dans beaucoup de régions une architecture nouvelle qui a su s'inspirer des formes vernaculaires. Ce même courant d'identité régionale s'est fait sentir dans les bâtiments publics : inspiration islamique au Xinjiang ; réinterprétation des modèles d'habitation pour les constructions enterrées du pays du loess ; formes particulières des habitations collectives des Hakka du Fujian ; architecture traditionnelle du Zhejiang.

Ieoh Ming Pei avait inauguré cette voie. Refusant le style international il avait construit, en 1982, aux Collines parfumées, près de Pékin, un hôtel inspiré de l'architecture de Suzhou et du Jiangnan, du « sud du Fleuve » dont il était originaire, alliant tradition et modernité, associant un grand jardin traditionnel et un grand hall couvert de métal et verre.

Le spectacle des villes est bien différent. On est passé des logements collectifs en barres parallèles aux immeubles de grande hauteur : tours de logements, mais aussi tours des grands hôtels internationaux couronnés au sommet d'un restaurant tournant et tours de bureaux à Pékin ou Shanghai, imitation du spectacle qu'offrent Hong-Kong ou Singapour. Les centres anciens défigurés sont menacés par la prolifération anarchique de ces tours, sans souci d'intégration. En réaction à la destruction de quartiers anciens et à la suite de la tentative, pas très heureuse, de reconstitution de la « ville des Qing », du quartier Liulichang à Pékin, des rues de la Culture des Tang, des Song, ou des Ming ont proliféré dans les autres villes entre reconstitution et rénovation. Les projets de réhabilitation, respectueux du tissu et du bâti ancien, restent encore dans les cartons des architectes, bien que l'on s'efforce de stimuler l'émulation par des concours nationaux sur l'habitat rural (1981), sur le logement urbain ou les équipements culturels (1988).

Pierre Clément

LES ARTS DU SPECTACLE

Le théâtre parlé et l'opéra chinois

Le théâtre moderne parlé est apparu au début du XXᵉ siècle, importé d'Occident *via* le Japon. Il diffère sensiblement, du point de vue formel et thématique, des théâtres traditionnels chantés. Les publics attirés par ces deux genres sont également dissemblables. Public jeune et urbain pour le théâtre moderne, âgé ou rural pour le théâtre traditionnel (lequel regroupe des dizaines de genres régionaux).

Le théâtre chanté — l'opéra — a pris forme au XIᵉ siècle dans le Sud puis, au début du XIIIᵉ siècle, dans le Nord (Théâtre Yuan). Nord et Sud sont les pôles géographiques de deux formes différentes de sensibilité dramatique et musicale. Le théâtre chanté a eu une influence considérable sur la vision esthétique et morale des Chinois jusqu'à nos jours.

Relativement tardif, l'Opéra de Pékin s'est imposé au XIXᵉ siècle. Synthèse de différents théâtres locaux, c'est un divertissement populaire, mais avec une sophistication reposant sur un système élaboré de conventions gestuelles ainsi que sur les maquillages et les costumes. Toutes ces formules codifiées, difficiles à saisir aujourd'hui pour un public non averti, en font un spectacle à l'opposé du réalisme. Le répertoire, riche de milliers de titres inspirés de l'histoire et des romans, englobe aussi bien des intrigues édifiantes que des histoires légères, que la morale confucéenne réprouve. Dès le tournant de ce siècle on a voulu le réformer en composant des intrigues progressistes, c'est-à-dire nationalistes ou patriotiques.

Tout comme la littérature, le théâtre est si étroitement lié à la vie politique et sociale que son évolution est marquée par les grands bouleversements de l'histoire moderne, la rupture se produisant avec la révolution de 1911. C'est en 1907, au Japon, que des étudiants chinois, dont Ouyang Yuqian (1889-1961), montent les premières pièces uniquement parlées, avec des traductions de *La Dame aux camélias* et de *La Case de l'oncle Tom*. Introduit en Chine, ce « nouveau théâtre » contribue à propager les idées progressistes issues du Mouvement du 4 mai 1919. Les révolutionnaires les plus ardents s'enthousiasment pour son réalisme à l'occidentale et remettent en question le théâtre traditionnel.

L'influence d'Ibsen

L'heure est à la réforme ; la revue *La Jeunesse* consacre un numéro

──────── *BIBLIOGRAPHIE* ────────

DOLBY W., *A History of Chinese Drama*, Paul Elek, Londres, 1976.

PIMPANEAU J., *Promenade au jardin des Poiriers, l'opéra chinois classique*, Musée Kwok On, Paris, 1983.

spécial à ce thème (octobre 1918).

Les premières pièces sont toutes des traductions de Tchekov, Strinberg, Shaw, Wilde, et surtout d'Ibsen dont l'influence fut considérable. C'est un maître pour Hu Shi (1891-1962) qui, s'inspirant de lui, donne, sur la liberté du mariage, l'une des toutes premières pièces chinoises, *Zhongshen dashi* (*Un Événement qui marque une vie*, 1919).

Pendant les années vingt, l'influence occidentale demeure très forte et on voit apparaître les grands noms du théâtre moderne, comme celui de Hong Shen (1894-1955). Futur théoricien (un des rares) du théâtre, mais aussi dramaturge fécond à qui l'on doit les premières pièces sur la vie des paysans, Hong Shen collabora avec Tian Han (1898-1968), l'auteur de l'actuel hymne national, pour créer en 1928 la Société des pays du Sud (*Nanguoshe*). Les associations théâtrales se multiplient et développent surtout des thèmes sociaux. Tian Han, dont l'œuvre maîtresse est *Mingyou zhi si* (*La Mort du grand acteur*, 1927), invite la Société des pays du Sud à s'associer à la Ligue des écrivains de gauche (1930), fait son autocritique en regrettant son passé esthétisant et entre au Parti communiste (1932). Il y rejoint Xia Yan (né en 1900), partisan d'un théâtre prolétarien dont l'influence sur les milieux dramatiques et le cinéma sera très grande. C'est à cette période que Cao Yu (né en 1910) livre ses meilleures pièces : *Leiyu* (*L'Orage*, 1933), *Richu* (*Le Jour se lève*, 1935), *Yuanye* (*Campagne sauvage*, 1936), marquées par sa haine de la famille traditionnelle.

Pendant l'agression japonaise (1937-1945), puis pendant la guerre civile (1945-1949), le théâtre se radicalise ; la mobilisation des écrivains se fait sur des thèmes na-tionalistes et sur la satire sociale. Les troupes théâtrales sillonnent le pays pour galvaniser la population. Lao She (1899-1966) compose ses premières œuvres, comme *Mianzi wenti* (*Question de face*). La pièce *Beijingren* (*L'Homme de Pékin*) de Cao Yu (1941) résume assez bien cette ambiance de pessimisme crépusculaire.

Le théâtre traditionnel aseptisé

Après 1949, les perspectives changent complètement. L'ancienne société est vilipendée et la nouvelle concélébrée. Lao She, grâce à son génie de la langue, donne la meilleure œuvre de l'époque avec *Chaguan* (*La Maison de thé*, 1957). Les anciens auteurs, tels Guo Moruo (1892-1978) ou Cao Yu, écrivent pour leur part des pièces historiques assez académiques.

Mais, fait important, le théâtre traditionnel est réévalué. On l'aseptise et on l'épure de tous les thèmes licencieux ou qui sont empruntés à la religion traditionnelle. Ses représentations, lors des fêtes dans les campagnes, sont coupées de leur substrat religieux. Les acteurs en sont des fonctionnaires, conviés à chanter le nouveau régime. Cette sollicitude a au moins permis à des genres menacés de disparition de se maintenir, mais au prix d'un alourdissement du répertoire ; et la génération des grands acteurs des années trente ne s'est pas renouvelée.

C'est une pièce écrite en 1961 par Wu Han (1909-1969) pour l'Opéra de Pékin qui servit de prétexte à Mao Zedong pour lancer la polémique qui conduira à la « révolution culturelle ». Entre 1966 et 1976, le théâtre parlé disparaît quasiment, au profit des « fameux » huit opéras révolutionnaires.

Après 1977, le théâtre traditionnel renaît, mais le public, passé un premier mouvement de curiosité, se raréfie. Les jeunes et les intellectuels se tournent vers le théâtre parlé, plus didactique ou polémique. Au côté de vétérans comme Cao Yu, qui revient en 1978 avec *Wang Zhaojun*, ou comme Chen Baichen (né en 1908), les jeunes auteurs innovent et introduisent le théâtre de l'absurde, où beaucoup savent se reconnaître. La pièce *Chezhan* (*L'Arrêt d'autobus*) de Gao Xingjian a d'ailleurs encouru les foudres de la critique officielle.

Tandis que, redoutables concurrents, le cinéma et la télévision reprennent les titres à succès, le théâtre traditionnel continue à la fois de douter de lui-même et d'être contesté. Quant au théâtre moderne parlé, il n'a pas encore su produire de créations réellement indépendantes et originales, tant le contenu du message idéologique reste pesant. Avant 1989, le dramaturge Bai Hua s'est vu interdire deux pièces dont les références au présent ont paru trop sensibles.

Roger Darrobers

Marionnettes, ombres, acrobates et magiciens...

A côté de l'opéra, du conte ou de la ballade, d'autres formes de spectacle traditionnelles existent : le cirque, les théâtres de marionnettes et d'ombres. Sur d'autres scènes, ces spectacles sont intimement liés aux premiers, et subsistent avec plus ou moins d'importance au XXᵉ siècle à la fois sur le continent, à Taïwan et à Hong-Kong.

En tant qu'arts « populaires », leur originalité s'illustre pour le moins dans la richesse et la diversité des numéros d'acrobates et d'illusionnistes pour le cirque, des genres et des créations artisanales pour les différentes marionnettes — à tige, à fils, à gaine ou à baguettes — et pour les ombres de peau ou de papier.

Le spectacle est aussi musical : cordes et flûtes peuvent accompagner le chant du ou des marionnettes, tandis que les percussions et les *ban* (cliquettes) ponctuent le récit. Et qu'il se cache derrière une « fenêtre aux ombres » ou un castelet, le récitant est en cela proche du conteur. Quant à l'opéra, venu d'Inde et non issu de l'art bien plus ancien des marionnettes et des ombres, il n'a cessé de lui prêter son répertoire, et, dans un contexte d'influences réciproques, c'est un principe commun de représentation qu'il faut souligner. Pour un théâtre de silhouettes, de masques, et non d'expressions faciales, toute l'attention doit être portée sur le mime des mouvements et le ballet des ombres ; sur l'esthétique des gestes par essence stylisés comme ils le sont par les acteurs d'opéra ; il y eut d'ailleurs des « marionnettes de chair » et des « grandes ombres », dont hommes et enfants devaient imiter les figures. Quant au cirque, il est à ce point lié à l'opéra que les numéros d'acrobates y étaient intégrés, et qu'ils évoquaient le plus souvent une histoire (tout comme la danse).

Souvent victimes de la désaffectation du public au début du siècle, les théâtres d'ombres et de marionnettes ont, dans une certaine mesure, bénéficié de la politique de défense de la culture populaire après 1949. Création de troupes, festivals nationaux, films et représentations à l'étranger ont concouru au renouveau d'arts destinés à « servir le peuple ». Les pièces modernes, hormis la célèbre *Fille aux*

BIBLIOGRAPHIE

HELMER STALBERG R., *China's Puppets*, China Books, San Francisco, 1984.

PIMPANEAU J., *Des Poupées à l'ombre*, Université de Paris VII, Centre de publication Asie orientale, Paris, 1977.

cheveux blancs, comptent peu de réussites, mais une innovation importante fut la création d'un théâtre de marionnettes enfantin, adaptant des épisodes mythologiques du roman le *Voyage en Occident*, ou des œuvres étrangères comme les *Contes* d'Andersen. Pendant la « révolution culturelle », les rares troupes restées en activité ne pouvaient représenter que les pièces modèles prônées par Jiang Qing. Et au début des années quatre-vingt, le nombre des compagnies atteignait tout juste celui de la fin des années cinquante. On comptait en 1984 environ cent mille amateurs et professionnels. Ces derniers sont répartis entre les compagnies d'État de chaque province, et les compagnies de district ou de commune, particulièrement dans les régions où la tradition est restée forte : dans le Nord, le Hunan, le Sichuan et le Guangdong pour les ombres, sur la côte méridionale et dans le Sichuan encore pour les marionnettes à fils, dans le Fujian, à Taïwan et Hong-Kong pour les marionnettes à gaine, dans le Hunan et le Guangdong enfin pour les marionnettes à tige que les troupes de Pékin et de Shanghai représentent à un échelon national. Dans la campagne, les troupes de paysans-artistes se produisent à l'hiver ; les traditions locales s'y conservent naturellement bien plus que dans les structures engagées dans une politique de modernisation ou d'échanges. Mais le risque y est aussi celui d'une disparition, tandis qu'il est bien moindre dans Taïwan traditionaliste. La question de la survie tient peut-être à une forme spécifique d'innovation ; celle d'une véritable collaboration entre librettistes et marionnettistes. En effet, le répertoire, se contentant toujours d'adapter pièces et épisodes de romans, s'est peut-être desservi lui-même.

Les arts du cirque au contraire n'ont cessé d'être une pratique et un spectacle très populaires. Et s'il faut distinguer illusionnistes et acrobates — qui ne se produisent généralement pas en même temps — ces derniers en particulier ont acquis une grande renommée auprès du public étranger, étant représentés par les compagnies provinciales, mais aussi par de nombreuses troupes de *danwei* (unités de travail).

Pratiquement, l'existence du cirque comme de tous les « autres spectacles » est inévitablement liée à celle des lieux du divertissement, qui ne sont pas forcément les scènes traditionnelles des villes. Ce sont aussi les théâtres de rue et de village des bateleurs, les parcs d'amusements, comme à Hong-Kong et Singapour. Le « Grand monde » de Shanghai en reste une belle image, immense théâtre éclaté en étages, passerelles et scène à ciel ouvert, qui fut, avant 1949, le lieu de tous les divertissements mais aussi de toutes les perditions, et où, à la fin des années quatre-vingt, on voit cohabiter discothèques et jeux électroniques avec les représentations de conteurs, d'acrobates et d'opéra.

Valérie Lavoix

Des chorégraphies inspirées par l'histoire

La danse, depuis 1949, a connu trois phases essentielles : jusqu'en 1966, de 1966 à 1976, et depuis.

Durant la première période, les artistes danseurs ont consacré leurs forces à préserver le patrimoine. Ils ont collecté et répertorié des danses folkloriques à travers le pays, et les ont mises en scène. Des danseurs formés avant 1949, en premier lieu au Royaume-Uni et au Japon, ont étudié des régions bien spécifiques : Tibet et grottes bouddhiques de Dunhuang pour Dai Ailian, Mongolie intérieure pour Jia Zuoguang. Les plus célèbres de ces danses sont la *Danse aux longues écharpes* (han), la *Danse des paons* (dai) ou la *Cueillette des raisins* (ouïghour). Cette collecte de matériaux s'est accompagnée d'une détection et d'une formation des talents locaux. Cependant, une autre tendance se dessine : sous l'influence de l'enseignement dispensé par des artistes soviétiques, des danseurs se sont initiés au ballet classique de type occidental. Mais ces expressions, de danses folkloriques comme de ballet classique, ont une tendance marquée à l'uniformité, que l'influence soviétique a renforcée.

La seconde période, celle de la « révolution culturelle », se résume à deux « ballets révolutionnaires » — *La Fille aux cheveux blancs* et *Le Détachement féminin rouge* —, les seuls à pouvoir être représentés. Les danseurs, devant faire leur rééducation, ne peuvent plus s'exer-cer. Dans les unités de travail, des groupes amateurs font vivre les danses « révolutionnaires ».

Après 1976, la période est marquée par le renouveau. Vitalité et variété sont rendues possibles grâce à la politique d'ouverture. Le ballet classique repart. La danse plus inventive dite moderne, inspirée de techniques occidentales, qui avait débuté dans les années quarante avant d'être tenue pour hérétique, trouve dorénavant un public. L'esprit de curiosité pour l'étranger fait parfois que des techniques toutes nouvelles de l'étranger sont adoptées sans délai. La danse folklorique renaît, inspirée par les légendes et les contes. D'une façon générale, c'est dans l'histoire que les chorégraphes puisent leur source d'inspiration. *Pluie de fleurs sur la Route de la soie* est un tableau de cette voie de communication extraordinaire dans la Chine des Tang. Certains ballets sont inspirés par de récentes découvertes archéologiques, de tombeaux par exemple, ou sont conçus à partir de poèmes antiques comme ceux de Qu Yuan, ou d'œuvres littéraires du début du XXe siècle (adaptées, dans ce cas, généralement en ballets classiques).

La danse entretient des rapports avec le théâtre plutôt qu'avec la musique, qui, sauf exception, n'est composée qu'une fois le thème choisi.

Chen Feng

Le cinéma, art ou industrie ?

En 1896, lorsque les premiers films sont projetés à Shanghai, le cinématographe est sans doute perçu par les Chinois davantage comme une invention technique séduisante que comme un nouveau moyen d'expression esthétique qui, *a priori*, n'a pas sa place dans un univers culturel cohérent, fermé aux innovations. La Chine, dirigée par une dynastie moribonde, est alors l'enjeu des rivalités des nations occidentales dont la culture même est ressentie avec méfiance. Pourtant, il est de plus en plus évident qu'il faut moderniser le pays, le libérer d'une tradition contraignante. L'histoire du XXᵉ siècle est marquée par une perpétuelle oscillation entre le sinocentrisme et l'ouverture. D'un extrême à l'autre, le cinéma traverse des périodes difficiles ; il est confronté à la concurrence d'Hollywood, il doit faire face à la censure du Guomindang et à la guerre avec le Japon. Repris en main à la Libération, il manque disparaître lors de la « révolution culturelle », mais il connaît aussi des jours fastes pendant lesquels sont produits d'admirables chefs-d'œuvre.

Invention étrangère, c'est dans les ports ouverts que s'est d'abord implanté le cinéma. La production chinoise est lente à démarrer : le premier film : *La prise du Mont Ting-jun* — un extrait d'opéra filmé — date de 1905, mais on ne peut parler d'une véritable industrie cinématographique nationale avant les années vingt. Elle se développe alors rapidement, grâce notamment à Zhang Shichuan, à la tête de la compagnie L'étoile dont les films romanesques et d'arts martiaux connaissent une vogue extraordinaire. A ce cinéma, jugé vulgaire, les classes éduquées préfèrent les films occidentaux, principalement américains, qui exercent déjà sur le marché une véritable suprématie. L'arrivée du « parlant » semble redonner des chances aux compagnies chinoises (même s'il est long à s'installer) surtout après que le Guomindang a pris la décision d'imposer la « langue commune », proche du dialecte de Pékin et facteur d'unité nationale.

La naissance d'un cinéma engagé

En 1930, est fondée une nouvelle compagnie, la Lianhua, dont l'ambition est de faire des films de qualité, tant au niveau des thèmes abordés que du style. Le succès des deux premiers, réalisés par Sun Yu en 1930, *Rêve de printemps dans l'antique capitale* et *Herbes folles, fleurs sauvages*, pousse les autres studios (en particulier L'étoile) à abandonner les films de pur divertissement (appelés films « mous » dans la terminologie des critiques communistes) dont le succès est en baisse par rapport à ce cinéma d'un nouveau style. Cette progression est brutalement interrompue par l'attaque japonaise de janvier 1932 sur Shanghai qui détruit une grande partie des installations cinématographiques. Mais lorsque l'ennemi se retire après plusieurs semaines de terribles combats, le cinéma shanghaïen repart de plus belle, endurci par l'épreuve et fort du soutien accru des intellectuels, regroupés depuis mars 1930 au sein de la Ligue de gauche. Les communistes y sont nombreux, et ne cachent pas leur ambition d'utiliser l'arme cinématographique dans la bataille anti-impérialiste. Ainsi naît un cinéma engagé.

En dépit des rigueurs de la censure instituée par le Kuomintang en 1930, des gens d'horizons très différents collaborent à ce nouveau genre, certains formés aux États-Unis, comme Hong Shen et Sun Yu, ou au Japon, comme Xia Yan et Shen Xiling ; d'autres issus du théâtre moderne comme Tian Han et Cai Chusheng, ou formés sur le tas comme Li Pingqian, Fei Mu, Zhu Shilin, Bu Wancang... Tous, quelle que soit leur appartenance politique, sont animés par une ferveur patriotique qui leur fait reléguer au second plan toute autre considération. Conscients qu'ils sont de la nécessité impérieuse de redresser la Chine, ils abandonnent délibérément tout esthétisme : c'est la mort de « l'art pour l'art ». Les plus engagés trouvent un écho à leurs préoccupations dans le cinéma soviétique, dont l'influence commence à contrebalancer celle du cinéma américain, toujours très forte.

Après la déclaration de guerre

contre le Japon, en juillet 1937, beaucoup de cinéastes réfugiés en zone libre abandonnent provisoirement le cinéma (il n'y a plus de pellicule) et continuent leur action militante dans des troupes de théâtre itinérantes. En zone occupée, le cinéma se cantonne pour l'essentiel dans une production de type commercial, souvent médiocre.

Après la victoire de 1945 et le retour à Shanghai des réfugiés, c'est un deuxième âge d'or, évoquant celui des années trente, tant par les thèmes abordés que par les personnalités à l'origine de ce renouveau. Mais, en 1949, la prise de pouvoir par les communistes renverse la situation. La méfiance du nouveau gouvernement est évidente à l'égard du cinéma shanghaïen, à ses yeux trop compromis avec l'ancienne bourgeoisie.

Réalisme socialiste

En mai 1951, l'attaque brutale contre *La vie de Wu Xun* (Sun Yu, 1951) fait éclater la volonté du gouvernement de mettre rapidement en place un cinéma contrôlé par l'État et répondant aux exigences de la nouvelle société. Désormais, le réalisme critique teinté de réformisme des intellectuels petits-bourgeois n'est plus de mise : il doit laisser la place au réalisme socialiste de type soviétique. Mais, en réalité, les mentalités n'évoluent pas aussi vite et beaucoup de films continuent à être tributaires de l'ancien style.

Un nouveau pas est franchi lorsque, en 1958, Mao lance le mot d'ordre « Combiner le réalisme socialiste avec le romantisme révolutionnaire ». En 1959, dans une atmosphère d'intense politisation, cent films sont produits pour le dixième anniversaire du régime. Cet élan révolutionnaire est suivi, au début des années soixante, par une période d'accalmie marquée par le retour des préoccupations esthétiques. Mais, en 1966, lorsque la « révolution culturelle » éclate, le cinéma, réduit à n'être plus que le véhicule des opéras révolutionnaires à thème contemporain (les fameuses « Cinq œuvres modèles »), se trouve menacé, en tant qu'art autonome, de complète disparition. Quelques films de fiction réapparaissent à partir de 1972, politisés à outrance. Ce n'est qu'après la chute de la « Bande des quatre », en 1976, que l'on entrevoit de timides changements. Très vite le processus s'accélère : les vieux films ressortent et les nouveaux ne craignent pas d'exposer les drames de l'époque récente. C'est l'émergence d'un jeune cinéma d'auteur, d'une grande qualité. Le public, lui, se montre très friand de films de divertissement dans le style de ceux produits à Hong-Kong. Paradoxalement, ils sont encouragés par les autorités qui préfèrent ces films « mous » aux films de critique sociale.

A la fin des années quatre-vingt, la production, de l'ordre de 120 à 140 films par an, était en progression mais, dans l'ensemble, avec un niveau médiocre. Faute d'un système d'aide à la création, conserver un cinéma d'auteur devient difficile quand les studios doivent d'abord songer à la rentabilité. Comme par ailleurs ils ne contrôlent pas la diffusion, dont la compagnie d'État *China Film* a le monopole, il n'y a ni liberté ni véritable concurrence. De ce fait, même les studios, comme ceux de Xi'An, ou du Guangxi, qui ont produit des œuvres de valeur, primées dans de nombreux festivals à l'étranger, devaient changer d'orientation et, selon les directives, faire des films rentables pour survivre.

Le cinéma chinois trouvera-t-il un jour les conditions de liberté nécessaires à un véritable épanouissement ? Cela semblait acquis au début des années quatre-vingt mais ensuite la situation s'est beaucoup détériorée. Aurait-on oublié que le cinéma est un art avant d'être une industrie ?

Marie-Claire Quiquemelle

La percée de la télévision

La télévision est née en 1958, mais ne s'est véritablement développée qu'à la fin des années soixante-dix. Son essor a été extrêmement rapide puisqu'en 1983, il y avait déjà vingt millions de téléviseurs. Quatre ans plus tard, 120 millions, soit près de 600 millions de téléspectateurs dont 80 % de paysans. En ville, 95 % des familles possèdent un poste (un sur deux en couleurs), contre seulement 30 % à la campagne. Ces postes sont en général de fabrication chinoise, mais les marques étrangères (certaines manufacturées en Chine sous licence) sont les plus cotées. En 1973 a été adopté le procédé couleur allemand PAL.

La télévision possède un réseau de diffusion national : la Télévision centrale, et une cinquantaine de chaînes locales dépendant également du « centre », mais jouissant d'une certaine autonomie en matière de production et de programmation. En 1987, il existait 300 stations, réparties dans tout le pays. La Télévision centrale fournit aux chaînes locales des équipements et du personnel. En échange, elle diffuse une partie de leurs productions (environ un tiers de ses émissions, un autre tiers étant acquis à l'étranger).

Organisme d'État, la télévision dépend du ministère Radio-Cinéma-Télévision qui la dote de 300 millions RMB (environ 480 millions FF) de bugdet annuel sur lesquels environ les deux cinquièmes iraient à la Télévision centrale. A ces crédits viennent s'ajouter les ressources de la publicité, autorisée depuis 1979, en progression constante : 9 millions de RMB en 1985, 12 millions en 1986, 15 millions en 1987, pour la seule Télévision centrale. Quant aux télévisions locales, notamment celle de Canton, la publicité y joue déjà un rôle déterminant.

Les émissions sont obligatoirement en langue nationale, sauf cas particulier, par exemple dans les zones habitées par des nationalités non chinoises (Tibétains, Ouigours, Coréens). Autre exception : la province de Canton possède deux chaînes régionales dont l'une émet en cantonais.

La télévision affronte les mêmes problèmes que le cinéma pour le contenu des émissions, notamment au niveau de la censure. Les difficultés rencontrées en 1988 par la série *He Shang* (*Sacrifice pour un fleuve*) en ont été une preuve. Mais cette fois, bien qu'elle ait été officiellement critiquée, l'émission a été finalement reprogrammée après avoir suscité un large débat dans le pays au cours duquel tout le monde s'est accordé à louer la qualité de *He Shang*. C'est important à une époque où la télévision est caractérisée par une certaine médiocrité de sa production. Médiocrité qui ne peut qu'être encouragée par la place de plus en plus grande accordée à la publicité. Bien sûr, ce n'est pas encore la course aux indices d'écoute, mais comment éviter d'être pris dans l'engrenage ?

Marie-Claire Quiquemelle

La musique, entre Occident et tradition

La vie musicale hésite entre une caricature de l'Occident et la survivance de traditions millénaires, entre une ouverture vers une modernité et un bilan du passé qui risque de ressembler à un enterrement de première classe. La fin des années quatre-vingt restera comme une période où tout était encore possible.

L'enseignement, pour ce qui concerne la musique traditionnelle, se fait dans les grands conservatoires. Ils restent le lieu de passage obligé de tout musicien qui veut devenir professionnel, même si l'enseignement direct des grands maîtres, en cours particuliers, permet encore à certains de bénéficier d'une formation parfois bien supérieure. La professionnalisation des instrumentistes conduit à un niveau technique très élevé, à une extension du répertoire, mais ceci s'accompagne d'une standardisation du jeu. Si de nombreux instruments résistent bien à cette évolution, la voix chantée a été incapable de se trouver un modèle autochtone et présente une caricature d'un bel canto qui n'a plus cours en Occident que dans l'opérette.

Pour la musique occidentale, tout l'enseignement est orienté vers la formation de solistes dans les disciplines reines : piano, violon et voix, même si les autres instruments de l'orchestre sont également enseignés. Quelques studios de recherche se sont créés. Malgré la venue de professeurs invités, les musiciens qui se destinent à une carrière de haut niveau ne peuvent faire l'économie d'une formation complémentaire en Occident.

Un institut de recherche musicale rassemble les chercheurs de haut niveau. Il s'ouvre progressivement à une confrontation et une collaboration avec les chercheurs occidentaux et japonais. Il décide des orientations nationales que doivent appliquer les instituts de recherche locaux, liés ou non aux conservatoires. Toutes les énergies sont mobilisées pour la constitution avant l'an 2020 de l'*Encyclopédie audiovisuelle de la Chine* qui suivra la division classique en musique instrumentale, chant populaire, ballades. Les musiques bouddhistes et taoïstes y seront également traitées.

Depuis la fin de la « révolution culturelle », de nombreuses musiques données pour mortes ont réapparu. Une politique de sauvegarde du patrimoine se met en place, au risque d'en faire un art figé. A la préservation s'ajoutent aujourd'hui des tentatives de redécouverte des musiques et des instruments du passé. Hors de l'institution et hors de la profession, on peut encore, dans les temples, les maisons de thé, les clubs, les squares, entendre les plus belles musiques, jouées par des amateurs dans leur cadre traditionnel, que ce soit les ballades chantées *Nanyin* du Fujian, les percussions de Xi'an ou les musiques bouddhistes de Wutai shan, sans oublier l'art de la cithare *qin*.

Tandis que les meilleurs solistes enseignent dans les conservatoires, la plupart des musiciens jouent dans des « ensembles de chants et danses » ou des orchestres d'opéra, de radio ou de film, calqués sur un modèle occidental importé par les Soviétiques. Ils sont tous salariés.

L'Association des musiciens, parallèlement aux institutions nationales ou provinciales, met à profit une certaine autonomie de pouvoir pour effectuer des liaisons horizontales ou promouvoir certaines expériences. La régionalisation de l'édition (livres et phonogrammes) et des radios permet à une plus grande diversité d'esthétiques de s'exprimer. La facture instrumentale souffre d'un retard important.

BIBLIOGRAPHIE

Chine : Fanbai. Chant liturgique bouddhique (notice de présent. de F. PICARD), Disque Ocora Radio-France, Paris, 1989.

Chine : Musique classique vivante par le Cercle d'Art Populaire (notice de présent. de F. PICARD), Disque Ocora Radio-France, Paris, 1989.

Cependant l'idée est désormais acquise que l'achat d'instruments ou de matériel à l'étranger est une étape indispensable pour atteindre un niveau international.

Les exigences contradictoires de la tradition, du grand public et de la recherche ont créé des domaines entre lesquels les passerelles sont rares. La pratique récente consiste à présenter les publications phonographiques de haute qualité artistique (qu'il s'agisse de créations de jeunes compositeurs ou d'enregistrements de musiques religieuses par exemple) avec des notices en caractères anciens et en anglais. Cela montre l'adoption d'une politique à deux vitesses : une musique d'élite, authentique ou de recherche, pour l'exportation, une musique standardisée pour le marché interne et les touristes. Mais cette musique pour orchestre d'instruments chinois est de plus en plus menacée par l'invasion, via Hong-Kong, des « variétés internationales ». En attendant le synthétiseur, la guitare prend le relais de l'accordéon des années soixante comme instrument le plus répandu.

François Picard

POUVOIR
ET SOCIÉTÉ

La «réforme politique», inévitable mais dangereuse

La Chine est dirigée par un pouvoir communiste. Et pourtant, cet ouvrage range dans une même rubrique l'analyse du pouvoir et de la société. Par souci de méthode tout d'abord : car, même dans les régimes totalitaires, c'est le rapport entre ces deux pôles qui engendre les évolutions historiques. Mais aussi pour mieux faire comprendre l'originalité du cas chinois. Avant juin 1989, le régime de Pékin est en effet celui qui, dans le monde communiste, est allé le plus loin sur la voie des réformes. A la différence de Cuba et de la Corée du Nord, il a perdu ses grandes utopies en même temps que son héros éponyme. Contrairement au Vietnam, il a délaissé la logique de l'affrontement intérieur et extérieur pour choisir la voie de la modernisation économique et de la réforme.

Mais la comparaison la plus riche de sens oppose, aujourd'hui comme hier, la Chine et l'URSS. L'entreprise chinoise est à la fois plus récente — car Deng est d'une certaine façon le Khrouchtchev de la Chine — et plus ancienne, puisque son programme date de 1978, alors que M. Gorbatchev est arrivé au pouvoir en 1985. En outre, elle est beaucoup plus avancée, non dans le discours politique (qui reste sans doute plus prudent) mais dans la pratique. Cette différence s'explique certes par des facteurs extérieurs (la pression des capitalismes asiatiques), et intérieurs (les plus célèbres partisans de la « révolution culturelle » ont été éliminés), mais aussi par un phénomène qui saute aux yeux du voyageur : la vitalité sociale de la Chine. Les pires excès de Mao Zedong, quoique largement dictés par la passivité populaire, n'ont pas atteint le corps social dans son ressort fondamental. Bien au contraire, l'évolution qui a produit la victoire de Deng Xiaoping a été précipitée par des pressions sociales de tout ordre. De plus, dès lors que le PCC a relâché sa domination sur la société, celle-ci a réoccupé l'espace ainsi libéré, et ses différents segments ont concouru à une entreprise économique qui s'opérait à leur avantage. La vie politique est l'effet d'un corps-à-corps permanent entre les différents échelons du pouvoir et les groupes sociaux. En ce sens, le régime chinois est infiniment plus « populaire » que le soviétique.

Cinq monopoles pour le Parti

Il ne fallait pas, pour autant. oublier l'architecture fondamentale du pouvoir en Chine. D'après la Constitution de 1982, la République populaire de Chine est un « État socialiste de dictature démocratique du peuple, dirigé par la classe ouvrière et basé sur l'alliance des ouvriers et des paysans », c'est-à-dire une dictature du représentant de la « classe ouvrière », le Parti communiste chinois (PCC). Juridiquement, le régime n'a pas changé de nature depuis sa première constitution de 1954. Les textes assurent au PCC un pouvoir en principe total qui se manifeste traditionnellement par cinq grands monopoles. Le premier, le plus important, est le monopole de la vérité : le marxisme-léninisme demeure l'idéologie officielle de la Chine. Le second est le monopole du pouvoir, qui réserve au PCC le choix des grandes orientations et le contrôle de leur application. Les trois autres monopoles assurent au PCC les moyens de mettre en pratique sa politique en dominant les autres appareils : l'armée et la police (monopole de la violence), l'administration (monopole de l'organisation économique) et l'information (monopole de la propagande).

Cependant, ces grands monopoles ont été mis en pratique de façon évolutive. Dans les années cinquante, la prédominance absolue du Parti a été nuancée par le rôle économique réservé à l'appareil d'État et par la professionnalisation de l'armée. A partir du Grand bond en avant de 1958, par des coups de boutoir répétés, Mao s'est efforcé d'imposer un fonctionnement militant de ces monopoles. Au-dessus de tout, il plaçait l'idéologie incarnée dans un chef ; chaque fois que nécessaire, le Parti était dépouillé de sa prééminence, et d'autres forces pouvaient être appelées à prendre leur part dans la grande mobilisation : comme l'objectif était de communiser rapidement le pays, le corps social devait être transformé par des mouvements de masse continuels.

La situation actuelle de la Chine s'explique par l'effondrement économique (Grand bond en avant) puis politique (« révolution culturelle ») de cette version militante de la dictature du prolétariat, qui interdisait à Deng Xiaoping de simplement réhabiliter les procédures classiques des années cinquante. Pour maintenir le P C C au pouvoir, c'est-à-dire conserver ses monopoles fondamentaux (l'idéologie et le pouvoir), il a fallu les alléger de façon différentielle. Le marxisme-léninisme et la « pensée de Mao Zedong » demeurent l'idéologie officielle, mais on admet qu'ils ne gouvernent pas la vie quotidienne. Si le P C C reste le maître du pays, son pouvoir est relayé par une administration plus autonome et l'on donne une importance accrue aux apparences du Front uni : les petits partis démocratiques sont à nouveau autorisés à recruter modérément. Mais les concessions les plus importantes vont à la société, et elles expliquent l'érosion des trois autres monopoles. La répression vise à ne frapper qu'un petit nombre de ceux que l'on désigne pour l'occasion du vocable usé de « contre-révolutionnaires » et se concentre officiellement sur les criminels de droit commun. L'armée, professionnalisée, est renvoyée à sa mission de défense. Le contrôle sur l'information et la culture s'est assoupli. Enfin, le Parti n'exerce plus qu'une tutelle en principe lointaine sur l'économie, qui est désormais l'affaire du gouvernement.

Un système concentrique

Cette évolution est dictée par la politique de modernisation économique. Deng Xiaoping ne s'est pas contenté de battre en retraite, il a mis le régime en mouvement dans une direction inverse de celle que Mao Zedong avait privilégiée : le développement. La réforme découle d'abord d'impératifs économiques. Elle ne répond pas à des aspirations humanitaires, mais à un souci d'efficacité. Elle ne s'inspire pas d'un renouveau idéologique mais de deux compromis empiriques. Compromis, tout d'abord, avec la société : en échange de sa loyauté politique, le pouvoir promet à la population de moderniser le pays et de distribuer les fruits du développement. Compromis, ensuite, avec les méthodes économiques les plus efficaces du moment, celles qui viennent du monde capitaliste.

L'objectif est de mettre en place un système qui ne sera plus complètement monopolistique, mais organisé en cercles concentriques : au centre, le noyau politique du pouvoir appuyé sur ses instruments policier et militaire ; sur la périphérie, des enclaves géographiques et sociales ouvertes au capitalisme ; au milieu, des zones intermédiaires où les deux systèmes coexistent pour se féconder. Ce dispositif spatial et politique évoque celui de l'Empire finissant. A deux différences près, par ailleurs essentielles : l'évolution a été voulue, et elle est mieux contrôlée ; le cœur du système reste à l'abri des influences étrangères, uni par des intérêts et des objectifs communs qui l'emportent sur ses divisions factionnelles.

Une opinion de Jean Pasqualini

Né en Chine, quand elle était divisée en sphères d'influence contrôlées par les seigneurs de la guerre, je l'ai quittée quinze ans après sa « libération » par les communistes. J'ai passé les sept dernières années de mon séjour en Chine dans des camps de « réforme par le travail » ou dans des prisons. Prenant ainsi une « part active à la reconstruction socialiste », j'ai reçu un endoctrinement complet pour ce qui concerne cette espèce particulière de marxisme-léninisme qu'est la « pensée de Mao Zedong ».

Si j'observe la Chine contemporaine, en prenant le point de vue des « masses », comme l'on me l'a enseigné autrefois, je ne ressens que déception, désillusion, tristesse, pessimisme et même crainte. Je me demande si la Chine n'est pas à la dérive, et le Parti communiste en déroute. Je ne nie pas que des progrès considérables ont été réalisés pour hausser le niveau de vie d'une bonne partie de la population, ni que ce qui a été fait depuis 1978 dépasse largement le bilan des trente premières années qui ont suivi la « libération ».

Des objets de luxe dont l'on ne pouvait même pas rêver il y a seulement dix ans sont aujourd'hui à la portée des Chinois. Ceux-ci qui, pendant des siècles, ont souffert des privations, se précipitent avec enthousiasme dans la brèche de la société de consommation. Mais le prix payé pour cela semble bien dépasser la valeur. Le peuple a perdu son idéal. L'enthousiasme des années cinquante et du début des années soixante a disparu. « Servir le peuple » a été remplacé par « Tout pour la recherche du gain ». L'amitié existe encore, mais toute faveur a son prix. Le don de soi qui, jusqu'au milieu des années soixante, était une vertu, est maintenant considéré comme de la bê-

tise pure et simple. Il s'agit aujourd'hui de penser à soi avant de penser aux autres. Les jeunes estiment avec quelque raison que l'on a trop abusé d'eux avant de les jeter comme de vieilles chaussettes. Ils ne sont pas près de se « faire avoir » une nouvelle fois.

Les communistes ont la fâcheuse habitude de rejeter les raisons de leurs erreurs et échecs sur leurs prédécesseurs. Avant la « révolution culturelle », une ligne de démarcation nette était tracée entre la société ancienne d'avant la « libération », et la nouvelle. Pendant la « révolution culturelle », les dix-sept années de société nouvelle qui l'avaient précédée étaient devenues haïssables. Après la « révolution culturelle » et la nouvelle référence magique de la « chute de la "Bande des quatre" », les pendules ont été une nouvelle fois remises à l'heure. Tout ce qui ne marche pas aujourd'hui serait le produit des horreurs de Jiang Qing, la veuve de Mao, et de ses complices, jusqu'en 1976.

Mais peut-on oublier que la plupart des dirigeants communistes actuels étaient déjà membres du Bureau politique du Parti pendant la « révolution culturelle » ? Qu'ils avaient, de ce fait, un rôle de décision déterminant aux côtés de la fameuse « Bande des quatre » ?

Comment corriger les erreurs ?

Cette triste propension à nier toute responsabilité pour les erreurs commises rend impossible, pour le Parti communiste, la prise de mesures de correction efficaces. Faut-il souligner que ce n'est pas la « révolution culturelle » en tant que telle qui a re-

froidi la jeunesse et engendré des sentiments de dégoût et de révulsion, mais l'attitude arrogante et les privilèges d'année en année maintenus des gros bonnets du Parti communiste ?

Tout comme la « révolution culturelle », les réformes actuelles visant à libéraliser la Chine ont été lancées avec les meilleures intentions du monde. Mais, dans les deux cas, on n'en a pas prévu les dérapages incontrôlés. Dix ans après le lancement des réformes économiques, le Parti communiste chinois semble avoir perdu non seulement son prestige, mais aussi son influence, et peut-être le contrôle de la situation.

La suprématie et l'orthodoxie du Parti sont ouvertement contestées. Bien peu, aujourd'hui, annoncent encore avec fierté leur appartenance au Parti. La « course à la carte » a été remplacée par la course à l'argent. Rares sont ceux qui voient encore dans le marxisme la seule solution pour régler les problèmes de la Chine et continuent de croire dans les compétences du Parti pour conduire les réformes lancées par Deng Xiaoping pour sortir la Chine du sous-développement et en faire une nation moderne. Deux obstacles entravent le succès de celles-ci : la corruption et l'inflation. Étrangement, ce sont précisément ces deux fléaux qui ont fait tomber l'ancien régime de Tchang Kai-Shek : la corruption et l'inflation.

Quand les communistes prirent le pouvoir, leur première campagne fut pour lutter contre la corruption. Ils savaient trop bien qu'ils subiraient le même sort que leurs prédécesseurs nationalistes si la corruption continuait de régner sans contrôle. De ces quelques cadres communistes corrompus qui furent châtiés sans merci, Mao Zedong disait : « De nombreux camarades qui n'ont jamais plié devant l'ennemi sont tombés après avoir été touchés par les balles enrobées de sucre de la bourgeoisie. » La situation actuelle est très différente. La corruption est rampante dans tous les secteurs du Parti ou du gouvernement ; en outre, elle est rarement punie. Elle atteint désormais un degré jamais vu. On ne se cache plus pour y céder. Elle fait partie du paysage. Elle est devenue un nouvel art de vivre. La Chine n'est pas une république bananière et les communistes ont longtemps caressé le rêve d'établir une « nouvelle société » où la corruption serait définitivement balayée. Je me rappelle du temps où un policier n'aurait jamais accepté une tasse de thé ou une cigarette, de peur d'être compromis.

En ce qui concerne l'inflation, les prix ont été pendant vingt-cinq ans arficiellement maintenus au même niveau. La population en était arrivée à croire que l'inflation faisait partie du passé. Les revenus étaient très maigres, mais il était généralement possible de subvenir à ses besoins les plus essentiels : les prix de la nourriture et les loyers étaient extrêmement bas. Peu de marchandises de luxe étaient disponibles et la population était habituée à la frugalité. A cette époque, les symboles de la réussite sociale étaient un stylo à encre, une montre-bracelet et une bicyclette. Aujourd'hui, les prix s'envolent à une telle vitesse que la confiance populaire dans la monnaie s'effondre. Avec la hausse des niveaux de vie, les besoins augmentent dans des proportions alarmantes, la course à la consommation devenant une cause additionnelle d'inflation.

Bien des vieux cadres du Parti se posent la question cruciale : les millions de vies humaines perdues depuis quarante ans et leurs propres sacrifices valent-ils les piètres résultats atteints ? Je les comprends.

J.P.

L'énigme centrale de la situation, les événements du printemps 1989 l'ont rappelé, réside dans la *capacité de réversion* que les dirigeants du PCC sont persuadés de conserver. Sans la conviction de pouvoir annuler leurs concessions, ils ne se seraient sans doute pas lancés aussi hardiment dans les réformes. D'un autre côté, cette conviction fait peser sur l'avenir du processus une incertitude qui nuit à sa crédibilité auprès de la population. Mais jusqu'à quel point les responsables peuvent-ils remettre en cause une politique dans laquelle ils ont mis tout leur poids, dont ils profitent matériellement et qui a modifié profondément leur système de pouvoir ?

Des lendemains dangereux

Cependant, ils n'ignorent plus que leur stratégie a engendré des dérives imprévues. Le désordre économique et le malaise social préparent des lendemains dangereux. La décollectivisation de l'agriculture et le démantèlement des contrôles bureaucratiques sur l'industrie n'ont pas engendré un système mixte dont tous les rouages coopèrent souplement, mais un immense désordre où les différentes unités, les divers modes de gestion s'entrechoquent autant qu'ils s'épaulent.

L'économie se trouve dans une situation intermédiaire où elle accumule les défauts de l'économie bureaucratique et du pré-capitalisme. De la première, elle retient le privilège donné aux grandes masses industrielles, la lourdeur hiérarchique, les manies statistiques et le mépris du consommateur. Du second, elle manifeste le désordre, les inégalités sociales et surtout géographiques, la prévalence des intérêts particuliers sur les intérêts généraux. Les résultats obtenus sont inégaux, et suscitent le mécontentement de tous ceux qui, désormais, se perçoivent comme les laissés pour compte de la modernisation : les habitants (et les cadres) des régions éloignées de l'intérieur ; les professions dont les revenus ne dépendent pas des gains de l'économie, mais du budget de l'État, et qui sont moins favorisées par le pouvoir. Les événements d'avril-mai 1989 ont montré que le malaise est particulièrement aigu dans le monde universitaire. Ces mécontentements ont été aggravés par une inflation contre laquelle le gouvernement se trouve impuissant.

En eux-mêmes, les problèmes de la transition économique ne sont probablement pas insolubles, à condition de tenir pour acquises la patience du corps social et la stabilité du pouvoir politique. Or ces conditions apparaissent de plus en plus difficiles à réunir. Ce qui rend dangereux le malaise social de la Chine actuelle, ce sont d'abord des mutations culturelles et psychologiques. La dissidence, certes, n'a jamais été complètement éradiquée malgré sa faiblesse organisationnelle et idéologique ; les contacts plus aisés avec l'étranger, la sympathie de nombreux membres de l'appareil, la diffusion des idées démocratiques dans la population citadine et les souvenirs tragiques de mai-juin 1989 vont faciliter son développement. Mais le danger est faible pour le PCC, aussi longtemps du moins qu'il conservera ses moyens de répression et la capacité de les utiliser. Le danger ne réside pas non plus dans la résurgence des minorités nationales et la constitution de minorités sociales. Les premières sont démographiquement minoritaires et — à l'exception notable des Tibétains — dépourvues de projet politique. Les secondes — et notamment les couches sociales « modernes » qui réapparaissent dans les métropoles urbaines et les zones économiques spéciales — sont numériquement réduites et politiquement peu influentes.

L'impatience et le désarroi du peuple

Beaucoup plus graves sont l'impatience et le désarroi qui saisissent la grande masse du « peuple ». Après des décennies de difficultés et de misère, chacun aspire à une suffisance matérielle que les retards accumulés et la surpopulation rendent très difficile à réaliser. D'autre part, la société chinoise se trouve dans un profond désarroi. L'échec du maoïsme a été perçu comme l'échec du communisme, et pourtant aucune idéologie de substitution ne s'impose encore. Le pouvoir n'est pas parvenu à reconstruire une légitimité politique, même et surtout après le massacre du 4 juin 1989 à Pékin. Les idées démocratiques se répandent dans la population urbaine, non dans l'immense masse rurale. C'est ainsi qu'un troisième phénomène se produit : le « retour du vieil homme » autrement dit le retour des comportements sociaux antérieurs à la « révolution ».

Les traditions issues du passé — modifiées et appauvries, certes — réinvestissent la vie privée et le champ social, comme le montre l'évolution des coutumes du mariage. Elles influencent de plus en plus la constitution des groupements sociaux et leurs structures internes. Il n'est pas impossible d'appeler « civile » cette société qui s'épanouit sur les ruines des grandes mobilisations, dans les espaces que le pouvoir a été contraint de lui rétrocéder, et en réhabilitant des traditions largement inspirées du confucianisme. Mais à condition, justement, d'insister sur la négligence de cette société pour la politique. La Chine d'aujourd'hui retrouve le goût de la morale sociale, mais il s'agit d'une morale de petites collectivités, non d'une éthique civique.

Ainsi, à mesure qu'il allège son pouvoir, le P C C laisse place à un corps social qui n'est animé par aucun projet unifiant, mais qui, au contraire, se fragmente à l'infini en une multitude de cellules concurrentes. C'est pourquoi la grande question politique de la Chine actuelle est celle de la construction d'un État, qui ne s'identifie ni au pouvoir totalitaire d'hier, ni au système impotent d'avant-hier, mais remplisse effectivement des fonctions de représentation, de médiation et d'administration. Le malaise social cessera d'être dangereux quand il trouvera une traduction dans l'appareil d'État, quand une autorité reconnue et impartiale imposera les choix nationaux, et quand un corps de fonctionnaires compétents les appliquera. Les dirigeants actuels sont conscients du problème. Mais la « réforme politique » qui doit construire l'État chinois sera difficile et longue, tant à cause des obstacles psychologiques issus du passé qu'à cause des inévitables récurrences totalitaires.

Au total, donc, le régime communiste chinois inspire deux sortes d'analyses. La première, politique, privilégie les équilibres maintenus et les principes conservés au prix du massacre de milliers de vies et de millions d'espérances : quiconque travaille, négocie avec des Chinois ne doit jamais oublier que ce pays reste dirigé et contrôlé, souvent jusque dans le détail, par le Parti communiste. En revanche, une analyse plus globale et prospective doit mettre en évidence le constraste entre les rigidités du passé et la fluidité du présent, la combinaison actuelle entre le malaise social, le désarroi idéologique et l'archaïsme politique, et donc les incertitudes qui pèsent sur l'avenir.

Ces incertitudes ont été illustrées par les événements du printemps 1989. On a vu, pendant de longues semaines, le Parti se diviser devant une protestation citadine massive mais inorganisée et isolée des campagnes. Deng Xiaoping est finalement parvenu à massacrer la protestation démocratique et à réaffirmer temporairement la suprématie du P C C, mais non à supprimer les causes de la crise. Les mêmes incertitudes fondamentales pèsent toujours sur l'avenir de la Chine. Une seule chose, à la vérité, est certaine : s'il est vrai que le communisme est venu au pouvoir en Chine pour des raisons qui débordaient, et de loin, son message social, il est non moins vrai que l'histoire présente sape en profondeur les principes du régime qu'il a fondé.

Jean-Luc Domenach

BIBLIOGRAPHIE

BERGERE M.-C., « Après Mao, le retour du vieil homme », *Vingtième Siècle*, Paris, n° 1, 1984.

Connaissance de la Chine, Éditions en langues étrangères, Pékin, 1986.

DOMENACH J.-L., « La Chine ou les tribulations du totalitarisme » *in* M. GRANITZ, J. Leca (ed.), *Traité de Science politique*, t. II, Paris, 1985.

HARDING H., *China's Second Revolution, Reform After Mao*, The Brookings Institution, Washington D.C., 1987.

LIEBERTHAL K., OKSENBERG M., *Policy Making in China : Leaders, Structures and Process*, Princeton University Press, Princeton, 1988.

OKSENBERG M., « China's XIIIth Party Congress », *Problems of Communism*, nov.-déc. 1987.

Les fluctuations de l'idéologie

Guo Muoruo, éminent académicien, archéologue et marxiste convaincu, en novembre 1925, imagine la rencontre au Temple de Confucius à Shanghai entre le Vieux Maître et... Karl Marx. On est le cinquième jour du dixième mois lunaire, le lendemain du Sacrifice d'automne. Confucius avec ses disciples mâchonne tristement de la tête de porc froide et filandreuse, maigre offrande de ses derniers fidèles. Survient un palanquin porté par des *compradores*-interprètes : Karl Marx, « un Occidental à la face de crabe et aux joues mangées de barbe », vient interroger le Sage. Surprise : ils se comprennent parfaitement. « Votre société, dit Confucius, se trouve entièrement conforme à l'Âge d'Or que j'ai appelé *Da Tong* », et d'ajouter : « Quand tout le monde ne mange pas encore à sa faim, il ne faut pas tolérer qu'une minorité se délecte d'holothuries et d'ailerons de requins. » « Ça, c'est bien vrai, s'exclame Marx. Je n'aurais pas imaginé qu'il y a 2 000 ans nous avions déjà en Extrême-Orient un vieux camarade tel que vous ! Nos idées concordent parfaitement. » « Hélas ! soupire Confucius, les Chinois ne sont pas capables de mettre mes idées en pratique. Si seulement ils pouvaient comprendre ! Ceux qui croient en vous ne pourraient s'opposer à moi, et ceux qui croient en moi ne pourraient s'opposer à vous ! » Ce « débat » sur la théorie et la pratique pose le problème du rôle de l'idéologie dans la conception des communistes chinois : celle-ci est conçue comme un ensemble systématique d'idées avec des conséquences au plan de l'action, dont le but est de créer et de faire fonctionner l'organisation communiste et, partant, de diriger de façon correcte la société tout entière. L'efficacité du confucianisme dépendait de la qualité intellectuelle et morale des mandarins. Celle du communisme dépend de sa mise en pratique par des cadres et des militants bien formés idéologiquement. L'affirmation de l'idéologie est ainsi affirmation du rôle dirigeant du Parti. L'histoire de l'idéologie maoïste devient celle du rôle dirigeant du Parti communiste.

Sinisation du marxisme

La « pensée de Mao Zedong » fait son apparition en 1938. Elle prend la forme de la sinisation du marxisme, affirmée lors de la sixième session du 6e Comité central, en octobre 1938. L'idée est simple : face aux « dogmatiques » regroupés autour de Wang Ming qui se réclament des lois universelles du socialisme édictées par Staline pour le critiquer, Mao se réclame de son expérience du terrain, de sa conduite intelligente de la guerre civile, de son aptitude à analyser de façon neuve la société chinoise. Il s'en prend à ses adversaires qui pratiquent le *culte du livre*, des œuvres complètes de Marx, Engels, Lénine, Staline... mais ignorent tout de la Chine. Il prône donc, comme critère de la vérité, non pas la citation correcte, mais la pratique. Il répète qu'il n'existe pas de marxisme abstrait, mais seulement un marxisme concret, qui a pris une forme nationale. Sur cette base, il apparaît comme novateur, ouvert, libérateur. Peu remarquent que, parallèlement, l'affirmation de la pensée d'un homme comme fondatrice de toute décision correcte s'accompagne dès 1942 d'un début de culte de cet homme. Bien peu remarquent le sort peu enviable réservé aux rares intellectuels qui n'acceptent pas ce nouveau dogmatisme en formation, écartés des responsabilités, limogés, voire même, comme Wang Shiwei, exécutés.

C'est Liu Shaoqi qui, au VIIᵉ congrès du PCC, en 1945, se fait le héraut de cette « pensée de Mao Zedong » qu'il introduit jusque dans le préambule des statuts du Parti. Écoutons son dithyrambe. « La "pensée de Mao Zedong", c'est le nouveau développement du marxisme dans la révolution nationale démocratique de l'époque actuelle dans les pays coloniaux, semi-coloniaux et semi-féodaux. C'est un modèle admirable de la nationalisation du marxisme. Elle est chinoise et en même temps elle est entièrement marxiste. La "pensée de Mao Zedong" est l'unique théorie juste pour conduire notre Parti. La "pensée de Mao Zedong", de sa conception de l'univers jusqu'à son style de travail, c'est le marxisme sinisé en voie de développement et de perfectionnement... Ce n'est personne d'autre que le camarade Mao Zedong qui, d'une façon remarquable et réussie, a conduit cette entreprise exceptionnelle et difficile de la sinisation du marxisme... Notre camarade Mao Zedong n'est pas seulement le plus grand révolutionnaire et le plus grand homme d'État dans l'histoire de la Chine. Il est aussi le plus grand théoricien et homme de science dans l'histoire de la Chine. »

La pensée de Mao Zedong et le Petit livre rouge

Après la prise du pouvoir par les communistes en 1949, l'idéologie connaît un développement en deux étapes sensiblement différentes. Pendant les premières années du nouveau régime, on laïcise cette idéologie qui déjà dérapait dangereusement vers un culte. On édite les

Œuvres choisies, soigneusement corrigées et débarrassées de formules peu conformes au canon marxiste stalinien. Mao Zedong devient l'auteur de référence pour tout travail, toute réflexion. Ceux qui se permettent de dénoncer cet étouffant conformisme, comme Hu Feng, un intellectuel ami de Lu Xun, sont impitoyablement brisés. Mais cependant, peu à peu, Mao Zedong voit son statut réduit. On estompe son originalité. Il rentre dans le rang au point de voir la référence à sa pensée effacée des statuts du Parti lors du VIIIᵉ congrès, en septembre 1956, sur proposition du secrétaire général Deng Xiaoping.

Mais, à partir du lancement du Grand bond en avant, en 1958, la prise de distance avec l'URSS qui aboutit à une totale rupture en 1963, et l'affirmation d'une voie chinoise originale vers le socialisme, conduisent à une exaltation de la « pensée de Mao Zedong ». L'idéologie atteint, dans ces années qui précèdent la « révolution culturelle », son intensité maximum. C'est alors que Lin Biao met au point le célèbre *Petit livre rouge* qui diffuse les idées du Grand Timonier, regroupées en divers centres d'intérêt, en une sorte de guide idéologique pour déjouer toutes les embûches du parcours de la vie. On atteint, avec la « révolution culturelle », à un culte. Ainsi, à Shanghai, tous les matins en 1967-1968, les locataires des immeubles, réunis devant un portrait de Mao orné de guirlandes rouges, reconnaissent en public leurs manquements à l'idéologie officielle dans leur comportement quotidien, prennent des engagements pour se réformer et psalmodient divers passages du *Petit livre rouge* qu'ils brandissent. On revient, par un détour très surprenant, aux pratiques des « superstitions » populaires que l'on condamne violemment par ailleurs en dénonçant les religions traditionnelles comme terreau sur lequel se développent l'obscurantisme et la contre-révolution.

Toutefois, seul un groupe de gardes rouges particulièrement « gauchistes », au Hunan, le *Shengwu-*

lian, fera de cette pensée une nouvelle théorie, parlant du *maoïsme*, expression inconnue des autres sources chinoises.

Après la mort de Mao Zedong, en 1976, sous l'impulsion des réformateurs et de Deng Xiaoping, le rôle de l'idéologie est d'abord réduit, puis consolidé. Le document adopté en juin 1981 par le sixième plenum du XIe congrès du PCC (*Quelques questions concernant l'histoire de notre parti depuis 1949*) précise que la pensée de Mao Zedong fait partie, avec le marxisme-léninisme, des fondements théoriques sur lesquels repose le Parti communiste. C'est un des « quatre principes » fondamentaux dont on ne doit pas s'écarter sous peine d'être exclu. Mais cette pensée n'est plus que la « pensée collective du parti tout entier » et représente l'application concrète des principes généraux du marxisme à la réalité chinoise ». S'y référer signifie donc que la modernisation doit se faire dans le cadre d'un socialisme ouvert et non dogmatique. Rien de plus, rien de moins. On est loin des péans de 1945 ou du délire des années folles du maoïsme extrême.

L'indifférence
de la société civile

Mais même cette tentative conservatoire ne réussit pas. Dès 1983, une attaque en règle se développe contre le dogmatisme embusqué derrière les références idéologiques maintenues. Ce combat s'accompagne d'une remarquable indifférence générale à l'égard de la politique et de l'idéologie dans ce qu'il est convenu d'appeler la société civile, au moment même où cette dernière s'affirme dans le cadre de la réforme. Les jeunes font savoir que leurs modèles sont les savants, non pas les héros de la Révolution. Quand, durant l'hiver 1983-1984, les idéologues du Parti, inquiets des effets, selon eux pervers, de l'ouverture du pays, lancent la campagne sur la « pollution spirituelle » et veulent,

avec les militaires, relancer l'« étude » de Li Feng, un soldat maoïste particulièrement célébré dans les années soixante, il suffit d'un texte de l'écrivain Liu Binyan dans *Le Quotidien du peuple* pour que la campagne tourne court. Dans ce récit, *Les deux Loyautés*, Liu oppose au triste héros adulateur de Mao qui rêve de devenir « une petite vis de la société », un authentique héros, qui a écrit naguère à Mao pour critiquer ses erreurs et pourrit depuis en prison. Les jeunes, enthousiastes, lisent avec avidité ce texte qui est rapidement répandu partout. On se réclame des libertés individuelles, du bonheur personnel. Un colloque, réuni en mai 1988 à Pékin, sur « la pensée de Mao Zedong durant les dernières années de sa vie », porte un diagnostic sévère, disant qu'il a commis de très nombreuses erreurs, qui « s'expliquent essentiellement par la nature archaïque de la société dominée encore par une économie de petits producteurs ». Et de citer à l'appui le texte de Karl Marx, *Le 18 Brumaire de Louis Bonaparte*, ce qui place Mao Zedong en bien fâcheuse compagnie, et en fait l'objet, comme Napoléon III, de l'adulation de paysans quasi médiévaux. On ose même parler d'« aliénation » sous le socialisme.

Contre-offensive
en pleine retraite

Quand Zhao Ziyang, à la fois Premier ministre et secrétaire général du Parti, lance le concept de « stade primitif (ou initial) du socialisme » au XIIe congrès du PCC, en octobre 1987, il cherche à préserver un niveau minimal de référence idéologique. Il fonde à la fois l'identité des communistes chinois, et opère en même temps une retraite générale. La formule, commode, engage à peu de chose. Elle permet d'accepter comme légitimes à la fois ce qui reste des valeurs maoïstes, annonciatrices de l'avenir, et certaines des nouvelles valeurs surgies dans

— BIBLIOGRAPHIE —

SCHRAM S.R., *The Political Thought of Mao Tse Tung*, Penguin Books, Londres, 1969.

SCHURMANN F., *Ideology and Organization in Communist China*, California University Press, Berkeley, 1968.

WAKEMAN F. Jr., *History and Will : Philosophical Perspectives of Mao Tse Tung's Thought*, California University Press, Berkeley.

WYLIE R.F., *The Emergence of Maoism : Mao Tse Tung, Ch'en Pota and the Search for Chinese Theory, 1935-1945*, Stanford U P, Stanford, 1980.

On lira par ailleurs la traduction du conte sur la rencontre entre Confucius et Marx dans M. VALETTE HEMERY, *De la Révolution littéraire à la littérature révolutionnaire : récits chinois, 1918-1942*, L'Herne, Paris, 1970.

le cadre de la réforme. Difficilement assimilables, ces valeurs nouvelles issues de l'«économie de marché sous contrôle central», sont tenues pour nécessaires à l'accumulation primitive du capital. Depuis le massacre et juin 1989 et le IVᵉ plénum du C C qui a suivi, l'équipe dirigeante Deng-Li-Yang a lancé une campagne haineuse contre le libéralisme bourgeois et les partisans publics ou masqués de la restauration du capitalisme. Le discours officiel retrouve à cette occasion les accents des campagnes antidroitières du passé, voire même de la «révolution culturelle». L'insistance mise sur l'éducation et la rééducation, le rôle dévolu aux *Œuvres choisies* et aux pensées de Deng Xiaoping, objets de sessions d'études collectives et obligatoires, visent à faire à nouveau de l'idéologie, contre Zhao Ziyang et son pragmatique «stade initial du socialisme», un ensemble systématique d'idées avec des conséquences au plan de l'action, comme le voulait Mao.

Le contexte de cette contre-offensive, avec sa falsification systématique de l'histoire, ses arrestations massives d'intellectuels mal pensants, et sa terreur froide, montre bien qu'elle ne vise pas les buts affichés, mais se résigne à réduire l'idéologie à n'être plus qu'un simple rite garantissant la loyauté ou, à tout le moins, la soumission de tous aux cadres et donnant accès à la salle de festin où ces privilégiés continueront à déguster leurs holothuries.

Alain Roux

Le Parti communiste : une transition retardée

Comme tous les autres États communistes, la République populaire de Chine est dirigée par le «prolétariat», en réalité, par son représentant, le Parti communiste chinois. Le P C C obéit aux principes classiques du marxisme-léninisme. Cependant, dans la pratique, ses objectifs et son organisation ont été affectés par deux séries d'originalités, les unes issues du passé, les autres de l'évolution récente.

D'après les statuts adoptés par le XIIᵉ congrès de septembre 1982, «le Parti communiste chinois est le détachement d'avant-garde de la classe ouvrière, le représentant fidèle des intérêts de toutes les nationalités et le noyau dirigeant de la cause du socialisme en Chine. Son but ultime est la réalisation d'un système social communiste. Ses guides dans l'action sont le marxisme-léninisme et la pensée de Mao Ze-

Deng Xiaoping

Plus que jamais, après les événements tragiques du printemps 1989, Deng Xiaoping est apparu comme le véritable et le seul patron du régime communiste chinois. Le moins que l'on puisse dire est qu'il lui fallait une assurance et une autorité exceptionnelles pour risquer de noyer dans le sang les espoirs suscités par dix années de réformes vigoureuses. Son autorité, il l'a conquise d'abord par une carrière très ancienne qui suit le cours central de la révolution chinoise. Né en 1904 dans une famille paysanne du Sichuan, venu en France pour se former au début des années vingt, Deng participe aux principaux épisodes de la conquête du pouvoir, dont la Longue marche, puis libère son Sichuan natal.

Trois chances successives expliquent son ascension politique. La première est qu'il devient en 1954 secrétaire-général du P C C, et démontre à ce poste une force de travail, une fermeté et un réalisme dont Mao Zedong finit par prendre ombrage. Aussi — c'est sa deuxième chance — est-il éliminé par la « révolution culturelle » en 1966 : la prison et l'exil sont une occasion pour lui de concevoir le nécessaire redressement. Sa troisième chance est que Zhou Enlai, malade, le rappelle au pouvoir dès 1973, ce qui lui permet de faire connaître ses options pragmatiques et d'apparaître comme le seul recours possible après la mort de Zhou et Mao en 1976.

D'abord mis à l'écart, il manœuvre habilement pour revenir au Centre (1977) et obtenir un changement décisif de ligne politique (décembre 1978). Jusqu'au XIIᵉ congrès de 1982, il se débarrasse des anciens maoïstes et pose les bases de la politique de modernisation. Ensuite, jusqu'au printemps 1989, il résiste aux attaques des réformistes modérés, étend la réforme des campagnes aux villes et s'efforce d'organiser sa succession en plaçant Hu Yaobang, puis Zhao Ziyang (en 1987) à la direction du Parti et Li Peng à la tête du gouvernement ; lui-même conserve le poste discret et décisif de président de la Commission des affaires militaires du Comité central. Mais il s'agit pour Deng de couler la réforme dans le cadre des grands principes communistes. Avec l'âge, l'homme devient plus autoritaire et sa popularité s'étiole. Il sent bien que les manifestations qui suivent le décès de l'ancien secrétaire général réformiste Hu Yaobang, au printemps 1989, sont aussi dirigées contre sa personne et il n'hésite pas à les condamner, le 25 avril. Les semaines de manifestations massives qui suivent sont autant d'humiliations pour lui. Mais Deng ne cède pas : il en a vu d'autres. Il écarte Zhao Ziyang et fait décréter la loi martiale le 19 mai, puis s'appuie sur son vieux compagnon Yang Shangkun pour écraser l'émeute dans le sang. Depuis, Deng s'est efforcé de rendre un visage plus acceptable à son pouvoir. Au sortir de la crise du printemps 1989, il paraissait bien difficile que cet homme vieux et déconsidéré ne finisse pas comme un autre tyran vieillissant qu'il avait tant haï : Mao Zedong.

J.-L. D.

dong ». Après plusieurs décennies d'expérience de pouvoir, le P C C justifie donc encore son monopole par le fait que ses « guides » — c'est-à-dire son idéologie — lui permettent de « représenter » les « intérêts » du peuple, donc le peuple lui-même : socialement particulier, il est politiquement universel. Ce monopole s'exprime dans la fixation des grandes orientations politiques : aucune décision majeure ne peut être prise sans l'accord préalable de ses dirigeants, dans quelque domaine que ce soit. De plus, le P C C contrôle leur application et y concourt (mais de façon beaucoup moins active que dans le passé) par des campagnes de propagande et de répression.

Adhérer est un privilège

En effet, le Parti n'est pas seulement le cerveau du pays, il en constitue aussi la charpente. A chaque niveau de l'administration correspond une organisation du Parti, de la province (*sheng*) au

Chen Yun

Né en 1900 au Jiangsu, ouvrier du livre, militant syndical, il a été dans les années cinquante le plus important économiste du régime avant d'entrer dans une semi-obscurité à partir du Grand bond en avant (1958) et jusqu'au IIIᵉ plénum du XIᵉ CC (décembre 1978). Il est l'un des artisans de la réforme économique de 1979-1980.

Depuis 1938, lorsqu'il dirigeait le département de l'organisation du Parti, à l'époque des recrutements essentiels, c'est l'un des hommes les moins connus et les plus puissants du PCC. Il se spécialise ensuite dans l'économie et la finance.

En 1949, Vice-Premier ministre et président d'un des quatre grands comités ministériels du nouveau gouvernement, le Comité économique et financier, cet ancien ouvrier dépourvu de toute formation économique approfondie, qui ne dispose que d'une expérience limitée à des zones rurales, va mener à bien la reconstruction et le développement industriel de la Chine pendant près de huit ans. Il réussit tout d'abord à juguler l'inflation qui avait hâté l'effondrement du régime nationaliste, relance la machine productive et, en mars 1955, annonce les grands objectifs du premier plan quinquennal. Il croit plus aux vertus de l'organisation économique et des incitations matérielles qu'à cel-

les de la mobilisation politique. Il s'ensuit une polémique avec Mao sur la place du secteur privé dans l'économie rurale (1956); sur celles des industries légères et des biens de consommation, secteurs que Chen Yun veut avantager; sur la planification économique aussi, dont il veut renforcer la centralisation. Mao, sous cet angle, se veut plus décentralisateur (1956-1957, 1959). Chen Yun, en somme, suivant la tradition du marxisme « réformiste » mûrie en marge du modèle stalinien depuis la Nouvelle politique économique soviétique des années vingt et réactualisée par l'expérience khrouchtchévienne, souhaite réserver au Centre la gestion directe de ce que le Centre peut contrôler utilement : la maîtrise des leviers de commande (plans, prix) et du noyau industriel d'une économie laissée par ailleurs (c'est-à-dire à la périphérie, rurale en particulier, du système) à l'initiative de ses agents. C'est là l'esprit même (et souvent la lettre) des réformes économiques tentées avec une constance et des résultats inégaux depuis 1978.

D'après J. L. Domenach in Dictionnaire biographique du mouvement ouvrier international. La Chine, *Éditions ouvrières — Presses de la Fondation nationale des sciences politiques, Paris, 1985.*

canton (*xiang*). Le PCC possède des comités ou des « groupes » dans l'administration centrale et dans l'APL (Armée populaire de libération). De plus, son influence est relayée par des « organisations de masse » : la Ligue des jeunesses communistes (48 millions de membres), la Fédération des syndicats (61 millions) ainsi que la Fédération nationale des femmes et d'autres associations spécialisées. L'adhésion à ces organisations est pratiquement obligatoire pour quiconque veut bénéficier d'avantages sociaux et accéder à un poste de responsabilité. En revanche, adhérer au Parti est considéré comme un privilège : il faut subir un examen approfondi et accomplir un long stage probatoire. Bien que le nombre des membres du PCC ait plus

que décuplé depuis 1949 — 46 millions contre 4,4 millions — ceux-ci constituent encore une minorité, surtout à la campagne.

Les principes d'organisation du PCC sont également très classiques. L'instance souveraine est le Congrès — le XIIIᵉ s'est réuni en octobre-novembre 1987 — ou, entre ses sessions, le Comité central qu'il élit — 348 membres de plein droit et suppléants en 1987. Selon les statuts, le Congrès est l'émanation des congrès locaux et provinciaux. Mais cette « démocratie » est étroitement bornée par l'observance idéologique et la discipline politique. En pratique, le « centralisme démocratique » fonctionne au profit des organes de direction qui organisent les congrès et les sessions du Comité central et modifient à volonté les listes de responsables, du haut en bas de l'appareil. Les hiérarchies, très strictes, sont seulement atténuées par les relations personnelles et les appartenances factionnelles. En fait, seules quelques dizaines à quelques centaines de dirigeants ont, suivant le cas, part aux décisions importantes. Dans ce groupe figurent d'abord les membres du Bureau politique, élu par le Comité central, qui forme en son sein un comité permanent réduit en 1987 à cinq membres (le se- crétaire général Zhao Ziyang, Li Peng, Qiao Shi, Hu Qili et Yao Yi-lin, et composé de six membres de- puis juin 1989 (le secrétaire général Jiang Zemin, Li Peng, Qiao Shi, Yao Yilin, Song Ping et Li Rui-huan). S'y trouvent également les membres du secrétariat, l'exécutif du Parti, qui coordonne l'activité des départements et des commis- sions du Comité central : les plus en vue sont les départements de l'or- ganisation, de la propagande et des relations internationales ainsi que

Yang Shangkun

Né en 1905 dans le Sichuan, dans une famille de propriétaires fonciers du Sichuan, il adhère au mouvement communiste à Chengdu, où il était lycéen, en 1925. Étudiant à l'Université Sun Yat-sen de Moscou, il appartient au groupe des « Vingt-huit bolcheviks » chargé par Staline de prendre la direction du PCC. Il revient à Shanghai en 1930, quittant cette ville deux ans plus tard. Parvenu au Jiangxi, Yang Shangkun manifeste son appartenance au groupe antimaoïste qui s'est emparé du pouvoir entre 1932 et 1935. Il devient ensuite un des subordonnés directs de Zhou Enlai, commissaire politique de la 1ʳᵉ Armée, puis, en 1935, se rallie comme son patron à Mao. Il sera pendant la Longue Marche, 1934-1935, commissaire politique de l'armée de Peng Dehuai (qui sera limogé en 1959 de son poste de ministre de la Défense au profit de Lin Biao).

Après la victoire de 1940, Yang Shangkun devient chef du bureau du personnel du CC : poste peu en vue, mais au pouvoir considérable. A partir de 1955, sa carrière rencontre celle d'un autre Sichuanais : Deng Xiaoping qu'il va seconder au secrétariat général du Parti et à celui du VIIIᵉ congrès, en septembre 1956 : il entre alors au CC. Parlant couramment le russe, marié à une actrice connue, il cumule les raisons, les grandes comme les futiles, pour devenir une cible idéale lors de la « révolution culturelle ». De surcroît, il était (au début des années 1960) chargé de faire transcrire les discours et déclarations de Mao qu'il faisait enregistrer au magnétophone. Il créa chez Mao le soupçon de vou-

loir les retourner un jour contre lui.

La chute fut donc rapide et totale. Dès août 1966, Yang Shangkun était accusé de figurer parmi les quatre membres d'une clique anti-Parti. Arrêté à l'automne, il figura au célèbre meeting de masse du 12 décembre 1966, paradé et maltraité dans un stade bondé de Gardes rouges et de Pékinois dépêchés pour la circonstance. Régulièrement dénoncé par la suite, il disparut entièrement.

Yang Shangkun n'est reparu sur la scène publique qu'au moment de la mise en question officielle de la décennie 1966-1976 : le IIIᵉ plenum du XIᵉ Comité central (décembre 1978) le réhabilite. Il aurait été nommé au secrétariat général de la toute-puissante Commission des affaires militaires du CC (juillet 1981). Son ascension politique s'accélère ensuite : à l'issue du XIIᵉ congrès du PCC, Yang Shangkun a été promu au BP ainsi qu'à la vice-présidence de la Commission des affaires militaires du CC (septembre 1982). En juin 1983, il a reçu la vice-présidence de la Commission militaire centrale du Conseil des affaires de l'État. Ce civil semble jouer un rôle effectif et important à la charnière des appareils politique et militaire à un moment où l'APL montre des réticences devant certains aspects de la politique de Deng Xiaoping.

Il est élu à la présidence de la République en 1988.

D'après F.G. et J.-L. D., Dictionnaire biographique du mouvement ouvrier. La Chine, *Éditions ouvrières - Presses de la Fondation nationale des sciences politiques, Paris, 1985.*

la commission centrale de la discipline.

Le poids de la Commission des affaires militaires

Plus d'une décennie après l'adoption d'une politique de modernisation (décembre 1978), le PCC demeure très marqué par le passé. Il porte encore les stigmates de longues années de guerre révolutionnaire. Dans son langage, tout d'abord, qui combine la « langue de bois » classique à un vocabulaire d'origine guerrière. Ensuite, dans le profil paysan et militaire de nombreux responsables centraux, provinciaux et locaux qui tiennent leur autorité de leur prestigieux passé : l'année d'entrée « dans la révolution » demeure un critère de carrière essentiel. C'est pourquoi, outre Deng Xiaoping, nombre de dirigeants en principe retirés conservaient, en 1989, une influence considérable : par exemple, Chen Yun (né en 1900), Peng Zhen (1902) ou Li Xiannian (1905). Sans leur soutien, Deng Xiaoping n'aurait sans doute pas pu réprimer dans le sang la protestation citadine de la place Tian An Men, en juin 1989.

L'importance du passé guerrier se traduit au double plan politique et institutionnel par l'influence des chefs militaires et surtout par le poids considérable de la Commission des affaires militaires du Comité central où se trouve encore le pouvoir de dernier ressort : c'est

Qiao Shi

Qiao Shi est le grand point d'interrogation au sommet du pouvoir chinois. D'abord parce que sa carrière est mal connue, à cause de ses connexions avec les services secrets. Né en 1926, il s'engage dès 1940 dans le « travail souterrain », à Shanghai, puis occupe des postes dans l'appareil des Jeunesses communistes, alors dirigé par Hu Yaobang. Après un court passage dans des combinats sidérurgiques de Mandchourie édifiés grâce à l'aide soviétique, il entre en 1963 au département des liaisons internationales du PCC, qui fonctionne en symbiose avec les services secrets chinois, et dont il deviendra le directeur-adjoint en 1977, sous Hua Guofeng, le successeur désigné par Mao.

Pourtant, c'est à partir de 1982 que son ascension commence, grâce à son ancien patron Hu Yaobang, qui est alors nommé secrétaire général du PCC. Tout se passe comme si ce dernier faisait fond sur lui. Suppléant du Comité central en 1982, membre du Bureau politique et du secrétariat en 1985, Vice-Premier ministre en 1986, membre du Comité permanent du Bureau politique en 1987 (après avoir abandonné Hu Yaobang dans sa disgrâce...), Qiao Shi « tourne » d'un département à l'autre, comme si on voulait le former à de hautes responsabilités : il est successivement chef du département des Liaisons internationales, du Bureau général du Comité central, du département de l'Organisation, de la Commission pour les affaires politico-légales. Derrières ces affectations, deux constantes : Qiao Shi s'occupe surtout des problèmes de sécurité et du Parti.

En avril 1989, on s'aperçoit soudain que les majorités à l'intérieur du Comité permanent du Bureau politique dépendent de cet homme énigmatique, dont les préférences sont floues. Lui-même, d'ailleurs, met du temps à choisir son camp. D'abord aligné avec Zhao Ziyang, puis cantonné dans une neutralité apparente, il se range le 19 mai au côté des partisans de la loi martiale — mais c'est l'armée, non la Sécurité qui interviendra le 4 juin. Pour avoir choisi trop tard le bon camp, a-t-il manqué la grande occasion de sa carrière ? A l'heure des récompenses, c'est à Jiang Zemin, non à lui, que reviendra le secrétariat général du PCC. Peut-être aussi a-t-il refusé une situation d'intérimaire parce qu'il jouait la succession de Deng : mais possède-t-il la carrure nécessaire ? En toute hypothèse, « numéro deux » du PCC, chargé des affaires de sécurité, Qiao Shi apparaissait jouer un rôle important et peut-être décisif dans l'avenir.

J.-L. D.

Zhao Ziyang

La carrière très classique de Zhao Ziyang n'annonçait pas son issue dramatique (mais peut-être provisoire). C'est en effet une carrière de dirigeant provincial. Né en 1919 au Henan, Zhao adhère au PCC dès 1938, puis occupe des postes secondaires dans les bases rouges de Chine du Nord. Transféré au Guangdong en 1950, il s'impose bientôt par sa fermeté et ses qualités de gestionnaire comme le patron de la province et le « numéro deux » de Chine du Sud. Éliminé par la « révolution culturelle », mais réhabilité dès 1971, il prend la direction du Guangdong puis, surtout, du Sichuan, province natale de Deng Xiaoping, où il démontre son efficacité et son ouverture aux réformes. Aussi est-il appelé à Pékin pour devenir l'un des adjoints de Deng.

Membre suppléant du Bureau politique en 1977, Premier ministre en 1980, il montre un réalisme qui contraste avec les foucades de Hu Yaobang, qu'il accepte de remplacer à la tête du Parti après les manifestations étudiantes de l'hiver 1986. Mais l'homme est aussi un partisan des réformes dont les convictions se renforcent à mesure que montent les difficultés économiques et que se renforce l'offensive des conservateurs rangés derrière Li Peng. De moins en moins sûr du soutien de Deng Xiaoping, écarté du domaine économique en 1988, Zhao Ziyang semble avoir volontairement accentué sa position réformiste à mesure que la situation se tendait.

Face aux manifestations citadines d'avril et mai 1989, il prône le dialogue ; il se rend même au chevet des grévistes de la faim de la place Tian An Men : Deng Xiaoping devra l'éliminer le 19 mai pour proclamer la loi martiale, puis écraser le mouvement. Chassé de tous ses postes mais demeuré membre du Parti, Zhao Ziyang demeure un symbole et un recours possible.

J.-L. D.

pourquoi, après Mao Zedong et Hua Guofeng, Deng Xiaoping en a assuré la présidence ; le président de la République Yang Shangkun y exerce un rôle important et c'est vraisemblablement dans ce cénacle qu'a été décidée l'intervention militaire du 4 juin.

En second lieu, le P C C demeure influencé par l'héritage des trois premières décennies de la R P C. Les épurations conduites depuis 1978 ont épargné quelques dirigeants qui avaient collaboré durant la « révolution culturelle » et, surtout, une multitude de cadres moyens et inférieurs qui ont conservé un « style de travail » autoritaire et continuent à estimer que le Parti doit dominer et mobiliser la société. De plus, en dépit de l'effort d'institutionalisation, les principes et les dispositions statutaires pèsent moins que les rapports de pouvoir. Le P C C, aujourd'hui comme hier, est aux ordres d'un patron toutpuissant — Deng Xiaoping — qui continue à trancher les grands problèmes. Au reste, comme sous Mao Zedong, la plupart des décisions sont adoptées au cours de réunions ad hoc, souvent appelées « réunions de travail centrales », qui préparent les assemblées statutaires. Les assemblées peuvent être modifiées au gré des circonstances. Ainsi, l'élimination de Zhao Ziyang et son remplacement par Jiang Zemin ont été préparés par une réunion « élargie » du Bureau politique et officiellement décidés le 24 juin 1989 par une session du Comité central augmenté de 184 membres de la Commission centrale des conseillers, de 68 membres de la Commission de contrôle de la discipline et de 29 « responsables » des départements concernés.

Enfin, la direction du P C C reste divisée. De la base au sommet, les groupes les plus variés coexistent, coopèrent ou, plus souvent, s'opposent pour défendre des intérêts de toute nature — politique, économique, familiale, personnelle, locale ou régionale. Pour réaliser le coup du 4 juin, Deng Xiaoping s'est servi du clan familial de Yang Shangkun, composé de chefs militaires. Au plus haut niveau, ces groupes se divisaient en deux grandes tendances avant le printemps 1989 : l'une, représentée par Zhao Ziyang, don-

Li Peng

L'homme qui a proclamé la loi martiale le 19 mai 1989 présente une biographie très particulière. Tout d'abord, ce fils d'un vétéran communiste assassiné est un enfant adoptif de Zhou Enlai. Né en 1928, il est encore relativement jeune. De plus, il a accompli des études supérieures à Moscou de 1948 à 1955. Enfin, il a poursuivi jusqu'en 1979 une carrière assez obscure de directeur d'usine et de haut fonctionnaire. Ensuite, il a connu une extraordinaire ascension politique. Li Peng sera promu en 1982 à la tête du ministère de l'Énergie, et, en 1983, Vice-Premier ministre. Dans un premier temps, il reçoit surtout des dossiers techniques ; par exemple, il négocie avec la France le contrat de la centrale nucléaire du Guangdong. Mais l'on comprend bientôt que ses ambitions sont plus vastes : il accède au Bureau politique et au Secrétariat du PCC en 1985 ; puis, quand il devient Premier ministre en 1987, c'est pour défendre le freinage des réformes et la rigueur économique qu'exigent les gérontes conservateurs, les Chen Yun, Peng Zhen, Li Xiannian et Bo Yibo. Les raisons de son ascension politique deviennent lumineuses lorsqu'on le voit prendre la tête du camp conservateur face aux manifestations citadines d'avril et mai 1989 : il est le fondé de pouvoir de la vieille garde. C'est donc lui qui annonce et justifie la régression, et c'est encore lui qui sonne la charge contre le « libéralisme bourgeois » lors du Comité central du 23 et 24 juin.

J.-L. D.

nait la priorité à la continuation des réformes et l'autre, soutenue par de nombreux « anciens » et représentée par Li Peng, souhaitait leur ralentissement. Après juin 1989, les clivages factionnels n'ont pas disparu, et l'on a pu distinguer de nombreuses nuances entre les octogénaires conservateurs et des personnages plus modérés comme Jiang Zemin, Qiao Shi ou Wan Li.

De réels changements

Mais on ne peut oublier que de réels changements ont été enregistrés depuis le tournant politique de 1978. Une première étape est consacrée au règlement du contentieux de la « révolution culturelle » : ses victimes sont réhabilitées ; Deng impose, pour éviter la reproduction des erreurs, un respect plus affirmé des apparences statutaires. Typiques ont été, de ce point de vue, deux décisions : tout d'abord, le PCC n'est plus dirigé par un président (car tel était le titre de Mao Zedong, puis de Hua Guofeng) ; en second lieu, les membres de la Bande des quatre n'ont pas « simplement » été passés par les armes mais jugés et condamnés en fait à des peines de réclusion. Il s'agissait par là de rassurer la masse des cadres compromis dans les excès maoïstes ou inquiets de l'avenir.

En même temps, la domination du Parti sur la société a été allégée. En matière culturelle et sociale, il n'intervient désormais que lorsque les « quatre principes » fondamentaux, c'est-à-dire le principe même de son pouvoir, sont mis en danger. La disparition du département économique du Comité central symbolise la levée des contrôles politiques trop sévères. Des efforts sont entrepris pour mettre le Parti à l'heure de la modernité. Quand ils visent sa démocratisation, ces efforts demeurent très timides : les hiérarchies demeurent strictes. Plus important, les cadres sont désormais jugés sur les progrès économiques de leurs unités et par là encouragés à y contribuer (ce qui contredit une autre intention qui est de renforcer les pouvoirs de l'administration).

Il faut donc renouveler l'encadrement politique. A tous les niveaux, on encourage les départs dans la retraite dorée des « commissions de conseillers », ainsi que le recrutement de diplômés d'université et d'hommes de terrain. Cette évolution modifie l'image classique du cadre surtout apte à mobiliser. Elle entraîne la diminution des dirigeants d'origine militaire : on n'en trouve plus que deux au Bureau politique (Yang Shangkun et Qin Jiwei), ce qui ne s'était jamais vu jusque-là.

Il s'agit aussi de diminuer le privilège de l'ancienneté. On se rapproche de l'objectif qui consiste à nommer des dirigeants de trente ans au niveau du canton, de quarante ans ou moins au Centre. Le prototype de ces nouveaux dirigeants est le Premier ministre, Li Peng.

Factionnalisme et divergences de vues

Néanmoins, ces changements n'ont pas résolu les problèmes qui se posent en général à un parti communiste au pouvoir. Bien qu'elle ne soit pas toujours acceptée dans les localités, la priorité donnée à l'économie a entraîné le développement de la corruption à l'intérieur du P C C, jusque dans les milieux dirigeants ; autrefois politiques, les privilèges du pouvoir sont devenus économiques. Ce phénomène choque une population avide de progrès matériel et d'autant plus mécontente de devoir patienter. La revendication d'un gouvernement véritablement décidé à lutter contre la corruption a joué un rôle mobilisateur déterminant en avril et mai 1989.

De plus, les difficultés aussi bien que les succès de l'entreprise de développement concourent à éroder son unité. Jusqu'alors, quand ils n'étaient pas manipulés par le Centre, les clivages internes demeuraient voilés, et leur contenu politique très flou : à l'unanimisme de façade correspondait un factionnalisme masqué. Au printemps 1989, les clivages sont devenus publics. Certains sont générationnels : aux cadres issus de la lutte révolutionnaire, ils opposent les cadres régionaux montés en grade grâce aux campagnes de répression, les dirigeants formés au contact de l'U R S S (particulièrement frappés lors de la

Jiang Zemin

Le choix de Jiang Zemin pour succéder à Zhao Ziyang, en juin 1989, a surpris. En effet, l'homme était trop jeune (il est né en 1926 au Jiangsu) et possède un profil trop intellectuel (il est diplômé d'une université shanghaienne) pour avoir tissé des liens dans l'appareil politique et surtout militaire du P C C avant 1949. Mais il a par la suite étudié à Moscou (comme Li Peng...) et serait le gendre de Li Xiannian, l'un des grands octogénaires qui ont dirigé les années quatre-vingt à Pékin. De plus, il a accompli une carrière d'ingénieur et de dirigeant technique avant de devenir, de 1980 à 1982, vice-président de la Commission administrative des investissements étrangers, puis vice-ministre et ministre de l'Industrie électronique : c'est donc en principe un homme de la modernisation et de l'ouverture, capable de rassurer l'étranger. Enfin, il doit apparemment son ascension tardive au très réformiste Zhao Ziyang : cela a sans doute favorisé son élection

par un Comité central où les partisans du secrétaire général déchu étaient encore nombreux. Maire de Shanghai en 1985, membre du Bureau politique et premier secrétaire de cette ville en 1987, il laisse le souvenir d'un homme assez ouvert, qui a su étouffer pacifiquement les manifestations étudiantes de l'automne 1986. Il doit sans doute sa nomination comme secrétaire général au fait qu'il a rallié Deng Xiaoping dès la fin d'avril 1989, quand la direction du Parti se divisait devant les manifestations citadines, puis soutenu la répression sanglante de la place Tian An Men sans la rééditer à Shanghai, où les autorités n'ont jamais perdu le contrôle de la situation. L'homme était trop neuf pour désobéir à ses protecteurs, mais sa nomination pouvait convenir à toutes les factions. Il lui restait à prouver qu'il pouvait être plus qu'un intérimaire.

J.-L. D.

« révolution culturelle » et aujourd'hui revenus au pouvoir), la génération sacrifiée des gardes rouges et enfin celle, ambitieuse et souvent déjà déçue, qui a été formée dans les universités occidentales. D'autres clivages, de nature sociologique, opposent aux cadres des villes ceux qui ne sont pas parvenus à quitter la campagne. Des différences psychologiques mettent en présence des opinions très tranchées sur les sujets brûlants du moment, notamment sur la validité du modèle culturel occidentalo-japonais. Le délitement progressif du Parti constitue aussi une menace dès lors qu'il se greffe sur son factionnalisme traditionnel, dans un contexte social de plus en plus tendu. Les divergences de vues entre hauts dirigeants sur des problèmes urgents (l'inflation, les réformes industriel-

les) sont autant d'épisodes d'une lutte pour le pouvoir. En paralysant la répression, la division du P C C a permis l'éclatement de la protestation démocratique d'avril et mai 1989. En retour, celle-ci a accéléré la décomposition du Parti : pendant plusieurs semaines, l'autorité politique a cédé la place au bouillonnement désordonné des factions et des idées nouvelles. Sur le fond, la remise en ordre brutale effectuée en juin 1989 n'a rien réglé. Elle a reporté simplement à plus tard une transition nécessaire. Après la mort de Deng Xiaoping, le P C C ne pourra éviter de reconnaître l'affaissement d'un monopole politique qu'il est de moins en moins capable d'exercer.

Jean-Luc Domenach

La modernisation de l'Armée de libération populaire

L'Armée porte toujours le nom d'Armée de libération populaire (A L P). Chaque année, le 1er août est officiellement le « Jour de l'armée », en souvenir de sa création en 1927 lors d'un épisode révolutionnaire, le soulèvement de Nanchang.

Mais, aujourd'hui, l'A L P est devenue une force régulière, avec un système de conscription sélectif, utilisant environ 10 % de la ressource humaine, et un encadrement professionnel. Elle est en voie de modernisation, dans le cadre de budgets limités depuis 1980. Ses effectifs et son influence politique ont été réduits, son orientation et son allure militaires accrues. La doctrine de défense et les missions des forces ont beaucoup évolué et cette transformation semble se poursuivre.

Cette armée a été longtemps une force politique autant que militaire. Jusqu'à la mort de Mao Zedong (1976) et l'arrivée au pouvoir de

Deng Xiaoping (décembre 1978), elle a été un pilier du régime aussi important que le Parti communiste lui-même. La Chine continentale a en effet vécu sous une administration militaire jusqu'en 1953-1955. A partir de 1959, le maréchal Lin Biao, ministre de la Défense, avait fait de l'A L P une force politique militante, mobilisée en permanence. En 1964, Mao appelait tout le pays à « apprendre de l'Armée de libération ». De 1967 à 1971, la « révolution culturelle » ayant abouti à une situation d'anarchie généralisée, on redonna le pouvoir à l'A L P, à tous les niveaux de la vie politique et administrative au sein des « comités révolutionnaires » de cette époque.

Ces temps sont révolus. En 1971, après l'élimination de Lin Biao, l'armée est retournée à des missions plus normales. A partir de 1978-1980, les priorités économiques étant contraignantes, l'effort de défense a été plafonné, en valeur absolue. Il n'a cessé depuis lors de diminuer en pourcentage du produit intérieur et du budget général de l'État. Et pourtant — bien qu'elle soit la dernière des « quatre modernisations », après l'agriculture, l'industrie, la science et les techniques — la modernisation de la défense est menée avec persévérance sur tous les points où elle peut se faire sans investissements massifs.

Une armée amaigrie

Les réductions d'effectifs, le rajeunissement des cadres, l'amélioration de la qualification de ces cadres sont trois exemples qui ont déjà eu des résultats spectaculaires : l'Armée de libération populaire, qui inclut l'ensemble des forces (air, terre, mer), avait en effet, hier encore, un caractère à la fois désuet et volumineux. Au recensement de 1982, elle comptait 4,2 millions d'hommes. Elle était équipée pour l'essentiel de matériels de modèles soviétiques des années cinquante. Même si ces matériels avaient un peu évolué au fil des ans, leur conception accusait vingt à trente ans de retard sur toutes les armées des pays industrialisés et sur celles des principaux pays voisins. En 1988, l'A L P ne rassemblait plus que 3,2 millions d'hommes (dont 1,4 million de conscrits et se répartissant en 2,3 millions pour l'armée de terre, 470 000 pour l'armée de l'air et 340 000 pour la marine). Il fallait, il est vrai, ajouter à ces chiffres environ 5 millions de réservistes et 1,85 million d'hommes pour la nouvelle « police armée populaire » (deux nouveautés de 1986 dans les structures chinoises), ainsi que 4 millions de miliciens de base et 6 millions de miliciens ordinaires (par « milicien », il faut entendre « membre des unités de préparation militaire permanentes » dans lesquelles était enrôlée presque toute la population active pendant la « révolution culturelle » de 1966-1969).

A la tête de ces forces encore nombreuses se trouvent trois « départements généraux » ayant autorité sur l'aviation, sur la marine et sur les différentes armes de l'armée de terre : l'État-major général (E M G), le Département général politique (D G P) et le Département général logistique (D G L). Ils ne sont coiffés que par les organes politico-militaires suprêmes que sont la Commission des affaires militaires (C A M) du Parti et la Commission centrale militaire (C C M) du gouvernement.

Les effectifs de ces organes militaires centraux ont été réduits de 25 %. Dans le D G L et dans les états-majors des régions militaires, on a atteint, en 1987, 50 % de réduction en passant de onze à sept « grandes » régions et par la déflation. On a aboli un certain nombre d'organes bureaucratiques, aux niveaux des armées (corps d'armées) et des divisions. On a transféré les « départements de forces armées populaires », c'est-à-dire les bureaux responsables des milices, aux autorités civiles locales. A partir de 1983, la « police armée populaire » a été créée par transferts d'unités et prélèvements d'effectifs sur l'armée. L'arme du « génie des voies ferrées » a été rattachée en bloc au ministère civil compétent. Les troupes de gardes frontières sont passées sous la coupe du ministère de la Sécurité publique.

Ainsi, c'est à la fois par des transferts, des dissolutions d'unité et des démobilisations individuelles que l'on a entrepris de réduire le volume de l'A L P de plus d'un quart en quelques années. Plusieurs ministères civils ont reçu des dotations pour aider au reclassement d'un million d'hommes et de cadres militaires.

Rajeunissement et professionnalisation

La modernisation en cours se traduit aussi par le rajeunissement, le changement des critères de sélection et une meilleure formation des officiers. Le rétablissement des grades (1980-1988) a été accompagné par

---
BIBLIOGRAPHIE

JOFFE E., *The Chinese Army after Mao*, Weidenfeld and Nicholson, Londres, 1987.

YOUNG J.R., *The Dragon's Teeth : Inside the PLA*, Hutchinson, Londres, 1987.

---

des conditions de diplômes et des limites d'âge maximum qui n'avaient jamais été imposées avant. Dans les organes centraux de l'Armée de libération, l'âge des cadres a diminué en moyenne d'une dizaine d'années. Les commandants d'armée ont désormais moins de 55 ans. Bien des commandants de division ont maintenant 40-42 ans et les commandants de régiment 35-37 ans. La modernisation exigeait aussi un effort qualitatif sur l'instruction et l'entraînement des personnels : réorganisation complète des écoles militaires (technique, tactique et formation interarmes passant désormais avant la formation politique), formation en écoles de tous les officiers (niveau secondaire minimal exigé, avantages donnés aux candidats issus de l'Université).

Moderniser, c'était aussi professionnaliser, sans copier l'étranger mais en construisant un nouveau modèle d'armée. On a vu ainsi apparaître de nouveaux uniformes, de nouveaux règlements et une nouvelle loi sur le service militaire obligatoire (terre et air, trois ans ; mer, quatre ans), le recrutement d'engagés jusqu'à l'âge de 35 ans et la création d'unités de réserve. Les milices étaient réduites et simplifiées (deux échelons au lieu de trois). Plusieurs « armées » (corps d'armée) traditionnelles à trois divisions identiques ont été dissoutes et au moins deux « armées interarmes » à quatre divisions ont été mises sur pied.

L'activité des unités militaires — consacrée autrefois pour les trois quarts aux missions politico-idéologiques et d'autosubsistance — s'est reconvertie dans la même proportion vers l'instruction et l'entraînement. Ce qui, à dire vrai, a accru dans une certaine mesure les dépenses de fonctionnement.

Ce qu'on pourrait appeler le « complexe militaro-industriel » chinois a également été touché par de profondes réorganisations. Les huit « ministères de constructions mécaniques », qui étaient en fait des directions de l'armement spécialisées par secteurs ont connu des baisses d'effectifs et ont été partiellement reconverties vers des productions civiles. Après dissolutions, regroupements et changements d'appellations, restent essentiellement cinq ministères dont les départements de production militaire sont coordonnés par la Commission des affaires scientifiques, techniques et industrielles de la défense nationale (COSTIND) : ce sont les ministères de l'Industrie nucléaire, de l'Armement, de l'Industrie aérospatiale, de la Construction navale et des Industries électroniques. Chacune de ces structures étatiques a également une façade commerciale chargée de développer les exportations d'armement, qui ont reçu une priorité sans précédent.

Trois priorités dans l'équipement

La « modernisation peu coûteuse » de l'armée qui est de toute façon un préalable indispensable à des investissements ultérieurs plus coûteux va donc d'un bon train. Mais la plus grande partie des matériels reste de conception ancienne. Rustiques et manquant des senseurs, de l'informatique et de l'électronique modernes, les avions, les chars ou les missiles en service dans l'ALP ont souvent des performances dépassées par celles des matériels en service dans les autres armées de la région. La modernisation de cet équipement est difficile avec des budgets annuels de Défense se situant entre 20 et 25 milliards de yuans (6 milliards de dollars). Les Chinois sont donc contraints de faire des choix et des sacrifices sévères, de valoriser des matériels anciens (*refitting* d'avions ou de bateaux de vieux modèles par des industriels américains ou européens) et de se procurer des ressources en devises en exportant eux-mêmes des armes là où cela leur est possible (Asie du Sud, Afrique...).

Trois priorités se dessinent cependant dans l'équipement des armées chinoises :

Les missiles, les vecteurs de l'arme nucléaire. Les essais nucléaires sont désormais rares en Chine : un essai souterrain en 1984, un autre en 1987. En revanche, un gros effort a porté sur l'amélioration des quelques missiles de portée intercontinentale dont dispose Pékin et sur la mise au point des engins tirés jusqu'à 2 000 kilomètres à partir de sous-marins en plongée (un premier essai en octobre 1982, un autre en septembre 1988). Un programme de quatre sous-marins à propulsion nucléaire a également été lancé, mais celui-ci progresse lentement.

Une deuxième priorité semble pourtant être la marine. La Chine veut donner à celle-ci des capacités océaniques et nucléaires stratégiques qu'elle n'avait pas jusqu'alors : modernisation des destroyers de type Luta, lutte anti-sous-marine, refonte des sous-marins Roméo, achats de torpilles, missiles mer-mer. Mais le chemin à parcourir dans cette voie est encore long.

Enfin, une autre priorité porte sur la défense aérienne (modernisation des systèmes de détection et de contrôle aérien, *refitting* des Mig-19 et 21). Renonciation au Mirage-2000, mais essai de développement du Jian-8 avec avionique et électronique américaines. Dans l'armée de terre, création d'une aviation légère en cours depuis 1985 (achats d'hélicoptères Dauphin, Superpuma et Blackhawk).

Ces trois axes d'effort contribuent en réalité au renforcement et à la sécurité du système chinois de dissuasion nucléaire face à l'Union soviétique, malgré la détente qui s'est amorcée depuis 1982, et confirmée en 1989.

Henri Eyraud

Les institutions d'État : des pouvoirs en trompe-l'œil

Comme dans les autres pays socialistes, le P C est tout, l'État n'est rien, ou presque. En effet, les institutions d'État sont des organisations partisanes qui n'ont qu'une apparence étatique. Elles sont l'incarnation permanente du pouvoir politique et de l'autorité administrative. Certaines sont formelles, en ce sens qu'elles n'exercent qu'une influence très limitée sur la prise de décision. Leur véritable fonction est de légitimer, et de masquer, la dictature du P C sur l'État et la société. Mais elles rappellent aussi la prétention démocratique de la tradition institutionnelle marxiste-léniniste. L'Assemblée populaire nationale (A P N), la présidence de la République, la Conférence consultative politique du peuple chinois (C C P P C) et les « partis démocratiques » appartiennent à ce type d'institutions. D'autres institutions d'État détiennent de réelles responsabilités politico-administratives : la Commission militaire centrale (C M C), le Conseil des affaires de l'État — le gouvernement, les gouvernements locaux et, dans une moindre mesure, les institutions judiciaires et de contrôle. Néanmoins, la puissance de ces instances ne procède pas d'une quelconque légitimité démocratique : elle a pour source l'emprise totale — et encore à bien des égards totalitaire — qu'exercent l'organisation et la *nomenklatura* du P C sur l'appareil d'État.

• **La Constitution de 1982**

La Chine populaire est caractérisée par une grande instabilité constitutionnelle, reflet d'une profonde instabilité politique. La Constitution de 1954, d'inspiration soviétique, tombée dans l'oubli au cours de la « révolution culturelle », a été remplacée en 1975 par une loi fondamentale très sommaire et de coloration maoïste. Trois ans plus tard, Hua Guofeng promulgua sa propre constitution, à mi-chemin entre les deux précédentes. Enfin, en décembre 1982, une quatrième constitution, assez proche de celle de 1954 mais aussi de la Constitution soviétique de 1977, voyait le jour. Plus complète et moins idéologique que les deux lois antérieures, celle-ci n'en demeure pas moins largement inappliquée. Les droits et les devoirs du citoyen, pourtant mis à l'honneur au début du texte, ne sont guère mieux respectés qu'en URSS. La substantifique moelle de la Constitution de 1982 ne se trouve pas dans le corps du texte, mais dans le préambule qui fixe d'entrée de jeu les limites dans lesquelles fonctionnent les institutions de l'État. Ces bornes sont les « quatre principes fondamentaux » : rôle dirigeant du PC, marxisme-léninisme et « pensée de Mao Zedong », dictature démocratique populaire et voie socialiste.

Les institutions formelles

• **L'Assemblée populaire nationale**

D'après la Constitution, l'A P N est « l'organe suprême du pouvoir d'État ». En réalité, composée de près de 3 000 députés désignés par les instances locales du P C et ne se réunissant qu'une fois par an, elle est devenue au cours des années quatre-vingt une caisse de résonance des intérêts locaux ou catégoriels. Nommé *dans sa totalité* par le département central de l'Organisation du P C, le Comité permanent de l'A P N (135 membres) se montre plus actif. Présidé jusqu'en 1988 par Peng Zhen, membre influent du Bureau politique, lui-même entouré d'anciens hiérarques du P C, ce Comité est devenu un pôle de résistance aux réformes de Deng Xiaoping. Toutefois, bien qu'elle soit parvenue à bloquer en 1986-1987 l'entrée en vigueur de plusieurs projets de loi (loi sur les faillites, loi sur les entreprises d'État), l'A P N n'a que peu de pouvoirs. L'évolution observée depuis la mort de Mao Zedong (1976) est d'autant plus fragile qu'elle dépend principalement de la personnalité de plusieurs vieillards qui siègent à la tête de cette institution. Le successeur de Peng Zhen, Wan Li, est un réformiste, mais il reste entouré d'une majorité de conservateurs que Deng n'est pas parvenu à mettre totalement à la retraite.

Les assemblées locales jouent souvent le même rôle que l'A P N. Néanmoins, elles exercent en général une influence encore plus réduite. « Élues » depuis 1979 directement jusqu'à l'échelon du district — et indirectement au-dessus —, ces assemblées sont parfois composées de députés indépendants qui sont parvenus à se faire inscrire sur les listes de candidatures. Mais les responsables de chaque assemblée appartiennent toujours à la *nomenklatura* du Parti communiste.

• **La présidence de la République**

Fonction occupée avant la « révolution culturelle » par de puissantes personnalités (Mao Zedong, Liu Shaoqi), la présidence de la République n'a été rétablie que par la Constitution de 1982. Deux membres du Bureau politique du P C l'ont successivement occupée : Li Xiannian (1983-1988) et Yang Shangkun qui lui a succédé. Mais l'influence de ces deux responsables a constamment beaucoup plus dépendu du rapport des forces entre les différentes factions de la direction du Parti que de leur statut honorifique de premier personnage de l'État.

• **La Conférence consultative politique du peuple chinois**

Créée en 1949 et faisant office

d'Assemblée nationale jusqu'en 1954, la C C P P C est le symbole du front uni entre le P C et les autres forces politiques du pays. Comme son nom l'indique, son rôle est uniquement consultatif. Mise en sommeil pendant la « révolution culturelle », la C C P P C fut rétablie en 1978. Cette institution est présente aux échelons national, provincial, municipal et du district. En 1988, elle comptait au total 367 000 membres. Les responsables de la C C P P C sont désignés à chaque échelon par le Parti. Le Comité national — plus de 2 000 membres — est nommé pour cinq ans, en même temps que l'A P N. Il se réunit une fois par an. Il est dirigé par un Comité permanent de 280 membres qui se rencontrent plus fréquemment. Présidée jusqu'en 1988 par Deng Yingchao, la veuve de Zhou Enlai et depuis par l'ancien président de la République Li Xiannian, la C C P P C est une instance de récriminations et de suggestions placée sous la direction du P C. Bien que les deux tiers d'entre eux n'appartiennent pas au Parti, les membres de la CCPCC sont pour la plupart des compagnons de route des communistes. Ils représentent en particulier l'*intelligentsia* officielle et les « partis démocratiques ».

• Les « partis démocratiques »
Outre le P C existent en Chine huit « partis démocratiques » : le Comité révolutionnaire du Guomindang, la Ligue démocratique chinoise, l'Association démocratique chinoise pour l'édification nationale, l'Association chinoise pour la promotion de la démocratie, le Parti démocratique paysan et ouvrier de Chine, le Parti de l'aspiration à la justice, la Société du 3 septembre et la Ligue autonome démocratique de Taïwan. Composés chacun de quelques dizaines de milliers d'intellectuels ralliés au P C en 1949, ces partis sont plus actifs depuis 1978. Ils ont vu leurs effectifs rapidement augmenter (270 000 en 1988). Néanmoins, ils restent étroitement contrôlés par le P C dont ils sont censés surveiller les activités.

Les institutions réelles

• **La Commission militaire centrale**
Instituée par la Constitution de 1982, la C M C est en principe élue par l'A P N. En fait, elle s'identifie totalement à la Commission des affaires militaires du Comité central du P C. Elle est donc présidée par l'homme fort du régime, Deng Xiaoping.

• **Le Conseil des affaires de l'État et les gouvernements locaux**
Le Conseil des affaires de l'État est l'« organe administratif suprême » du pays. Hier clairement subordonné aux départements du Comité central, le gouvernement est devenu, à la faveur de la « révolution culturelle » — qui s'attaqua surtout à l'appareil du P C — un véritable centre de pouvoir que le Premier ministre Zhou Enlai utilisa pour reconstruire l'édifice administratif du pays. Bien que toutes les mesures importantes soient arrêtées par le Bureau politique et — surtout jusqu'en 1987 — par le Secrétariat, le gouvernement constitue une puissante institution, en particulier dans le domaine économique. Privés de la plupart de leurs administrations économiques, les services du Comité central sont avant tout responsables des questions politiques, idéologiques et organisationnelles. La priorité accordée au développement économique puis l'arrivée, en novembre 1987, de Li Peng à la tête du Conseil des affaires de l'État ont accéléré cette évolution. Après avoir pendant quelques mois tenté de résister à cette montée en puissance du gouvernement à laquelle il avait contribué, le secrétaire général, Zhao Ziyang, a dû céder la conduite de l'économie à Li Peng et à son premier adjoint, Yao Yilin.
Le gouvernement n'en est pas pour autant plus indépendant du P C. En effet, ces deux dirigeants siègent au Comité permanent du Bureau politique. Cependant, les économistes de la direction — en général modérés et planificateurs — appartiennent tous au Conseil des

─────────── *BIBLIOGRAPHIE* ───────────

BARNETT A. Doak, *Cadres, Bureaucracy and Political Power in Communist China*, Columbia University Press, 1967.

BURNS J., « China's Nomenklatura System », *Problems of Communism*, sept.-oct. 1987.

CABESTAN J.-P., « Comment devient-on ministre en Chine populaire ? », *Revue d'études comparatives Est-Ouest*, vol. 16, n° 4, déc. 1985.

CABESTAN J.-P., « La réforme de l'administration chinoise et ses limites », *Revue Tiers-Monde*, t. XXVII, n° 108, Paris, oct.-déc. 1986.

SCHRAM S. (ed.), *The Scope of State Power in China*, School of Oriental and African Studies, Londres, 1985.

SCHURMANN F., *Ideology and Organization in Communist China*, Berkeley, University of California Press, 1968.

SEYMOUR J., *China's Satellite Parties*, M.E. Sharpe, New York, 1987.

STAVIS B. (ed.), « Reforms of China's Political System », *Chinese Law and Government*, vol. XX, n° 1, 1987.

TSIEN Tcheo-hao, « La Chine, Constitution de 1982 et institutions », *Notes et études documentaires*, La Documentation française, Paris, 1983.

WOMACK B., « The 1980 County-Level Elections in China : Experiment in Democratic Modernization », *Asian Survey*, vol. XXII, n° 3, mars 1982.

affaires de l'État alors que les « politiques » et les idéologues, souvent plus réformistes, travaillent au secrétariat ou dans l'appareil central du P C. Une telle ligne de fracture concourt à aggraver les dysfonctions bureaucratiques et les tendances centrifuges. En effet, aux échelons locaux, l'appareil du P C, qui exerce encore une emprise très forte sur les gouvernements populaires, obéit beaucoup plus aux directives — souvent très vagues — lancées par les départements du Comité central qu'aux règlements techniques et tatillons émis par les quelque 41 commissions et ministères du Conseil des affaires de l'État.

Fort au sommet, où la division du travail est déjà assez nette, l'appareil d'État reste, à la périphérie, totalement imbriqué dans la bureaucratie du P C. La réforme des structures politiques, décidée par le XIIIᵉ congrès (1987), devrait élargir les compétences de l'administration. Mais la répartition des tâches est d'autant moins aisée que le P C conserve le monopole du politique ainsi que le pouvoir de nommer non seulement l'ensemble des « fonctionnaires politiques » mais aussi les 8 millions de cadres de la *nomen-klatura* (sur un total de 27 millions). Seuls les « fonctionnaires professionnels » — de second ordre — seront recrutés sur concours.

• **Les institutions judiciaires et de contrôle**

Ces institutions ont été renforcées (tribunaux), rétablies (parquets, ministère du Contrôle) ou créées (Administration de contrôle des comptes) après 1978. Depuis 1987, la Chine a progressivement mis sur pied des chambres et un droit administratif. Mais, en dépit de ces efforts, le droit — et en particulier le droit public — est loin d'être devenu la norme suprême. Comme dans les autres pays communistes, celui-ci reste largement subordonné à la politique du P C.

Si les réformes politiques en cours amélioreront sans doute le fonctionnement de la bureaucratie, elles ne pourront pas totalement endiguer l'arbitraire d'institutions d'État dont l'action dépend non pas de la volonté populaire mais des diktats de la *nomenklatura* communiste qui l'habite.

Jean-Pierre Cabestan

La renaissance du droit

Après 1979, la Chine s'est lancée dans une entreprise sans précédent de réhabilitation du droit. Droit et loi sont devenus des éléments essentiels de la réforme. Après des années de rejet du droit et malgré les résistances culturelles et idéologiques, confortant le caractère avant tout pénal de la loi et l'omnipotence des fonctionnaires et des cadres du Parti, l'effort de codification est impressionnant. Plus de 500 lois et règlements à caractère économique ont été adoptés en dix ans. L'élaboration du droit interne se révèle plus lente cependant, et moins influencée par l'ouverture et la pression extérieure que le droit des relations économiques avec l'étranger. Toutefois, la conception théorique du droit et la notion d'État de droit demeurent encore éloignées des pratiques coutumières et des comportements traditionnels d'une nation où le débat entre confucéens et légistes ne semble pas fini.

Les autorités ont montré une volonté indéniable de renforcer le rôle du droit, véritable instrument de la réforme, mais aussi d'en faire un instrument des relations internes et des relations avec l'administration. Au-delà de la mention de l'article 5 de la Constitution de 1982 reconnaissant la suprématie de la loi en affirmant l'obligation pour le Parti de se soumettre à la Constitution et à la Loi, les efforts ont porté sur l'éducation juridique, le renforcement du système judiciaire, l'élaboration d'un droit civil et économique, d'un droit du commerce avec l'étranger et la participation à la vie juridique internationale.

• *L'éducation juridique.* Tous les journaux publient régulièrement des textes, informations ou débats juridiques. Une grande publicité est faite autour des principales lois ; ainsi, les « principes généraux du droit civil » et la loi sur les brevets ont été publiés intégralement dans la presse quotidienne ; les projets de loi sur les entreprises d'État ou la réforme fiscale ont été publiés pour information en chinois et en anglais. Les revues juridiques professionnelles ou de vulgarisation sont de plus en plus nombreuses. Les autorités ont mis en place avec beaucoup de publicité des stages et cours de formation juridique pour les dirigeants, fonctionnaires, membres du Parti, mais aussi pour les magistrats. Enfin l'engouement pour le droit est un phénomène nouveau dans la jeunesse. En 1989, on a dénombré cent fois plus de diplômés des facultés de droit qu'en 1979, les étudiants se bousculent aux examens d'avocat et toutes les universités ouvrent des départements de droit.

• *Le renforcement du système judiciaire.* La profession d'avocat est en plein renouveau. Les effectifs croissent (33 000 en 1988 dont un tiers à plein temps). Une réforme fondamentale de 1988 permet la création de cabinets d'avocats privés et indépendants, sous réserve de l'autorisation du ministère de la Justice. La magistrature sera professionnalisée (recrutement par concours, promotion interne, formation). Avec la création de chambres administratives et de recours contre l'administration est apparu un début de contrôle de l'action administrative. L'instauration de procédures de contrôle (contrôle de légalité des normes, contrôle de la mise en œuvre des normes — possibilité de dénoncer les fonctionnaires —, contrôle des comptes), ainsi qu'un début de jurisprudence avec la publication des arrêts de la Cour suprême contribuent au renforcement du rôle de la justice.

• *Un droit civil et économique.* La loi apparaît comme le support nécessaire et attendu de la réforme. L'adoption depuis 1986 des « principes généraux du droit civil », la loi sur les entreprises d'État, le règlement sur les entreprises privées, la

─── **BIBLIOGRAPHIE** ───

CABESTAN J.-P., « Chine », *Annuaire de législation française et étrangère*.

CHIENG A., CHANG Chongyang, *Les Nouvelles routes de la soie*, Économica, Paris, 1987.

DESLANDRES V., DESCHANDOL J.-M., *Droit et pratique des investissements français en Chine populaire*, Éd. Institut du droit de l'économie internationale et du développement (2 vol.), Paris, 1988.

GU Chunde, CHEN A., *Chinese Legal System* (2 vol.), China and H.K. Law Studies Ltd, Hong-Kong, 1988.

« La Chine à la recherche d'un État de Droit », *Problèmes politiques et sociaux*, n° 555, La Documentation française, Paris, 1987.

TAO Jingzhou, *Le Commerce avec la Chine*, L G D J, Feduci, Paris, 1987.

TSIEN Tchehao, *Le Droit chinois*, P U F, « Que sais-je ? », n° 1988, Paris, 1982.

WANG Dominique, *Les Sources du droit de la République populaire de Chine*, Librairie Droz, Genève, 1982.

loi sur les faillites, les lois sur l'audit, sur la normalisation, sur la propriété industrielle et intellectuelle, sans oublier la loi sur les contrats économiques constituent les bases d'un droit économique qui reconnaît la personnalité morale de l'entreprise, introduit les responsabilités délictuelle et contractuelle, délimite les statuts des futures sociétés. Le droit du créancier y est affirmé, de même que les droits à la succession.

• *Un droit du commerce extérieur.* Dix ans après la loi sur les sociétés mixtes, le vide juridique et l'inexpérience des négociations du début des années quatre-vingt ont laissé la place à un cadre juridique des relations économiques avec l'étranger est devenu complexe, quoique incomplet. Aux lois nationales sur les sociétés mixtes, les entreprises coopératives, les sociétés à 100 % étrangères, les douanes, le contrôle des changes,... sont venues s'ajouter les réglementations provinciales et locales sur les zones à statut privilégié. La création, en 1988, d'un comité chargé d'interpréter officiellement ces textes et la réforme fiscale annoncée devraient simplifier les négociations.

• *La volonté d'insertion au plan international* a été illustrée par les ratifications des Conventions de New York sur l'arbitrage, et de Vienne sur les contrats de vente de marchandises, par l'adhésion à l'Organisation mondiale de la propriété intellectuelle (O M P I) et par la conclusion de nombreux accords bilatéraux sur la protection des investissements, la non double imposition et l'assistance judiciaire.

Bien des interrogations peuvent cependant faire douter de l'évolution vers une société de droit. Dix obstacles principaux réduisent fortement le processus de légalisation : l'absence d'une publication systématique du type *Journal officiel* ; la tradition vivace de la confidentialité des règlements internes ; l'absence d'une véritable hiérarchie des normes, soumises aux pressions autonomistes locales ; les disparités d'application ; le non-respect des normes juridiques et des décisions de justice par les fonctionnaires ; le caractère politique et répressif du code pénal ; les violations de contrats ; les rapports contrat-loi ; les pesanteurs culturelles et le poids des coutumes ; la tradition du gouvernement par les hommes. La loi, malgré son introduction massive, n'est encore guère plus qu'une norme, au même titre que la coutume, la morale, et la politique.

Yves Dolais

La criminalité, un problème majeur

Considéré pendant longtemps par les autorités comme un phénomène social en voie de disparition, le fait criminel est pourtant devenu, depuis la fin des années soixante-dix, un des problèmes sociaux majeurs auxquels est confronté le pouvoir. Face à une société qui se transforme, la police se révèle incapable d'empêcher un accroissement important du nombre de crimes et délits, souvent commis en groupe.

Cet accroissement, mal évalué par les chiffres officiels du fait de l'absence de distinction entre déviance, infraction, délit et crime, s'accompagne d'une aggravation des infractions. D'août 1983 à décembre 1987, les tribunaux ont condamné 2 millions de criminels, dont plus de 45 % se sont rendus coupables de « crimes graves » (comportement hors des normes de la société « socialiste », appelé hooliganisme organisé, meurtre, viol, vol avec violence, sabotage par explosion, etc.). Quant aux crimes économiques graves (corruption, contrebande, trafics, escroqueries, etc.), leur nombre a augmenté de plus de 54 % en 1986 par rapport à 1985. La corruption est notamment devenue un fléau national. Les crimes liés à la sexualité (viols, prostitution, trafics de femmes et d'enfants, sexualité « anormale », etc.) ont considérablement augmenté. Dans les régions proches de Hong-Kong, on assiste à l'apparition d'une criminalité organisée par des « sociétés noires » liées au banditisme international. Les statistiques ne tiennent pas compte des condamnations — notamment de petits délits comme attitudes déviantes, jeux d'argent, petits vols — prononcées par des instances administratives, ni des multiples délits économiques qui, impliquant des dirigeants, ne sont pas découverts ou rendus publics. Cela explique le fait que les autorités, d'une part, annoncent chaque année une amélioration de la situation, et, d'autre part, lancent régulièrement des mouvements anti-criminalité en raison de « l'aggravation de la situation dans certains endroits ». A l'inverse, de nombreux jeunes gens sont accusés du crime fourre-tout d'hooliganisme pour des actes tout à fait mineurs. En dehors de l'aggravation des infractions, il faut noter une forte prépondérance de jeunes délinquants (souvent de jeunes ouvriers et employés d'entreprises d'État) dans la population criminelle : 75 % des criminels ont moins de vingt-cinq ans.

La faible criminalité des années 1949-1966 était due en partie à la facilité de la répression par la « *Gong'anju* » (la Sécurité publique), organe cumulant l'ensemble des fonctions d'arrestation, de jugement et d'incarcération, d'une population fixée à vie dans un espace déterminé. Dans cette tâche, la police n'avait besoin de faire preuve ni de souplesse, ni de respect pour des principes légaux inexistants, ni d'un grand acharnement. Les autorités exigeaient d'elle de contrôler « en général » la population et de poursuivre avec détermination les ennemis du régime. Déjà fortement remise en cause par les troubles de la « révolution culturelle », cette situation a radicalement changé avec la mise en œuvre de la politique réformiste (années quatre-vingt). La plus grande mobilité de la population, l'affaiblissement des contraintes politiques, idéologiques et morales, la montée de l'individualisme, et les nouveaux mots d'ordre (« Enrichissez-vous ») ont contribué à une multiplication des occasions d'activités criminelles et, surtout, à un décalage entre les désirs individuels et les faibles possibilités de réalisation personnelle.

Face à cette évolution, la tâche de la police se révèle d'autant plus difficile que, pour mettre fin à ses pratiques arbitraires et à leur corollaire

BIBLIOGRAPHIE

Béja J.-Ph., Trolliet P., *L'Empire du milliard*, Armand Colin, Paris, 1986.

« Individu et société en Chine populaire », *Économie et Humanisme*, n° 290, Lyon, 1986.

Parish W., Whyte M., *Urban Life in Contemporary China*, University of Chicago Press, Chicago, 1984.

Rocca J.-L., « Le contrôle social en Chine », *Bulletin de sinologie*, Hong-Kong, nouv. série n° 29, mars 1987.

Rocca J.-L., *La Chine et son milieu. La délinquance juvénile dans la Chine socialiste*, Plon, Paris (à paraître).

de corruption, les autorités ont tenté de la réformer en profondeur. Ses prérogatives ont été limitées par des textes légaux. La formation des policiers, jusque-là quasiment inexistante, est devenue une priorité. La discipline est renforcée. Les autorités ont même créé une « force armée de police populaire », forte de 600 000 à 1 000 000 d'hommes et composée de troupes militaires placées sous l'autorité du ministère de la Sécurité publique. Mais ces réformes n'ont eu guère d'effets. La presse rappelle constamment l'interdiction d'extorquer des confessions par la torture, d'arrêter les gens illégalement, ou de frapper des citoyens sans raison. Corruption, rackets, enlèvements et autres activités illégales dans lesquelles les policiers sont impliqués se poursuivent au grand jour. La situation est d'autant plus complexe que les autorités ont recours à la police pour lancer les mouvements anti-criminalité. Ainsi, d'août 1983 à janvier 1984, 1 million de personnes ont été arrêtées et plus de 10 000 exécutées. Depuis, chaque année, quelques milliers de personnes sont condamnées à mort. Les événements de mai-juin 1989 ont vu la répétition de ce scénario — tout accès de désordre est réprimé dans le sang — mais en le réactualisant : l'armée a dû prendre la place d'une police évanescente.

Jean-Louis Rocca

De la naissance à la mort, une vie sous contrôle

Chacun s'accorde pour reconnaître que, dans la Chine des années quatre-vingt, les citoyens ont joui de plus de liberté qu'au cours de la décennie précédente. Pourtant, de la naissance à la mort, leur vie quotidienne a continué à être soumise à la dictature de deux institutions omnipotentes, qui gèrent deux sortes de papiers d'identité.

Le premier se présente sous la forme d'un petit livret, ne comportant même pas de photographie, qui indique le lieu de naissance, l'origine de classe et quelques autres renseignements d'état civil. C'est le fameux *hukou*, ou livret de résidence, qui détermine l'avenir de son titulaire. En effet, les Chinois, à l'instar des serfs du Moyen Age européen, sont attachés au lieu de résidence de leur famille. Le *hukou* se transmet par les femmes, ce qui peut sembler étrange dans un pays à forte tradition patrilinéaire. Il y a pourtant une explication : si la règle patrilocale domine en Chine, ce sont la plupart du temps les hommes qui vont chercher fortune en ville, les femmes restant à la campagne. Elles sont, dans ce sens, moins mobiles que les hommes. Quiconque est né d'une mère paysanne ne pourra, sans autorisation spéciale, aller s'installer à Pékin. Chaque implantation dispose d'ailleurs d'une place spécifique dans une hiérarchie très stricte : en bas de l'échelle se situe le village, puis le chef-lieu de district, la municipalité, la capitale provinciale, la municipalité autonome (Shanghai, Tianjin) et, au sommet de l'édifice, Pékin, la capitale nationale. La mobilité n'est possible que horizontalement, et naturellement, de haut en bas.

Le hukou, livret de résidence

Le *hukou* limite non seulement la mobilité géographique, mais également la mobilité sociale des citoyens, car le mariage lui-même ne permet pas de lui échapper. Si un Shanghaien tombe amoureux d'une Pékinoise, il aura toutes les peines du monde à obtenir l'autorisation d'aller s'installer dans la capitale. Quant aux citadins, ils y regardent à deux fois avant d'épouser une paysanne, puisqu'il leur sera impossible de faire venir leur femme en ville. Cette réglementation a conduit à la création de groupes quasi endogamiques, les mariages hors de sa région et de sa classe d'origine étant extrêmement rares. Elle a également permis l'apparition d'une institution particulière à la République populaire, les couples séparés pour raison administrative, qui ne peuvent se rencontrer que douze jours par an, les congés payés étant inconnus en Chine.

Les défenseurs de l'institution du *hukou*, créée en 1958 et généralisée dans les années soixante, affirment qu'elle a permis à la Chine d'éviter l'urbanisation sauvage qui frappe la plupart des pays du tiers monde, en interdisant aux paysans de se ruer vers des villes incapables de les accueillir. Il semble qu'en effet, cet objectif ait joué un rôle dans l'adoption de ce dispositif. Pourtant, aujourd'hui, les paysans peuvent se rendre plus aisément dans les villes que dans la décennie précédente. Des commerçants, des gérants d'hôtels originaires de la campagne résident pour de longues périodes dans les cités, et peuvent se faire délivrer un *hukou* temporaire. Mais, malgré les revendications de nombreux économistes et sociologues, l'institution n'a toujours pas été abolie. Elle présente en effet un intérêt indéniable pour le pouvoir puisqu'elle lui permet de fixer le lieu de résidence des citoyens, et donc d'éloigner les éléments socialement ou politiquement indésirables sans avoir besoin de prononcer de condamnation. C'est ainsi qu'au cours de la campagne contre la criminalité de 1983, nombre de jeunes Shanghaiens on vu leur *hukou* transféré définitivement dans les steppes glacées du Qinghai, ce qui a constitué au fond une mesure bien plus grave qu'une condamnation à quelques années de prison ! Dans la situation de terreur qui a régné après le massacre du 4 juin 1989, le *hukou* a constitué naturellement un élément important de l'arsenal répressif.

Si le *hukou* détermine la vie de chaque Chinois dès la naissance, le dossier (*dang'an*) ne le suit qu'à partir du collège. « En apparence, le dossier n'est jamais qu'une enveloppe de papier, mais il contient votre histoire, votre identité, et jusqu'à la preuve même de votre existence » (Liu Binyan, *Un Homme et son ombre*). Résultats scolaires, « attitude par rapport à la collectivité et à l'organisation », mais surtout « relations sociales », le dossier contient toutes sortes d'informations sur une personne. Géré par les « bureaux du personnel » (*renshi chu*) il s'enrichit de toutes les dénonciations venues des camarades ou des dirigeants. Celui qui se dispute avec un supérieur risque d'avoir une mention négative dans son dossier, mention qui le suivra toute sa vie et l'empêchera d'accéder à de bons emplois, quelle que soit sa qualification. Inutile de préciser que les citoyens n'ont jamais accès à leur *dang'an*. Les en-

BIBLIOGRAPHIE

Liu Binyan (présent. et trad. de J.-Ph. Béja), *Le Cauchemar des mandarins rouges*, Gallimard, Paris, 1989.

Wang Meng (trad. de Ch. Chen-Andro), *Le Salut bolchévique*, Messidor, Paris, 1989.

Deng Xiaoping, *Les Questions fondamentales de la Chine d'aujourd'hui*, Éd. en langues étrangères, Pékin, 1987.

trepreneurs individuels eux-mêmes disposent de dossier généralement déposé au comité de quartier, puisqu'il n'ont pas de *danwei*.

La danwei, unité de rattachement

Qui dit papier, dit institution qui les gère. La première d'entre elles est naturellement la *danwei*. Ce terme que l'on traduit en général par « unité de travail », peut être une usine, une université, une administration, mais c'est bien plus que cela. C'est la *danwei* qui distribue aux citadins leurs tickets de rationnement (de céréales, d'huile, de sucre, de viande, de produits manufacturés, etc.). C'est elle, lorsqu'elle est assez importante, qui leur affecte leur logement. D'elle dépendent l'école des enfants, le dispensaire pour les malades, des boutiques. Le syndicat, qui y dispose d'une branche, distribue les tickets de cinéma, les places dans les maisons de repos. Enfin, c'est elle qui distribue les lettres d'introduction (les fameuses *jieshao xin*) indispensables à toute démarche administrative (et en Chine, la plupart des démarches sont administratives) de l'obtention d'un billet de train à l'autorisation de compulser certains ouvrages dans une bibliothèque, en passant par les mutations, les mariages et la délivrance des passeports. Il arrive même que la *danwei* affiche les dates des règles de ses employées, et il faut lui demander le droit de faire un enfant, car c'est elle qui est comptable de l'application du contrôle des naissances. C'est naturellement le comité du Parti qui dispose du pouvoir dans cette ins-

titution. Bien sûr, la *danwei* concerne exclusivement les citadins, les paysans disposant, dans ce domaine, d'une plus grande liberté. Avec le développement du secteur privé, un certain nombre de personnes quittent les *danwei* d'État, et échappent à l'emprise de cette « mère abusive ».

Les comités de voisinage

Mais ils ne se retrouvent pas pour autant dans la nature. Les autorités ont tout prévu. En effet, avant même l'apparition d'un secteur privé conséquent au début des années quatre-vingt, il y avait des femmes au foyer, des vieux, des « jeunes en attente d'emploi » (euphémisme officiel qui désigne les chômeurs). Le Parti n'allait tout de même pas les laisser dans la redoutable situation qui consiste à n'avoir « ni discipline, ni organisation ». C'est donc, depuis les origines, le comité de quartier, ou de voisinage (*jiedao weiyuanhui, jumin weiyuanhui*) qui fait fonction de « mère adoptive » (et abusive, naturellement). Toutes les villes de Chine en disposent. A Pékin, chacun d'entre eux contrôle de 300 à 700 familles, et comprend de sept à dix-huit membres, la plupart bénévoles. Il comporte naturellement une cellule du Parti communiste, et c'est son secrétaire qui dispose du pouvoir effectif. Mais il faut reconnaître qu'il obtient le concours enthousiaste des vieilles femmes qui n'ont rien d'autre à faire que de s'occuper des affaires des autres. Outre les attributions de la *danwei*, le comité est chargé de veiller à la moralité publique. Comme le fait l'unité pour les travailleurs, c'est lui qui se charge d'organiser les séances d'études politiques pour les oisifs et les entrepreneurs individuels lorsqu'un mouvement est lancé. Il se préoccupe également des rapports entre les habitants du quartier. Les vieilles femmes qui le représentent s'intéressent tout particulièrement aux rapports au sein des couples, et plus encore au comportement sexuel des jeunes célibataires. Naturellement, il est plus commode d'exercer cette surveillance dans les *siheyuan* de Pékin, ces pavillons regroupés autour d'une cour disposant d'une seule entrée, que dans les grands immeubles que l'on construit aujourd'hui à la lisière des grandes villes. Pourtant, au cours de la campagne contre la pollution spirituelle, en 1983, les « matrones » du comité de quartier, qui s'étaient gagné une solide antipathie parmi les larges masses au cours des dix dernières années du règne de Mao, ont montré une nouvelle fois de quoi elles étaient capables. Faisant la chasse aux jeunes filles trop délurées et aux organisateurs de surprises-parties, elles ont fait traîner bon nombre de jeunes citadins devant les commissaires et les secrétaires de cellules pour de bonnes séances d'éducation. Après le 4 juin 1989, les comités de quartier ont joué tout naturellement un rôle important d'informateur dans la chasse aux manifestants. Ce sont souvent leurs responsables qui ont reconnu ceux qui avaient été photographiés par la police pendant le mouvement du printemps.

Danwei et comité de quartier sont les vaisseaux de l'organisation capillaire que le Parti communiste a tissée sur la Chine. Jusqu'au massacre du 4 juin, on avait pu croire que, le Parti ayant renoncé à exercer un contrôle absolu sur les esprits, leurs ingérences dans la vie privée s'étaient atténuées. De même, l'emprise du *hukou* est moins grande qu'autrefois. Un séjour dans n'importe quelle ville permet de se rendre compte que les paysans qui y sont installés sont nombreux. Pourtant, ne disposant que de livrets de travail temporaires, ils n'ont aucun sentiment de sécurité, pouvant à tout moment (c'est souvent le cas notamment lors de la fête nationale) être renvoyés dans leur village d'origine. La permanence du *hukou* est en outre un facteur de corruption : les titulaires de livrets temporaires cherchent en effet à acheter les fonctionnaires responsables pour obtenir un *hukou* urbain. La presse regorge d'exemples de ces pratiques.

La répression qui s'est déchaînée sur le pays à la suite du massacre de juin 1989 a montré que des institutions qui semblaient être tombées en désuétude pouvaient être rapidement réactivées et aider le pouvoir à affermir son contrôle sur la population. Aujourd'hui, plus encore qu'avant les événements tragiques du printemps 1989, la démocratisation du régime passe par le démantèlement des instruments du contrôle social.

Jean-Philippe Béja

L'héritage d'une civilisation en vase clos

L'autoritarisme impitoyable sévissant en Chine est-il un acquis du régime ou celui-ci plonge-t-il ses racines profondes dans les replis structurels d'un héritage despotique ? Quelles influences modèlent les hommes aujourd'hui au pouvoir à Pékin ? — Pour l'intelligentsia chinoise, qui observe, médusée, les changements qui prennent place en Hongrie, en Pologne, en Union soviétique, la logique d'État chinoise relève moins d'un stalinisme attardé que d'un « féodalisme traditionnel » ; prisonnière de son penchant pour la dictature, la Chine s'avère incapable du moindre changement de son système politique.

Le Parti souverain a remplacé l'empereur de jadis sans modifier d'un iota la logique du pouvoir : tel est le thème récurrent de *He Shang* (*Sacrifice pour un fleuve*), une série télévisée chinoise diffusée en août 1988. Véritable réquisitoire contre la rémanence des tares de l'ancien régime, jamais un film n'aura eu un tel impact. Il a fait prendre conscience au milliard de Chinois de la profonde crise de civilisation devant laquelle ils se trouvent. S'il n'a pas été le détonateur du mouvement démocratique d'avril-juin 1989, il en a été un important catalyseur. Un des premiers gestes des autorités après la répression du mouvement a été d'arrêter l'auteur de *He Shang*, Su Xiaokang, et d'accuser les partisans d'une démocratisation du régime (dans le *Quotidien du Peuple*) d'avoir « porté atteinte à la civilisation chinoise ».

Même lorsqu'ils disposent de références plus universelles, les Chinois piochent dans leur vivier culturel pour interpréter les coups de barre auxquels ils sont habitués. Ils comparent volontiers le jeu politique aux joutes épiques de l'*Épopée des trois royaumes* (XIVᵉ siècle). La trame y est tissée de traquenards, intrigues, ruses, luttes pour le pouvoir, où le cynisme se drape du discours de la morale et où l'intoxication joue un rôle déterminant. « Je préfère commettre une injustice à l'encontre de tout l'univers, plutôt que de laisser tout l'univers commettre une seule injustice envers moi » : comment ne pas deviner dans cette tirade de l'homme d'État Caocao, qui vient de massacrer par erreur ceux qui lui venaient en aide, le mythe de l'infaillibilité du Parti ? Le parallèle, qu'on est en droit de juger mal à propos, est pourtant fréquent. En rejeter le bien-fondé serait oublier, estime Sun Longji (auteur de *La structure profonde de la culture chinoise*), un universitaire de Chine continentale, que « si les Grecs et les Égyptiens

contemporains n'ont pas le moindre rapport avec leurs ancêtres de l'Antiquité, les Chinois d'aujourd'hui sont les descendants directs d'une civilisation dont la continuité des institutions politico-morales est unique au monde ».

Mao Zedong lui-même a reconnu avoir puisé dans ce recueil de fables politiques — archiconnu en Chine — ses principales maximes stratégiques. Selon son secrétaire particulier, le « grand timonier » n'a pas non plus dédaigné s'inspirer du *Zizhitongjian* (*Miroir à l'usage des gouvernants*) de Si Maguang, sorte de « Machiavel » du Moyen Age chinois, ouvrage avec lequel il s'est fait photographier. Impossible, rappelait en 1983 le philosophe taïwanais Bo Yang, de comprendre la Chine contemporaine, voire de tenter d'en déchiffrer l'avenir, sans avoir compulsé le *Zizhitongjian*. Il est édifiant également de constater que les œuvres de Mao comportent davantage de références d'auteurs traditionnels que de Marx, penseur occidental, rappelons-le.

Un boulet plusieurs fois millénaire

Les problèmes de fond auxquels la Chine doit aujourd'hui faire face n'ont guère changé, pas plus que les attitudes qu'ils suscitent. La haine du maoïsme à l'encontre des « intellectuels » et de toute trace de confort « bourgeois » relève moins d'un militantisme prolétarien qu'il y paraît. « Un pays est corrompu lorsque ses sujets sont riches ; la luxure engendre des parasites qui minent les forces de la nation », expliquait déjà au IVᵉ siècle avant J.-C. le *Livre du prince Shang*, qui affirme que, « débarrassé des lettres et des arts, le pays croîtra en puissance ». « Par des lois frustes, la responsabilité collective et la surveillance mutuelle, tout mérite sera récompensé et toute félonie dénoncée ; il serait bon qu'il y ait un juge dans la tête de chaque citoyen. » Sur la nécessité des purges :

« Il est vital pour le souverain que de détruire les forces qu'il a suscitées et dont il s'est assuré la mainmise. » « Lorsqu'on développe l'industrie sans lui assigner de bornes, l'intelligence des citoyens s'accroît dans des proportions qui peuvent devenir dangereuses pour le prince (...) qui aurait à redouter quelque grande rébellion. » Sur le pragmatisme « aux couleurs de la Chine » : « Un prince (...) ne conserve pas les institutions existantes, mais il gouverne en tenant compte des réalités objectives de l'époque. » Sur le centralisme démocratique : « Dans un État bien gouverné, les décisions sont prises au niveau du peuple ; dans un pays en proie au désordre, elles le sont au niveau du souverain ; un prince éclairé doit veiller à ce que toutes les initiatives partent du bas (...) les administrations peuvent ainsi se consacrer aux grandes affaire. » L'iniquité du système judiciaire traditionnel, que dénonçait Lu Xun en 1930, n'a guère évolué non plus : « Il doit être "coupable" puisque les "autorités" le punissent... »

Héritiers d'une civilisation en vase clos, les Chinois ont, après dix ans d'ouverture sur l'étranger (depuis 1979), une nouvelle aune à laquelle mesurer leur destin, de nouvelles échelles de valeurs auxquelles se référer. La tentation de l'Occident avait provoqué, dans les années trente, un bouleversement des mentalités et un rejet des traditions « féodales » qu'avait tenté de parachever la révolution chinoise de 1949. L'impact, qui doit beaucoup aux médias, est beaucoup plus profond aujourd'hui : l'intelligentsia est plus nombreuse, le niveau d'éducation général plus élevé. Mais ce second coup de boutoir suffira-t-il à débarrasser la Chine du boulet qu'elle traîne aux pieds depuis plusieurs millénaires ?

Romain Franklin

RÉSISTANCES

Orthodoxie et dissidence

L'année 1989 a commencé par une cascade d'événements d'abord insolites, ensuite aussi renversants qu'enthousiasmants et inquiétants et, pour finir, des plus tragiques : pour la première fois, de prestigieux intellectuels ont pris, à visage découvert, l'initiative d'inviter le pouvoir à libérer Wei Jingsheng (l'inventeur de la « Cinquième modernisation », celle de la vie politique) et les autres jeunes contestataires emprisonnés depuis la fin du « Printemps de Pékin » en 1979, puis à s'engager dans un processus de démocratisation pluralisante du système politique existant. Hu Yaobang, le secrétaire général du Parti limogé au début de 1987 sous la pression des conservateurs à la suite des manifestations étudiantes de protestation contre la vie chère, la corruption et les lenteurs de la mise en œuvre de la réforme politique qui avaient secoué le pays en décembre 1986, meurt le 15 avril d'une attaque cardiaque. Au même moment, un débat politique se déroule au sommet, particulièrement âpre, alors qu'un nouveau mouvement étudiant, plus populaire encore que celui de décembre 1986 et de même esprit que lui, se développe durant la semaine de la veillée funèbre de Hu Yaobang. Celui-ci ressemble fort aux manifestations auxquelles avait donné lieu la mort de Zhou Enlai en avril 1976, au moment de *Qingming* ; il prend les allures d'un mouvement de masse en faveur de la démocratisation qui ébranle le pouvoir jusqu'en ses assises, de la fin d'avril au début de juin (manifestations monstres, encore jamais vues depuis 1949, le 22 avril, le 27 avril, le 4 mai et pendant toute la durée de la visite de Mikhaïl Gorbatchev en Chine, du 15 au 18 mai, rejet radical de la loi martiale proclamée le 19 mai par Li Peng, Yang Shangkun et les Vieux-Conservateurs avec la bénédiction de Deng Xiaoping, érection d'une statue de la déesse « Démocratie » sur la place Tian An Men le 30 mai ; et il est brutalement noyé dans le sang le 4 juin et les jours suivants.

Affrontement
entre deux lignes

Derrière la scène de toutes ces turbulences, n'a cessé de se profiler,

He Shang : « sacrifice pour un fleuve »

He Shang est un terme construit sur le modèle du terme Guo Shang *créé par* Qu Yuan, *le célèbre poète patriote de la Chine antique, quand il écrivit une élégie à son pays lointain juste avant de se suicider en se jetant dans une rivière.* Guo Shang *signifiant « Sacrifice pour le pays », il convient de rendre* He Shang *par « Sacrifice pour un fleuve ».* He Shang, *série télévisée écrite par* Su Xiaokang *et* Wang Luxiang, *a été diffusé à trois reprises en Chine dans son intégralité : à Pékin en juin et en août 1988 (chaîne nationale), à Shanghai en juillet 1988.*

Les principaux héros de ce « feuilleton » poético-politique sont le fleuve Jaune, la Grande Muraille et le Dragon, symboles sacro-saints de la Chine impériale et de l'immuable « supériorité » de sa civilisation multimillénaire. On les voit cruellement confrontés aux réalités du monde moderne et mis à mal par elles. Pour que la civilisation chinoise s'arrache à son arriération économique, mentale et culturelle et pour qu'elle cesse de vivre sous le régime du despotisme, bref pour qu'elle ressuscite, il faut qu'elle aille à la rencontre de l'ensemble des autres civilisations, à la façon dont le fleuve Jaune se jette dans l'azur de l'océan. He Shang *enthousiasma la plupart des intellectuels, des étudiants et de larges couches de la population des grandes villes. Mais il fit l'objet d'une réprobation haineuse de la part des « Vieux-Conservateurs », qui réussirent à faire interdire sa projection dès l'automne 1988. Ses réalisateurs figureront en 1989 au premier rang de ceux que persécuteront Li Peng, Deng Xiaoping, Yang Shangkun et leurs séides.*

C. Y. X.

comme en ombre chinoise, un débat vieux de plus d'une décennie sur le choix d'une nouvelle ligne de nature à tirer le pays du chaos dans lequel l'avait plongé la « révolution culturelle ». Le système absolutiste et hyper-volontariste imaginé par Mao Zedong ayant volé en éclats dès 1976, deux grands courants se sont affrontés à l'intérieur du Parti et de l'État de 1977 à 1981 : celui des dirigeants réhabilités de l'époque de Liu Shaoqi (président de la République de 1959 jusqu'à sa mort en prison, en 1966), les « Vieux Conservateurs », nostalgiques du modèle des années cinquante, qui préconisaient un régime d'économie planifiée légèrement assoupli associé à un strict contrôle politique et idéologique ; et celui des théoriciens de la réforme, qui, rassemblés autour de Hu Yaobang, rejetaient à la fois le dogmatisme stalino-brejnevien et le despotisme maoïste, levaient l'étendard du « Seule la pratique est critère de la vérité » et préconisaient le passage à un régime d'économie mixte associé à la mise en route d'un processus de démocratisation de l'appareil politi-

que d'esprit anti-bureaucratique.

Deng Xiaoping, qui s'est vite imposé comme le « nouvel arbitre » à Pékin et qui a soutenu, jusqu'à la fin de 1980, le courant des réformateurs, tranchait cependant le débat, en 1981, en se prononçant en faveur d'une formule qui combinait le principe de la libéralisation de l'économie à celui du respect des « Quatre Principes » (ou « Quatre Exigences Cardinales ») chers au cœur des conservateurs, c'est-à-dire à celui de la perpétuation de la rigidité de l'encadrement politique et idéologique du pays. Et il définissait ainsi ce qu'il faut bien appeler la « nouvelle orthodoxie » : compromis boiteux qui devait engendrer des crises en chaîne. Il était inévitable, dans ces conditions, que se multiplient les dissidences, soit sur le registre néo-conservateur, soit sur le registre démocratisant.

Théoriciens inspirés par l'« exemple » de Taïwan, de la Corée du Sud ou de Singapour, qui ont mené à bien sous l'emprise d'une superstructure politique très autoritaire leur entreprise de modernisation économique, les néo-conservateurs

—— BIBLIOGRAPHIE ——

Su Shaozi, *Democratization and Reform*, Spokesman, Londres, 1988.

Liu Binyan, *Le Cauchemar des mandarins rouges* (trad. et présent. par J.-Ph. Béja), Gallimard, Paris, 1989.

de la Chine d'aujourd'hui prônent un néo-confucianisme et un néo-autoritarisme d'esprit utilitariste. Jouant des aspects les plus négatifs de la réalité culturelle de la Chine profonde, de son absence totale d'expérience de la démocratie, de l'enracinement du confucianisme dans la conscience et dans les mœurs de ses masses populaires, de l'indéracinable respect de l'autorité dont continuent à témoigner la plupart de ses paysans, etc., ils se bornent, en fait, à mettre dans une nouvelle outre le vieux vin du « despotisme éclairé ». On peut craindre que leurs thèses ne finissent par s'imposer, si la dictature militaire instaurée par le carnage du 4 juin 1989 dure trop longtemps.

La dissidence démocratisante

Bien plus complexe que la dissidence néo-conservatrice, la dissidence démocratisante comprend, schématiquement, trois tendances, avant que ne retombe sur le pays la chape de plomb du totalitarisme : iconoclastes, libéraux, marxistes « ouverts » et néo-marxistes.

Héritiers conscients des iconoclastes du Mouvement du 4 mai 1919, les iconoclastes de la fin des années quatre-vingt s'en prennent sans ménagement à la vieille culture chinoise, la culture du fleuve Jaune et de la Grande Muraille. Ils voient en elle le lit du despotisme politique et la source essentielle de l'arriération. Partisans de l'ouverture maximale sur le vaste monde et sur tout ce que notre époque a produit de plus avancé, ils sont pour la plupart des intellectuels assez jeunes ou très jeunes. Ils se sont signalés au cours de l'été 1988 à l'atten-

tion générale en produisant une série de six émissions télévisées intitulée *Sacrifice pour un fleuve* (*He shang*) qui a donné lieu jusqu'à la fin de 1988 à une polémique passionnée dans l'ensemble du pays.

Les libéraux, qui ne se cachent pas d'être des admirateurs des institutions de l'Occident, réclament sans ambiguïté pour la Chine un régime politique multi-partis — en lieu et place de celui de la dictature du Parti communiste — et un régime idéologique et culturel pluraliste — en lieu et place de celui de l'omnipotence du marxisme-léninisme à la chinoise. Ils sont très populaires parmi les étudiants. Le plus actif de leurs animateurs est l'astrophysicien Fang Lizhi, réfugié en juin 1989 à l'ambassade des États-Unis à Pékin qui écrivit le 6 janvier 1989 à Deng Xiaoping une lettre dans laquelle il demandait une amnistie pour tous les prisonniers politiques, à commencer par Wei Jingsheng.

Les marxistes « ouverts » et les néo-marxistes sont relativement nombreux, les uns opérant encore à l'intérieur du système existant, les autres en ayant déjà été expulsés. Beaucoup d'entre eux avaient contribué à l'élaboration de la plate-forme des réformateurs rassemblés autour de Hu Yaobang, à la fin des années soixante-dix, et avaient ensuite été associés à la préparation des décisions visant à accélérer la mise en œuvre des réformes prises au plus haut niveau, jusqu'à la fin de 1986. L'éventail d'opinions qu'ils représentent est assez large, puisque l'on y trouve, côte à côte, des champions d'une formule d'économie mixte dynamisée par le libre exercice des lois du marché, tels Yu Guangyuan et Li Yining, des avocats du « retour aux sources », c'est-à-dire à l'humanisme et à la lucidité critique de Karl Marx, capables d'appliquer la théorie de l'aliénation aux réalités quotidiennes de la société socialiste, tels Wang Ruoshui et Liu Binyan, et des penseurs très « affranchis » bien résolus à s'inspirer des expériences les moins orthodoxes des réformateurs des divers pays de l'Europe de l'Est et de l'URSS pour en finir avec l'immobilisme dramatique de la superstructure politique chinoise, tels Su Shaozhi et Yan Jiaqi.

Au lendemain des massacres de Pékin du début de juin 1989, certains de ces dissidents et non des moindres (toutes tendances confondues) ont réussi à s'échapper de Chine (Su Shaozhi, Yan Jiaqi, etc.) ou se sont gardés d'y retourner (comme Liu Binyan, en visite aux États-Unis). Et ils ont lancé à Paris, le 20 juillet 1989, un Front pour la démocratie en Chine destiné à rassembler tous les Chinois désireux d'en finir avec le despotisme, le mépris des droits de l'homme et les excès du centralisme bureaucratique.

Cheng Yingxiang

Les manifestations étudiantes du printemps 1989

Le symbole fait partie de la culture politique chinoise : à l'aube du 40e anniversaire de la fondation de la République populaire, du bicentenaire de la Révolution française et, surtout, la veille du 70e anniversaire du premier mouvement démocratique en Chine (4 mai 1919), quelque chose devait se passer à Pékin. Les aspirations frustrées de l'intelligentsia et de la jeunesse, l'impasse dans laquelle se trouvait un régime qui hésitait à aller jusqu'au bout de sa logique de la modernisation — tout cela a accéléré le concours de circonstances. Le mouvement démocratique d'avril-juin s'est terminé comme il a commencé : par un déluge de couronnes funéraires.

L'hommage rendu à l'ancien secrétaire du Parti Hu Yaobang, décédé le 15 avril 1989, servit de tremplin légitime aux premières manifestations étudiantes. Symbole encore, ils répétaient la démarche des Pékinois qui avaient couvert de gerbes la place Tian An Men pour commémorer le deuil de l'ancien Premier ministre Zhou Enlai en 1976. La police ne tenta même pas d'arrêter les 6 000 étudiants, applaudis par 4 000 personnes, qui marchèrent sur Tian An Men, le 17 avril, aux cris de « Vive la démocratie ». Enhardis, 5 000 étudiants, rejoints par des milliers de Pékinois, chargèrent le lendemain les portes du siège du Parti communiste chinois (PCC) en réclamant « la fin de la dictature et de la corruption ». Mais les autorités ont continué d'ignorer ces étudiants qui souhaitaient « parler de démocratie » avec le Premier ministre Li Peng. Leur rassemblement fut dispersé, tard dans la nuit, par 2 000 policiers.

Parti de l'université de Pékin, le mouvement étudiant gagna dès lors tous les campus de la capitale et, le 19, les étudiants des villes de Shanghai, Tianjin, Hefei et Wuhan. Dans la capitale, des milliers d'entre eux tentèrent de nouveau, plusieurs jours de suite, de prendre le siège du PCC à l'abordage, en exigeant la réhabilitation de Hu Yaobang. Ce dernier avait été destitué en janvier 1987 à la suite d'une vague de manifestations étudiantes qui avait touché 150 universités du pays à la fin de 1986. Le mouvement allait prendre rapidement de l'ampleur : 100 000 personnes viennent écouter les étudiants discourir et déclamer des poèmes sur la place Tian An Men. Ceux-ci lancent de petites « équipes de propagande » aux coins des rues et jusque dans les usines. Le thème, très populaire, de la corruption, leur gagne les suffrages de beaucoup de Pékinois (« La Chine est comme un homme nu qui porte une cravate », disent-ils pour dénoncer l'importation de voitures et autres produits de luxe).

Manifestations de soutien par « unités » entières

Au fil des jours, les gens de toutes origines sont de plus en plus nombreux à se joindre aux manifestations-fleuve qui traversent Pékin aux accents de l'*Internationale*. Ils sont 200 000 le 21 avril, la veille des obsèques de Hu. Les étudiants de Pékin, qui s'organisent au sein d'une « coordination étudiante » regroupant dix-neuf établissements d'enseignement supérieur, décrètent une grève des cours à partir du 23 avril, jusqu'à ce que leurs revendications soient satisfaites — liberté de la presse et démarrage d'un véritable dialogue avec le gouvernement. Des centaines d'intellectuels et enseignants, issus d'organismes officiels telle l'Académie des sciences sociales, signent des pétitions en faveur des étudiants, qui prônent la non-violence. Le soutien financier aux organisations étudiantes est assuré par la population, qui paie un écot généreux aux « équipes » spécialement chargées de collecter les dons. L'efficacité du service d'ordre étudiant, qui évite tout débordement pouvant servir de prétexte répressif au pouvoir, ravit les Pékinois et inquiète le gouvernement.

Très contrôlée, la presse chinoise demeure muette sur les événements de Pékin, à l'exception du *World Economic Herald* de Shanghai, qui est censuré par le maire de cette ville, Jiang Zeming, lequel devait succéder à Zhao Ziyang à la tête du Parti le 24 juin suivant. Malgré des menaces de « sévères sanctions » pesant sur les leaders étudiants, le mouvement de grève se poursuit dans quarante et une universités de Pékin. L'avertissement le plus grave est donné dans un éditorial du *Quotidien du peuple* le 26 avril, qui reproduit un discours interne du « numéro un » Deng Xiaoping. Il y dénonce un « complot prémédité qui vise à nier la direction du Parti et le système socialiste » : c'est ce texte qui servira à justifier l'intervention de l'armée, cinq semaines plus tard. Les autorités annoncent en outre l'arrestation de plus d'une centaine de personnes à Xi'an et Changsha, où des manifestants ont incendié des véhicules.

Le défi, pourtant, se poursuit. 100 000 personnes défilent en bon ordre le 27 avril, et des officiers de l'Armée populaire de libération envoient une lettre de soutien aux étudiants. Le gouvernement répond à cette nouvelle démonstration de force en jouant l'apaisement : il propose un dialogue à condition que la grève cesse. La rencontre entre officiels et étudiants choisis qui est mise en scène peu après par les médias ne trompe personne : plusieurs milliers d'étudiants manifestent le 2 mai à Shanghai. Le 4 mai, 300 000 étudiants, employés et ouvriers défilent dans Pékin. Les journalistes chinois joignent leurs doléances à celles des étudiants. Tous, *Agence Chine nouvelle* comprise, réclament la *glasnost*.

Mikhaïl Gorbatchev, témoin privilégié

C'est un Pékin en fièvre qui accueille Mikhaïl Gorbatchev, le chef de l'État soviétique, le 15 mai. Depuis la veille, 2 000 étudiants sont en grève de la faim sur Tian An Men, un moyen d'action inédit en Chine et qui va faire preuve de sa redoutable efficacité : des centaines de milliers de Pékinois émus se relaient jour et nuit au chevet de ces étudiants « patriotes » pour leur apporter argent et boisson. Des camions et minibus dépêchés par des usines, ministères et administrations déversent des piles de couvertures et matelas sur la place.

La presse officielle se rebelle en publiant factuellement les événements. Policiers, magistrats, ouvriers, toutes les « unités de travail » de Pékin affluent en délégation, banderoles en tête. Le contraste est saisissant entre la popularité de ces jeunes et l'impopularité croissante du gouvernement. On ne se drape plus derrière les mots d'ordre du Parti, on exige publiquement la démission de Deng et du gouvernement, Zhao Ziyang y compris. Ce dernier avouera à M. Gorbatchev que le seul maître à bord en Chine, c'est Deng. Invité au Parlement, M. Gorbatchev devra s'éclipser par la porte de derrière pour contourner une foule d'un million de manifestants et les 30 000 étudiants qui bivouaquent sur Tian An Men. Pendant ce temps, plusieurs autres villes manifestent et certaines voies ferrées du pays sont coupées par la population. Dans plusieurs villes, des ouvriers commencent à organiser des syndicats indépendants. L'outrage, pour le pouvoir, est à son comble. Le 18 mai, Li Peng entame un échange télévisé avec les leaders étudiants, duquel il ressort humilié. Une dernière fois, de son propre chef, Zhao Ziyang tente de relancer le dialogue en visitant les grévistes de la faim, mais la décision de réprimer est déjà prise. « Je suis venu trop tard », dit Zhao qui n'est pas encore formellement limogé. Le Premier ministre Li Peng décrète la loi martiale à Pékin, le 19 mai à minuit. Environ 40 000 hommes de troupe, principalement issus de la région militaire de Pékin, tentent de se rendre sur la place Tian An Men pour en déloger les étudiants, mais ils en sont empêchés aux portes de la ville par plusieurs millions d'habitants qui érigent des barricades devant les blindés. Le pouvoir, qui n'avait pas anticipé une telle résistance, hésite un moment. Dans l'attente d'ordres précis, les soldats campent dans les banlieues proches. La troupe occupe l'immeuble de la télévision et de la radio. Tandis que les manifestations, quotidiennes, se font plus virulentes, plusieurs leaders étudiants, avertis de la décision qui vient d'être prise par le pouvoir de faire usage des armes, se déclarent le 27 mai pour l'évacuation de

Tian An Men. Ils sont ignorés par les étudiants venus des provinces, qui ne reconnaissent pas les « chefs » de Pékin. Le 1er juin, une contre-manifestation organisée par le gouvernement est débordée par les étudiants contestataires. Peut-être dans l'espoir qu'éclatent des incidents légitiment une action violente, le pouvoir envoie vers l'esplanade occupée plusieurs milliers de soldats désarmés, le 2 juin. Ils sont reconduits en douceur par des dizaines de milliers de Pékinois. Mais le soir même, après qu'un véhicule militaire a écrasé une ou plusieurs personnes, des incidents violents éclatent : les soldats battent des douzaines de Pékinois avant de se retirer à nouveau.

Insurrection, massacre, répression

Puis c'est la folle nuit meurtrière du 3-4 juin : le soulèvement populaire tourne à l'insurrection. L'armée, qui intervient massivement, tire sur la foule désarmée. Il y aura des centaines, peut-être des milliers de morts, sur le chemin qui mène la troupe vers Tian An Men. La place sera évacuée à l'aube par les étudiants sous la menace des fusils et des tanks, tandis que 300 000 soldats encerclent Pékin. Le bilan officiel de l'opération est de 200 morts civils et de « dizaines » de soldats tués. Des affrontements ont également été signalés dans plusieurs autres villes, dont Chengdu et Lanzhou. Des coups de canons intermittents sont entendus dans les banlieues les jours suivants et, alors que circulent des rumeurs de dissensions au sein de l'armée, plusieurs milliers d'étrangers évacuent la capitale en proie au chaos. Deng Xiaoping réapparaît le 9 juin, prononçant un discours où il félicite les militaires d'avoir écrasé la « rébellion contre-révolutionnaire ». Suivent des vagues d'arrestations et la diffusion de mandats d'arrêt contre le dissident Fang Lizhi et son épouse (réfugiés dans l'ambassade des États-Unis), et vingt et un dirigeants étudiants. Certains dissidents et étudiants parviendront à s'enfuir à l'étranger. Officiellement, 1 800 personnes auraient été incarcérées au cours du mois de juin et une dizaine de « contre-révolutionnaires » condamnés à mort.

Romain Franklin

Les récidives de l'agitation sociale

Après la mort de Mao (septembre 1976) et l'accession de Deng Xiaoping au pouvoir suprême (décembre 1978), le climat de terreur entretenu auparavant par les grands mouvements politiques s'est atténué et la population a tendu de plus en plus à exprimer ouvertement ses revendications. Mais le pouvoir, s'il ne recourait plus à une répression massive et systématique, refusait toujours d'accorder les moyens légaux d'expression et d'organisation existant dans les sociétés démocratiques. D'où le caractère endémique de l'agitation sociale et des phénomènes de dissidence qui ont culminé au printemps 1989 et abouti à une répression sanglante suivie de l'instauration d'une nouvelle terreur.

De 1949 à 1978, toutes les tentatives d'expression sociale ou politique non orthodoxes avaient été étouffées dans l'œuf, grâce à un système de contrôle omniprésent. Seules exceptions : la période des Cent Fleurs (1956-1957) et celle de la « révolution culturelle » (1966-1968) au cours desquelles « les masses » non pu, à la faveur d'un conflit au sommet du Parti, exprimer des revendications débordant le cadre autorisé. Toutes deux se sont terminées par une répression violente et par le retour de la chape de plomb. Le « Printemps de Pékin », qui, de la fin 1978 à la fin 1979, a touché les principales villes du pays, est également apparu à l'occasion d'un conflit au sommet (Deng Xiaoping contre Hua Guofeng) et s'est lui aussi terminé par des arrestations. Mais la répression de 1979-1981 a été quantitativement plus limitée que par le passé et elle n'a pas em-

pêché les phénomènes d'agitation sociale et de dissidence de se poursuivre pendant les années quatre-vingt. Le « Printemps de Pékin 1979 » a marqué en fait le début d'une nouvelle étape dans les rapports entre État et société, rapports dont la contradiction fondamentale a éclaté en 1989.

Mécontentement social

A la fin des années soixante-dix, le problème social le plus grave était celui des millions de « jeunes instruits » citadins vivant contre leur gré à la campagne où ils avaient été envoyés depuis 1968 pour se faire « rééduquer ». Profitant de la remise en cause d'une partie importante de la politique maoïste, ils exprimèrent publiquement leur volonté en rentrant massivement dans leurs familles malgré les appels contraires du gouvernement, en organisant des grèves, des manifestations tournant parfois à l'émeute, des grèves de la faim, des pétitions, etc. Tout en affichant une grande fermeté, les autorités, désireuses d'en finir avec un problème qui empoisonnait l'atmosphère sociale, cédèrent dans l'ensemble aux revendications. A la même époque, l'agitation sociale toucha d'autres catégories de la population. Dans tous les cas, les autorités affirmèrent refuser de céder aux pressions, mais cherchèrent des solutions pragmatiques aux problèmes des « plaignants ».

Si les revendications sociales ont évolué depuis cette époque, la règle du jeu qui s'est alors instaurée entre pouvoir et société s'est globalement perpétuée au cours des années quatre-vingt. D'un côté, le Parti, dans un souci d'efficacité économique, reconnaissait l'existence d'intérêts individuels et catégoriels et fondait sa politique économique sur les stimulants matériels. D'un autre côté, il continuait à s'affirmer seul représentant des intérêts du pays et à s'opposer à toute tentative d'organisation, et même d'expression, des groupes sociaux hors de son contrôle direct. Ainsi, la création de syndicats en dehors du syndicat officiel restait strictement prohibée et le droit de grève, déjà purement formel, était rayé de la Constitution. Les possibilités d'expression étaient réduites par l'interdiction de l'affichage des dazibaos et l'édiction de règlements très dissuasifs concernant les manifestations. Si la littérature était plus libre qu'autrefois, la presse restait étroitement contrôlée par le Parti.

Malgré ces restrictions, le mécontentement social et les revendications catégorielles se sont exprimés de multiples façons dans les années quatre-vingt, généralement hors de tout cadre légal. En effet, si une bonne partie des problèmes hérités du passé ont été résolus, la réforme économique a créé de nouveaux sujets de conflits. Dans les campagnes, la décollectivisation et l'économie de marché font qu'aujourd'hui les paysans ont des intérêts très concrets à défendre contre l'État et ses représentants, d'où des occupations de locaux administratifs et même des émeutes violentes à propos de réquisitions de terres, de fourniture d'engrais et de commercialisation des produits agricoles, par exemple. Dans les villes, la situation est comparable pour la part de l'économie qui a été privatisée (manifestations contre l'augmentation de taxes, contre des restrictions à l'activité commerciale, etc.). Dans la partie, très majoritaire, de l'économie urbaine qui reste étatique ou collective, ce sont les tentatives de paiement au mérite et de défonctionnarisation du personnel qui se sont heurtées à une très forte résistance : nombreux conflits qui se traduisent généralement par un absentéisme important et par des grèves perlées. La grogne, fortement renforcée par l'inflation à deux chiffres qui touchait particulièrement les salariés, s'est également exprimée dans des actions violentes et aveugles : attentats, sabotages ou phénomènes de défoulement collectif à l'occasion de rencontres sportives. La très large participation populaire au mouvement démocratique lancé par les étudiants au printemps 1989 s'expliquait en grande partie par ce mécontentement social.

La contestation politique

La mort de Mao et le constat d'échec effectué par ses successeurs ont ramené la Chine, à la fin des années soixante-dix, au problème qu'elle se posait déjà un siècle plus tôt : comment faire pour se moderniser et rattraper le niveau de développement des pays occidentaux ? A cette question ancienne s'en ajoutait une autre : comment expliquer que trente années de socialisme n'aient pas permis d'apporter un début de solution à ce problème ? Cette double interrogation constitue l'axe du débat politique depuis lors. Au début du premier Printemps de Pékin (1978-1989), les nouveaux responsables ont toléré la libre discussion de ces questions dans la mesure où elle affaiblissait leurs adversaires. Réunions publiques, défilés, affichages de dazibaos, distributions de revues parallèles ronéotypées donnèrent à l'hiver 1978-1979 un étonnant aspect printanier. Mais il apparut rapidement que Deng Xiaoping n'était pas prêt à accepter la remise en cause des fondements idéologiques du pouvoir communiste, ni l'organisation de groupes politiques indépendants du Parti, quelle que fût leur tendance. C'est ainsi que furent arrêtés et lourdement condamnés aussi bien des défenseurs des valeurs démocratiques occidentales, comme Wei Jingsheng, que des marxistes « démocratiques » ayant

─── BIBLIOGRAPHIE ───

DOMENACH J.-L., « Politique souterraine et agitation sociale dans la Chine post-maoïste », in C. AUBERT et alii, La Société chinoise après Mao, Fayard, Paris, 1986.

HUANG San et alii, Un Bol de nids d'hirondelles ne fait pas le Printemps de Pékin, Bourgois, Paris, 1980.

SIDANE Victor, Le Printemps de Pékin, Gallimard, coll. « Archives », Paris, 1980.

SIDANE V., ZAFANOLLI W., Procès politiques à Pékin, Maspero, coll. « PCM », Paris, 1981.

TOURNEBISE J.-Ch., MAC DONALD L., Le Dragon et la souris, Ch. Bourgois, Paris, 1987.

tenté de mettre sur pied des groupes de réflexion indépendants, comme Xu Wenli et Wang Xizhe. Ces jeunes gens devinrent ainsi sans le vouloir des dissidents. Plusieurs dizaines d'entre eux furent arrêtés entre mars 1979 et avril 1981, date à laquelle les dernières revues non officielles durent cesser de paraître.

Presque tous étaient ouvriers ou techniciens, intellectuels autodidactes de la « génération perdue » formée par la « révolution culturelle ». Ils n'ont pas reçu alors un soutien important des étudiants et des intellectuels en titre. Ceux-ci n'ont commencé à devenir l'aile marchante du mouvement démocratique qu'au cours des années quatre-vingt. Des étudiants envoyés à l'étranger ont créé des associations et publié des revues (notamment l'Alliance chinoise pour la démocratie et sa revue Printemps de Chine). En Chine même, des écrivains et journalistes tentèrent d'exprimer de façon non orthodoxe les sentiments de la population. Certains furent critiqués lors de petits mouvements politiques lancés par les autorités pour réaffirmer les limites du tolérable. Fin 1986, alors que les plus hauts dirigeants venaient de reporter les réformes politiques aux calendes, les étudiants organisèrent dans plusieurs villes des manifestations importantes dont les slogans reprenaient ceux du Printemps de Pékin (1979) : démocratie et droits de l'homme. Ils reçurent le renfort d'une partie des jeunes ouvriers. A la suite de ces événements, le secrétaire général du Parti, Hu Yaobang, fut limogé et trois intellectuels de renom exclus du Parti. Signe d'une évolution des mentalités, ces intellectuels n'ont produit aucune autocritique et ont continué à défendre leurs idées. L'écrivain et journaliste Liu Binyan n'a cessé de réclamer une plus grande liberté de la presse et de dénoncer la dégénérescence d'une bureaucratie dont la corruption, de plus en plus évidente, constituait l'un des principaux facteurs de mécontentement social. Un autre de ces intellectuels, l'astrophysicien Fang Lizhi, surnommé le « Sakharov chinois », a même, pour la première fois dans l'histoire du régime, adressé début 1989 une lettre ouverte au plus haut dirigeant du pays pour demander la libération de tous les prisonniers politiques, dont ceux du Printemps de Pékin 1979. Son initiative a été soutenue par plusieurs groupes d'intellectuels et d'écrivains qui ont envoyé des pétitions en ce sens à l'Assemblée Nationale Populaire. Même si elles se sont heurtées à un rejet méprisant de la part des autorités, ces actions étaient le signe d'une émancipation de la classe intellectuelle que les manifestations étudiantes du printemps 1989 sont venues confirmer de façon éclatante.

Le mouvement étudiant du printemps 1989

Dans une atmosphère de fin de règne et de conflit aigu au sommet du Parti, les étudiants ont saisi le 15 avril 1989 le prétexte de la mort de Hu Yaobang, ancien secrétaire général du Parti, limogé pour son « laxisme » à leur égard en 1986-1987, pour organiser des manifestations de deuil qui ont pris un tour nettement anti-gouvernemental. S'attaquant à Li Peng, le Premier ministre, et même à Deng Xiaoping, demandant la réhabilitation complète du défunt, réclamant la démocratie et la liberté de la presse ainsi que la punition des cadres corrompus, les étudiants ont réussi à réunir des centaines de milliers de personnes sur la place Tian An Men lors de manifestations interdites d'une ampleur jamais vue en Chine. Utilisant les deux autres occasions que constituaient le 70e anniversaire du Mouvement du 4 mai 1919 et la visite en Chine de Mikhaïl Gorbatchev du 15 au 18 mai, ils ont animé un nouveau Printemps de Pékin, qui a touché la grande majorité de la population de la capitale et a fait des émules dans presque toute la Chine urbaine.

La création d'une Association autonome des étudiants et l'exigence d'un dialogue sur un pied d'égalité avec le pouvoir ont constitué un défi sans précédent au paternalisme arrogant du Parti. La portée historique de ce défi s'est manifestée lorsque des syndicats ouvriers autonomes ont commencé à se créer dans la plupart des grandes villes. Face à cette situation, le pouvoir est resté longtemps impuissant, d'une part à cause de ses profondes divisions internes, d'autre part à cause de l'habileté des étudiants qui ont su utiliser la présence des médias du monde entier et éviter toute forme d'action violente. La grève de la faim engagée par des centaines d'étudiants sur la place Tian An Men pour appuyer leurs revendications a suscité une grande sympathie dans toutes les couches de la population qui se sont largement mobilisées pour les soutenir. Ce soutien s'est révélé particulièrement utile lorsque, le 20 mai, le pouvoir a instauré la loi martiale à Pékin et que les troupes non armées qui tentaient d'entrer dans la capitale ont été bloquées par des centaines de milliers de personnes. La rébellion pacifique de la population a empêché l'application de la loi martiale jusque dans la nuit du 3 au 4 juin, au cours de laquelle le régime a fait entrer dans Pékin des centaines de chars et de camions militaires qui ont tiré sur la foule désarmée. Après ce massacre, qui a fait des milliers de victimes et qui a suscité une résistance héroïque mais désespérée, les responsables ont mis en place un système de terreur : nombreuses arrestations, exécutions publiques après des procès sommaires, appels à la délation, désinformation et matraquage idéologique dans tous les médias. Il était peu probable cependant que cette terreur puisse durablement remettre au pas une société urbaine entrée massivement en dissidence, d'autant qu'il existe au sein même du Parti une fraction importante qui était représentée par Zhao Ziyang, le secrétaire général destitué le 24 juin, qui est opposée à la terreur et souhaite régler par le dialogue les conflits entre pouvoir et société.

Michel Bonnin

La religion traditionnelle, un contre-pouvoir

Pour Matteo Ricci (1552-1610, le premier et le plus célèbre des jésuites qui « allèrent à la Chine ») — qui n'était pas à une contradiction près — la Chine n'avait pas de religion, puisque la religion qui lui était

BIBLIOGRAPHIE

BERTHIER B., *La Dame-du-bord-de-l'eau*, Société d'ethnologie, Nanterre, 1988.

SCHIPPER K., *Le Corps taoïste*, Fayard, Paris, 1982.

propre — les cultes populaires avec leur liturgie taoïste — échappait, du moins en grande partie, à l'emprise de l'État. Celui-ci avait ses propres cultes, dits confucianistes : les sacrifices impériaux et le culte aux sages ; mais les lettrés s'employaient, à l'époque comme aujourd'hui, à nier le caractère religieux du confucianisme. Quant à l'église bouddhique, tout en étant plus proche du peuple, elle demeurait quand même une institution à part et la doctrine bouddhique, d'origine étrangère, ne touchait directement qu'un nombre limité de gens.

Comme jadis, l'écrasante majorité des cultes et des temples, tant dans la cité qu'à la campagne, appartiennent aujourd'hui à la religion populaire (*minjian zongjiao* ; dans ce contexte, « populaire » s'oppose à officiel, *guanfang*). Comme à l'époque de Ricci, puisque cette religion n'est pas reconnue par l'État, on continue de maintenir que la Chine n'a pas de religion, que les Chinois sont indifférents aux choses de la foi et que les cultes ne sont que superstitions qui existent aujour'hui en tant que survivances d'une « société féodale ».

Rien n'est moins vrai. Aujourd'hui, l'hostilité de l'État contre la religion du peuple n'a pas changé, elle s'est même intensifiée. Cet aspect négatif montre déjà combien cette seule institution du pays vraiment *populaire* demeure un sujet de préoccupation pour le pouvoir. Car les cultes, même aujourd'hui que leurs temples ont été détruits ou ont été transformés en usines ou en musées, ne continuent pas moins à exister, souvent de façon plus ou moins clandestine. Ils constituent un véritable contrepouvoir. Les communautés de culte réalisent sur le plan local des structures organisationnelles alternatives par rapport à celles du Parti. De plus, elles continuent d'entretenir des relations à l'extérieur de leur localité dans le cadre de leurs affiliations réciproques, grâce à l'institution du « partage de l'encens » (*fenxiang*). Ceci consiste en une alliance qui s'exprime par l'échange et l'entraide, non seulement dans le domaine religieux, mais encore dans celui de la culture (notamment le théâtre), de l'économie (par l'organisation des marchés) et même du politique. Grâce au *fenxiang*, chaque communauté de culte locale est reliée à un certain nombre d'autres groupes. Cette organisation liturgique couvre la Chine entière d'un vaste réseau d'alliances, permettant de réaliser des structures de communication horizontales qui se situent à l'extérieur des structures verticales du pouvoir central et parfois en opposition avec elle. L'importance réelle du réseau des alliances religieuses est aujourd'hui difficilement évaluable. Certains temples locaux, dans le Fujian, peuvent se prévaloir d'avoir de nouveau des centaines de communautés affiliées.

Même pendant les années les plus noires de la répression (la religion populaire a connu ses martyrs au même titre que les autres religions en Chine) les communautés de culte n'ont jamais vraiment disparu. La relative libéralisation constatée dans les années quatre-vingt et, plus encore, la prospérité croissante des campagnes, ont permis leur réactivation parfois spectaculaire. La réaction du pouvoir a été mitigée et différente selon les régions. Dans les provinces du Sud, surtout dans le Fujian et Guangdong, les cadres ont adopté, le plus souvent, une attitude passive : « Nous tolérons la religion populaire (''les superstitions'') : nous ne l'encourageons pas et nous la combattons sur le plan idéologique. » Ce qui n'empêche pas qu'à l'occasion des fêtes et surtout des processions dans les campagnes, les autorités cherchent à dissuader activement les fidèles de s'y rendre, par des interdictions, puis des arrestations suivies de sévices corporels et de peines de prison. Dans d'autres régions, notamment le Hunan et le Hebei, la répression est plus systématique et générale.

Comme bien des régimes avant lui, le pouvoir actuel cherche également à combattre la religion populaire « de l'intérieur »; par les associations religieuses reconnues et contrôlées par l'État. En première ligne de ce combat se trouvent non seulement l'Association bouddhiste (*Zhongguo fojiao xiehui*), mais surtout son pendant taoïste (*Zhongguo daojiao xiehui*), réactivées au début des années quatre-vingt. L'association taoïste est chargée de combattre les « superstitions ». Elle cherche partout à enrôler les maîtres taoïstes, tâche qui semble pour l'instant difficilement réalisable. Au Sichuan, par exemple, l'Association taoïste contrôle quelques sites prestigieux — le Qingcheng shan, montagne près de Chengdu, le Temple du Mouton Noir (Qingyang gong) dans cette même ville — mais ne compte presque aucun des dizaines de milliers de maîtres taoïstes du peuple parmi ses membres. A Pékin, l'association a été logée dans le célèbre monastère des Nuages Blancs (Baiyun guan), où elle forme des jeunes adeptes rompus à la dialectique marxiste, destinés à représenter un taoïsme « non superstitieux ». Dans quelle mesure seront-ils capables de surmonter le clivage entre l'idéologie officielle et la religion du peuple ?

Kristofer Schipper

L'islam, un levier politique potentiel

Comment peut-on être musulman en Chine, et, qui plus est, en Chine populaire ? Il semblerait qu'en bonne logique marxiste, l'islam doive être considéré, vu de Pékin, comme un épiphénomène survivant d'un passé maudit où l'étranger accaparait les richesses nationales, et qu'il soit appelé à s'éteindre de lui-même sous l'effet d'une éducation correcte. Or il n'en est rien. Les religions sont pleines de vie et plus encore l'islam qui reste — à la différence du bouddhisme, du taoïsme et du christianisme —, comme il l'était au XIXe siècle et à l'époque républicaine, lorsqu'il animait de terribles révoltes, une puissance politique avec laquelle il faut compter.

La force islamique la plus visible au sein du monde chinois s'étend sur l'ensemble du Xinjiang. Elle y est représentée par un ensemble de populations parlant des langues turques et ne pratiquant le chinois que comme une langue étrangère. Dénommées « minorités ethniques » par le régime populaire, elles sont les héritières de riches traditions culturelles qui ne doivent absolument rien à la Chine, mais qui sont partagées avec les quelque trente millions de musulmans de l'Asie centrale soviétique. Du côté chinois, les chiffres sont plus modestes — la Chine est cependant le douzième pays musulman du monde avec une quinzaine de millions de croyants (tous, ou presque, adhérant à l'islam sunnite de rite hanéfite).

En cette terre d'islam du Xinjiang, la situation est politiquement tendue. Les purs Chinois — ou Han —, amenés de la Chine côtière par convois entiers durant la « révolution culturelle », au nombre de cinq millions, forment 40 % de la population de la province. Et, malgré une loi de 1984 prévoyant de mettre en pratique une autonomie administrative plus souple, la présence chinoise paraissait, cinq ans plus tard, toujours lourde aux autochtones qui manifestent leur im-

───── *BIBLIOGRAPHIE* ─────

BROOMHALL M., *Islam in China. A Neglected Problem*, China Inland Mission, Londres, 1910.

DREYER J.T., *China's Forty Millions. Minority Nationalities and National Integration in the People's Republic of China*, Harvard University Press, Cambridge (Mass.), 1976.

ISRAELI R., *Muslims in China. A Study in Cultural Confrontation*, Curzon Press, Londres et Malmö, 1980.

LESLIE D.D., *Islam in traditional China. A short story to 1800*, Canberra College for Advanced Education, Canberra (Australie), 1986.

SCHWARZ H.G., *The Minorities of Northern China, a Survey*, Western Washington University, Bellingham (Wash.), 1984.

patience par des émeutes, telles celles de l'été 1988. Le gouvernement de Pékin cherche à satisfaire au mieux ce besoin d'affirmation ethnique et religieuse (15 000 mosquées en service en 1985). Car le Xinjiang est, beaucoup plus que le Tibet, une zone stratégique, tant par son voisinage soviétique que par ses richesses minérales et sa base nucléaire du Lop-nor. C'est aussi un lien précieux avec le tiers monde musulman et les émirats du pétrole.

Mais il en est un autre groupe islamique en Chine, plus diffus et, partant, plus puissant : celui des Chinois musulmans, dénommés Hui. Étrange peuple que ces Hui, considérés comme une « minorité ethnique » par le régime populaire et s'affirmant eux-mêmes différents du milieu environnant ; et pourtant tellement chinois d'aspect physique, de langue, de mœurs et de traditions, malgré leur particularisme religieux. Dotés depuis la fin du XVIIe siècle de leur propre littérature religieuse en chinois, installés à travers toute la Chine, et plus densément sur la côte Est et dans le Nord-Ouest, sans liens affectifs avec leurs coreligionnaires d'Asie centrale, ils ne gardent que par des généalogies familiales, souvent fictives, le souvenir de très lointains ancêtres venus du monde arabe, ou plus souvent iranien, vers les XIIIe-XIVe siècles, voire le IXe ou le Xe siècle. Ils sont bons citoyens chinois autant que musulmans, et bons musulmans autant que Chinois. Leur combativité aux heures les plus sombres a contribué à la libéralisation religieuse générale de la fin des années soixante-dix ; et, depuis lors, ils sont parmi les premiers bénéficiaires des réformes. Les programmes de développement à long terme prévoient que la toute petite « région autonome », au dur climat et au sol ingrat, qui leur a été attribuée (en 1958) dans le Nord-Ouest, en Ningxia, va s'épanouir grâce aux dons des pays musulmans moyen-orientaux riches en pétro-dollars et que, dès lors, dotée d'un style architectural original et vivant au rythme des prières, elle va constituer la vitrine de l'islam chinois. Comme en URSS, les confréries soufies offrent aux croyants de Chine « propre » (les dix-huit provinces traditionnelles) et du Xinjiang un islam plus profond et émouvant que l'islam officiel des mosquées ; leurs extraordinaires facultés d'adaptation ont permis la survie d'une foi personnelle authentique.

Françoise Aubin

Christianisme : la peur latente de l'étranger

Contraint au repli après 1949, le christianisme fut en danger de disparaître, sous la pression de l'État athée, inquiet de toute liaison possible avec l'étranger. Trente ans plus tard, malgré des persécutions et des difficultés, les chrétiens étaient plus nombreux qu'auparavant. Le nombre des protestants est passé de 700 000 à plus de 3 millions, celui des catholiques de 3 à plus de 4 millions ; mais, ensemble, ils ne représentaient que 0,8 % de la population. La structure imposée par l'État aux seules Églises chrétiennes, l'« Association patriotique », sert d'intermédiaire formel entre l'Église et l'État. En pratique, l'association applique les directives, contrôle la résidence du clergé, lui remet ses salaires et supervise les questions d'administration. Devant les résistances, il a fallu adjoindre aux associations un Conseil administratif et pastoral, chez les protestants, et un Conseil des affaires religieuses, chez les catholiques. Présents à tous les niveaux appropriés, ces organismes sont essentiellement dirigés par le même groupe de personnes, en majorité laïques.

Les protestants admettent que l'Église nationale unie, organisation reconnue par le gouvernement, a un futur incertain, des évangélistes s'opposant au nivellement doctrinal ou au gouvernement hiérarchique. Le regroupement cultuel se fait selon l'allégeance, ou la région. Depuis 1978, 4 000 églises ont été reprises ou construites et dix séminaires ont été ouverts. Les catholiques, quant à eux, sont unis structurellement, mais la scission entre ceux qui reconnaissent et ceux qui nient l'autorité pontificale demeure toujours aussi vigoureuse. Plus de 2 000 églises et dix séminaires ont été rouverts, les prêtres sont environ un millier, dont 55 évêques, en majo-

rité consacrés sans le consentement de Rome.

L'Église sous l'État

En continuité avec la tradition, l'État reconnaît la liberté de croyance sans autonomie institutionnelle. La Constitution de 1982 se réserve le droit d'interpréter la légitimité de la pratique (art. 36) et interdit toute interférence étrangère. Les chrétiens doivent laisser aux anthropologues du Parti l'apologétique du phénomène religieux. Cependant, il est revenu au protestant Zhao Fusan d'affirmer le premier (en 1986) que « la religion, opium du peuple » était une formule partiale qui provenait de l'influence réactionnaire « gauchiste » dominante.

Profondément marquées par l'expropriation des biens matériels, l'arrêt prolongé du recrutement du clergé et les persécutions de la « révolution culturelle », les deux Églises ont malgré tout répondu aux avances de l'État. Les protestants ont obtenu la permission de créer la Fondation Amitié, organisme humanitaire mi-officiel, de type « populaire », qui facilite les relations avec l'étranger et canalise ses ressources (personnes, fonds et matériels) vers l'éducation, la santé et les services sociaux. Les catholiques tirent profit de leurs propres effectifs : une école de langue pour adultes à Pékin, une clinique médicale en construction à Shanghai. Des agences étrangères catholiques peuvent coopérer à des projets *ad hoc* locaux. Quelques évêques ont formé des communautés religieuses de femmes pour le travail pastoral et social diocésain ; l'État ne permet toujours pas le retour des communautés masculines.

Au niveau international, les deux

Églises entretiennent des relations d'amitié avec plusieurs Églises et organismes étrangers mais elles se refusent à participer aux activités officielles (Conseil mondial des Églises, Fédération des conférences épiscopales d'Asie).

Doctrine et institution

L'expression « un chrétien de plus, un Chinois de moins » exprime bien la vieille amertume face au travail missionnaire, assimilé aux visées impérialistes. En revanche, le drame de la « révolution culturelle » et le courage des chrétiens ont conduit l'État à intégrer explicitement les valeurs chrétiennes au patrimoine culturel.

Mais les chrétiens font face à une crise sérieuse d'adaptation : comment s'intégrer au ferment culturel renouvelé tout en tenant compte de l'évolution rapide de la pensée hors des frontières ? Pour les protestants, les questions majeures sont la création et la nature humaine, la providence et l'ordre social, le sens du salut (la foi et les œuvres), la nature de l'Église et de son gouvernement. La réflexion catholique en est toujours à la controverse concernant la relation avec Rome et la théologie après le concile Vatican II. C'est avant tout à l'intérieur de chaque Église que la guérison des blessures factionnelles se fait la plus urgente ; avec le temps (et à la suite de la politique d'ouverture engagée dans les années quatre-vingt), la résistance visible se déplace des métropoles côtières vers l'intérieur du pays. Chez les protestants, les familles évangélistes réclament le droit exclusif à l'interprétation de la Bible et à la discipline correspondante. Les catholiques demeurent des adhérents d'une religion privée de son identité intégrale (allégeance à la papauté et intégration à l'Église universelle). Le dialogue œcuménique, amorcé par les familles chrétiennes hors de Chine est, dans ces conditions, impossible.

Maurice Brosseau

HIÉRARCHIES ET DIFFÉRENCES

Les cadres, un monde devenu instable

Les cadres — les *ganbu* — forment en République populaire de Chine (R P C) une structure essentielle, très visible sinon omniprésente. Le cadre incarne le pouvoir réel, la nouvelle élite sociale. Mais c'est aussi un rouage d'une vaste bureaucratie hiérarchisée. Cette bureaucratie exprime l'autorité du Parti (P C C), son pouvoir d'État, et plus encore le Parti comme parti-État. Structure d'encadrement et de commandement autoritaire de la société, le monde des cadres forme aussi une société en tant que telle, à part de la société globale mais de plus en plus influencée par celle-ci. L'État-parti s'est constitué bien avant 1949, dans le contexte de la difficile ascension du communisme chinois vers le pouvoir.

Après 1949, le cadre, le *ganbu*, combine les attributs de l'éducateur, du maître et du privilégié. Le nombre des membres du Parti est passé d'environ 5 millions en 1945-1950 à 10 millions en 1956, 17 millions en 1961, 20 en 1969, 40 en 1982 et près de 50 millions au seuil des années quatre-vingt-dix. Ces chiffres impressionnants doivent être relativisés. Le pourcentage de communistes dans la population est moindre que dans d'autres pays du socialisme réel. Cela tient à l'importance du monde rural, moins étroitement encadré, en partie par réticence à intégrer des paysans dans un Parti à prétention ouvrière, et en tout cas à une réalité plus urbaine que rurale.

Dans la période maoïste, le fonctionnaire qui compte, c'est le cadre du Parti. Même au niveau des entreprises, le pouvoir de plein droit est passé, dès les années cinquante, dans les mains du secrétaire local du P C C. C'est lui le maître de l'appareil économique, supplantant le directeur. Un cadre est censé être *« rouge et expert »*. Mais rouge d'abord et souvent seulement rouge. La période tourmentée de la révolution culturelle a tout particulièrement mis l'accent sur cette prééminence de la loyauté maoïste, sans considération pour les

compétences réelles. Prestige, pouvoir, privilèges — y compris les privilèges illicites — tout cela est pour le *ganbu*. Il est au sommet de la hiérarchie de la société. Mais il est lui-même à l'intérieur d'une société très hiérarchisée : le P C C. Le principe du centralisme démocratique qui régit la vie du Parti spécifie que la minorité se soumet à la majorité et l'échelon inférieur à l'échelon supérieur. Si le premier principe est largement irréel, le second principe traduit bien la structure de commandement du haut vers le bas. Si les cadres sont formellement élus par l'assemblée des membres, c'est en fait l'avis de l'autorité supérieure qui est décisif.

Hiérarchie et rigidité

Une échelle en vingt-quatre niveaux hiérarchise le monde bureaucratique. A chaque niveau correspond un équivalent dans le Parti. Il faut avoir le degré adéquat dans le Parti pour prétendre à une fonction donnée dans la structure bureaucratique. C'est le principe de la *nomenklatura* : l'appareil du P C C décide des promotions, surtout aux postes importants — 13 000 postes importants gérés directement par le centre, nombre réduit à 7 000 depuis 1984 — et lie les progrès de carrière aux avancées des membres dans le Parti. De ce point de vue, la Chine ne se distingue pas, pour l'essentiel, du mode habituel de gestion des pays du socialisme réel. En dehors des grands moments de turbulence maoïste, l'évolution de la carrière du cadre se fait à l'ancienneté et en fonction de sa docilité. On estime à environ 800 000 les effectifs de la *nomenklatura*, soit 1,5 % à 2 % de la population active.

L'échelon détermine très strictement la situation matérielle, le salaire d'abord, mais plus encore, plus important pour les hauts cadres, les avantages en nature : logement, voiture de fonction, accès aux magasins spéciaux, à des domestiques, voire pour les dirigeants

suprêmes — souvent âgés — des infirmières à domicile. Le monde des cadres qui se recrute par cooptation vit ainsi séparé, à l'abri du regard et du contrôle du citoyen ordinaire. Cette bureaucratisation de l'univers social chinois a été poussée loin durant la période maoïste. L'atteste l'imposition, typiquement maoïste, de l'*étiquette de classe*, qui, dès les années cinquante, place l'ensemble social dans des groupes *ad hoc*, fixés en partie arbitrairement par la bureaucratie du Parti, étiquette (propriétaires fonciers, ouvriers, capitalistes,...) qui se transmet aux enfants, les plaçant à vie dans la catégorie des bons ou des mauvais...

La période de la toute-puissance des cadres s'achève avec la fin de l'ère maoïste. Les réformateurs qui dirigent la Chine des années quatre-vingt veulent dépasser la rigidité, voire la pétrification du maoïsme finissant ; ils poussent à la transformation du parti-État, à une évolution du statut et des rôles des cadres. Tout aussi importante est la pression de la société s'opposant à l'omnipotence et à l'arbitraire bureaucratique. Le principe de l'étiquette de classe est abandonné. Une nouvelle hiérarchie se constitue, de nouvelles alliances sociales se nouent, prolongeant des tentatives menées antérieurement, lors des périodes d'affaiblissement du maoïsme. Il s'agit de favoriser l'émergence d'une techno-bureaucratie. Les cadres espéraient entrer, après la mort de Mao, dans une ère de stabilité, à l'abri des impulsions désordonnées des secousses maoïstes. En fait, les problèmes soulevés par les réformes ont ouvert une nouvelle phase d'incertitude et de modification dans leur vie. Ils sont souvent apparus comme inadaptés, trop rigides, incapables de maîtriser les connaissances indispensables aux succès des projets de modernisation. Une enquête de 1981 a révélé que 40 % d'entre eux avaient un niveau inférieur ou égal au diplôme de premier cycle du second degré. Très explicitement, la réforme vise à desserrer l'étreinte du Parti sur la société, à « désétatiser » (relative-

Une journée de Xiao Bendan, cadre moyen

La chaleur est telle à Pékin pendant l'été que Xiao Bendan sue déjà abondamment ce matin de juillet, malgré la douce brise que produit le ventilateur bruyant auquel son rang lui donne droit.

Il ne le sait pas, mais son corps dégage une odeur rance et aigre à la fois, imprègne la petite pièce presque vide aux murs nus couleur vert pâle, son modeste bureau anonyme dépendant du ministère de la Construction où il occupe les fonctions de sous-secrétaire adjoint au Bureau des prévisions de la sous-direction de l'administration chargée de la construction de base.

Il est 8 h 30. Sa journée de cadre moyen commence. Comme chaque jour à cette heure, Xiao Bendan verse délicatement l'eau chaude du thermos dans son chabei, le verre de thé qu'il vient de sortir du tiroir, où il le place chaque soir. Cette opération, puis l'ingestion du précieux liquide prennent une bonne demi-heure.

Vient la deuxième occupation importante de la journée : allumer goulûment une cigarette. Xiao Bendan avale lentement les bouffées de fumée d'un tabac noir et âcre du Yunnan, qui engourdit son cerveau. Il ne peut se procurer la marque Panda préférée de Deng Xiaoping, que seuls les hauts dirigeants possèdent. Mais il a accès aux « Zhongnanhai », du nom prestigieux de la résidence au cœur de Pékin où logent les responsables du Parti.

La matinée file ensuite avec la lecture du Quotidien du peuple, rite particulièrement lénifiant, mais nécessaire pour humer avec précision le vent politique du moment. Xiao Bendan n'est pas vraiment un monstre d'intelligence. Mais, doté de la ruse des familles paysannes, dont il est originaire, nommé cadre pendant la « révolution culturelle », il a depuis longtemps l'expérience qu'il faut pour épouser les lignes politiques toujours changeantes de la Chine.

Après un déjeuner à la cantine, suivie de l'indispensable sieste, déjà douce en hiver, mais si délicieuse quand il fait chaud, Xiao Bendan se rend à une « réunion ». Comme des millions de cadres dans son genre, il y dépense toute son énergie à suivre les méandres de discours poussiéreux, au bout desquels le seul résultat est généralement la fixation de la date et du lieu de la prochaine réunion.

Plus tard dans l'après-midi, si d'aventure un intrus mal informé dérange Xiao Bendan au téléphone, alors que, pour reprendre des forces, il s'était assoupi sur sa chaise tout en gardant les yeux ouverts (exercice que seuls les cadres compétents réussissent), il pousse un ouei (allô) désabusé dans le combiné et se débarrasse du gêneur en quelques minutes, pour reprendre le cours de ses activités.

Quand sa journée s'achève, Xiao Bendan s'en va lentement, satisfait, le ventre rebondi du riz de l'État. Obstinément réfractaire aux réformes économiques qu'il ne comprend pas, il attend le journal du lendemain pour y lire, peut-être, que sa situation va s'arranger. Toutes ces menaces dont les journaux sont pleins l'empêchent de travailler à sa vraie mesure. Décidément, comme beaucoup de ses collègues, il a bien du mal à s'adapter à ce vent nouveau de réformes dont il sent confusément qu'elles risquent un jour de lui retirer ses privilèges. La route reste longue, avant que le savoir ne l'emporte sur le pouvoir.

Pierre-Antoine Donnet

ment) et même à « débureaucratiser » (tout aussi relativement) le système du pouvoir, et à redonner certaines initiatives à la société. Ce qui est pour le moins un renversement de perspective par rapport au schéma selon lequel le Parti donne des ordres et la société obéit — de préférence dans un enthousiasme plus ou moins de commande.

L'expertise devient essentielle pour la gestion plus moderne, plus décentralisée, plus autonome des unités de production. Le directeur tend alors à reprendre la prééminence sur le secrétaire du Parti. Malgré les changements engagés, le pouvoir des cadres est toujours en place. L'autoritarisme, même atténué, se perpétue. Certes, il y a apparition et développement d'un groupe de cadres réformateurs, d'une nouvelle expertise. En 1984, 18 % des cadres ont une formation de niveau supérieur ; et, en 1982, plus de la moitié des 167 ministres et vice-ministres étaient pourvus d'un diplôme universitaire.

Technicité et parasitage

On peut même parler des habits neufs d'une élite en costume occidental, à l'aise dans le maniement de dossiers techniques, plus sophistiquée dans ses relations avec la société. C'est loin d'être cependant la catégorie la plus répandue. Les petits et moyens cadres sont encore très souvent incompétents et manifestent un esprit timoré et une volonté farouche de s'accrocher à leurs privilèges et petits pouvoirs despotiques. Ce qui apparaissait nouveau, à la fin des années quatre-vingt, c'est le pouvoir plus important des cadres locaux et provinciaux et le relatif affaiblissement des autorités centrales. C'est aussi le rôle de la corruption, devenue un mode essentiel de relation entre les cadres et la société, et plus encore entre les cadres et la réforme.

Incapables souvent de mettre en œuvre directement et efficacement la réforme, mais aussi de la bloquer, les cadres se contentent alors de profiter des multiples pouvoirs qu'ils ont encore pour imposer le prix de la réforme. On peut dire des cadres ce que Napoléon aurait dit de Chateaubriand : « Le problème n'est pas de les acheter, mais de les payer ce qu'ils s'estiment. » Ce paiement,

cette corruption généralisée sont-ils compatibles avec la réforme, économiquement, socialement et moralement ? Autrement dit, ce parasitage correspond-il à une étape obligée, aux faux frais d'une réforme très perturbatrice ? Ou au contraire, cette corruption corrode-t-elle, dénature-t-elle complètement la réforme ? La corruption n'est-elle pas au cœur social de la réforme ? Une autre nature sociale de l'élite serait-elle en train d'apparaître ?

Pour parler clair, il semble bien qu'un proto-capitalisme, combinaison d'étatisme et d'affairisme plus ou moins capitaliste se met progressivement en place. En témoignent les multiples entreprises légales et moins légales mises sur pied ou contrôlées par des enfants — les fils surtout — de très hauts cadres qui se lancent avec frénésie dans un affairisme plutôt à la petite semaine mais qui, peut-être, préparent une privatisation de fait, et plus encore une transformation de la fonction des cadres. Pour l'essentiel pourtant, les cadres résistent à la réforme, se servent de leurs pouvoirs pour améliorer leur situation immédiate et entraver un processus qui les menace dans leur rôle de cadre étatique, dans leurs habitudes de commandement sans réplique sur la société. Leur monde est devenu instable, à l'image d'une réforme incertaine et passablement tourmentée.

Roland Lew

Classe ouvrière : quel statut demain ?

Depuis 1949, le pouvoir communiste s'est efforcé de constituer un monde ouvrier urbain de type nouveau, à la fois classe-appui pour le nouveau régime, mais aussi groupe soumis à la nouvelle élite et en même temps porteur de la modernité

industrielle. Les quelque 4 millions de travailleurs de 1949 sont devenus 100 millions de salariés urbains (ouvriers et employés) de 1978. 113 millions en 1982. Dans le secteur industriel, les 13,8 millions de travailleurs de 1957 sont passés à 44,4 millions en 1979. Les conditions de vie se sont améliorées. Les illettrés, de 80 % en 1949, n'étaient plus que 20 % au début des années quatre-vingt. Si le salaire moyen n'a guère évolué pendant la période maoïste — il fut même plus bas en 1977 qu'en 1957 — le niveau de vie, lui, a progressé. Cela tient à la taille plus réduite des familles : un travailleur avait 2,3 personnes à charge en moyenne en 1957, une seule environ en 1980. Les progrès ont été liés aussi au nombre plus élevé d'actifs en ville : 30 % de la population urbaine en 1957 et plus de 50 % en 1980.

Le logement est cependant resté jusqu'à ces dernières années le point noir : 4,5 m² d'habitation en moyenne par habitant des villes en 1949, espace déjà bien exigu, contre 3,6 m² en 1979. Les années quatre-vingt verront une nette amélioration à cet égard. De même, de 1978 à 1984, le revenu réel a augmenté de plus de 40 %.

Globalement, donc, des progrès significatifs. Mais le résultat et les moyennes nationales masquent des situations variées au niveau des entreprises. On peut même parler de classes ouvrières différentes.

Ouvriers permanents et travailleurs précaires

La spécificité du socialisme chinois est marquée par la grande pauvreté du pays. Il n'a pas été possible, après 1949, d'attribuer à tous les travailleurs le statut d'ouvrier permanent, en quelque sorte de fonctionnaire d'État ; statut qui donne accès non seulement à la garantie de fait du travail à vie, mais aussi aux avantages de la sécurité sociale (retraite, soins de santé…), ou encore à l'octroi de biens rares (logement, fourniture de produits rationnés…). Un secteur ouvrier important relevant des entreprises collectives, surtout les petites, ou encore les nombreux ouvriers temporaires, souvent des ouvriers-paysans, travaillant de façon saisonnière dans les entreprises d'État,

formaient pendant presque toute la période maoïste, et encore en partie aujourd'hui, un sous-prolétariat au statut peu envié. Cette existence de deux groupes ouvriers très différents, séparés, était la source de vives tensions, dégénérant parfois en des conflits inter-ouvriers plus ou moins manipulés par l'une ou l'autre fraction du P C C, notamment pendant « la révolution culturelle ». Les travailleurs précaires n'avaient pour l'essentiel d'autres espoirs que de parvenir à la condition d'ouvrier permanent. Pendant la période maoïste, le statut ouvrier est relativement privilégié. En dessous, bien sûr, de la véritable élite, les cadres. Mais au-dessus de la plupart des autres catégories, et surtout de la majorité paysanne. Pendant les premiers lustres de la R P C, le plus grand avantage potentiel de l'ouvrier est de pouvoir en sortir dans le cadre d'une réelle mobilité sociale ascensionnelle. Cette possibilité s'est réduite au fur et à mesure de l'accroissement (rapide) du nombre d'ouvriers, et surtout du fait de la prolifération du monde des cadres qui tend de plus en plus à l'auto-reproduction.

Indiscutablement pourtant, le groupe social ouvrier, même dans sa composante la mieux lotie — les ouvriers permanents des grandes entreprises d'État — constitue un groupe dominé, assujetti à l'entreprise, soumis au pouvoir des cadres locaux. L'unité de travail — la *danwei* — est la figure centrale de la vie économique et sociale. Le travailleur dépendait étroitement de sa *danwei* pour sa sécurité sociale, son logement, son approvisionnement en biens rares. Plus encore, il ne pouvait changer de lieu de travail et partir vers une autre unité qu'avec le consentement des autorités de son entreprise. Par ce pouvoir énorme, quasi féodal, les entreprises et les cadres dirigeants imposaient et obtenaient une soumission de la part des travailleurs. Avantage matériel réel contre obédience réelle, telle était la règle du jeu, peu moderne mais relativement efficace, de la gestion de la vie industrielle.

La fin de l'emploi à vie ?

L'après-Mao apporte des changements, en tout cas un projet de changement important pour le monde du travail. Dès les débuts de la réforme, les intentions de ses partisans sont affichées. Il s'agit de casser le « bol de riz en fer » (la garantie du travail à vie) et briser l'égalitarisme des revenus, distribués sans rapport avec la productivité du travailleur ou de l'entreprise. L'idée est de « défonctionnariser » progressivement les ouvriers et employés des entreprises d'État et de mettre sur pied une classe de travailleurs contractuels, au statut en somme proche de ce que l'on connaît dans le monde occidental. Les efforts en ce sens dans les années quatre-vingt, et surtout depuis le lancement de la grande réforme urbaine, à l'automne 1984, ont été nombreux.

Dès 1982, l'accent est mis sur l'amélioration de la productivité plutôt que sur le plein emploi, comme c'était le cas après la mort de Mao, une période socialement fort tendue. La résistance ouvrière a été farouche, et elle le demeure. Pas de révolte ouverte, pas de grève massive, mais un sourd et tenace refus, et une pression constante sur les cadres d'entreprise. La réforme vise à amoindrir le statut et les avantages ouvriers au profit du groupe montant des technocrates, des directeurs. Les travailleurs ont vite senti la menace. Ils multiplient les obstacles à la réalisation de la réforme. En 1986, les réformistes, qui ont le vent en poupe, promulguent le 1er octobre la réforme générale du travail. Il s'agit d'imposer le *système du contrat* pour les jeunes travailleurs entrant dans la production. Réforme radicale mais qui est appliquée non sans précautions : on ne touchera pas au statut des travailleurs en place. Le bilan est maigre. La majorité des travailleurs parviennent toujours à entrer dans les usines comme ouvriers permanents. Contrairement au nouveau règlement, en 1987, les jeunes se faisaient encore embaucher dans l'ancien statut. Il faut certes, pour cela, faire jouer des relations, utiliser la corruption ou exercer des pressions sur la hiérarchie... De fait, les ouvriers recrutés comme contractuels sont ceux qui n'ont pas le choix : il s'agit fréquemment de déclassés, ou de paysans sans relations qui veulent à tout prix trouver un emploi urbain.

Résistances

La résistance ouvrière a été d'autant plus efficace qu'elle a bénéficié du soutien tacite des cadres. Le directeur a conclu, dans la plupart des usines, une sorte d'alliance inavouée avec les ouvriers, en vue de préserver la paix sociale ou de réduire les tensions très perceptibles depuis une décennie. Le statut du travail ouvrier a ainsi peu changé, préservant l'essentiel de ses caractéristiques d'avant 1976. De même, la pression productiviste n'a pas donné de résultats notables. Sauf, phénomène inquiétant, d'accroître le nombre d'accidents du travail : 80 000 morts en 1987, le chiffre le plus élevé depuis 1949. Les primes, réparties de façon égalitaire, représentent parfois 40 % du salaire, et en moyenne un quart du revenu (en 1984), alors que la productivité du travail est stagnante. Tout le contraire des objectifs de la réforme ! L'ouvrier s'est comporté comme si le relèvement du salaire correspondait juste à un rattrapage d'un retard prolongé et inacceptable. De surcroît, l'inflation fait des ravages, aggravant la méfiance des ouvriers et leur refus de renoncer à leurs avantages.

Pour l'essentiel, le statut ouvrier a peu changé. La mobilité des travailleurs, un des buts de l'introduction du système du contrat, est peu effective. Une enquête a montré que plus de 80 % d'entre eux travaillent dans la même entreprise depuis plus de dix ans, et 42 % depuis plus de vingt ans. Les travailleurs ont appris à pratiquer un marchandage informel, souvent d'une grande efficacité ; les directeurs cèdent facilement, préférant tricher avec les règlements et les lois, manipuler les principes de la réforme plutôt que d'affronter l'opposition et l'obstruction ouvrières. La Chine, qui avait un grave problème de sous-emploi dans les années soixante-dix, a trouvé des solutions — provisoires ? — à cette question ; la menace de chômage est limitée, diminuant d'autant la pression sur la classe ouvrière et la marge de manœuvre des réforma-teurs. Le monde du travail n'ignore pas cependant qu'il a perdu, ou qu'il va perdre, certains de ses privilèges liés à sa position de classe-appui du régime. L'ouvrier sait qu'il entre dans une étape nouvelle où il devient une catégorie sociale moins appréciée et parfois dédaignée. Chemin faisant, il se défend avec une habileté certaine, du moins à l'intérieur de l'entreprise.

Roland Lew

La grande mutation du monde paysan

Depuis 1978, le monde rural a connu des réformes qui ont bouleversé sa vie économique (marchés « libres », stabilité des « quotas », hausse des prix à la production, abaissement des taxes), et modifié de plus en plus profondément ses structures, son statut au sein de la société, ses relations avec le pouvoir. Les réformes ont touché deux autres domaines : les institutions et les modes de travail et de production agricoles.

Les réformes institutionnelles ont entraîné une modification des relations entre les échelons hiérarchiques de l'administration locale. Les deux niveaux de pouvoir importants sont le canton (*xian*) et le village (*cun*), ancienne brigade ou équipe. La « commune populaire » (appelée désormais « bourg » — *zhen*) a perdu tout sens. Un changement d'importance a été la transformation des relations hiérarchiques en relations contractuelles au sein des communes ; les manufactures de village ou de bourg ont dû transformer le système de paiement par points-travail de leurs ouvriers, issus du milieu rural, en un système de salaires. D'une part, cela creuse un écart entre les simples agriculteurs et ceux qui s'emploient comme ouvriers et, d'autre part, cela rapproche les ouvriers ruraux des ouvriers urbains. Enfin, les entreprises rurales ont plus intérêt à produire pour la grande industrie qu'à servir les intérêts du monde rural.

Les changements des modes de travail et de production agricoles ont abouti pour 80 % des anciennes équipes à la suppression du système de points-travail et à l'abandon de la répartition collective du travail. Les contrats de responsabilité passés entre les foyers paysans et le village ne laissent à la collectivité que la propriété de la terre. Certains villages ont conservé une gestion collective des installations communes (irrigation, gros matériel, électricité…) et des entreprises de village ; d'autres les ont placées sous contrats passés avec des familles de paysans. Le contrôle des paysans sur les processus de production et de travail s'est donc considérablement accru et les conséquences pour l'accumulation, la motivation au travail et la répartition des revenus ont été radicales. Les conséquences sociales de ces transformations ont été de plus en plus évidentes.

Le statut de « rural »

Environ 60 % de la population a le statut de rural (*nonqye hukou*).

──── *BIBLIOGRAPHIE* ────

BURNS J.P., *Political Participation in Rural China*, University of California Press, Berkeley, 1988.

HOWARD P., *Breaking the Iron Rice Bowl*, East Gate Books, New York, 1988.

LEFEBVRE A., « La Politique rurale de la Chine », *Notes et Études documentaires*, n° 4766, La Documentation française, Paris, 1984.

MADSEN R., *Morality and Power in a Chinese Village*, University of California Press, Berkeley, 1984.

SAITH A., *The Re-emergence of the Chinese Peasantry*, Croom Helm, Londres, 1987.

L'attribution de ce statut ne dépend pas seulement de la source de revenus (agricole), ou du lieu de résidence, mais aussi depuis 1978, de l'attribution de la terre. Même si sa source principale de revenus n'est plus agricole, même s'il ne réside plus en permanence en milieu rural, celui qui a reçu de la terre, ou qui est né d'un détenteur de terre est considéré comme rural. L'instituteur, salarié de l'État, qui vit dans un village, n'est pas un rural, il est cadre d'État. L'ouvrier salarié d'État, même si son usine est dans la campagne, a un statut d'urbain. L'État lui alloue des rations mensuelles de céréales qu'il achète à prix réduit. L'ouvrier salarié de l'État, du bourg, du village, qui a par ailleurs des terres en contrat, est un rural. Il se nourrit des céréales produites sur ses terres ou de celles qu'il achète, au prix fort, sur le marché.

La tendance est à une réduction de la différence entre le statut de rural et celui d'urbain. Les paysans se sont organisés en équipes de travail (*baogongdui*) et passent des contrats avec des organismes publics ou des entreprises collectives ou d'État, comme entrepreneurs sur des chantiers du bâtiment et des travaux publics. Si la division villes-campagnes opérée par l'approvisionnement en céréales reste encore nette, la division par le travail tend à s'amoindrir. Comme aucun urbain ne va s'installer à la campagne et n'obtient de terre à cultiver, les paysans, n'étant plus astreints à s'employer sur la terre, peuvent diversifier leurs sources de revenus et s'employer dans l'industrie et le commerce.

Les deux seules façons de changer de statut sont celles qui existaient avant la décollectivisation qui s'est opérée entre 1978 et 1981 : devenir cadre d'État — par la réussite scolaire —, ou entreprendre une carrière militaire. Depuis les réformes, les paysans peuvent donc avoir deux sortes d'ambitions pour eux et pour leurs enfants : ou bien tenter de devenir cadre d'État (éducation nationale, banque, postes, bureaux d'administration, techniciens, etc.) et s'installer dans la sécurité (emploi, salaire, assurance-maladie, retraite) ; ou bien tenter de faire partie de la nouvelle classe de paysans riches, soit en devenant un « foyer spécialisé », soit en recherchant des revenus dans l'industrie, le négoce ou les affaires.

Cette nouvelle possibilité de s'enrichir a une influence directe, depuis 1986-1987, sur le comportement des foyers ruraux face à l'instruction. Si un enfant semble n'être pas assez doué pour franchir les étapes successives de la sélection scolaire, ses parents le retirent de l'école dès la fin des études primaires (cinq années) et même parfois avant, pour le mettre en formation professionnelle, comme apprenti, ou pour le lancer sur le marché du travail. Plus jeune il commencera à gagner sa vie, plus il pourra accumuler, plus il s'assurera la possibilité de se marier et de s'installer dans la vie active ; peut-être même aura-t-il plus de chances de s'enrichir vraiment.

Rapports sociaux et rapports de pouvoir

Avant 1949, la collectivité villageoise se scindait en deux groupes :

ceux qui avaient suffisamment de terres pour en vivre ; ceux qui n'en avaient pas, ou pas assez, et qui devaient louer leur travail à ceux du premier groupe. Cette dernière catégorie, déconsidérée, comprenait les ouvriers agricoles, les domestiques, les veilleurs de nuit, les fossoyeurs, ceux qui allaient faire des travaux à l'extérieur du village, les soldats, les acteurs de théâtre, et les musiciens qu'on louait pour les cérémonies. Le sort économique et politique des catégories pauvres dépendait beaucoup des bonnes relations de parenté, de clientèle, qu'ils savaient établir avec les pays riches qui les représentaient auprès de l'État. Au cours de la réforme agraire (1948-1952) le Parti communiste tenta de structurer la société rurale en véritables classes sociales. A chaque famille fut assignée une appartenance de classe, estimée d'après les biens qu'elle possédait : propriétaire foncier — paysan riche — paysan moyen — paysan moyen pauvre — paysan pauvre. Les membres des cellules locales du Parti et leurs cadres furent recrutés parmi les paysans pauvres et moyens pauvres, qui reçurent le pouvoir économique et politique dans les villages, faisant appliquer les politiques et les directives de l'État et représentant les intérêts des paysans auprès des instances hiérarchiques supérieures du Parti.

L'adaptation sélective des structures et des traditions sociales aux exigences des politiques économiques et sociales successives est évidente. Fossoyeurs et veilleurs de nuit ont disparu. Devenir soldat et aller travailler à l'extérieur du village est devenu honorable. Mais le musicien ou l'acteur ambulant restent des parias. La décollectivisation a entraîné la disparition des étiquettes de classes et rendu leurs droits sociaux et politiques aux propriétaires terriens et aux anciens paysans riches. Lors du partage des terres, à partir de 1982, ils ont été traités à l'égal des autres.

Jusqu'en 1983-1984, aucune association économique ou alliance familiale n'était possible entre « mauvaises » et « bonnes » classes.

Depuis, les rapports sociaux ne peuvent plus se définir uniquement au sein de la société fermée qu'est la société villageoise. On peut voir, dans un village du Shanxi, un fils d'ancien domestique, de très mauvaise réputation, s'associer à l'un des fils d'une famille très respectée, pour mener ensemble une équipe de travailleurs sur des chantiers ; un fils de paysan ex-« moyen pauvre », devenu nouveau riche, épouser, en 1983, la fille d'un ancien propriétaire foncier ; un fils d'ancien propriétaire foncier être chargé, par le secrétaire du Parti, du service d'ordre dans le village.

Depuis 1986, il est même envisageable de cultiver la terre des autres sans déshonneur (« perte de face »). Il faut dire que la notion de location s'est déplacée, du travail de l'homme à la terre. On loue sa terre à un autre paysan qui vous donnera une partie des récoltes, alors qu'autrefois on se louait à un propriétaire terrien.

Le pouvoir politique au village est resté dans les mains des cadres du Parti, qui sont contraints de partager le pouvoir économique avec les nouveaux paysans riches. La fusion entre les deux groupes ne peut que s'étendre. Beaucoup de cadres, du fait des possibilités que leur ouvre leur charge, deviennent des paysans riches. Il n'est pas impossible que de plus en plus de paysans riches entrent au Parti et deviennent cadres à leur tour. Le pouvoir économique s'exerce de multiples façons : le paysan riche qui crée une entreprise engage les autres paysans comme ouvriers ; les cadres donnent en contrat la gestion de certaines installations collectives à la famille de leur choix ; les cadres, les riches, la banque, accordent ou non un prêt ; les cadres peuvent exonérer une famille d'une taxe locale ou d'une autre, et peuvent encore fermer les yeux sur la naissance d'un deuxième ou d'un troisième enfant. La conjonction des pouvoirs économique et politique renforce les inégalités sociales par le jeu des réseaux personnels de relations, phénomène vital qui ressemble au clientélisme d'avant 1949.

Odile Pierquin-Tian

Les étudiants, entre privilège et désespoir

5 % à peine des sept millions de jeunes Chinois qui sortent chaque année du secondaire peuvent espérer bénéficier du privilège de suivre un cursus universitaire. La proportion est de 35 % aux États-Unis et de 20 % en Union soviétique. Cette infime minorité est issue presque entièrement des couches dirigeantes de la société chinoise.

Ces fils et filles de cadres pourraient s'estimer choyés par le régime, mais jamais, depuis 1949, le budget de l'éducation n'a été considéré comme prioritaire. Tout au contraire, le Parti communiste chinois et ses chefs ont toujours observé une méfiance viscérale à l'égard du monde intellectuel, nourrissant la conviction que les gens de savoir et de raison finiront tous un jour par les trahir. La Chine ne consacre ainsi que 4 % du budget de la nation à l'éducation. Il n'est prévu que 6 % à peine pour l'an 2000. Résultat : les conditions de vie et d'études dans les campus frisent l'indigence extrême. La plupart des étudiants vivent dans des dortoirs d'une saleté repoussante, entassés à sept dans une chambre minuscule, où tout travail exigeant un peu de concentration est exclu. Les cantines, dépourvues de sièges, servent des repas généralement faits d'une bolée de riz jetée sans ménagement dans une gamelle, de pain cuit à la vapeur et quelques légumes. Les jours fastes, on peut trouver quelques morceaux de gras de porc. Les étudiants présentent généralement le visage pâle d'adolescents anémiques et les maladies infectieuses sont nombreuses. Quant aux conditions d'études, quantité d'enseignants de la génération de la « révolution culturelle » sont totalement inaptes tant sur le plan pédagogique que sur celui des connaissances. L'électricité est souvent coupée dans les dortoirs, le soir, en raison de la pénurie ; l'accès aux livres dans les bibliothèques soigneusement filtré.

Ces difficiles conditions de vie créent toutefois des liens étroits entre étudiants. Le Parti communiste a constamment cherché à imposer un lourd embrigadement politique par l'intermédiaire de l'Association des étudiants et de la Ligue de la jeunesse communiste. Pour les étudiants les plus téméraires, les punitions sont multiples et variées. Les « fortes têtes » sont expulsées de l'Université. A d'autres sont assignés des emplois dans les régions les plus déshéritées et inhospitalières, Xinjiang ou Qinghai. Mais, malgré cet arsenal de sanctions, nombre de réseaux politiques clandestins se font et se défont, échappant au contrôle des autorités, tandis que les canons de l'idéologie officielle ne séduisent plus personne. Les universités sont ainsi progressivement devenues des viviers de la contestation et de la dissidence depuis leur réouverture à la fin de la « révolution culturelle » en 1976.

Pour la plupart des étudiants, la Chine n'offre d'autre part que de sombres perspectives dans les bureaux ternes de l'administration. Vies et talents sont gaspillés dans l'écrasante machine formée de millions de cadres issus de la « révolution culturelle ». Ainsi, les plus chanceux sont ceux qui partent à l'étranger, pour ne plus en revenir. Quel est, d'ailleurs, le jeune citadin dont le rêve le plus intense n'est pas de quitter son pays vers des cieux plus cléments ? Cette gigantesque fuite des cerveaux frappe la Chine de plein fouet. En octobre 1988, le ministre de l'Éducation Li Tieying a dû reconnaître que seul un tiers des 60 000 étudiants chinois envoyés à l'étranger depuis 1978 étaient revenus au pays. Ces chiffres ne révèlent qu'une partie de l'étendue du désastre car ils ne prennent pas en compte les dizaines de milliers d'étudiants, d'intellectuels et d'artistes chinois qui ont choisi l'exil en finançant eux-mêmes leurs études, ces *zefei* (« autofinancés ») dont l'écrasante majorité s'efforce de trouver un refuge permanent en Occident.

La presse officielle a fini par parler avec plus de franchise de cet exode qui prive la Chine d'un encadrement dont elle a tant besoin. Le quotidien de Shanghai *Libération* a ainsi posé la question crûment le 17 octobre 1987 : « Qu'est-ce qui provoque le plus grand enthousiasme chez les Shanghaiens ? Le départ à l'étranger. Si vous racontez à vos amis que vous venez de passer une semaine de voyage touristique à Canton, ceux-ci resteront indifférents. Mais si vous leur dites que vous allez partir pour les États-Unis pour y poursuivre vos études, votre entourage sera frappé de surprise et manifestera sa jalousie. »

Les étudiants avaient infligé une première « claque » retentissante au régime pendant l'hiver 1986-1987. Ils étaient alors descendus dans les rues par dizaines de milliers dans une vingtaine de villes du pays aux cris de « Vive la liberté », « Vive la démocratie », « A bas le despotisme ». Cette première longue marche des étudiants avait conduit, au bout de trois semaines, au limogeage du secrétaire général du Parti communiste, Hu Yaobang, et le pouvoir avait déclenché une « campagne de lutte contre la libéralisation bourgeoise ». Mais surtout elle avait fait prendre conscience aux étudiants de leur force et jeté les bases de l'immense soulèvement populaire qui s'est produit au printemps 1989.

Pierre-Antoine Donnet

Le poids du régionalisme et du localisme

Dès avant 1949, le Parti communiste était traversé par d'importantes tendances localistes qui ont constamment faussé le fonctionnement, en principe très centralisé, des institutions. En outre, si le système d'organisation lénino-stalinien du P C a paru souvent adapté à la lutte clandestine ou armée, celui-ci a rapidement montré son inefficacité après la prise du pouvoir, notamment en matière économique. C'est pourquoi, tout en niant les multiples particularismes locaux, le pouvoir communiste ne put jamais complètement endiguer les puissantes forces qui ont toujours incité les provinces à tourner le dos à la capitale.

Les forces centrifuges, puissantes, sont tout d'abord géographiques et culturelles. La Chine reste, avec l'U R S S, l'un des derniers empires continentaux multi-ethniques.

Au sein d'une telle masse géographique — la province du Sichuan a la même superficie que la France et deux fois sa population —, les tendances localistes sont d'autant plus fortes que la société demeure principalement rurale. Outre les régions « autonomes » (Tibet, Xinjiang) qui revendiquent une indépendance inacceptable aux yeux de Pékin — comme de Taibei —, de nombreuses provinces affichent une spécificité culturelle et donc économique, voire politique, souvent fondée sur une langue et des habitudes alimentaires distinctes (Guangdong, Fujian ou Taïwan).

Par ailleurs, aussi paradoxal que cela puisse paraître, les règles mêmes de fonctionnement des institutions communistes ont favorisé l'expression de ce localisme séculaire. La concentration d'énormes pouvoirs entre les mains d'un seul

─── *BIBLIOGRAPHIE* ───

AGUINIER Ph., « La Réforme des finances locales en Chine, 1979-1982 », *Revue d'études comparatives Est-Ouest*, vol. XIV, n° 3, 1983.

CABESTAN J.-P., « La réforme de l'organisation économique en Chine populaire : les limites de la déconcentration administrative », *Revue internationale des sciences administratives*, n° 3, Paris, 1983.

DONNITHORNE A., *Centre-Provincial Economic Relations in China*, Australian National University, Canberra, 1981.

GOODMAN D.S.G., *Centre and Province in the People's Republic of China : Sichuan and Guizhou, 1955-65*, Cambridge University Press, 1987.

GOODMAN D.S.G., « The Provincial First Party Secretary in the People's Republic of China, 1949-1978 : a Profile », *British Journal of Political Science*, 10 (1), 1980.

LEWIS J., *Political Networks and the Chinese Policy Press*, Stanford University Press, 1986.

MILLS W. DE, « Leadership Change in China's Provinces », *Problems of Communism*, mai-juin 1985.

PYE L., *The Dynamics of Chinese Politics*, Cambridge (Mass.), Oegeschlager, Hun & Hain, 1981.

SOLINGER D., *Regional Government and Political Integration in Southwest China, 1949-1968*, Harvard University Press, 1969.

VOGEL E., *Canton Under Communism : Programs and Politics in a Provincial Capital, 1949-1968*, Harvard University Press, 1969.

homme à chaque échelon — le premier secrétaire du P C, véritable satrape, l'abandon de la règle de l'évitement — qui, en Chine impériale, interdisait à un mandarin d'administrer sa province natale — et l'absence de système de contrôle indépendant ont multiplié la constitution de cliques locales et de réseaux (*guanxi*) au sein de l'appareil. L'exemple le plus célèbre est peut-être celui de Gao Gang, le « patron » du Nord-Est, qui avait au début des années cinquante mis en place, avec la bénédiction des Soviétiques, un véritable « royaume indépendant » en Mandchourie. Cependant, le localisme apparaît rarement au grand jour : tous les échelons répercutent en général ostensiblement — avec une célérité plus ou moins grande — les directives et slogans lancés par le Centre. Ce n'est que pendant la « révolution culturelle » que certaines provinces — tel le Hubei — osèrent entrer ouvertement en rébellion contre Pékin. Le régionalisme s'exprime plutôt à travers l'interprétation et l'adaptation des politiques et en particulier des mesures économiques édictées par la capitale.

Appliquer sans précipitation les directives du Centre

En effet, dès avant la mort de Mao, chaque province s'efforçait d'atténuer les à-coups des changements inopinés de la « ligne directrice ». Ainsi, après le Grand bond en avant, de nombreuses localités ont opéré un retour discret à l'exploitation familiale des terres. En outre les rigidités du système de gestion étatique de l'économie obligeaient Pékin à alterner en permanence les périodes de déconcentration administrative et les phases de centralisation : toute délégation de pouvoir aux échelons inférieurs de la bureaucratie déchaînait de telles forces centrifuges que le Centre devait reprendre, souvent en catastrophe, le contrôle des secteurs vitaux de l'économie et en particulier de l'industrie. Afin de rallier les responsables locaux à sa politique de réformes, Deng Xiaoping céda aux provinces de nombreuses prérogatives économiques et financières. Mais apparurent *ipso facto* de puissantes féodalités bureaucratiques qui se sont souciées de moins en moins des décisions prises à Pékin. La multiplication des régimes particuliers — les zones économiques spéciales, les villes ouvertes, les provinces côtières — a accru le désordre et la confusion de l'organisation administrative, ce que le P C appelle le « décentralisme », c'est-à-dire la rupture du lien hiérarchique avec l'autorité supérieure. Enfin, la décollectivisation de fait de l'agriculture et l'essor des entreprises privées et coopératives — dont les rapports avec l'administration sont souvent ténus — ont provoqué une véritable décentralisation qui n'a pu que conforter les profondes tendances localistes dont la Chine a toujours été le théâtre.

Face à de telles forces, Pékin paraît souvent démuni. Hier, la terreur maoïste, de même que la terreur stalinienne, parvenait à contenir les tendances localistes les plus frondeuses. Souvent, chacun certes feignait d'obéir ; néanmoins, le régime réussissait non seulement à afficher un monolithisme sans faille, entre chaque crise, mais aussi à imposer des politiques aventuristes qu'aucune région n'osait durablement contester (Grand bond en avant). Aujourd'hui, les corps intermédiaires de ce qui est devenu une véritable oligarchie ne se sentent plus guère menacés par les successeurs de Kang Sheng, le « Béria chinois ». Dans le même temps, ils ne se sentent pas plus concernés par les règles juridiques que les réformistes du P C

élaborent péniblement depuis 1979.

Finalement, la principale arme dont dispose le Centre est le pouvoir de nomination. Mais si l'épée de Damoclès de la révocation est suspendue au-dessus de chaque roitelet local, elle ne tombe que rarement. Tout d'abord parce qu'une mobilité trop rapide des dirigeants risquerait d'ajouter à la désorganisation du système. Ensuite parce que le Centre est traversé par d'importantes divisions. Enfin parce que la plupart des forfaits que Pékin pourrait reprocher à ses bureaucrates sont difficilement condamnables. Quoi de plus naturel, en effet, que de vouloir développer un « pays natal » démuni de tout ou presque, même si ce noble objectif impose le recours à des pratiques pas toujours honnêtes ? En outre, les provinces — du moins certaines d'entre elles — sont riches. Pékin est pauvre et n'a plus les moyens de contrôler les principaux leviers économiques, en particulier la masse monétaire. Le Centre est donc condamné à tolérer un régionalisme qui, s'il a eu des effets économiques bénéfiques, bloque l'autonomisation des entreprises et donc l'introduction d'une plus grande rationalité dans le développement du pays.

L'on n'en est pas pour autant revenu à l'époque des seigneurs de la guerre. En effet, le P C peut prétendre maintenir, grâce à son système de communication et de sécurité, une emprise totalisante sur le politique. Toutefois, la dissémination du pouvoir au sein de l'appareil a favorisé l'expression d'un régionalisme et d'un localisme profonds, plus en harmonie que l'unité de façade de l'ère maoïste avec le communautarisme viscéral de la société.

Jean-Pierre Cabestan

Les Han et les autres...

C'est une disgrâce d'être en Chine né dans un *bianjiang minzu*, peuple des frontières. Depuis les origines, les peuples non chinois ont toujours constitué un écran entre la Chine et le monde extérieur. Aujourd'hui encore, s'ils ne constituent que 7 % de la population, leurs territoires représentent 60 % de la superficie de la République populaire. Peuples des marges, peuples des marches, peuples marginaux, peuples sur lesquels il faut périodiquement marcher : les Chinois, en tant qu'État, ont eu le temps de forger en deux mille ans de colonisation le concept de « cru » et de « cuit » pour définir le stade de « sinisation » des indigènes, à chaque nouvelle conquête de territoire. Depuis 1949, la victoire sur les impérialistes a fait de ces peuples non chinois des *shaoshu minzu*, « minorités » nationales, des minorités au double sens du terme, minoritaires et mineures.

Minorité renvoie au concept de Han. *Han ren*, les gens de Han, fait explicitement référence au peuple de la dynastie des Han (206 av. J.-C. - 221 apr. J.-C.), ce qui exclut les Cantonais et tous les peuples de la Chine du Sud-Est qui n'entrèrent dans la mouvance chinoise (donc Han) qu'aux VIIᵉ-Xᵉ siècles. De 1644 à 1911, on appelait Han les Chinois de « Chine propre » (*ben di*), par opposition aux peuples de la Chine extérieure (*fan bu*). Au début de la République (après 1911), le drapeau chinois était constitué de cinq barres parallèles, symbolisant les Han, les Mongols, les Tibétains, les Turcs musulmans et les Mandchous. Le terme de *Zhongguoren* (Chinois) date de 1928 seulement, quand les nationalistes du Guomindang voulurent insister sur le patriotisme indépendamment de la nationalité. Pour les communistes, qui adoptèrent la définition de la nation de Staline (une nation est définie par une langue, un territoire, un stade de l'économie, un caractère psychologique), les Han sont l'une des quelque cinquante nations qui vivent sur le territoire de l'État chinois.

Les communistes chinois ont suivi la définition des Soviétiques jusqu'en 1935, quand Mao Zedong devint majoritaire au Comité central. Ainsi, dès le IIᵉ congrès en 1922, le Parti proposa la fondation de plusieurs républiques distinctes,

au moins pour les Turcs, les Tibétains, les Mongols et les Han. La Constitution des soviets de la République de Chine, en 1931, est encore plus explicite : elle prévoit la fondation d'un État fédéral à la victoire. Le droit de sécession, explicitement reconnu dans la Constitution soviétique, fut rejeté en 1935 par Mao comme l'un des moyens que les impérialistes emploieraient pour séparer les « autres peuples » du « peuple han ». Dès lors, malgré quelques déclarations discordantes, le statut des autres peuples ne pouvait être qu'un rattachement à la « nation » dominante, ce que confirment le Programme commun de 1949 et la Constitution de 1954 (« La République populaire de Chine est un État unifié et multinational »).

La « nationalité la plus avancée »

Le concept de « région autonome » est alors inventé pour signifier que les « minorités nationales », du fait de leur égalité en droit, mais de leur faible nombre et de leur « retard » idéologique, économique et social, peuvent participer à la gestion de leurs affaires locales, le reste demeurant entre les mains de l'État han. Liu Shaoqi exprime parfaitement ce point de vue en 1956 : « En raison des conditions historiques, les minorités nationales ont besoin d'une grande assistance de la part du peuple han, en ce qui concerne leurs *réformes sociales* et leur édification économique et culturelle » (Liu Shaoqi, *Rapport du CC au VIIIᵉ congrès du PCC*). Dès le départ, la question est donc résolue : les Han ont une avance sociale. Or, ces peuples, qui ont chacun leur propre spécificité, et qui veulent tous entrer dans le monde moderne en mettant fin aux facteurs de retard qui leur ont été légués par l'histoire, « ont atteint des stades de développement social inégaux et différents de celui du peuple han » (Fei Xiaotong, *Towards*

Le Parti communiste chinois et la question nationale

Le premier congrès du Parti communiste chinois (PCC) de juillet 1921 se donne comme tâche majeure de lutter « pour la libération sociale et nationale *des peuples de la Chine* ». « *Il faut octroyer l'autonomie à la Mongolie, au Tibet et au Turkestan chinois, et les transformer en fédérations démocratiques* » et prévoir « *l'unification, sur la base de fédérations indépendantes, de la Chine proprement dite, de la Mongolie, du Tibet et du Turkestan chinois, et la création de la République fédérale de Chine* » [Résolution du IIe congrès de 1922].

Le VIe *congrès du PCC de l'été 1928 considère que le moyen principal d'assurer l'égalité politique et l'unification librement consentie des peuples de la Chine passe par le droit des peuples à l'autodétermination, séparation comprise.*

Le Ier *congrès des soviets de Chine de novembre 1931 précise que la République soviétique de Chine reconnaît, sans aucune réserve, le droit de toutes les nations à disposer d'elles-mêmes*. « *La Constitution de la République soviétique de Chine*, adoptée à ce même congrès, dit dans son article 14 : « *Le pouvoir des soviets en Chine reconnaît le droit des petites nations à disposer d'elles-mêmes, à se séparer et à fonder des États indépendants.* »

Le préambule des statuts du PCC adoptés au VIIe *congrès*, en 1945, publié à Dalian en 1949, prévoit que le Parti communiste chinois luttera « *pour l'instauration d'une nouvelle république démocratique fédérale, qui représenterait une union puissante, indissoluble, indépendante, libre et démocratique de toutes les classes révolutionnaires et de toutes les ethnies* ». Le commandement de l'Armée de libération nationale, le 10 octobre 1947, est encore plus explicite. Il exige naturellement la réunification des peuples de la Chine et « *la reconnaissance de l'égalité en droits de toutes les minorités nationales de la Chine, ainsi que la reconnaissance de leurs droits à l'autonomie et à la libre adhésion à la fédération chinoise* ».

Cependant, dès la Libération de 1949 et la prise du pouvoir, le discours change radicalement, utilisant le thème : *pour mieux lutter contre les étrangers, formons une seule unité.* (Liu Shaoqi, Rapport sur la Constitution de 1962) : « *Depuis plus de cent ans, les nationalités, à la fois les Han et les nationalités-sœurs ont souffert de l'oppression commune de l'impérialisme étranger… En réponse aux complots agressifs des impérialistes, toutes les nationalités doivent consolider l'unification de la patrie… Le projet de constitution déclare que la République populaire de Chine est un État unitaire multinational et que toutes les régions de nationalités autonomes en sont des parties inséparables* » (Liu Shaoqi, Rapport sur la Constitution de 1962).

P. G.

a *People's Anthropology*, 21 mars 1980, discours de réception du Malinowski Memorial Award, Denver, Col., E-U). Cette position de Fei reprend les grandes lignes du programme annoncé dans les années cinquante, concernant la transformation des systèmes sociaux attardés. Il était précisé que les méthodes applicables aux Han ne l'étaient pas aux minorités attardées dans le processus de modernisation. « La transformation ne peut être entreprise que d'après les souhaits de la majorité de la population, et doit être menée à bien, par étapes appropriées, par leurs propres cadres. » (Zhou Enlai, 1951.)

La pratique ne correspondait pas toujours — ceci est un euphémisme — aux intentions déclarées, témoin ce rapport adopté par le Comité central du PCC en 1956 : « La plupart des cadres ont appliqué correctement la politique du Parti concernant les nationalités… Cependant, il y a aussi certains cadres han qui ne respectent pas l'autorité ni les opinions des cadres des minorités nationales à devenir maîtres chez elles, et se substituent à leurs cadres dans le travail. Ces er-

---
BIBLIOGRAPHIE

FEI Xiaotong, *Toward a People's Anthropology*, Discours de réception du *Malinowski Memorial Award*, Denver (col.), 21 mars 1980.

LATTIMORE O., *Inner Asian Frontier of China*, Praeger, New York, 1940.

LI Chi, *The Formation of the Chinese People*, Harvard University Press, Cambridge (Mass.), 1928.

LIU Shaoqi, *Rapport au Comité central pour le VIIIe congrès du PCC*, Éditions en langues étrangères, Pékin, 1956.

MOSELEY G.V.H., III, *The Consolidation of the South China Frontier*, University of California Press, Berkeley, 1973.

SCHWARTZ H.G., *Chinese Policies Toward Minorities*, Western Washington State College, 1971.

WIENS H.J., *China's March Toward the Tropics*, Hamden (Conn.), 1954.

reurs ne sont pas sans rapport avec la tendance chauviniste grand-Han, consistant à mépriser les minorités nationales, tendance qui subsiste dans l'esprit de certains camarades. »

Le rapport poursuit : « Ce n'est qu'après avoir éliminé résolument la plus petite manifestation du chauvinisme grand-Han, *quelque forme qu'il prenne*, qu'on pourra faire disparaître sans difficultés le sentiment de nationalisme local des minorités nationales. »

Les relations entre Han et autres peuples s'aggravent au contraire lors de la période dite de la « révolution culturelle » : « Le fait que nous ayons généralement travaillé la main dans la main avec les gens des minorités ne doit pas faire oublier que, naturellement, nous avons quelquefois rencontré des difficultés provenant du manque de confiance des minorités qui n'étaient pas encore passées sur les blessures qui leur avaient été infligées par *la discrimination raciale des Han* » (Fei, 1980).

La thèse en vigueur, à la fin des années quatre-vingt, peut être résumée en quelques phrases : la Chine, depuis plus de deux mille ans, est un État centralisé. Tous les peuples qui l'habitent, Han compris, ont eu à subir l'oppression des mauvaises classes dirigeantes jusqu'à leur libération. C'est la victoire, en 1949, de la nationalité la plus avancée, les Han, qui a jeté les bases d'un État socialiste. Lors de la construction du socialisme, les traces anciennes d'un chauvinisme « grand-Han » ont subsisté, ravivées particulièrement pendant la « révolution culturelle ». Néanmoins, malgré leurs erreurs, les Han restent encore la nationalité la plus avancée. Au moyen de l'État centralisé, forme d'État qui est le leur, les Han conduiront les peuples minoritaires et attardés de la Chine à leur épanouissement. Cette thèse, bien évidemment, est celle des Han qui dirigent la « construction du socialisme ». Elle est largement contestée au Tibet, très mal acceptée par les Turcs ouigours du Xinjiang, les Mongols, et certains Han commencent à la trouver discutable.

Pierre Gentelle

Une région pas comme les autres, le Tibet

Le 1er octobre 1987, ceux qui, à Pékin, peu nombreux il est vrai, croyaient encore en une coexistence pacifique et harmonieuse entre Chinois et Tibétains ont perdu leurs dernières illusions.

Le jour même où la Chine célébrait paisiblement le 38e anniversaire de l'arrivée du Parti communiste au pouvoir, plusieurs centaines de lamas et de civils tibétains déclenchaient à Lhassa, à 2 500 kilomètres de Pékin, l'émeute la plus sanglante que le Tibet ait connue depuis la fin de la « révolution culturelle ». Les policiers chinois, affolés sans doute, tirèrent à l'arme automatique dans la foule.

Pour les Chinois qui résident au Tibet, volontairement pour y faire de l'argent ou bien envoyés par le gouvernement central, c'est la fin du sentiment de sécurité qu'ils pouvaient encore conserver dans un environnement hostile, où virtuellement tout diffère de leur province d'origine. Le renouveau du nationalisme tibétain a pris par surprise un gouvernement chinois qui se mettait à croire aux vertus de la politique du sourire à l'égard des Tibétains. Depuis l'autocritique du gouvernement sur les erreurs commises par Mao Zedong au Tibet, formulée en 1980 par Hu Yaobang, la Chine avait adopté une plus grande tolérance à l'égard de toutes les religions, en particulier du bouddhisme lamaïque.

Cette tolérance ne signifiait en rien un changement de stratégie du Parti communiste. Les dirigeants les plus réformateurs avaient simplement réussi à persuader l'aile conservatrice que la religion était promise à disparaître d'elle-même, victime du progrès économique et social, tout comme ailleurs dans le monde. Cette agonie, affirmaient-ils, serait toutefois ralentie sinon stoppée aussi longtemps que les méthodes brutales du maoïsme continueraient d'être appliquées.

Il est tout à fait exact que les persécutions et les destructions massives perpétrées dans les années 1959-1960 puis pendant les dix années d'obscurantisme de la « révolution culturelle » (1966-1976) n'ont ni entamé la ferveur religieuse des Tibétains, ni plus encore subjugué ce peuple. Décapiter l'aristocratie spirituelle et temporelle du Tibet, raser, en les bombardant, la quasi-totalité des 6 000 monastères et temples de l'ancien royaume n'ont réussi qu'à créer des martyrs. Loin de mourir, le nationalisme s'est alors doublé d'un fort sentiment anti-chinois. La question tibétaine devint du même coup douloureuse pour la Chine : son image à l'étranger en souffre et l'on ne voit guère comment elle parviendra, sans concessions, à assurer une paix durable sur le « toit du monde ».

Les racines du nationalisme tibétain plongent profondément dans l'histoire. Le Tibet a plusieurs fois été indépendant. Ses armées ont plusieurs fois envahi le sol chinois ; il y a dix siècles, elles défilèrent, victorieuses, dans les rues de Chang'An, alors capitale de l'empire du Milieu. Aucun pays, dans le monde actuel, ne conteste la souveraineté chinoise sur le Tibet, établie par la force militaire et la violence. La solution des troubles se trouve dans la négociation, chacun en convient.

Dieu-roi, pour les millions de Tibétains, le dalaï lama a pris le chemin de l'exil en 1959. Il n'a, depuis, jamais cédé aux propositions chinoises. Fidèle aux enseignements du bouddhisme, et conscient du rapport des forces, le dalaï lama réprouve la violence. Une nouvelle révolte contre la Chine serait un suicide, dit-il. Depuis 1988, il propose un compromis : la Chine pourrait

Bouddhisme et résistance au Tibet

A la prise du Tibet par les Chinois en 1959, le dalaï lama se réfugia en Inde et y forma à Dharamsala un gouvernement d'exil. Après avoir déclaré le Tibet région autonome, la Chine ne cessa d'y réprimer les activités religieuses et de mener une politique d'acculturation, contraignant les jeunes Tibétains scolarisés à apprendre le chinois à la place de leur langue, et rendant leur accès à l'Université quasi impossible.

Les diverses révoltes qui eurent lieu au Tibet impliquèrent toujours pacifiquement les moines et le clergé, et il en fut ainsi lors des révoltes de l'automne 1987 et de mars 1988. Leur revendication essentielle était l'acceptation par les Chinois du plan de paix en cinq points présenté le 21 septembre 1987 devant la Commission des droits de l'homme du Congrès américain par le dalaï lama, lequel demeure pour la plupart des Tibétains leur chef temporel et spirituel.

Pour les fidèles, le bouddhisme apparaît en Asie comme le fondement d'une éthique humaniste et un système de valeurs permettant l'amélioration de l'homme et de la société : le troisième point exposé par le dalaï lama est précisément la reconnaissance des droits de l'homme et des libertés démocratiques du peuple tibétain. Par ailleurs, dans la vision bouddhique de l'impermanence du monde, dans lequel toute situation est la résultante des bonnes ou mauvaises actions passées (karma), la situation du Tibet est le karma collectif d'un peuple et ne peut être améliorée que par une attitude juste qui est celle de la paix, la

meilleure arme capable de vaincre non seulement au Tibet mais aussi dans le monde. Ainsi, les croyances bouddhiques constituent une extraordinaire force de résistance passive.

La Chine a entrepris dans tout le pays une politique de reconstruction des grands monastères tibétains, investissant dans ces projets des sommes considérables, notamment pour les cinq plus grands centres. Cette entreprise a suscité les dons des fidèles tibétains, des communautés de réfugiés et des fidèles occidentaux. Cette renaissance monastique, si faible soit-elle, fonde l'espoir d'un peuple dont la vénération et la foi dans les valeurs que représente le clergé semblent inébranlables.

Par ailleurs, les implications du bouddhisme dans la politique, l'économie, la société et la culture du Tibet sont immenses. Ce pays passa au XIᵉ siècle d'un pouvoir monacal à un pouvoir ecclésiastique. Une lignée de l'ordre des Karmapa inaugura le système des réincarnations successives d'une même personne incarnant elle-même une divinité, système adopté plus tard par le panchen lama et le dalaï lama (XVIᵉ siècle), dont l'autorité théocratique s'affermit à partir du cinquième dalaï lama (1617-1682). C'est pourquoi le rôle joué par le bouddhisme dans la résistance tibétaine est essentiel : les moines, les maîtres (lama) et le dalaï lama sont les dépositaires de la culture tibétaine et les meilleurs garants de l'identité nationale.

Catherine Despeux

conserver la marque étatique, son autorité sur les affaires étrangères du Tibet et sur sa défense ; elle accepterait en contrepartie de rendre aux Tibétains une autonomie totale dans les autres domaines. Le Tibet serait alors déclaré « zone de paix » et la Chine s'engagerait à retirer à terme toutes ses armées.

Le gouvernement chinois n'a

───── **BIBLIOGRAPHIE** ─────

Vandermeersch L., « Bouddhisme et politique en Asie orientale », *Problèmes politiques et sociaux*, n° 603, La Documentation française, Paris, 1989.

pas formellement refusé cette offre mais fait traîner volontairement les choses.

Pour la Chine, accorder aux Tibétains une autonomie presque totale constitue un risque énorme : celui de leur permettre de s'organiser sur le plan social, politique, voire économique pour un jour avoir les moyens de se déclarer indépendants. Pour le dalaï lama, il est hors de question de reconnaître le fait accompli chinois au Tibet, ou d'accepter toute solution qui perpétuerait la « colonisation du Tibet ».

La mort, le 28 janvier 1989, du panchen lama, le « numéro deux » de la hiérarchie religieuse tibétaine, a constitué une perte sévère pour les modérés du Parti communiste chinois, dont il exprimait les vues. Rallié à la Chine depuis les années cinquante, le panchen lama n'avait cependant jamais perdu un ton critique à l'égard du « chauvinisme chinois ». Son dernier discours public, prononcé quelques jours avant sa mort, a été le plus dur de tous envers Pékin. Il soulignait que le Tibet avait perdu plus qu'il n'a gagné depuis 1959, et mettait en garde les dirigeants chinois tentés par la répétition des tragédies passées. La disparition du panchen lama a du même coup renforcé encore l'image du dalaï lama, désormais le seul maître reconnu de la religion tibétaine. Né en 1935, le quatorzième dalaï lama est encore jeune. Il a donc du temps devant lui pour convaincre la génération montante en Chine que « la seule voie est le dialogue, qui nécessite temps et patience pour ceux qui ont pour eux la raison et la justice ».

Pierre-Antoine Donnet

Être étranger : entre envie et mépris

Octobre 1981. Premier voyage en Chine. Les Chinois disent : *waiguo pengyou*, l'ami étranger. Ils surnomment ainsi tous les étrangers, et les Africains bénéficient de plus du titre de *heiren xiongdi* : le frère noir. Avec l'ouverture de la Chine, les touristes, les *businessmen* occidentaux se sont bousculés en Chine : en 1985, c'est fini, on ne dit plus « ami étranger ». Bien des Chinois désignent entre eux du nom de *laowai* : métèque, tous les Blancs occidentaux. Les frères noirs sont devenus des *hei guizi* : diables noirs, et les Japonais des *xiao riben* : p'tits Jap', ou *riben guizi* : diables japonais. Depuis 1987, on surprend même des Pékinois à nommer les Blancs, comme à Hong-Kong, diables étrangers (*yang guizi*). A la fin des années quatre-vingt, une nouvelle vague de xénophobie déferle sur la Chine, expression de la jalousie d'un peuple — « le plus civilisé et le plus intelligent », disent de nombreux articles de la presse chinoise en 1986-1987 — extrêmement pauvre, qui regarde les « barbares » visiter leur pays par charters entiers, bien vêtus, riches, gras et parfumés.

En Chine, qui est étranger possède assez d'argent pour parcourir les villes en taxi, et non en bus surchargés, peut acheter billets de train, d'avion, de bateau à un guichet spécial en ignorant les longues heures d'attente qu'un Chinois endure avant de réussir — éventuellement — à acheter ce même billet. L'étranger devra, en revanche, acquérir avec ses devises des Foreign Exchange Currency, ou F E C, pour payer plusieurs fois le prix en *renminbi yuan* du billet — même classe, même service — qu'aura payé un Chinois. Ainsi dans les hôtels, dans certains restaurants, même privés, on applique consciencieusement ce principe, et l'addition d'un *laowai* dépasse de 50 à 300 % celle d'un autochtone.

L'étranger bénéficie d'une interprétation différente des lois. Chinois et étrangers sont égaux devant la loi ; néanmoins l'étranger qui falsifie des documents officiels sera puni d'une amende, voire de l'expulsion, mais ne connaîtra qu'exceptionnellement la prison. Les relations sexuelles, prohibées en dehors du mariage, sont tolérées entre partenaires de la même « nation ». C'est-à-dire Chinois-Chinois ou étranger-étranger ! Mais tout coït « international » illégal, en particulier femme chinoise-homme étranger, est réprimé. Le pouvoir populaire, qui combattit le féodalisme, libéra les femmes et promulgua une loi sur le mariage en 1980 pour interdire à la fois les unions arrangées et toute entremise extérieure dans la décision d'un couple de s'unir, réclame à Pékin, contrairement aux articles 2, 3 et 4 de cette loi, l'autorisation écrite des beaux-parents chinois pour célébrer les mariages « internationaux ».

Un étranger pourra visiter sans permis les paradis fiscaux du Sud qui font rêver les Chinois (Shenzhen, Zhuhai, toutes les « zones économiques spéciales »). Mais il devra obtenir un laissez-passer pour sillonner les zones non ouvertes aux étrangers — la plus grande partie du pays — dans lesquelles un Chinois se rend librement... Il n'aura pas accès aux « rayons interdits aux étrangers » des grandes librairies où se vendent dictionnaires originaires de Taïwan et revues occidentales à prix très réduits. Mais il découvrira la Chine, confortablement, loin de la cohue du milliard de Chinois. Ses hôtels, luxueux pour les Chinois, leur sont interdits et les leurs — de grands dortoirs sobres — le sont pour lui. En Chine, un étranger rencontre peu de Chinois. Il s'approvisionne dans les commerces réservés (magasins de l'Amitié, boutiques spécialisées des grands hôtels), bien achalandés, ignorant la crise. On y trouve toutes les viandes. Il va chaque jour dans les meilleurs restaurants et il se trouve chaque jour des Chinois qui le regardent franchir le seuil du célèbre Hôtel de Pékin, où ils n'ont pas le droit de pénétrer. Des Pékinois marmonnent, amers, que les concessions étrangères existent toujours en Chine. Ils croient voir, devant chaque palace, la pancarte des anciennes concessions de Shanghai : « Entrée interdite aux Chinois et aux chiens ». Mais ce ne sont plus des étrangers qui les ont accrochées aux grilles.

Marc Boulet

LA CIRCULATION DU SAVOIR

L'enseignement, une évolution alarmante

En mars 1989, le Premier ministre Li Peng, ancien ministre de l'Éducation, se félicitait de l'adoption par l'Assemblée nationale populaire de la nouvelle loi sur l'enseignement, qui rendait obligatoire, pour chaque jeune Chinois, neuf années d'école. Si elle devait être appliquée à tous, cette loi mettrait de l'ordre dans un secteur qui est devenu un imbroglio de contradictions depuis que la réforme a entraîné un net désengagement de l'État.

D'un côté, la logique méritocratique, reprenant un thème essentiel de la société traditionnelle, se généralise. En 1985, Deng Xiaoping se plaignait des deux obstacles majeurs à la modernisation : « Pas assez de connaissances pour ceux qui apprennent, pas assez de talents (*rencai*) parmi ceux qui ont appris. » Mais, d'un autre côté, on ne sait plus quoi faire apprendre aux jeunes. Si les contenus des enseignements supérieurs sont de plus en plus copiés sur ceux des pays occidentaux, dans l'enseignement secondaire et primaire, on fait un peu n'importe quoi. La seule chose qui a vraiment changé est la charge en travail personnel après les cours, devenue écrasante, l'angoisse de l'échec, manifestée par les deux tiers des lycéens, la toute-puissance des résultats aux examens, où les taux d'échecs sont élevés.

L'enseignement secondaire, voire primaire, est jugé superflu par les uns. Pour les autres, il est extrêmement valorisé. Pour la majorité des paysans — y compris les paysans riches — l'enseignement est payant, dans des écoles privées, parfois réinstallées comme jadis dans des temples bouddhistes (l'État a laissé se fermer des milliers de classes). Mais les enfants, sauf ceux des riches, n'ont pratiquement aucune chance de valoriser leurs connaissances en ayant accès à l'Université : on les retire donc de l'école, puisqu'on a fait des parents non plus les bénéficiaires d'un service public, mais des clients. Par ailleurs, les maîtres, mal payés, sont considérés par ces « clients » comme des ouvriers chargés de réussir un certain nombre de pièces à l'année : ils sont jugés aux résultats aux examens. Pour eux, mieux vaut cultiver leur lopin que faire leurs cours, d'où des taux d'absentéisme

jamais connus en Chine jusque-là.

Si, pour les citadins des classes moyennes et de la *nomenklatura*, la réussite des enfants à l'école est un signe prestigieux au plan personnel et familial, pour les urbains des classes pauvres et pour beaucoup de paysans, l'école représente un manque à gagner. Dans une ville riche d'une région riche, comme Suzhou, un rapport de mai 1988 indiquait que certains ateliers étaient composés jusqu'à 50 % d'« ouvriers » ayant moins de onze ans. Des parents interrogés ont répondu : « Plus on lit, moins on gagne. » On peut ainsi mesurer le « changement » intervenu depuis la fin de la « révolution culturelle » (1976), où le slogan officiel était cette fois : « Plus on lit, plus on devient réactionnaire. » Dans les deux cas, l'enseignement est conçu comme un danger ou une perte. Que dire d'une société qui se dit marxiste et fait à ce point la part belle à une école de classe, dans laquelle le livre est perçu de manière négative par l'ensemble de la population, au moment même où il est réservé à une élite de lettrés — jadis —, ou d'étudiants fils de cadres allant se former à l'étranger, comme de nos jours ? On y voit resurgir deux vieux thèmes de la société traditionnelle : « mieux vaut être illettré si l'on veut vivre tranquille », « mieux vaut exercer n'importe quel métier qu'un métier académique ». Si l'on ajoute que, tout comme dans la société traditionnelle, ce sont d'abord les filles qui ont été retirées de l'école, dans une société qui se dit celle des réformes marxistes, et si l'on note enfin que le recensement de 1982 a montré que 32 % des Chinois âgés de plus de douze ans étaient soit illettrés, soit semi-illettrés (237 millions de personnes en 1982, environ 230 millions à la fin de 1988), on comprend l'inquiétude des quelques dirigeants informés et des spécialistes de l'Académie des sciences sociales.

En 1976, à la mort de Mao, 95 % des crèches étaient situées à la campagne et recevaient 85 % des enfants. Mais ces chiffres, généralement fournis par la propagande de l'époque, n'étaient qu'un leurre. En effet, seul un enfant sur dix en âge d'y entrer avait accès aux crèches. Mieux encore, comme les ruraux constituaient plus de 80 % de la population, seuls 6 % des enfants de la campagne allaient en fait à la crèche. Ce taux était de 34 % pour les enfants de citadins. Se méfier des chiffres isolés. En 1984, on annonçait que les campagnes n'envoyaient plus dans les crèches que 64 % des enfants enregistrés, en priorité les enfants de riches, puisque beaucoup de crèches étaient devenues payantes sous le prétexte de réaliser leur autonomie de gestion.

Un système élitiste, de la crèche à l'Université

Dans les déclarations gouvernementales, l'école primaire a reçu la haute priorité. Mais la situation est complexe : dans les campagnes, l'école est payée à 80 % par les paysans. Les inégalités régionales sont grandes (Guizhou : 60 % d'inscrits, Tibet : 20 %, alors que la moyenne nationale est de 79 %). L'inflation a accru les coûts de 40 à 60 % (officiellement) en une décennie. L'école, responsable de sa gestion, décide elle-même des prix qu'elle fait payer. Tous les abus, toutes les corruptions deviennent possibles, d'autant que le contrôle d'État est de plus en plus évanescent. Certaines écoles ont été jusqu'à mettre les places disponibles à la disposition des plus offrants, d'autres ont chassé les élèves les plus lents... parfois à la demande des parents des premiers de classe. En 1985, 28 % des écoles primaires de Pékin avaient transformé une partie des salles de classe en dortoirs pour voyageurs de passage. Mais, pour l'ensemble des villes, 93 % des enfants étaient scolarisés.

Cet état de fait est perçu par tous les groupes sociaux. Pour cette période qui constitue la première phase de la réforme (1979-1989), le gouvernement a admis que les abus étaient inévitables, qu'ils seraient corrigés ensuite. La population, avec son pragmatisme invétéré, a compris que la connaissance n'avait pas de valeur en soi. Puisque le vendeur de brochettes illettré installé à la porte de l'université de Pékin gagne plus en un jour qu'un professeur d'université en un mois, il vaut mieux, pour le moment, faire de ses enfants des illettrés que des intellectuels. Même opinion de la part des élèves-maîtres des écoles normales qui, répondant à un sondage de l'Académie des sciences sociales, en 1985, étaient 80-90 % à penser, une fois leur diplôme (monnayable) acquis, trouver à leur sortie de l'école un métier hors de l'éducation. L'école inutile ? C'est le sentiment de nombreux parents qui n'envoient plus leurs filles en classe dès qu'elles sont susceptibles de rapporter quelque chose en travaillant à la maison.

L'inégalité entre les sexes est générale. La manière de vivre à la campagne fait que les deux parents sont constamment occupés à produire, transporter et vendre au meilleur prix les produits de la famille entière ; c'est la sœur aînée qui prend donc soin des enfants ou des animaux, avant que la sœur cadette ne la remplace, quittant elle aussi l'école, pour lui permettre de travailler dans les ateliers du village (les sondages effectués en 1985 par l'Académie des sciences sociales montraient que dans les zones riches du Zhejiang, lui-même province riche, près de 80 % des enfants/adolescents de onze à seize ans travaillant dans les ateliers étaient des filles). Les pratiques patriarcales sont revenues avec la réforme. Les enfants, et les petites filles en particulier, qui se marieront de toute façon hors de la famille, rapportent plus quand ils sont mis au travail que quand ils vont à l'école (à la fin des années quatre-vingt, le taux d'analphabétisme des jeunes de moins de quinze ans se situerait à 14 % des classes d'âge, mais la proportion des filles sur ce total serait de 7 sur 10).

De l'éducation restreinte à l'inégalité généralisée

L'école secondaire est régie depuis 1985 par un système à deux vitesses. Une petite partie des jeunes auront accès au second cycle. Les meilleurs, de là, après une sélection extrêmement sévère — et fatale à qui ne connaît personne… — pourront se présenter aux concours d'entrée dans les universités, très difficiles. Il n'est pas étonnant, dans ces conditions, que la part des ruraux dans le second cycle soit passée, entre 1977 et 1985, des deux tiers au quart du total, tandis que celle des citadins passait du tiers aux trois quarts. Cet élitisme urbain est aggravé par le fait que 30 % seulement des classes d'âge scolarisables atteignent le second degré, contre 42 % en moyenne dans le tiers monde. Pour couronner le tout, l'enseignement à la campagne est dans la pratique réservé aux familles les plus riches, qui sont aussi les *wenminghu*, les « familles éclairées ». Leurs niveaux de formation sont tout à fait différents de la moyenne nationale, comme le montre le tableau.

L'INÉGALITÉ SOCIALE DANS L'ENSEIGNEMENT		
Niveau de formation	Familles « éclairées »	Moyenne nationale
Illettrés & semi-illettrés	0	37
Fin de l'école primaire	3	37
Premier cycle du secondaire	41	21
Second cycle du secondaire	56	5
Source : B. Bakken, d'après *China Daily*, 1985.		

A ces inégalités, somme toute « ordinaires », s'en ajoutent d'autres. Le drainage intra- et interrégional des cerveaux est devenu une pratique courante. Dans certaines provinces, le Shanxi par exemple, les districts qui se sont enrichis ont décidé de payer plus cher leurs enseignants. Les villages les plus pauvres ont perdu leurs meilleurs maîtres, les bourgs leurs meilleurs professeurs, souvent appelés à des fonctions mieux rémunérées de secrétaires ou de gestionnaires dans les nouvelles petites entreprises. La réforme a affaibli le contrôle du Parti et des collectivités sur l'éducation, à tous les niveaux. Plus que jamais, depuis trente ans, le système d'enseignement est fondé sur une grande inégalité : aux villes le secteur d'élite, financé par les municipalités et l'État, conduisant jusqu'à l'enseignement supérieur et aux enseignements spécialisés ; aux campagnes, le secteur des écoles payées par les villages ou les paysans, dans lesquelles les élèves ne sont que de passage. Le système lui-même renforce l'inégalité. Plus de 60 % des personnages importants de l'État étaient passés au moins par les lycées en 1985, et le nombre des intellectuels entrés au Parti est passé de 8 % environ en 1978 à 40 % environ en 1984. Or, moins de 1 % de la population chinoise possède une éducation supérieure. Venir d'une famille rurale ou pauvre et n'avoir qu'une éducation rudimentaire devient donc un handicap sévère.

Pierre Gentelle

Édition : contrôle administratif et anachronisme économique

Plus de 500 000 titres ont vu le jour depuis 1949, plus de 110 milliards de livres ont été diffusés en trente-huit ans. Mais il s'agit pour une grande part de publications à objectif « pédagogique ». Entreprises d'État ou privées, les quelque 500 maisons d'édition sont pratiquement toutes sous la tutelle du Bureau d'État des publications, rattaché au ministère de la Culture.

A Pékin et Shanghai sont concentrés la majorité des éditeurs (60 %). En dehors d'un petit nombre, les maisons d'édition sont spécialisées, par branche ou catégorie d'ouvrages. Presque tous les ministères, organismes publics ou universités possèdent leur propre maison, tandis que fleurissent un nombre toujours plus élevé de maisons d'édition « indépendantes », c'est-à-dire financées par des collectivités ou des groupes privés.

Les grandes maisons, parmi lesquelles les Éditions du Peuple, la Librairie Zhonghua (Chung Hua Book Co.), les Éditions Shangwu (Commercial Press Co.), les Éditions de la Jeunesse, etc., se partagent la plus grosse part de la production du livre. Tous les livres publiés sont en principe diffusés par la librairie Xinhua qui détient le quasi-monopole de la distribution ; mais de plus en plus d'éditeurs parviennent à diffuser eux-mêmes une partie de leur production, en augmentant leur tirage au-delà des commandes passées au préalable par la Librairie Xinhua et ses succursales.

Imposé par l'État aux éditeurs depuis 1956, le prix de vente des livres, l'un des plus bas du monde, correspond de moins en moins aux coûts réels de production. A titre d'exemple, de 1956 à 1988, le prix du papier a augmenté quatorze fois plus vite que le prix des livres. L'État, qui compensait jusqu'ici la différence, se fait plus économe ; nombre d'éditeurs se voient contraints de réduire leur tirage ou leur fonds. Une réforme des prix est, dans ce domaine comme ailleurs, indispensable.

Bien que le pays comptât en 1988 plus de 110 000 points de vente (un pour 10 000 habitants), on n'y trouve le plus souvent qu'une très faible partie de la production. En 1987, 60 193 titres, dont 34 041 nouveautés et 11 123 réimpressions, ont été publiés, pour un tirage total de 6,25 milliards d'exemplaires. Ces titres se répartissaient en livres proprement dits (45 164), en manuels scolaires (8 801) et en imprimés divers (6 228). La plupart d'entre eux ont été épuisés en quelques jours.

TITRES PUBLIÉS ET DISTRIBUÉS (par genre, en 1987)		
Genre	Titres publiés	Exempl. distrib. (millions)
Philosophie & sciences sociales	7 779	315,80
Culture & éducation	14 691	2 007,17
Littérature & arts	8 279	219,33
Sciences & techniques	11 375	148,98
Livres pour la jeunesse	3 043	204,63
Manuels (universités)	4 742	114,35
Manuels (primaire & secondaire)	2 584	2 496,96
Manuels (formation professionnelle)	219	11,93
Ouvrages pédagogiques	1 256	74,09

Sources : Asian/Pacific Book Development Newsletter, Vol. XIX, n° 1, Asian Cultural Center for UNESCO, Tokyo, 1988.

Depuis 1949, un millier de titres ont été traduits du français en chinois, tandis que 15 000 livres chinois étaient traduits en 45 langues et diffusés au total à quelque 200 millions d'exemplaires dans 183 pays. En 1988, pour les besoins intérieurs, le gouvernement a autorisé l'importation de livres pour une valeur de 45 millions de dollars. Malgré ces chiffres impressionnants, l'édition chinoise est loin de répondre aux véritables besoins du pays. Aux problèmes d'approvisionnement et de prix du papier (+ 50 % de 1987 à 1988), aux délais d'impression très longs (de six mois à un an) viennent s'ajouter la lourdeur des circuits de distribution et la qualité, souvent médiocre, des ouvrages publiés. De gros efforts ont été consentis pour moderniser et agrandir les imprimeries dans l'ensemble du pays. Une réforme du système de diffusion a été entreprise. De nouveaux cadres, plus jeunes et plus ouverts, ont été promus à des postes de responsabilité. L'informatique a fait son apparition (traitement de texte, publication assistée par ordinateur — PAO). Une nouvelle loi sur l'édition et le *copyright* (la Chine n'a pas encore adhéré aux conventions internationales) est à l'étude, qui devrait permettre d'accélérer et de systématiser les projets de réformes dans ce secteur qui, comme tous les autres, a subi l'influence des fluctuations économiques des années 1987-1988. Mais le problème reste entier du contrôle administratif de l'édition et de l'anachronisme du système économique dans lequel elle étouffe.

Olivier Pasteur

Une presse aux ordres de l'État

> « *Une seule phrase peut faire la grandeur, mais aussi la ruine d'un pays.* »
> *Confucius*

Les événements de juin 1989 sont venus mettre un terme, que les journalistes espèrent momentané, à un lent mouvement de mutation, qui avait conduit la presse dix ans après le tournant historique de la réforme et de l'ouverture, à se délivrer peu à peu du carcan pesant de la censure et du contrôle idéologique strict des fonctionnaires du Parti. Lors de la crise d'avril-mai-juin 1989, on avait vu des journalistes participer aux défilés et, certains jours, les communiqués factuels, y compris à la télévision d'État, avaient remplacé les discours en usage. Il fut beaucoup question de liberté d'expression dans les médias. Depuis 1988, des journalistes « dissidents » avaient tenté de faire paraître des journaux non officiels. Le gouvernement de Zhao Ziyang avait entrepris de préparer une loi sur la presse, la première depuis 1949. Trois caractéristiques formaient l'arrière-plan de ce changement potentiel.

— Depuis 1949, tous les grands journaux sont des organes officiels. Un journal appartient soit directement au Parti communiste chinois (PCC), comme le *Quotidien du Peuple*, soit à une instance du pouvoir d'État, comme le *Quotidien de Pékin*, instrument de la mairie de la capitale, soit à une organisation politique annexe du PCC, comme *Jeunesse chinoise*, journal de la Ligue communiste de la jeunesse. En 1989, la presse privée n'existe pas.

— Neuf grands journaux sur dix n'ont que quatre pages. Ce fait, souvent négligé, présenté comme un facteur technique, constitue en réalité un élément décisif : quatre pages impliquent des informations très limitées, ce qui pose le problème de leur sélection, donc des critères de cette sélection.

— Selon un principe du PCC, « la presse, c'est la voix du Parti ». Autrement dit, elle est d'abord un outil de propagande. Théoriquement, le PCC reconnaît que la presse doit être, pour l'opinion, un moyen de « surveillance ». Elle devrait et pourrait, si nécessaire, critiquer la bureaucratie, dénoncer la corruption et révéler les fautes du Parti et du gouvernement. Mais cette fonction n'a jamais été vraiment remplie avant le début des années quatre-vingt. En fait, elle est strictement jugulée par deux « principes » : les « zones interdites » et

l'« opinion unanime ». Bien entendu, elle est en outre soumise à une discrète mais efficace censure.

Ces trois grandes caractéristiques, notamment la censure, ont été mises en cause par le mouvement de réforme.

Sur 3 996 journaux diffusés en 1989, une trentaine seulement étaient influents à l'échelle nationale. Le *Quotidien du Peuple* (*Renmin Ribao*) vient en tête avec trois millions d'exemplaires. L'*Aurore* (*Guangming*) et le *Wen Hui Bao* destinés plutôt aux intellectuels, jouissent d'une bonne réputation en raison de leur niveau culturel, tandis que la *Jeunesse chinoise* (*Zhongguo Qingnian*) est très connu pour son esprit critique, qui irrite souvent certains conservateurs du PCC. L'*Économie* (*Jingji Ribao*) reflète largement le point de vue du gouvernement dans le domaine économique : il est donc très lu par les spécialistes, aussi bien Chinois qu'étrangers. A Shanghai, un « petit journal », le *World Economic Herald*, exerce de plus en plus d'influence sur les jeunes étudiants, depuis 1985, par ses réflexions sur l'économie et la démocratie. Environ une dizaine de journaux entretiennent des correspondants à l'étranger.

Parmi les revues, le *Commentaire bimensuel* (*Banyuekan*) et *Qiu Shi* (*A la recherche de la vérité*) se classent au premier rang par leur tirage. *Qiu Shi* était auparavant la fameuse revue *Hong Qi* (*Drapeau Rouge*), longtemps manipulée directement par Mao et « la Bande des quatre ». Elle ne connaissait qu'une vérité : l'intérêt du Parti, plus précisément celui de ses plus hauts dirigeants. A partir de 1978, son style ne correspondant plus à la situation, cette revue perdit presque tous ses lecteurs. Elle fut donc remplacée par l'actuel *Qiu Shi*, qui porte ainsi le nom d'un grand débat des années soixante-dix sur le critère de la vérité.

La « fabrication » d'un journal

Un journal est ordinairement axé sur la politique nationale. Chaque lundi matin, une conférence de rédaction détermine les principaux sujets à traiter pendant la semaine. Choix dans deux sens : d'une part, celui des journalistes qui ont suivi les événements du pays, d'autre part, celui du directeur ou du rédacteur en chef qui transmet les « directives » du Parti. Un journaliste se trouve donc toujours pris entre ces deux obligations. A cause du « principe » de « la voix du Parti », les journaux, pour les événements importants, ont toujours le même avis : c'est « l'opinion unanime ». Jamais de contradiction ni de divergence, même s'il existe un désaccord.

Pour la « critique » du Parti ou du gouvernement, la presse a eu un peu plus de liberté dans les années quatre-vingt, mais celle-ci a été malgré tout très limitée. Les journalistes peuvent critiquer certains dirigeants ou hauts fonctionnaires, avec l'accord du Parti, mais ils ne peuvent jamais toucher au Premier ministre ou au président, ou même à un ministre. Et toute critique doit être signée par l'intéressé pour être publiée !

La censure est une question complexe. Un article n'est lu que par le responsable de la rédaction ; s'il donne son accord, l'article peut être publié. Seuls les éditoriaux ou les articles qui font la une doivent être lus par le rédacteur en chef. Donc, en théorie, la censure avant publication n'existe pas. Mais tous les journaux nationaux dépendent de deux organes : le ministère de la Propagande du PCC, et le bureau d'État de la presse et des publications (créé après les manifestations des étudiants en 1985-1986). Leur fonction est double : interdire ou amplifier certains reportages, selon les différents besoins du PCC ; contrôler les journaux et les livres. En général, ils interviennent seulement après la publication des articles qui ont suscité des réactions ou

mécontenté les dirigeants du PCC. Peu à peu, rédacteurs et journalistes en sont venus à s'autocensurer. Tout journaliste connaît très bien les « zones interdites », c'est-à-dire les thèmes qu'il ne peut pas aborder.

L'Agence Chine Nouvelle (ACN) joue un rôle très important. Quand un journal n'obtient pas l'autorisation de publier sa propre enquête, l'ACN devient le seul porte-parole du pays. En ce cas, tout est contrôlé par le PCC. L'ACN est un organisme paramistériel. Les informations qu'elle donne expriment la position du gouvernement. Alors que la presse évolue vers une certaine liberté, l'ACN ne s'écarte jamais de la ligne officielle.

Environ 30 % des journalistes sont diplômés de l'université du Peuple, à Pékin, et l'université de Fudan, à Shanghai. Ils occupent presque tous les postes clefs dans les journaux. Il existe aussi des journalistes diplômés dans d'autres disciplines : littérature, politique internationale, économie, etc. Ils doivent passer un examen pour faire leurs preuves. 40 à 50 % des journalistes n'ont pas reçu d'éducation supérieure, mais cette proportion diminue. La profession de journaliste est aujourd'hui très recherchée par les jeunes.

Il faut enfin souligner que les gens s'abonnent rarement eux-mêmes à un journal, à l'exception de quelques journaux du soir. Ce sont les organisations du Parti, dans les entreprises, qui abonnent les ouvriers et employés aux grands journaux, comme le *Quotidien du Peuple* par exemple. Voudrait-on résumer en quelques mots ce qu'est la presse, il suffirait de dire que l'État fait les journaux, que l'État les achète et que l'État les fait lire au peuple.

Bi Ming

L'ÉCONOMIE

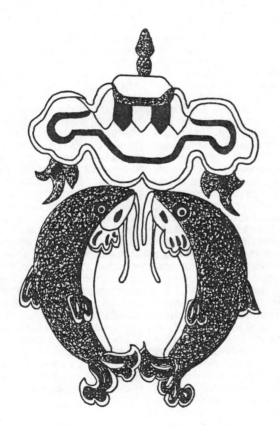

Une modernisation introuvable?

Après dix années de « modernisation socialiste », la Chine est loin de connaître un miracle économique. La forte croissance de la production, des échanges extérieurs et des revenus, s'accompagne d'une surchauffe incontrôlée que nourrit et qui nourrit l'affairisme bureaucratique. Inflation, corruption : à ces maux qui résument les difficultés du processus réformiste depuis son recentrage urbain (intervenu en 1984-1985), s'ajoutent l'essoufflement et les déséquilibres dont souffrent les campagnes, qui ont perdu depuis 1985 leur rôle d'élément moteur et de principal bénéficiaire des réformes. Celles-ci, après avoir restauré la légitimité du pouvoir communiste au lendemain des épreuves maoïstes, ont fini par dresser les différents groupes sociaux contre elles-mêmes et contre le pouvoir — gouvernement et bureaucratie. La première rupture, symbolisée par la référence quasi obsessionnelle à l'inflation, date du dérapage des prix à l'été 1988. Rupture morale suscitée par la corruption (et avivée par le programme d'austérité mis en œuvre à l'automne 1988), le second accroc s'est produit au printemps 1989. La cristallisation du mécontentement social à la faveur des luttes factionnelles qui divisent le pouvoir dans la perspective de la succession de Deng Xiaoping a donné l'occasion aux conservateurs de relever la tête. Économiquement, socialement, la réforme n'était plus contrôlée depuis 1985. La crise s'est désormais étendue au politique et c'est bien le politique, non le miracle économique, qui est au rendez-vous de la modernisation.

Cette crise généralisée du processus de réforme est symptomatique de blocages et de désordres plus profonds, liés à la coexistence et aux contradictions des trois ensembles qui régissent le caractère souvent paradoxal et heurté de la première

décennie post-maoïste : la tradition chinoise, l'héritage stalino-maoïste, les mutations liées à l'économie de marché et à l'ouverture sur le monde extérieur. Les plus visibles de ces mutations sont d'ordre socio-économique. Des rapports marchands et contractuels se sont diffusés dans une économie revitalisée, faisant voler en éclats le système maoïste de la mobilisation rurale — un quasi-servage —, de l'industrialisation lourde et de la pénurie lourdement administrées. Alors que la socialisation des années cinquante-soixante, à la différence du modèle stalinien, avait maintenu le caractère rural de la société chinoise, la population agricole diminue sensiblement au profit d'une urbanisation intermédiaire (insérée entre les niveaux existants) et d'une mobilité nouvelle. A la pointe de ces évolutions, les régions côtières connaissent un véritable décollage grâce au maillage d'activités spécialisées et intégrées qui placent leurs districts ruraux urbanisés et industrialisés en tête des indices de modernisation : hauts revenus, part prépondérante du secteur non étatique, orientation amorcée vers les marchés extérieurs. A l'inverse, cependant, malgré l'étendue de la déplanification, tabous et rigidités continuent d'affliger le secteur d'État urbain (notamment par le biais de l'allocation de main-d'œuvre, toujours contrôlée par les bureaux, et de la protection sociale, toujours centrée sur l'entreprise).

Atomisation de la société

La société est, elle aussi, brassée de courants contradictoires. La baisse imposée de la fécondité, les lois du marché et l'élévation du niveau de vie tendent à renforcer les structures modernes de la famille nucléaire. Pourtant, l'inefficacité du contrôle démographique dans les campagnes limiterait sensiblement cette évolution si l'atomisation du corps social, trait dominant de la période, ne dépendait principalement de l'effondrement des cadres maoïstes (valeurs et institutions). Le reflux du grand souffle mobilisateur ne signifie pas en effet une victoire sans mélange de l'individualisme et des valeurs caractéristiques d'une société moderne. La mise en sommeil des armatures idéologiques et politiques a surtout revitalisé les valeurs traditionnelles et les structures communautaires. Dans les villes elles-mêmes, cette revitalisation d'une tradition autoritaire et particulariste a empêché la recomposition du corps social autour des « groupes d'intérêts » apparus grâce à la diversification permise par les réformes. Malgré la constitution de réseaux embryonnaires associant dans les plus grands centres urbains ces groupes aux intellectuels pour la protection de leurs intérêts propres en dehors des cadres du pouvoir, la société chinoise est loin de se restructurer en « société civile ». Dans un espace extrêmement compétitif, où l'accumulation de la richesse est désormais l'enjeu et le signe de la réussite, communautés et factions s'opposent entre elles aussi souvent qu'au pouvoir ou aux conduites individualistes.

LES OUVERTURES DE LA CHINE

Facteur d'une respiration plus libre et plus intense du corps social, le retrait du pouvoir a eu des effets déstructurants. Les inégalités sociales se sont creusées et affichées, doublées de disparités géographiques dont témoignent les déplacements d'une «population flottante» comptant des dizaines de millions de personnes. Dans les campagnes, ce n'est pas seulement la quasi-stagnation de la production céréalière, et donc la subsistance élémentaire de la population, qui remet en cause depuis 1985 l'intérêt particulariste des exploitants familiaux. Les infrastructures nécessaires à l'irrigation, au drainage, mais aussi à l'hygiène et à la santé de la population sont négligées ou abandonnées. De manière plus pernicieuse, la politique de décentralisation par laquelle le retrait du pouvoir est entré dans les faits a déstructuré l'État lui-même sans renforcer pour autant les autonomies consenties au secteur public ni l'indépendance du secteur privé.

Une bureaucratie sans État

Elle a renforcé en effet les réseaux locaux, régionaux ou sectoriels de pouvoir, en sorte que la nouvelle politique économique n'a pas instauré un marché aux côtés du secteur planifié, mais une multitude de circuits, plus ou moins cloisonnés, contrôlés et exploités par des «féodalités», qui ont pu reconvertir les privilèges formels de la bureaucratie en privilèges économiques informels. Cette «reconversion» s'est faite en l'absence d'une modernisation de l'État qui eût compensé le vide laissé par la décentralisation en instaurant une régulation (juridique et macro-économique) appropriée. Les intérêts privés ou «autonomisés» sont exposés aux pressions de l'administration locale qui sait monnayer les protections ou autorisations qu'elle accorde contre son propre arbitraire ou à l'encontre des règlements et du plan. Apparemment restauré par la codification du droit constitutionnel et du droit ci-

vil, le système juridique est le plus souvent «court-circuité». Le système fiscal est resté ce qu'il était sous l'empire déclinant à la fin du XIXe siècle : un partage anarchique et conflictuel des revenus, sujet à constants marchandages entre centre et localités, bureaucrates et agents économiques.

Les solidarités informelles ne sont pas inédites dans un système bureaucratique qui n'était pas plus monolithique ou étanche du temps de Mao que sous les empereurs. Elles n'en sont pas moins devenues plus fortes depuis que l'autorité centrale a cessé de les légitimer, alors même que l'activité économique devenait plus intense. La rencontre de ces deux facteurs, de même que le déséquilibre entre la vigueur de la croissance et l'archaïsme des instruments de contrôle, explique non seulement la montée des phénomènes de «criminalité économique», mais aussi celle des investissements extra-budgétaires qui ont déséquilibré l'économie. L'État a perdu le pouvoir économique sous la pression conjuguée et centrifuge de l'évolution marchande due à la déplanification et de la capture de l'initiative et des profits par l'élite bureaucratique à la faveur de la décentralisation.

En dix ans s'est opéré le passage d'un monde clos à une société plus ouverte, du «sommeil» maoïste à un ensemble plus fluide mais non cohérent, sans que puissent s'affirmer dans le tissu social ou dans l'État les harmonies et complémentarités nécessaires aux «miracles économiques». Recomposition du corps social, édification de l'État de droit, gestion ouverte des conflits d'intérêts dans une société diversifiée et pluralisée : ces équilibrages essentiels — et absents — sont autant de problèmes d'essence politique dont la solution requiert un passage au politique. Or la politique de Deng Xiaoping à partir de 1978 aura été de mettre la politique entre parenthèses. Ouverture et réforme de l'économie, détente idéologique concédant de vastes espaces d'autonomie à la société, mais intangibilité du système politique : la charte « octroyée » par le pouvoir en 1978 consistait à régner sans se réformer en comptant sur les divisions d'une société atomisée, encouragée dans ses divisions mêmes par le compartimentage des réformes et la décentralisation.

Découplage entre politique et économie

Avant de se heurter à l'évolution de la société et aux difficultés économiques apparues depuis 1985, cette stratégie (conforme à l'attitude mandarinale suivant laquelle la liberté procède de la décentralisation, non de la division du pouvoir, car diviser l'autorité cause confusion et conflits) a fait ses preuves au cours de l'« âge d'or » des réformes (1979-1984). L'habile contournement du noyau dur stalino-maoïste (classe ouvrière + bureaucratie idéologique + armée) par la dérégulation de la vie dans les campagnes et l'abandon du pouvoir économique aux élites bureaucratiques locales, a permis la relégitimation d'un Parti discrédité et l'instauration d'un nouveau pacte social avec les deux facteurs constitutifs essentiels que sont la bureaucratie et la paysannerie. Parallèlement, Deng Xiaoping s'assurait de la neutralité des villes en y limitant les effets du marché et en y distribuant les « miettes » de l'ouverture grâce à l'augmentation des revenus. Solidement installé au centre d'équilibre politique du système et manœuvrier consommé, il faisait également prévaloir un armistice idéologique contre les conservateurs, enclins à combattre les effets « polluants » de l'ouverture et des réformes au moyen d'offensives purificatrices du Parti sur lui-même et sur la société. Ainsi le pragmatisme autoritaire de Deng (qui, dans le même temps, condamnait au silence les intellectuels avides de démocratie) a-t-il pu s'appuyer sur les succès économiques spectaculaires mais temporaires d'une politique de type « N E P »

(Nouvelle politique économique, appliquée en U R S S au début des années vingt) afin d'opérer un découplage « libérateur » entre le politique et l'économique.

Cet économisme a eu le tort de ne pas savoir accompagner les évolutions qu'il a permises. Trois conditions commandaient la réussite d'une modernisation paternaliste et autoritaire à la taïwanaise : contrôler et « moraliser » la croissance, éviter une flambée contestataire des intellectuels et, plus encore, toute contamination d'autres groupes sociaux ; limiter les surenchères politiques déclenchées par la perspective de la succession (ouverte par Deng lui-même). Aucune de ces conditions n'a été remplie entre 1985 et 1989. Le rééquilibrage des échanges extérieurs n'a été qu'un maigre succès face à la montée des périls économiques. En 1986, Deng a dû faire face non seulement à l'opposition conservatrice (confortée par les dérapages de l'inflation et de la corruption apparus en 1985), mais aussi à un défi réformiste incarné par Hu Yaobang (secrétaire général du P C C, démis en janvier 1987). Gorbatchévien avant la lettre, celui-ci s'est fait l'avocat d'une reconnaissance d'intérêts autonomes et conflictuels dans la société au-delà des polarités (Parti-masses, Parti-intellectuels) admises depuis les années quarante. Cette stratégie lucide — mais non téméraire — visait autant, sinon plus, à renforcer des élites intermédiaires embryonnaires comme partenaires d'un pouvoir en quête d'interlocuteurs sociaux, qu'à ériger en concurrente institutionnelle une société civile déjà constituée. Elle n'en est pas moins devenue intolérable quand les étudiants ont devancé son réformisme prudent en revendiquant la démocratie dans la rue à la fin de l'année 1986. Sans céder aux fureurs anti-« libéralisme bourgeois » des conservateurs (demandeurs au printemps 1987 d'une reprise de la campagne contre la « pollution spirituelle » suspendue par Deng en 1984), l'arbitre du « juste milieu » en difficulté s'est efforcé de reconduire le découplage en cautionnant en 1987 l'ambitieux programme «technocratique» de Zhao Ziyang : bouleversements structurels profonds, générateurs dans un premier temps d'une secousse inflationniste d'ajustement (vérité des prix, refonte globale de l'organisation sociale faisant du travail, du logement, de la protection médicale et sociale des biens «marchands»), accompagnés d'aménagements techniques dans la répartition de l'autorité fondés sur une séparation État-Parti (développement du système légal et de la fonction publique, refonte du système fiscal). Ces mesures devaient assainir la croissance (aux deux sens du terme) tout en continuant de mettre le politique entre parenthèses.

Cette illusion «néo-autoritariste» (ses avocats ont pris soin en effet de se démarquer de l'ancien système de commande autoritaire) s'est évanouie à l'été 1988 dans la flambée des prix et du mécontentement. La rupture Deng-Zhao a fait alors de l'immobilisme bancal du premier un conservatisme patronnant l'ajournement des réformes et l'austérité gérée par le Premier ministre, Li Peng. La crise du printemps 1989 a parachevé la désintégration du pari économiste. La situation est restée cependant bloquée, en attente de solutions politiques innovatrices, car l'avantage du pouvoir n'est qu'apparent. Sans parler de l'aggravation de la crise rurale ni du mécontentement

qu'engrange l'austérité, ou de l'affaiblissement des mécanismes totalitaires, le «néo-militantisme» du noyau dur se heurte aux réalités de l'ouverture via la *realpolitik* du privilège bureaucratique. Les réformes de Deng Xiaoping ont produit un jeu à somme nulle dans lequel le pouvoir ne pouvant contraindre la société, ni la société le pouvoir, la bureaucratie joue l'immobilisme afin de conserver les avantages que lui vaut l'exercice de l'autorité. Incapable de résoudre la question de l'État dans la perspective des réformes, l'autoritarisme ne peut non plus la «dépasser» en ressuscitant le système maoïste. Ces contraintes du *statu quo* auront sans doute plus de poids pour limiter tout activisme antiréformiste prononcé (aussi bien que toute «purification» vraiment généralisée) que les appels en faveur du «pacte» de 1978 lancés par un Deng Xiaoping discrédité, dont le pouvoir dénudé ne tient plus, rituellement, qu'aux archaïsmes du système politique et de sa culture patriarco-impériale. Voilà bien le paradoxe ultime et la condition nécessaire au dénouement d'une crise dont les enjeux et les acteurs, qui se cherchaient obscurément depuis 1986, se sont finalement positionnés au grand jour, pour ou contre la modernisation dans sa dimension politique *sine qua non*.

Yves Chevrier

L'ÉTAT DE L'ÉCONOMIE

Les progrès fragmentaires d'une économie désarticulée

Depuis la fin des années soixante-dix, les signes d'un décollage économique sont apparus en Chine : gains de productivité dans l'agriculture, amélioration du niveau de vie, essor d'industries compétitives sur le marché mondial. Mais ces progrès, fragmentaires, s'opèrent dans une économie désarticulée par le manque d'infrastructures et où l'effervescence des activités s'apparente souvent à un gaspillage de ressources.

La croissance de l'économie a été, depuis 1978, très rapide (de l'ordre de 10 % par an), rivalisant avec celle des économies les plus dynamiques d'Asie. Le produit national brut (PNB) par habitant a doublé. Il était estimé, en 1986, entre 300 et 500 dollars, plaçant la Chine à un niveau de développement proche de celui de l'Indonésie (490 dollars par habitant) et sans doute supérieur à celui de l'Inde (290 dollars par habitant).

Cette croissance s'est accompagnée de nouveaux choix de politique économique qui ont conduit à d'importants changements structurels. Ceux-ci tendent généralement à rapprocher le modèle de développement de l'économie chinoise de ceux des autres pays du tiers monde.

Changements structurels

L'agriculture a bénéficié d'une série de mesures qui ont donné jusqu'en 1984 une vigoureuse impulsion à la production : relèvement des prix à la production décidé par le gouvernement en 1979-1980, re-tour à l'exploitation familiale des terres (décollectivisation), libération progressive et partielle du commerce et des prix des produits agricoles. L'importance de l'agriculture dans l'activité économique se situe à la fin des années cinquante à un niveau comparable à celui que l'on observe en Inde par exemple (environ un tiers du PNB).

Un revirement majeur dans la répartition de la population active s'est amorcé au cours des années quatre-vingt : l'emploi dans l'agriculture a baissé en part relative (tableau 1). Alors que, jusqu'à la fin des années soixante-dix, l'interdiction de l'exode rural conduisait le

secteur agricole à absorber l'essentiel de l'augmentation de population active, le retour à l'exploitation familiale incite désormais à des gains de productivité et libère de la main-d'œuvre. Les activités industrielles et commerciales en zones rurales ont pris une ampleur sans précédent et attiré les travailleurs agricoles excédentaires. Ce transfert progressif de l'agriculture aux autres secteurs, un des préalables au décollage économique, devrait être poursuivi : selon les prévisions officielles en l'an 2000, l'agriculture n'occupera plus que 36 % de la main-d'œuvre.

TABLEAU 1. PRODUCTION ET EMPLOI (%)			
	PNB	Emploi	
	1986	1979	1986
Agriculture	31	71,0	61,0
Industrie	46	17,0	17,5
Services	23	12,0	21,5
TOTAL	100	100,0	100,0

Source : Banque mondiale, Annuaire statistique de la Chine.

Le développement du secteur des services, négligé pendant toute la période maoïste a été, après 1979, une des priorités de la politique économique. Les activités industrielles et agricoles, plus diversifiées et plus spécialisées, ont accru les besoins en services de transport, commerce, stockage, etc. Parallèlement, l'augmentation des revenus de la population a suscité la multiplication de restaurants, magasins, échoppes. De 1979 à 1986, les services ont créé plus de la moitié des emplois nouveaux (60 millions sur 100 millions). Il s'est agi là d'une politique d'autant moins coûteuse en investissements pour l'État que les entreprises privées se sont multipliées dans ce domaine.

L'amélioration du niveau de vie de la population a été un des phénomènes majeurs de cette évolution. De 1978 à 1987, le salaire moyen a doublé dans les villes et le revenu par tête des paysans a triplé. Le régime alimentaire s'est amélio-

ré, alors que, dans le budget des ménages, les dépenses consacrées à l'alimentation ont reculé au profit de l'équipement en biens durables (bicyclettes, téléviseurs). En outre, l'investissement a été réorienté vers le logement. Surtout dans les campagnes, la construction d'habitations a accaparé une fraction importante du surcroît de revenus. Dans les villes, une réforme a été engagée qui prévoit l'accession des ménages à la propriété de leurs logements.

Les échanges extérieurs ont progressé plus rapidement que les productions internes, avec un égal dynamisme des exportations et des importations. L'ouverture sur l'extérieur est devenue un des piliers de la stratégie de développement économique. Elle se manifeste par des achats massifs de machines, d'équipements, et de technologies destinés à moderniser l'industrie, par une politique active de conquête des marchés mondiaux (les produits textiles ont fait une remarquable percée et représentaient, en 1988, 5 % du marché mondial), et par la recherche de ressources financières extérieures sous forme d'aide, de crédits et d'investissements directs en Chine.

L'industrie : un dynamisme désordonné

Diversification et déséquilibres qualifient le mouvement qui touche l'industrie. La production a triplé entre 1976 et 1987 et les records de croissance reviennent à l'industrie légère (textile, tableau 2). A côté des branches traditionnelles, se sont très rapidement développées des productions « modernes », quasi inexistantes à la fin des années soixante-dix (téléviseurs couleur, machines à laver, magnétophones, etc.). Mais la production d'énergie, de matières premières et de produits intermédiaires n'a pas progressé aussi vite que les besoins engendrés par la forte croissance des industries manufacturières. L'énergie constitue ainsi le plus sérieux goulet d'étranglement de l'activité économique et les coupures d'électricité paralysent chaque année un cinquième du potentiel industriel.

TABLEAU 2.
CROISSANCE COMPARÉE
DES PRODUCTIONS
[1979 1986, en prix constants]

	Croissance annuelle moyenne
INDUSTRIE	**10,1 %**
Énergie	7,1 %
Métallurgie	9,0 %
Chimie	10,0 %
Constructions méca.	9,1 %
Industrie alimentaire	10,4 %
Industrie textile	12,4 %
Autres (matériaux de construction, bois, divers)	11,9 %
AGRICULTURE	**6,5 %**
Productions végét.	4,5 %
Productions animales	9,7 %
INDUST. RURALES (villageoises)	**29,1 %**
SERVICES	**9,4 %**

Source : Annuaire statistique de la Chine.

De même, l'écart entre l'offre et la demande de produits sidérurgiques, d'aluminium, de ciment, de bois, etc., tend à s'élargir avec l'accélération de la croissance. Ces déséquilibres alimentent de fortes tensions inflationnistes que la libération partielle des prix rend de plus en plus manifestes : le double régime de prix laisse coexister pour un même produit des prix d'État et des prix « négociés », trois à quatre fois plus élevés.

Certes, ces hausses de prix peuvent à terme stimuler l'ajustement de l'offre et de la demande : ainsi les entreprises manufacturières sont incitées à investir dans des secteurs amont d'autres régions pour s'assurer les approvisionnements adéquats. Par ailleurs, depuis le début des années quatre-vingt, l'État a défini une politique d'investissements prioritaires dans la production et le transport d'énergie (de charbon sur-

tout, qui assure 70 % de la consommation énergétique) et des matières premières : mais il parvient difficilement à faire respecter ces programmes, faute d'un contrôle suffisant sur les ressources financières.

Les mesures prises pour rationaliser la consommation comprennent notamment un vaste programme de conversion au charbon de centrales thermiques au fuel (ce qui permettra aussi de dégager des ressources pour la pétrochimie) ; l'industrie chinoise étant une des plus « énergie-vorace » du monde, des marges d'économie importantes existent : mais elles dépendent très largement du renouvellement technologique des équipements. En outre, l'amélioration du niveau de vie est de nature à accroître la consommation d'énergie par les ménages.

Morcellement et faible efficacité

Les transports forment un deuxième goulet d'étranglement. Si leur sous-développement contribue aux pénuries énergétiques en limitant les possibilités d'acheminement des lieux de production (situés pour la plupart à l'intérieur du pays) aux grands centres de consommation (Chine de l'Est), d'une manière plus générale, il est aussi une formidable entrave à la modernisation du pays. L'insuffisance et l'engorgement des réseaux, qu'ils soient routiers ou ferroviaires, freinent les échanges et confortent ainsi la tendance au morcellement de l'économie que les objectifs d'autosuffisance de la période maoïste ont solidement ancrés. Les réformes économiques opérées depuis 1980 ont accru les pouvoirs économiques et financiers des autorités régionales sans pour autant démanteler les barrières protectionnistes : les entreprises « abritées » se sont ainsi multipliées dans de nombreux domaines : entre 1978 et le milieu des années quatre-vingt, le nombre d'usines de bicyclettes est passé de

PRINCIPAUX INDICATEURS DE L'ÉCONOMIE

(Population en millions, production en milliards de yuans [valeur]
et en milliers de tonnes [produits])

	1952	1965	1980	1985	1987
Produit social total	101	269	853	1 630	2 808
dt valeur brute agriculture et industrie	81	223	707	1 333	1 849
Revenu national (prix courants)	59	139	369	703	932
Produit national brut	—	—	433	833	1 105
Production agricole					
Valeur brute de la production	46	83	192	362	467
Production industrielle	35	140	515	971	1 381
dont industrie légère	22,5	72	242	455	—
industrie lourde	12,5	68	273	516	—
Transports, postes, communications					
Volume du fret en milliards de t/km	76	346	1 203	1 812	2 223
dont chemin de fer	60	270	572	813	947
route	1	10	76	169	262
voies d'eau	15	67	505	770	950
aviation civile	—	903	0,14	0,4	0,65
oléoducs et gazoducs	—	—	49	60	?
Volume du transport de passagers (en milliards de personnes/km)	25	70	228	444	593
Chargements maritimes (en millions de tonnes)	14	71	217	311	366
Revenu des postes et télécommunications (en milliards de yuans)	0,1	0,6	1,3	3	3,8
Commerce intérieur					
Valeur totale des ventes au détail	28	67	214	430	582
Commerce extérieur (millions de $ des É.-U.)					
Valeur totale des imports et exports	1,9	4,2	38	70	83
dont exportations	0,8	2,2	18	27	40
importations	1,1	2	20	43	43

Source : Annuaire statistique de la Chine (1985, 1986, 1987, 1988).

38 à 140, celui des usines de téléviseurs de 66 à 99, la plupart d'entre elles n'ayant qu'une faible production. Ce phénomène conduit à un gaspillage des investissements et des ressources : la prolifération de petites entreprises, fonctionnant dans des conditions infra-économiques accentue la pénurie de matières premières, et peut même désorganiser les approvisionnements normaux des grandes entreprises.

La structure de l'appareil de production constitue un autre obstacle au progrès technologique : près de la moitié (45 %) de la production industrielle est le fait d'environ 300 000 petites entreprises ; les plus grandes (2 600) en réalisent un peu plus du tiers, le reste (un cinquième) étant le fait d'entreprises moyennes. Les petites entreprises qui prolifèrent partout répondent aux besoins locaux d'approvisionnement. Leurs performances sont médiocres en termes de rentabilité, qualité, économie de ressources. Elles représentent cependant une concurrence difficile à combattre pour les grandes entreprises publiques qui, bien que mieux équipées, sont prises dans un réseau plus étroit de contrôles au niveau des prix et des approvisionnements, des salaires et des charges sociales.

L'impulsion donnée à la croissance industrielle par la nouvelle politique économique suivie à partir de 1979 a renforcé le dualisme des structures industrielles : elle n'a pas fondamentalement renouvelé les conditions de cette croissance qui est restée marquée par la dégradation de l'efficacité des investissements et la faible productivité du travail.

Productions agricoles : des progrès à consolider

L'expansion des productions agricoles s'est accompagnée de leur diversification. Ce sont les productions animales (élevage et pisciculture) qui ont progressé le plus vite, diminuant ainsi la prépondérance qu'avaient jusqu'alors les productions végétales dans la valeur de la production agricole (entre 1976 et 1986, la part de celles-ci a décliné de 75 % à 65 %). La hausse des revenus de la population a modifié la demande alimentaire en faveur de produits « riches » ; et les producteurs à qui la décollectivisation a donné une certaine latitude dans le choix de leurs activités ont vivement réagi aux augmentations de prix sur des marchés qui étaient progressivement libérés. De 1976 à 1986, la consommation directe de céréales a augmenté d'un tiers et elle plafonne à environ 250 kg par personne et par an, alors que celle de viande a doublé (elle atteignait 18 kg en 1986), et celle d'œufs triplé.

En outre, au sein des productions végétales, les céréales, dont les prix sont demeurés plus contrôlés par l'État, ont perdu du terrain au profit de cultures plus rentables : coton, oléagineux, canne à sucre, soie, jute. Sous l'effet des prix relatifs, les surfaces cultivées en céréales ont diminué de 10 % ; en 1987, la récolte n'avait pas encore retrouvé son niveau record de 1984 (402 millions de tonnes). La stagnation des récoltes céréalières à partir de 1985 a ralenti les activités d'élevage, limitant les disponibilités pour l'alimentation animale et renchérissant son coût ; les réactions des producteurs ont conduit, en 1987, à une baisse de la production de viande et au rétablissement du rationnement dans les villes. L'impossibilité de réguler les cycles de productions agricoles par le seul jeu du marché est ainsi devenue manifeste.

Les succès de l'initiative privée dans les campagnes, depuis 1979, doivent aussi beaucoup à la politique d'investissement menée au cours des années antérieures, qui a notamment permis un considérable accroissement de la consommation d'engrais (multipliée par deux entre 1978 et 1983). L'allocation d'engrais à prix préférentiel demeure encore un moyen indirect (et imparfait compte tenu des trafics) d'orienter les activités agricoles. Mais les travaux d'infrastructure (irriga-

L'EMPLOI PAR SECTEUR

(en millions, au 31.12.1987)

Secteurs	Total	Employés et ouvriers des entreprises d'État	Employés et ouvriers des entreprises des collectivités urbaines	Employés et ouvriers d'entreprises diverses	Travailleurs indépendants des villes	Travailleurs des zones rurales
TOTAL	527,8	96,5	35	0,7	5,7	390,0
Secteur primaire (Agriculture, forêts, élevage, pêche, contrôle des eaux)	**317,2**	**8,0**	**0,5**	—	—	**308,7**
Secteur secondaire	**118,7**	**48,0**	**22,1**	**0,6**	**0,8**	**47,3**
- Industrie	93,4	40,9	18,3	0,6	0,7	33,0
- Géologie et exploration	1,1	1,1	—	—	—	—
- Construction	24,2	6,0	3,8	—	0,1	14,3
Secteur tertiaire	**77,0**	**39,6**	**12,3**	—	**4,8**	**19,1**
- Transports, postes, télécom.	13,7	5,8	2,0	—	0,3	5,6
- Commerce, entrepôts	26,5	8,9	7,6	—	3,9	6,1
- Immobilier, propriétés publiques, services résidentiels	5,4	2,4	1,0	—	0,6	1,4
- Santé publique, sport et bien-être social	5,0	3,0	0,7	—	—	1,3
- Enseignement, art, culture, radio, télévision	13,8	10,3	0,3	—	—	3,1
- Recherche scientifique et services techniques généraux	1,6	1,4	—	—	—	0,2
- Banque et assurance	1,7	1,1	0,4	—	—	0,2
- Gouvernement, partis et organisations annexes	9,3	7,8	0,3	—	—	1,2
Divers	15,0	—	—	—	—	15,0

Sources : Annuaire statistique de Chine, 1988.
Note : L'armée et ses services ne sont pas comptabilisés dans ce tableau.

tion, électrification, routes) sont menacés par la disparition des formes collectives d'organisation.

Ouverture : retards et rattrapages

Les échanges extérieurs ont progressé par vagues : la montée des importations de biens d'investissement (équipements et usines) et de produits intermédiaires (engrais, fibres chimiques, produits sidérurgiques) en 1978-1979, puis en 1984-1985, a correspondu à des phases de forte croissance interne. En 1985, s'y sont ajoutés des achats, partiellement incontrôlés, de biens de consommation (téléviseurs, voitures) destinés à atténuer les tensions inflationnistes.

Ces phases d'importation massives occasionnent d'importants déficits de la balance commerciale et sont suivies de mesures de restriction des importations qui rétablissent les équilibres extérieurs (1980-1983 et 1986-1987). Grâce à cette politique cyclique, l'endettement extérieur demeure à un niveau modéré : environ 35 milliards de dollars en 1988, soit moins d'un an d'exportation ; 15 milliards de dollars de réserves de change, soit six mois d'importation ; ces grandeurs correspondent à une situation financière extérieure qui serait enviable pour la plupart des pays du tiers monde.

L'ouverture du pays aux investissements directs de sociétés étrangères a été l'une des innovations majeures de la politique économique engagée en 1979. En fait, 90 % des 10 milliards de dollars d'investissements étrangers proviennent de Hong-Kong : attirés par le bas prix des terrains et de la main-d'œuvre, nombre d'industriels de Hong-Kong ont délocalisé en Chine tout ou partie de leurs productions de vêtements, jouets, etc. En sens inverse, les autorités chinoises ont considérablement développé leurs investissements à Hong-Kong, dans l'immobilier, les infrastructures, le commerce, mais aussi l'industrie. La Chine semble être désormais au premier rang des puissances financières étrangères dans la colonie. Prélude à la réintégration politique de Hong-Kong prévue pour 1997, le réseau des interdépendances économiques se densifie. Sur le plan commercial Hong-Kong est le premier débouché extérieur de la Chine et joue un rôle majeur d'intermédiaire et de lieu de transit avec le reste du monde. Il est vrai que son port, à lui seul, dispose d'une capacité plusieurs fois supérieure à celle de tous les ports chinois réunis.

La percée remarquable de la Chine dans le commerce international depuis le début des années quatre-vingt correspond en partie au rattrapage d'un retard. Les exportations ont progressé d'autant plus vite qu'elles partaient d'un niveau relativement bas : elles étaient, en 1977, à peine supérieur d'un tiers à celles de l'Inde ; elles en représentaient près du quadruple en 1987. La normalisation des relations avec les États-Unis, en 1978, a ouvert en particulier aux textiles chinois le vaste marché américain.

La poursuite d'un tel dynamisme est cependant loin d'être assurée pour l'avenir : exportatrice de pétrole, la Chine pâtit de la baisse des cours mondiaux intervenue depuis 1986, et le protectionnisme des grands marchés de produits textiles menace les performances de sa principale industrie exportatrice. Ses efforts de diversification la situent sur des secteurs (biens de consommation électroniques tels que téléviseurs, radio-cassettes, etc.) où l'avance des nouveaux pays industriels (Corée du Sud, Taïwan, Hong-Kong) est considérable, et où se profile l'arrivée de « nouveaux dragons », comme la Thaïlande.

Françoise Lemoine

Idéologie et modes de développement

Ce qui sépare la période qui s'est ouverte en 1979 des périodes antérieures n'est pas tant une remise en cause des dogmes que le cadre de leur mise en œuvre. En simplifiant, il est possible de distinguer quatre périodes dans l'histoire économique de la Chine :
— 1953-1962 : volontarisme ;
— 1963-1965 : réalisme ;
— 1966-1980 : volontarisme ;
— après 1981 : réformisme.

Les théoriciens marxistes ont élaboré une théorie du développement économique selon laquelle la croissance du secteur des biens de production (secteur I) doit être supérieure à celle du secteur des biens de consommation (secteur II) pour assurer un développement rapide qui puisse faire pièce au modèle de développement capitaliste. Cette théorie, qui a révélé ces dernières décennies son caractère erroné est devenue « modèle », parce qu'elle suppose une croissance économique extensive fondée sur la constitution d'une infrastructure économique de base manquant aux pays en voie de développement (P V D). Staline érigea la théorie du développement prioritaire du secteur I en dogme socialiste, lequel s'est imposé tant aux planificateurs soviétiques qu'à ceux des pays « frères », dont la Chine.

La logique de ce modèle est de donner, dans les choix de planification et d'investissement, priorité à l'industrie lourde sur l'industrie légère et sur l'agriculture. Au sein même de l'industrie lourde, la primauté est accordée à l'acier, considéré comme stratégique dans ce schéma.

Dès les années cinquante, ce mode de planification était critiqué, tant en U R S S qu'en Chine, à cause de l'allocation irrationnelle des ressources qu'il engendrait. Il a fallu attendre l'expérience catastro-phique du « Grand bond en avant » (1958-1960) et l'éclipse subséquente de Mao Zedong, dès 1959 « minoritaire » au sein des instances dirigeantes du Parti, pour qu'une tendance politique « réaliste » puisse imposer un mode de planification « pragmatique » résumé par l'expression « agriculture d'abord, industrie légère ensuite, industrie lourde enfin ». Cependant, ce nouveau mode ne rejeta nullement le dogme orthodoxe comme le précisait le slogan lancé en 1962 : « prendre l'agriculture comme base et l'industrie comme facteur dominant ».

Mais ce mode fut remis en question par la « révolution culturelle » (1966-1976), qui en revint aux pratiques antérieures. En 1978, les économistes chinois osèrent de nouveau remettre en cause la loi du développement prioritaire du secteur I. Audace de courte durée puisque, dès octobre 1979, la transcendance et l'universalité du dogme orthodoxe furent réaffirmés, mâtinés d'un retour au mode de planification de 1962.

Le tableau 1 illustre pour chaque période l'impact du dogme : non seulement le taux de croissance, mais aussi les allocations de ressources de l'industrie ont toujours été supérieurs à ceux de l'agriculture, et ceux de l'industrie lourde à ceux de l'industrie légère, dans un pays qui aurait dû développer prioritairement son agriculture. Certes, la dernière période a manifesté une évolution (croissance de la valeur ajoutée de l'agriculture supérieure à celle de l'industrie) ; toutefois celle-ci n'a pas tant résulté d'une réforme des structures d'exploitation que d'un réajustement des prix relatifs : de 1979 à 1985, les prix d'achat des denrées agricoles ont augmenté de plus de 65 % au profit des revenus paysans, d'où le

VALEUR AJOUTÉE DANS L'AGRICULTURE ET L'INDUSTRIE (Taux de croissance moyen)						
	VA de l'agricult.	VA de l'industrie	Rapport indus/agro	VA de l'ind. lég.	VA de l'ind. lourd.	Rapport lourd./lég.
Ier et IIe plans (1953-1962)	+ 3,3 %	+ 13,3 %	4,0	+ 8,6 %	+ 18,4 %	2,2
Réajustement (1963-1965)	+ 13,1 %	+ 18,7 %	1,4	+ 25,1 %	+ 14,2 %	0,6
IIIe, IVe et Ve plans (1966-1980)	+ 5,7 %	+ 9,0 %	1,6	+ 7,6 %	+ 10,9 %	1,4
VIe plan (1981-1985)	+ 14,4 %	+ 11,8 %	0,8	+ 10,9 %	+ 11,8 %	1,1
moyenne 1953-1985	+ 7,0 %	+ 11,6 %	1,7	+ 9,9 %	+ 13,6 %	1,4

VA : valeur ajoutée.

gonflement de la valeur ajoutée agricole. Ce dernier point pose le problème des politiques suivies pour respecter le dogme, essentiellement celle des prix et celle de l'investissement.

Prix et investissements

Il ne suffit pas que les biens produits dans l'économie aient une évaluation en monnaie pour que la structure des prix ait une signification économique. Encore faut-il que la formation de ces prix obéisse à une certaine rationalité économique et pas seulement à des critères politiques. Or, dans la pratique de la planification chinoise, la loi de la valeur ne doit influer ni sur la répartition des biens, ni sur l'évaluation des résultats des producteurs ; il s'agit d'une planification « en nature » qui, par commodité *comptable*, donne une évaluation en monnaie. Aussi toute variation des prix doit-elle être interprétée, non comme l'expression d'un nouveau rapport entre l'offre et la demande, mais comme la marque d'une nouvelle orientation politique.

En fonction d'objectifs politiques, les prix des produits agricoles et ceux des matières premières furent figés au milieu des années cinquante à un niveau très bas, ceux des produits industriels (biens de production et de consommation) à un niveau assez élevé. Ce système fonctionne en réalité comme un frein au développement de l'agriculture (absence d'incitation à produire qu'aggrave encore le coût des produits industriels) et comme une pompe à finances de l'agriculture vers l'industrie.

L'orientation des investissements d'État est résumée dans le tableau 2. La priorité à l'industrie lourde (secteur I) est évidente. La période du VIe Plan (1981-1985) voit une chute drastique de l'investissement d'État dans l'agriculture justifiée par la décollectivisation (− 66 % en valeur relative), *mais* la situation a considérablement changé. Certes, la priorité à l'industrie lourde perdure, *mais* la part de l'investissement d'État dans les secteurs autres que l'agriculture et l'industrie croît (moins de 30 % avant 1981, plus de 40 % après), *mais* l'investissement privé réapparaît, nuançant les priorités gouvernementales (la part des

INVESTISSEMENT D'ÉTAT & TAUX D'ACCUMULATION						
	Agriculture	Industrie légère	Industrie lourde	Modernisation	Inves. non lation	Accumulation
Ier et IIe plans (1953-1962)	10,1 %	5,6 %	51,7 %	6,5 %	20,6 %	28,0 %
Réajustement (1963-1965)	18,8 %	3,5 %	49,8 %	15,5 %	20,6 %	22,7 %
IIe, IVe et Ve plans (1966-1980)	11,7 %	5,4 %	54,6 %	23,8 %	21,2 %	31,6 %
VIe plan (1981-1985)	3,9 %	11,7 %	42,7 %	36,0 %	42,6 %	31,4 %

──────── *BIBLIOGRAPHIE* ────────

PAIRAULT Th., « Ideology and Industrilization in China 1949-1983 », *in* S. FEUCHT-WANG, A. HUSSAIN, Th. PAIRAULT (ed.), *Transforming China's Economy in the Eighties, Volume II : Management, Industry and the Urban Economy* ; Westview Press, Boulder (Colorado) ; Zed Books, Londres, 1988.

campagnes dans l'investissement total a été d'environ 25 % en 1985-1986).

Cette priorité à l'industrie lourde, désormais nuancée, implique une politique de forts taux d'accumulation (d'investissement). En effet, toute stratégie visant à maximiser la production de ce secteur impose un taux d'investissement d'autant plus fort qu'il est celui dont le rapport entre capital investi et production est le plus élevé : plus le taux de croissance planifiée du secteur I est élevé, plus l'investissement est important et plus la part de la production de ce secteur consacrée à son propre développement est importante, plus le taux d'accumulation est important. Comme la richesse créée est répartie entre investissement et consommation, plus l'accumulation est forte, plus la consommation est faible. En privilégiant un secteur gros consommateur de capitaux et de biens de production et en orientant sa production sur les besoins de son auto-développement, la Chine a délibérément sacrifié des secteurs moins capitalistiques dont la production intéresse au premier chef la population : l'agriculture et l'industrie des biens de consommation.

Accumulation et consommation

Dans un pays où la population croît fortement, où de forts prélèvements en faveur d'investissements dans l'industrie lourde renforcent la pénurie de biens de consommation, est-il possible de diminuer le taux d'accumulation ? En l'absence d'une transformation préalable, en quantité et en qualité, de la structure de l'offre de biens de consommation, une telle réduction aurait pour conséquence immédiate d'aug-

menter le revenu des ménages sans que ceux-ci puissent assouvir leur désir de consommer ; d'où le renforcement des tensions inflationnistes et l'augmentation de l'épargne. Cette épargne, grossissant les dépôts bancaires, inciterait les banques à favoriser l'investissement ; d'où une augmentation du taux d'accumulation. La Chine n'a pas le choix ; aussi poursuit-elle une politique de forts taux d'accumulation et réoriente-t-elle sa stratégie de croissance extensive vers une croissance plus intensive, négligeant moins les secteurs « matériellement improductifs ».

Une croissance plus intensive est recherchée par la modernisation du capital productif : il s'agit de détourner une partie de l'investissement de la constitution de capacités nouvelles de production vers le rééquipement des capacités de production déjà en service, dont le renouvellement et l'entretien ont toujours été négligés (la part de la modernisation dans l'investissement d'État s'est élevée à 40 % en 1986). Cela devrait permettre d'augmenter la productivité du capital, donc d'élever le taux de croissance à taux d'investissement inchangé, et d'augmenter ainsi le rapport capital/travail dont l'élévation est le corollaire de la loi du développement prioritaire du secteur I.

Une croissance latérale est également visée par le recul des limites au sein desquelles s'effectuait l'investissement. Ici l'investissement vise, non à accroître le capital directement productif en proportion de la force de travail, mais à « accompagner la croissance » par des investissements « non directement productifs » (logements, santé, éducation...) dont la part s'est élevée à 40 % de l'investissement d'État en 1986. Offrant de nouveaux débouchés au secteur I, cette politique ne nie pas sa priorité.

Thierry Pairault

Les inégalités régionales, un nouveau dualisme

Pour des raisons historiques, résultant en partie de la concession de zones côtières à la pénétration étrangère, la Chine riche des côtes est opposée à la Chine pauvre de l'intérieur. Depuis 1949 est apparu un autre dualisme ne procédant ni du sous-développement, ni des richesses des provinces, ni de l'ingérence de puissances occidentales, mais de la conviction des dirigeants que l'industrialisation doit privilégier l'industrie lourde et le secteur d'État.

Au début des années quatre-vingt, ce nouveau dualisme s'est superposé, sinon substitué à l'ancien. Désormais, une Chine du Nord, dont le développement bénéficie de priorités dans les investissements et est fondé sur l'industrie lourde, s'oppose à une Chine du Sud, au développement davantage orienté vers l'industrie légère. Seule Shanghai échappe à cette logique. Ceci ne signifie pas que les provinces d'une même région ont toutes un niveau de développement identique, mais que leurs structures sont comparables. Ainsi les provinces au nord d'un parallèle passant par la frontière sino-afghane, Lanzhou et Tianjin se distinguent par un taux d'analphabètes assez faible, de diplômés du supérieur assez fort et d'ouvriers assez élevé, et par ailleurs, par l'importance des entreprises du secteur d'État et de celles de grande taille, corollaires d'une industrialisation socialiste du secteur lourd.

Autrement dit, plus la part du secteur d'État d'une province est importante, plus l'investissement d'État (dont celui destiné à l'industrie lourde) est important, plus la valeur par tête de sa production industrielle et celle de son Produit social brut (indicateur rappelant le P N B sans pouvoir y être comparé) tendent à être élevées et, partant, plus son développement est favorisé.

Quant à Shanghai, quelques indications suffisent à préciser son excentricité. La productivité du Shanghaien est 5,5 fois supérieure à celle du Chinois moyen et sa consommation (individuelle et collective) 2,5 fois. Shanghai, qui n'était pas un centre sidérurgique en 1949, produisait, avant même la mise en service de l'aciérie de Baoshan prévue en 1990, 13 % de l'acier-lingots et 13 % des laminés. Un dixième du charbon d'État transporté lui est destiné (dont la moitié parcourt plus de 2 000 kilomètres). Shanghai, dont le pétrole vient essentiellement du Heilongjiang (2 500 kilomètres) raffine 8 % du brut chinois, produit 21,5 % de l'éthylène, 24,4 % des fibres synthétiques, 14,1 % des matières plastiques... Dans de nombreuses filières, Shanghai s'est vu attribuer la part la plus rentable (en aval), au détriment des provinces productrices de matières premières qui, spoliées, voient leur développement freiné, sinon bloqué.

C'est dans ce contexte, alors que la priorité à l'industrie lourde était quelque peu nuancée, que Zhao Ziyang a lancé fin 1987 une nouvelle stratégie de développement créant non plus un dualisme, mais un « trialisme » économique. Selon lui, la Chine est divisée en trois régions dont il convient d'*étaler* le développement : d'abord la région côtière, puis la région centrale et enfin les régions occidentales. La première devrait constituer des zones franches travaillant pour le compte d'entrepreneurs étrangers qui importeraient les matières premières, les transformeraient à l'aide de machines importées puis réexporteraient les produits finis. Ainsi s'amorcerait une modernisation par contagion de la Chine des côtes

─── BIBLIOGRAPHIE ───

AGUIGNIER Ph., « Regional Disparities since 1978 », *in* S. FEUCHTWANG, A. HUS-SAIN, Th. PAIRAULT (ed.), *Transforming China's Economy in the Eighties* (2 vol.), Zed Books, Londres, 1988.

AUBERT C., « Chine : le décollage alimentaire ? », *Études rurales*, n° 99-100, Paris, juil.-déc. 1985.

DIXON J., *The Chinese Welfare System*, Praeger, New York, 1981.

DAVIS D., « Unequal Chances, Unequal Outcomes : Pension Reform and Urban Inequality », *The China Quarterly*, n° 114, Londres, juin 1988.

HU Teh-wei, BAI Jushan, SHI Shuzhong, « Household Expenditure Patterns in Tianjin, 1982 and 1984 », *The China Quarterly*, n° 110, Londres, juin 1987.

KIRBY R. J.R., *Urbanization in China : Town and Country in a Developing Economy (1949-2000 AD)*, Croom Helm, Londres, 1985.

ZAFANOLLI W., « Chine : de la transition socialiste à la transition capitaliste ? », *Revue d'études comparatives Est-Ouest*, vol. 16, n° 4, Paris, déc. 1985.

vers celle du centre, puis vers celle de l'ouest.

Est-ce réaliste dans une conjoncture internationale déprimée ? Une délocalisation de la production, des pays développés vers la Chine, si elle a lieu, s'accompagnera-t-elle d'un transfert de techniques avancées, alors que les expériences récentes prouvent le contraire ? N'est-il pas à craindre que l'intérêt de ces entrepreneurs soit d'employer des matières premières chinoises dont les prix sont souvent inférieurs aux cours internationaux et de maintenir contractuellement ces prix à un bas niveau en échange de leur installation ?

Les côtes transformées en un « dragon » économique provoqueront-elles le développement de l'intérieur, vainqueur d'un « trialisme » inventé ? Shanghai, bénéficiant d'une grande autonomie financière depuis 1985, profitant largement de cette ouverture, n'utilisera-t-elle pas cette puissance financière pour détourner davantage encore de matières premières au profit de son seul enrichissement ? Les petites poches côtières de développement ne seront-elles pas tentées d'en faire autant ? Ne crée-t-on pas les conditions d'un retour à une opposition renforcée entre côtes et intérieur ?

Thierry Pairault

Un enrichissement inégalement réparti

Sous couvert d'une stricte application du slogan : « A chacun selon son travail », Deng Xiaoping, en janvier 1980, préconisait « de laisser certains individus et certaines régions, qui gagnent plus parce qu'ils travaillent plus, s'enrichir d'abord ». Il rompait ainsi avec la politique d'égalitarisme spartiate obstinément poursuivie durant les années maoïstes. Non que cet égalitarisme ait jamais correspondu à la réalité : certains, les « cadres » (*ganbu*) dispensateurs des grâces égalitaristes, ont toujours été plus « égaux » que les autres. En outre, une fois éliminées les solutions utopiques, du style « Grand bond en avant », le régime s'était montré bien incapable de résorber les disparités entre régions et entre ville et campagne. Mais il n'est pas moins vrai que le revenu avait alors perdu sa fonction de «stimulant matériel». Le résultat, ce furent dix années de stagnation économique et sociale : en 1976, le revenu par habitant était tombé à 93 % de celui de 1966. Pour sortir de ce marasme, Deng Xiaoping décidait, en 1980, de rendre le revenu à sa destination primitive.

A l'horizon des années quatre-vingt-dix, il est possible d'en dresser un premier bilan. On sait, grâce à une enquête effectuée sur 150 000 ménages, que le revenu moyen réel par citadin était, en 1987, de 26 % plus élevé que celui de 1984, l'année où la réforme fut lancée dans les villes. La catégorie des bas revenus urbains (de 25 à 35 yuans constants par mois), qui est passée de 17,2 % à 9,2 %, a été véritablement désertée. En revanche, celle des hauts revenus (supérieurs à 70 yuans constants), qui a crû de 8,8 % à 27 %, représente une réelle colonie de peuplement. En même temps, la fourchette des revenus urbains s'est considérablement ouverte, comme le montre la répartition de la population urbaine en cinq classes d'effectifs égaux : en 1987, la plus riche gagnait 3,4 fois plus que la plus pauvre, contre 2,8 fois en 1984.

Les profits des «foyers à leur compte»

Cependant, une analyse plus fine oblige à nuancer ce constat. Concrètement, la différenciation sociale dans les villes s'est accomplie au profit quasi exclusif des 15 millions de «foyers à leur compte» (*geti hu*). Mais au sein des entreprises et entre branches, l'écart entre les hauts et les bas revenus reste des plus réduits. En 1987, ceux des salariés de niveau universitaire âgés de 40 à 44 ans n'excédaient que de 14 % ceux des salariés de la même tranche d'âge, mais ayant seulement atteint le niveau de l'école primaire. Quant à l'extrémité supérieure du spectre

social, les ingénieurs hautement qualifiés, elle n'était séparée de la masse des ouvriers ordinaires que par une différence de revenus de 48 %.

De fait, le régime éprouve de grandes difficultés à allonger l'échelle des revenus urbains. En 1988, un professeur de lycée avec douze ans d'ancienneté ne gagnait toujours que 96 yuans par mois. En outre, son pouvoir d'achat s'érode, au bas mot, de 20 % l'an par l'inflation. En revanche, toujours en 1988, un chauffeur de taxi avouait sans peine en gagner 3 400 dans le même temps. Telle entreprise familiale de la banlieue de Shenyang employant une quarantaine de personnes affichait alors un profit net de 250 000 yuans. Les autorités semblent très conscientes du danger que comporte une telle évolution. Mais elles n'ont rien trouvé de mieux que d'encourager une solution à l'italienne, la double journée de travail parmi les professions peu lucratives (professions médicales, enseignement, administration)...

Le caractère encore très amorphe de la société urbaine contraste avec le dynamisme des campagnes. En premier lieu, on y mange beaucoup mieux qu'autrefois. En 1957, la ration de grains n'y était que de 175 kg par an et, vingt ans plus tard, elle stagnait encore à 190 kg. Mais, en 1983, elle passait allégrement le cap des 210 kg, où elle plafonne depuis. On y vit aussi beaucoup mieux : en 1986, on comptait pour 100 ménages ruraux, 90 bicyclettes, 47 machines à coudre, 54 récepteurs radio et 145 montres, contre, respectivement, 37, 23, 34 et 38, en 1980 (les mêmes chiffres, pour 100 ménages urbains étaient, en 1986 : 163, 74, 69 et 299).

L'éclosion d'un capitalisme rural

En dépit des disparités qui renvoient clairement à une différence de niveau de vie (les dépenses quotidiennes par urbain rapportées à celles par rural restaient, en 1986, de 2,5 à 1), les campagnes ont accompli une véritable révolution sociale. Libérés des servitudes de la collectivisation (à partir de 1979), encouragés par la levée des monopoles commerciaux de l'État (officialisée en 1985) et le relèvement des prix agricoles, les ruraux ont trouvé, dans les activités non agricoles, un exutoire au sous-emploi massif qui y régnait précédemment (il aurait représenté du tiers à la moitié de la main-d'œuvre) : en 1986, les entreprises rurales non agricoles employaient 75 millions de personnes, contre 25 en 1980, tandis que, de 1982 à 1986, la population des bourgades mi-rurales, mi-urbaines serait passée de 61 à 207 millions d'habitants.

La reprise du flux des hommes (exode rural y compris) et des marchandises à la campagne s'est traduite, aussitôt, par la résurgence des anciennes stratifications sociales. Elle a vu, également, l'éclosion d'un capitalisme rural très virulent, dont les premiers millionnaires ont remplacé, dans la propagande, les improbables héros communistes d'antan.

Cependant, cet enrichissement reste très inégalement réparti : en 1987, le revenu annuel *per capita* avait franchi le seuil des 700 yuans dans à peine 10 % des 2 000 et quelques districts (*xian*) du pays. Surtout, il comporte un important revers, les 8 % de foyers ruraux (environ 70 millions d'individus) dont, en 1987, le revenu *per capita* était encore inférieur à 200 yuans et dont la ration alimentaire ne dépassait pas 1 975 calories par jour. Présentement, le régime n'est guère en mesure de pallier le paupérisme révélé par sa politique de vérité de l'économie. Nombre de plaies sociales caractéristiques de l'« ancienne Chine » ont donc réapparu, depuis la mendicité dans les grands centres urbains (cependant, en 1987, il n'y avait plus que 700 000 vagabonds officiellement recensés, contre un million en 1979) jusqu'au trafic de jeunes filles nubiles entre régions pauvres et régions riches (en 1988, le « prix » pour en épouser une dans la ceinture de prospérité qui entoure Suzhou était de 3 000 yuans).

En fait, la société rurale s'est retrouvée telle que, en elle-même, elle n'avait sans doute jamais cessé d'être. C'est une différence avec la société urbaine qui ne s'est pas encore extraite du cocon où le régime l'avait maintenue durant trente années.

Wojtek Zafanolli

La pauvreté des ruraux laissés pour compte

L'expérience originale de la réforme rurale engagée en 1978 a amélioré le sort de la paysannerie, dont le niveau de vie a augmenté. Il reste néanmoins des poches de pauvreté, auxquelles s'est ajouté un nouveau phénomène de paupérisation et de marginalisation des plus faibles et des plus démunis qui étaient jusqu'alors relativement protégés de la misère par l'« égalitarisme » de la « grande marmite en fer ».

Le nombre des Chinois vivant en dessous du seuil de pauvreté varie en fonction des statistiques, peu fiables. Est pauvre qui vit avec moins de 300 kilos de grains (céréales et pois) et de 300 yuans par an. Il s'agit, pour la plupart, de paysans des zones reculées, de minorités ethniques (20 % d'entre elles). Le total avoisine cent millions, 9 % de la population, soit un septième des ruraux, chiffre correspondant à peu près à celui des personnes sous-alimentées. L'écart est croissant entre ceux qui s'enrichissent et ceux qui deviennent plus pauvres, ce qui crée une rancœur parmi les plus défavorisés. Ainsi, le nombre des enfants obèses croît, alors que la proportion des enfants de moins de trois ans anémiques et rachitiques atteint 30 %. Soixante millions de personnes sont atteintes de maladies endémiques (peste, malaria, lèpre ou maladies vénériennes) dont la propagande maoïste avait annoncé l'éradication. La schisostomiase a refait son apparition au Hunan. La détérioration du système de santé rural en est la cause : 30 % des *xian* (districts) affectés par ces maladies n'ont pas de centres sanitaires spécialisés. Au Gansu, il suffit de faire quelques heures de route au départ de Lanzhou pour trouver des zones où la vie ne s'est que marginalement améliorée depuis 1949. A Dingxi — région modèle de lutte contre la misère — l'explosion démographique a dépassé l'augmentation de la production agricole, le déboisement fait des ravages et l'émigration est parfois la seule solution. Des paysans racontent qu'ils mangent à leur faim depuis 1981 seulement. Et pourtant, en 1986, 30 % de la population de Dingxi dépendait encore de l'aide gouvernementale. Un dicton local déclare : « Tous les trois ans une petite sécheresse, tous les dix ans, une grande. »

A cette pauvreté traditionnelle, cachée pendant des lustres par la propagande, s'est ajoutée une nouvelle forme de misère qui peut se manifester de manière violente : des exploitations de paysans enrichis ont été pillées ou saccagées par des laissés-pour-compte du progrès atteints de ce que les Chinois appellent la « maladie des yeux rouges ». La restructuration rurale jette sur le marché de l'emploi des millions de jeunes et de paysans ayant quitté leur terre : les statistiques indiquent que le nombre de migrants ruraux vers les villes (trente millions en 1989) pourrait atteindre cent vingt millions en 1993, alors que le total d'emplois créés ne dépasserait pas trente millions. Certains trouvent un emploi, fixe ou précaire, d'autres se réfugient dans la mendicité ; des gamins de cinq ans font la quête. D'autres enfants sont employés dans les industries créées à la campagne ; en dépit de la législation interdisant le travail au-dessous de seize ans, certaines usines emploient 30 % de main-d'œuvre enfantine, travaillant jusqu'à quatorze heures par jour pour un salaire de misère et sans protection sociale. Les abandons et infanticides de fillettes (et de handicapés) sont en augmentation.

Longtemps solidaires dans la pauvreté, les paysans ont bénéficié différemment des chances qui leur étaient offertes ; aux plus habiles et aux zones favorisées une soudaine « richesse » a échu, aux autres la stagnation, voire la dégradation de leur revenu, d'autant plus insupportable qu'elle se compare désormais à l'insolente opulence des nouveaux riches. La pauvreté rurale n'est pas aussi voyante que celle d'autres pays du tiers monde. On ne meurt apparemment plus de faim, même si la malnutrition et la maladie touchent de nombreux paysans. Mais le Parti communiste qui avait obtenu la victoire en 1949 en s'appuyant sur la paysannerie, a pratiquement abandonné sa politique interventionniste de lutte contre la pauvreté et a réduit à un pourcentage dérisoire ses investissements dans l'agriculture pour laisser jouer les lois du marché et concentrer ses ressources dans l'industrie, au risque de s'aliéner ceux qui ont le plus besoin de lui.

Patrice de Beer

UNE ÉCONOMIE SOCIALISTE DE MARCHÉ ?

Les limites de l'ouverture

Exigence récurrente depuis plus d'un siècle, l'ouverture de la Chine est, à partir de 1979, guidée par le constat d'une double crise : celle du modèle soviétique de développement, et celle du modèle chinois, dans sa version maoïste, autarcique et despotique. L'ouverture apparaît donc d'emblée indissolublement liée à la réforme et à l'ambition de modernisation. Quelles en sont les composantes ?

La plus importante est d'ordre économique, même si les aspects culturels, et à plus long terme politiques, ne sont pas à négliger. Un indicateur permet de prendre la mesure du degré d'ouverture : la croissance du commerce extérieur, en termes absolus : en dix ans, les exportations ont triplé, et les importations ont quadruplé. La part du commerce extérieur dans le P N B n'a cessé de progresser : 4,5 % en 1979, près de 28 % en 1988. La Chine est désormais membre de la Banque mondiale, du Fonds monétaire international, de la Banque asiatique de développement. La politique d'ouverture a contribué de façon décisive à la modernisation et à son programme de réformes. Équipements et technologies sont très différents de ceux qui dominaient durant les années d'autarcie. Sur le marché intérieur, des mécanismes de compétition ont commencé à apparaître entre les importateurs, et sur les marchés étrangers, les corporations chinoises se heurtent à la concurrence internationale. L'étude des expériences internationales a sans conteste été très bénéfique à la Chine. Le processus d'ouverture est étroitement lié à celui des réformes économiques, et les obstacles qui entravent l'approfondissement de la politique d'ouverture (dans le domaine du commerce extérieur et de l'investissement étranger en particulier) tiennent au système économique lui-même.

Acquisition de technologie et accès aux financements étrangers figurent parmi les premières motivations de l'ouverture. A partir de 1949 et jusqu'en 1978, l'État avait exercé sur le commerce extérieur un contrôle extrêmement centralisé, inspiré par une conception ultra-nationaliste de l'autosuffisance. Les licences d'importations ou d'exportations étaient accordées en

nombre limité à des corporations du commerce extérieur étroitement surveillées. Parallèlement, des mesures administratives protégeaient les prix intérieurs des fluctuations du marché international. Un tel système présentait cinq inconvénients majeurs : le commerce extérieur dépendait de la planification centralisée ; il était entre les mains de monopoles ; les prix étaient fixés par un Bureau des prix ; le taux de change ne jouait qu'un rôle marginal ; enfin, la comptabilité des compagnies du commerce extérieur était en relation directe avec le budget de l'État.

La fin du rêve autarcique

Depuis 1978, une complète révision de ces principes bouleverse fondamentalement ce rêve autarcique. Alors qu'est abandonnée la conception d'un commerce extérieur servant d'ajustement aux excédents ou aux déficits, le rôle de l'avantage comparatif dans le commerce international est progressivement reconnu. Les autorités ont pris acte de ce que l'hypercentralisation du commerce extérieur, l'absence d'autonomie des firmes d'import-export, les prix étroitement administrés, et les subventions accordées aussi bien à l'import qu'à l'export ne pouvaient favoriser les relations économiques avec l'étranger.

Les réformes, dans la pratique, se traduisent par une décentralisation des décisions et des agents du commerce extérieur : en 1978, le nombre des compagnies autorisées à commercer avec l'étranger était de 12, et il était en 1988 supérieur à 4 000. La relative perte de contrôle du M O F E R T, le ministère du Commerce extérieur, sur les transactions économiques avec l'étranger, va de pair avec la multiplication des opérateurs et l'autonomie financière croissante des provinces. Mais la distinction entre fonction administrative et fonction commerciale du M O F E R T reste à mettre en œuvre. En outre, la prolifération des interlocuteurs aggrave la confusion et rend difficile, pour un homme d'affaires étranger, l'identification des centres de décision.

On tente également de passer du contrôle administratif direct à un contrôle macro-économique. La monnaie nationale, le *renminbi*, a été dévaluée à plusieurs reprises. Le droit de rétention des devises par les firmes exportatrices a été étendu. Désormais, les droits de douane tendent à jouer un rôle régulateur plus important que les licences d'importation. Un plafond a été fixé pour les subventions destinées aux importations. Il décroît d'année en année. Enfin, le commerce extérieur dépend toujours plus de la régulation par le marché : la part des importations et exportations libres de droits de douane, et soumis aux mécanismes de la compétition, dépasse 50 % du volume du commerce extérieur. Le reste est soumis au plan d'État et aux quotas.

Il est indéniable que l'ensemble de ces mesures a vigoureusement stimulé l'essor du commerce extérieur : les exportations chinoises ont progressé en moyenne annuelle de 15,2 % de 1978 à 1988, atteignant 13 % du P N B. Pour un pays de cette taille, un tel pourcentage témoigne d'un considérable degré d'ouverture de l'économie.

Mais la politique d'ouverture se traduit aussi par la coexistence au sein d'un système encore très rigide de mécanismes du marché et de procédures administratives contraignantes. Cette dichotomie soumet le commerce extérieur à de violentes tensions tour à tour décentralisatrices et centralisatrices. Les plans quinquennaux induisent un « cycle du commerce extérieur » aux effets dévastateurs sur les réserves en devise. Faible au début de la période quinquennale, le déficit s'aggrave durant les deux dernières années du plan, lorsque les objectifs du plan doivent être réalisés, et que le marché intérieur s'avère incapable de fournir les produits semi-finis requis. Cela est particulièrement net dans le domaine de la sidérurgie et de la chimie.

L'ancrage à l'Occident

L'ouverture se fait tous azimuts, mais c'est en direction des pays de l'OCDE qu'elle est, depuis le début des années quatre-vingt, le plus spectaculaire. Plus de 80 % des échanges économiques se faisaient, en 1987, avec les pays de cette zone. Sans doute pour longtemps encore, l'ancrage de la modernisation technologique se situe à l'Ouest et dans les pays asiatiques développés. Les relations économiques avec les pays de l'Est, pour impressionnante qu'ait été leur reprise, sont entravées par l'archaïsme de la forme des échanges, dominés par le troc, et le besoin de technologies modernes au service d'une politique exportatrice.

Autre grande dimension de l'ouverture : l'investissement étranger. Il prend deux formes : l'investissement direct étranger en Chine, mais aussi l'investissement chinois à l'étranger. En 1988, la première a dépassé les 10 milliards de dollars.

Cependant, les réticences à investir de la part des étrangers demeurent grandes, bien qu'un cadre juridique ait été progressivement mis en place. Une série de lois sur les *joint ventures*, les entreprises conjointes (*cooperative venture law*), les entreprises à capitaux entièrement étrangers, les brevets, les marques commerciales, etc., et de nombreuses régulations concernant l'importation de technologies ont pourtant été promulguées durant la décennie quatre-vingt. Mais l'habitude de se conformer à un texte de loi n'est pas encore entrée dans les mœurs chinoises, en particulier de la part de nombreux responsables officiels.

De nombreux obstacles entravent en outre l'essor de l'investissement étranger : l'obligation de l'équilibre du compte en devises est un casse-tête pour les *joint ventures*, tout autant que la difficulté à se procurer matières premières et énergie sur le marché intérieur. Les mécanismes du marché n'existent pas, ou quand ils existent, ils ne peuvent pas jouer. Une grande confusion règne dans les politiques et réglementations. Enfin, les interférences de l'administration sont encore trop fortes.

La croissance par l'exportation ?

Depuis 1984, la politique d'ouverture a semblé s'insérer dans un schéma de croissance où les exportations joueraient un rôle primordial. A l'été 1984, puis au printemps 1988, deux conférences sur le développement des zones côtières ont abouti d'abord à l'ouverture de quatorze ports, puis de l'ensemble. Concrètement, l'ouverture signifie l'établissement de conditions privilégiées pour commercer avec l'étranger et attirer les investissements. D'abord attaquée comme une résurgence des concessions étrangères de type colonial, cette politique, qui s'inspire largement des principes éprouvés avec succès par les « quatre dragons », s'est peu à peu imposée comme l'unique voie de développement possible.

La stratégie de développement des zones côtières repose à la fois sur le bilan de dix ans de réformes économiques en Chine et sur l'analyse des grandes tendances de l'économie mondiale. Elle se veut un lien entre la croissance chinoise et les échanges économiques internationaux. Pourra-t-elle contribuer à un renforcement des relations entre zones côtières et régions intérieures ?

En effet, passer d'une économie fermée ou semi-fermée à une économie ouverte, ou entrouverte, ne va pas sans risques. L'ouverture a aussi ses effets pervers : scandales et prolifération de la corruption, déséquilibre commercial, endettement. La « criminalité économique », nourrie de l'affairisme des autorités locales, s'est considérablement amplifiée. Elle est le produit de vides juridiques, de l'absence de liens économiques interprovinciaux, tout autant que de la cupidité d'une couche de cadres pour qui l'ouverture signifie d'abord l'accès à une plus grande prospérité.

Mais c'est sans doute cet autre effet visible de l'ouverture, l'explosion de la consommation urbaine — même si les citadins ne représentent pour l'instant qu'un cinquième de la population chinoise — qui aura d'incalculables répercussions sur l'évolution des modes de vie et les transformations ultérieures du système politique.

Déficit et endettement chroniques

Quel avenir peut-on envisager pour la politique d'ouverture ? En 1989, personne ne peut se prononcer sur son irréversibilité. Elle bute sur des limites bien précises : les capacités financières du pays à moins de s'engouffrer dans la spirale de l'endettement dont le niveau — près de 40 milliards de dollars — n'est pas négligeable au regard des performances encore moyennes des exportations. Les rigidités du système administratif constituent un sérieux handicap et entravent l'insertion de la Chine dans les échanges économiques internationaux.

Après avoir été l'un des instruments de la rénovation de l'appareil économique, l'ouverture semble s'inscrire dans le projet d'une « nouvelle croissance » passant de la satisfaction des besoins fondamentaux à un début de prospérité. Mais la plupart des économistes, en Chine même, s'accordent sur un point : leur pays sera encore, au cours du siècle prochain, un pays à revenu par habitant relativement bas. La question essentielle est celle de l'harmonisation entre le processus d'intégration dans une économie mondiale dominée par le libre échange et les libres mouvements de capitaux, et le processus de réformes internes, caractérisé par la surchauffe de la machine industrielle et les dérapages inflationnistes.

La plus grande intégration de la Chine dans l'économie mondiale, fruit et enjeu de la politique d'ouverture, met d'abord en lumière les séquelles de sa longue autarcie et la très faible productivité de son appareil industriel. Comme dans de nombreuses économies en voie de développement, l'ouverture se traduit ici par des échanges structurellement déficitaires et un endettement croissant.

François Gipouloux

Décollectivisation agricole : retour du dynamisme et des disparités

La décollectivisation, élément moteur des réformes agricoles des années quatre-vingt, constitue l'un des événements majeurs de la décennie 1979-1989 dans le monde.

En effet, ce ne sont pas moins de 180 millions de familles paysannes qui auront été ainsi délivrées du joug des « communes populaires », 800 millions de ruraux dont les conditions de vie auront été radicalement changées, ébranlant du même

coup tout l'édifice du socialisme chinois.

Cette décollectivisation a été voulue par les réformateurs, arrivés au pouvoir à la fin de 1978 et qui, en trois ans, ont dissous les structures collectives des équipes de production (vingt à trente familles, soit un quartier de village) en promouvant des « systèmes de responsabilité » de plus en plus radicaux. Aux « contrats de production avec des groupes » (production organisée sur la base de cinq à six familles, qui doivent livrer des quotas de récoltes à l'équipe, payés par celle-ci en points-travail), succèdent les « contrats de production avec les familles » (les familles individuelles se substituent aux groupes pour la production, la rémunération collective en points-travail étant conservée) et enfin les « contrats d'exploitation avec les familles ».

Le retour à l'exploitation individuelle

Ce dernier système, généralisé dès la fin 1982, marque le retour à l'exploitation individuelle : la terre, qui reste propriété collective, est divisée de façon égalitaire entre toutes les familles qui organisent elles-mêmes leur travail, payent leurs intrants (les engrais, semences…) et disposent de leurs récoltes après paiement de la taxe agricole et de retenues alimentant les fonds collectifs de l'équipe (ou du village, les équipes ayant le plus souvent disparu). Les familles paysannes, qui doivent encore respecter certaines disciplines en matière de planification des cultures, de calendriers culturaux,… et satisfaire aux contrats de livraison à l'État, se retrouvent ainsi locataires de fait sur les terres villageoises. Les communes populaires ont elles-mêmes disparu pour faire place aux entités administratives des cantons (on comptait, en 1987, 60 000 cantons pour 800 000 villages d'environ 250 familles chacun).

Cette décollectivisation, ce « fermage » généralisé ont vite mené vers une privatisation de fait de l'agriculture. Toutes les bêtes de trait (70 millions de chevaux, bœufs ou buffles en 1987) ont été revendues aux paysans, la presque totalité du parc mécanique (5 millions de motoculteurs et un million de tracteurs utilisés plus souvent pour les transports que pour les cultures) est devenue propriété privée, les puits communaux eux-mêmes ou les pe-

tites installations hydrauliques sont le plus souvent gérés en sous-traitance par des particuliers… Reste la terre. Celle-ci, allouée désormais pour des baux de quinze ans ou plus, souvent sous-louée entre voisins, voit le caractère collectif de son droit de propriété vidé de sa substance au profit d'un droit d'usage privé qui donne lieu à un véritable marché. Déjà, encouragées par les autorités voulant promouvoir les « économies d'échelle » en agriculture, des concentrations foncières ont commencé à s'opérer. Elles ne concernent toutefois qu'un nombre limité d'exploitations, dans la périphérie des grandes villes ou dans les zones développées fortement urbanisées.

Les premiers succès

Les deux premières années qui ont suivi immédiatement la décollectivisation (1983 et 1984) ont vu se réaliser le potentiel de productivité gaspillé par les « déséconomies » d'échelle des anciens collectifs et les inefficiences passées de la planification administrative de l'agriculture. Les récoltes de grains ont fortement progressé, dépassant les 400 millions de tonnes en 1984. L'abandon de la politique autoritaire d'auto-suffisance céréalière locale a permis également la concentration dans les meilleurs terroirs de la culture du coton, qui double ses rendements et triple sa récolte entre 1978 et 1984. La possibilité pour les paysans de se tourner vers des cultures « économiques » (non céréalières), au prix relatif plus rémunérateur, explique de la même façon le doublement de la récolte des oléagineux…

Outre les effets immédiats sur le niveau des récoltes, la décollectivisation a eu aussi pour conséquence un relèvement sans précédent des prix agricoles. L'État, confronté désormais à des millions de producteurs individuels, n'a pu faire respecter les anciens quotas de livraisons obligatoires de grains, à bas prix administratifs, et a dû acheter la majeure partie des récoltes à des prix « hors-quotas », payés 50 % plus cher. L'ensemble des autres cultures suivant une évolution analogue, le niveau général des prix agricoles en 1984 était de 60 % supérieur à ce qu'il était en 1977, avant les réformes.

Il s'est ensuivi une augmentation massive des revenus paysans. De 135 yuans par personne et par an (auto-consommation comprise) en 1978, ces revenus sont passés à 355 yuans en 1984... Ce doublement est certes en partie nominal puisque seule la part commercialisée des récoltes a bénéficié des hausses de prix et que, par ailleurs, l'inflation a gommé partiellement ces gains nouveaux. L'élévation du niveau de vie paysan n'en a pas moins été réelle, comme en témoigne la vague de constructions de nouvelles demeures qui débuta alors dans les campagnes. *Les campagnes s'enrichissent donc en même temps qu'elles se désenclavent.* Une part croissante de la production est commercialisée : 35 % pour les grains (contre 20 % en 1977), 50 % (en valeur) pour l'ensemble des productions.

Les premières difficultés

L'année 1985 est celle où commence la « seconde étape » des réformes rurales avec la levée des principaux monopoles étatiques dans la commercialisation des produits agricoles et l'introduction de mécanismes du marché.

En ce qui concerne les grains, l'État a voulu limiter essentiellement le coût financier du système des livraisons obligatoires qui, au lieu de lui permettre, comme par le passé, d'approvisionner à bon marché les travailleurs urbains, était devenu très onéreux. En effet, le budget public devait désormais subventionner à fonds perdus la différence entre les prix d'achat aux agriculteurs, pratiquement indexés sur le volume des livraisons par le biais des hors-quotas, et les prix de détail urbains toujours maintenus

très bas. Les livraisons obligatoires ont donc été remplacées en 1985 par des « contrats » payés uniformément aux prix moyens de l'année précédente. Pour les régions fortement excédentaires, ces prix « moyens » constituaient en réalité une baisse et les emblavures furent aussitôt réduites par les paysans devenus très sensibles aux fluctuations des prix, la récolte chutant alors de près de 10 %... Depuis, et en dépit des hausses de nouveau consenties par le gouvernement (près de 20 % entre 1985 et 1987), les grains n'ont pas retrouvé le niveau record de la récolte de 1984.

Cette incapacité des autorités à maîtriser la production au travers de la régulation par les prix qui s'est substituée à la planification autoritaire de jadis concerne également les autres cultures. Après la récolte record de coton de 1984, alors très excédentaire, une baisse brutale des prix en 1985, jointe à la suppression de divers avantages accordés aux producteurs, provoque une chute de plus du tiers de la production. De la même façon, le chanvre qui quadruple sa production de 1983 à 1985 retombe à son niveau de départ en 1987... Ces oscillations brutales s'expliquent par le fait que l'État, bien qu'ayant mis fin à l'exercice de ses monopoles, reste le principal acheteur des produits agricoles, le négoce privé restant peu organisé (il ne touchait que moins de 20 % du volume total du commerce agricole en 1987).

Les campagnes décollectivisées restent encore très atomisées face à l'omnipotence des administrations locales. Faute d'organisations professionnelles autonomes capables de constituer des contre-pouvoirs efficaces, les paysans sont sans défense devant les exactions des cadres. Et du même chef, les autorités centrales sont incapables de promouvoir des politiques efficaces de prix ou de crédit. Ainsi, la politique menée qui veut encourager les producteurs de céréales en leur accordant des ventes préférentielles d'engrais chimiques à prix réduits, est-elle tournée par ceux-là mêmes qui sont chargés de l'appliquer : la

BIBLIOGRAPHIE

AUBERT C., « Chine : le décollage alimentaire ? », *Études Rurales*, n° 99-100, Paris, juil.-déc. 1985.

AUBERT C., « Les réformes agricoles, ou la genèse incertaine d'une nouvelle voie chinoise », *Revue Tiers-Monde*, t. XXVII, n° 108, Paris, oct.-déc. 1986.

AUBERT C., « Villes et campagnes en Chine », *Cahiers d'Économie et Sociologie rurales*, n° 6, Paris, 1er trim. 1988.

AUBERT C. *et alii*, *La Société chinoise après Mao*, Fayard, Paris, 1986.

FEUCHTWANG S., HUSSAIN A., PAIRAULT Th. (ed.), *Transforming China's Economy in the Eighties*, Zed Books, Londres, 1988.

LARDY N., *Agriculture in China's Modern Economic Development*, Cambridge University Press, 1983.

WORLD BANK, *China Long-Term Development Issues and Options*, Banque mondiale, Washington D.C., 1985.

BUREAU NATIONAL STATISTIQUE, *Zhongguo Tongji Nianjian 1988* (Annuaire statistique de la Chine), Éditions statistiques, Pékin, 1988.

MINISTÈRE DE L'AGRICULTURE, *Zhongguo Nongye Nianjian 1988* (Annuaire agricole de la Chine 1988), Éditions agricoles, Pékin, 1988.

majeure partie des engrais de qualité, et en particulier l'urée, est détournée par les organismes officiels et revendue à des prix de marché noir aux paysans... Rien d'étonnant dans ces conditions que, devant le renchérissement sans précédent du coût des intrants qui en est résulté (plus de 40 % en deux ans), les agriculteurs se détournent de la culture des grains, leur préférant des spéculations plus lucratives.

Si, malgré tout, le revenu net paysan a continué d'augmenter (atteignant 465 yuans en 1987), il le doit davantage aux revenus non agricoles résultant de la diversification de l'emploi et de la montée des petites entreprises rurales. Mais ce mouvement, selon les régions et les familles, se fait de manière inégale.

La multiplication des disparités sociales à la campagne est certes le corollaire, difficilement évitable, de la revitalisation des campagnes. L'égalitarisme maoïste d'antan s'était accompagné, lui, de la stagnation des revenus paysans et de la rétraction de l'économie rurale. Il n'empêche que la résorption de ces disparités sera à l'avenir, tout autant que la meilleure organisation des marchés, l'une des pierres de touche de l'efficacité d'une politique rurale qui se doit maintenant de retrouver un second souffle.

Claude Aubert

L'entreprise d'État réformée, mais non émancipée

Dans l'industrie, face à la croissance rapide des secteurs collectif (1,85 million d'entreprises) et privé (5,58 millions), le secteur d'État n'occupe plus qu'une part minoritaire, avec quelque 98 000 entreprises en 1987. Il n'en assurait pas moins — toujours en 1987 — 60 % de la production industrielle (contre 34,6 % et 3,6 % aux autres secteurs, mais 46,5 % seulement au Jiangsu et 43,1 % au Zhejiang).

C'est dire que le secteur d'État, s'il comprend toujours de petites et moyennes unités, s'affirme comme celui de la grande entreprise avec 85 % des capitaux investis, des profits et des impôts d'origine industrielle. Ce qui, du reste, n'est pas un critère d'efficacité : 30 % de ses entreprises étaient déficitaires en 1987. Dans l'ensemble, la productivité du capital et du travail ne s'est pas améliorée depuis le commencement des réformes.

Celles-ci ont cherché à remédier aux maux classiques d'une économie planifiée. Irresponsabilité : l'entreprise émarge au budget général (elle mange à la « grande marmite commune »), qui absorbe les profits, éponge les pertes, finance l'investissement, etc. Effets pervers : tantôt la production gonfle à la poursuite des primes, sans souci de la qualité ; tantôt au contraire, en prévision du renouvellement des quotas planifiés, elle baisse. Tandis que les responsables « irresponsables » négocient avec les « belles-mères » (autorités de tutelle : départements centraux, localités), stocks (d'invendus ou préventifs) et pénuries désorganisent le plan, ce que compensent les rapports « informels » du marché parallèle. Autre rigidité : la décision appartient aux politiques (comités et secrétaires du Parti, en liaison avec leurs équivalents placés à la tête des bureaux locaux). L'entreprise, enfin, n'est pas seulement le rouage administratif ultime d'un mécanisme anti-économique.

Mini-États-providence

En tant qu'unité de travail (*danwei*), ce type d'entreprise est aussi un mini-État-providence, fournissant emploi, logement, santé, loisirs, éducation même, à ses membres et à leurs familles auxquelles le « bol de riz en fer » de l'emploi à vie (étendu aux descendants dans les années soixante-dix) vaut également de précieux privilèges. A cette fonction sociale s'ajoutent des contributions diverses (en nature, prêts de personnel et, depuis les réformes, taxes) aux projets locaux que l'État ne finance pas directement. Propriété du « peuple tout entier » et foyer d'accumulation, l'entreprise est taillable et corvéable à merci. Seule une direction bien introduite dans les *lobbies* et réseaux bureaucratiques constituant ces « petites sociétés » et micro-États que sont les localités peut lui permettre non seulement de fonctionner dans le plan, mais de recruter tel technicien qui lui manque, ou lui épargner des contributions communautaires trop lourdes.

Croyant l'assouplir et l'alléger, Mao n'a fait qu'alourdir ce système hérité des années cinquante. Primes supprimées, salaires et promotions gelés : l'antiéconomisme a démobilisé la base ; l'antiélitisme a, lui, déraciné les compétences et l'antibureaucratisme multiplié les bureaucrates, intégrés après chacun des bouleversements politiques qui étaient censés rénover la direction des entreprises. Dans les années quatre-vingt, cet héritage a été profondément, mais inégalement, réformé selon trois axes : économique, administratif, social.

Davantage d'autonomie

Les réformes visant à refaire de l'entreprise un agent économiquement autonome et financièrement responsable apparaissaient à la fin de la décennie comme les plus cohérentes et les moins incomplètes. Partage des profits (1979-1980) ou taxation des bénéfices (1981-1982), des fonds propres sont désormais conservés à son niveau, auxquels s'ajoutent des emprunts bancaires, l'État ne finançant plus son budget. Parallèlement, le plan a desserré son carcan, les autorités cherchant à contrôler la gestion de manière indirecte au moyen d'un système contractuel dit de « responsabilité économique industrielle ». Si, depuis 1984-1985, le marché inter-entreprises couvre l'essentiel des activités (à des prix en hausse

---
BIBLIOGRAPHIE

BYRD W.A., « The impact of the Two-Tier Plan/Market System in Chinese Industry », *Journal of Comparative Economics*, vol. 11, n° 3, sept. 1987.

PERKINS D.H., « Reforming China's Economic System », *Journal of Economic Literature*, vol. 26, juin 1986.

TIDRICK G., CHEN Jiyuan (ed.), *China's Industrial Reform*, Oxford University Press, Londres, 1987.

WONG Ch. P.W., « Between Plan and Market : The Role of the Local Sector in Post-Mao China », *Journal of Comparative Economics*, vol. 11, n° 3, sept. 1987.

WORLD BANK, *China : Long Term Issues and Options*, Banque mondiale, Washington, 1985.

notable), les maux anciens n'ont pas disparu. La pratique contractuelle a reconduit les négociations informelles perpétuelles, qui émoussent les contraintes budgétaires. A quelques exceptions près, il n'y a pas de faillites. La dévolution à des compagnies locales des anciennes tutelles étatiques sur l'approvisionnement et la commercialisation n'a pas émancipé l'entreprise proprement dite. Le court terme, le stockage, la pénurie restent les dimensions courantes de la gestion, l'innovation principale étant l'application de ces pratiques aux devises, et l'expansion de la corruption. En outre, la juxtaposition des deux systèmes — plan contractualisé et marché — est une source non seulement d'inflation, mais de distorsions et de trafics. Quant aux profits, engrangés par la production des biens de consommation dont la demande est très forte (compétition désordonnée qui crée des tensions sur les matières premières, l'énergie, les transports, l'écologie), ils se dissipent sous forme de primes exigées par les ouvriers (poussés par l'inflation urbaine) et de contributions extorquées par l'environnement bureaucratique local, ces deux facteurs contribuant à accélérer l'effet de surchauffe.

Les réformes et le « bol de riz de fer »

En effet, la municipalisation des entreprises d'État (principale réforme du cadre administratif touchant l'économie) n'a fait que renforcer le pouvoir des « belles-mères » en l'absence de tout cadre juridique capable de protéger les intérêts économiques en principe autonomisés sous forme contractuelle. Quant à la déconcentration du pouvoir dans l'entreprise — retiré au secrétaire du Parti, il est dévolu en principe aux *managers* ès qualités selon le « système de responsabilité du directeur » —, elle est minée par le maintien d'un droit de regard du Parti sur la « santé » idéologique de l'entreprise (loi d'avril 1988) et surtout par la réalité des rapports de forces informels au niveau local. Le directeur ne peut agir qu'à l'abri d'un réseau de *guanxi*, qui lui confère protection et influence. Ces liens de dépendance résiduelle ont été codifiés depuis 1987 dans des contrats de gestion (*chengbao*) passés entre l'entreprise, son directeur et l'environnement bureaucratique, nouvelle forme de la dégénérescence d'une impossible autonomie. Afin d'appuyer celle-ci sur l'intérêt privé, conformément aux idées de l'économiste Li Yining, le pouvoir met en place de nouvelles formules confiant au directeur un droit d'utilisation à bail de l'entreprise. Cette privatisation déguisée (comme dans l'agriculture) va plus loin avec les baux qui permettent de commercialiser les actifs. Limitée, elle n'en comporte pas moins une refonte du système de propriété industrielle, qu'impliquent également l'émission d'actions et les prises de participations.

Les réformes tendant à briser le

« bol de fer » (modulation des primes et salaires sur la performance, la discipline individuelles ; embauche sous contrats temporaires des nouveaux venus) se sont heurtées à l'intangibilité de la fonction sociale exercée par l'entreprise. L'ouverture d'un marché du travail étant conditionnée par la difficile restructuration de la protection sociale, les entreprises continuent à gérer la surabondance de main-d'œuvre. Entité économique imparfaitement « libérée » du fait des imperfections de l'économie marchande mise en place depuis 1978, l'entreprise reste prisonnière d'une structure communautaire et bureaucratique. Son émancipation passe par l'institutionnalisation de nouveaux rapports — « société marchande » plus individualisée, régulation juridique du champ contractuel — faute desquels elle continuera d'être le témoin de la montée en puissance non pas d'un marché régulé par l'État, mais d'une myriade de féodalités bureaucratiques dominant, exploitant et désorganisant le marché. Elle est donc en quelque sorte un révélateur privilégié de l'enjeu crucial de la modernisation dans son ensemble.

Yves Chevrier

Les prix, entre plan et marché

Quand, en 1980, l'objectif de quadrupler le produit national brut d'ici l'an 2000 a été fixé, on était bien conscient que la clé de la réussite d'un tel projet résidait moins dans un effort supplémentaire d'investissement (le taux d'accumulation était déjà remarquablement élevé) que dans une réforme en profondeur du mode de gestion de l'économie qui se traduise par l'amélioration de la productivité. Les succès consécutifs aux réformes des systèmes de responsabilité et de commercialisation dans les campagnes ont conduit le Bureau politique à affirmer dans un document publié en 1984 qu'il convenait de déréglementer également les activités industrielles et commerciales, de substituer à une gestion administrative de l'économie un modèle décentralisé d'allocation des ressources où le marché jouerait un rôle déterminant.

Un système original qui combine plan et marché s'est ainsi progressivement mis en place.

Trois niveaux

Le système économique se caractérise par trois niveaux d'allocation des ressources : planification centrale ; planification locale (ou plutôt gestion des ressources par l'administration locale) ; et marché quand ce sont les firmes elles-mêmes et non les autorités de tutelle qui fixent les conditions des échanges.

La part gérée par le centre n'a cessé de diminuer (ainsi, pour quelques produits essentiels de la catégorie 1 [acier, charbon, etc., tous les biens de production « lourds »] soumise en principe à une gestion unifiée, on est passé entre 1980 et 1987 de 74 % à 47 % pour l'acier, de 58 % à 47 % pour le charbon, de 81 % à 27 % pour le bois de construction, etc.). Ce désengagement ne traduit pas un accroissement équivalent du poids du marché : l'administration locale en a aussi profité pour renforcer son influence (dans un sens souvent contraire à l'intérêt national).

Par le passé, avant donc que l'on parle d'ouverture au marché, il existait déjà de multiples réseaux de circulation des marchandises relevant du centre ou de différents niveaux de responsabilité locaux ; à aucun de ces niveaux la cohérence entre les contraintes imposées en amont et en aval n'était assurée ; l'habitude a ainsi été prise de passer d'un circuit à l'autre : si, par exemple, l'approvisionnement central faisait défaut, on se retournait vers des circuits locaux. Il en était de même pour la production planifiée qui pouvait, avec une relative souplesse, passer d'un circuit de distribution à un autre. De ce point de vue, l'ouverture au marché n'a fait que généraliser des pratiques qui préexistaient dans un cadre administré à niveaux multiples ; la nouveauté a consisté à favoriser les contacts directs entre entreprises, ce qui s'est traduit par des prix relativement libres pour cette fraction de la production dont l'administration perdait le contrôle direct, mais en contrepartie renonçait à en assurer l'écoulement.

L'émergence de prix multiples (un prix de marché à côté de prix fixés par le centre et les autorités locales) est à l'origine de nouvelles contradictions qui avaient été mal appréciées quand le processus de réforme a été engagé.

Des prix peu fidèles

La première condition pour que les prix jouent effectivement leur rôle est qu'ils reflètent fidèlement les valeurs des biens. Or ce n'est le cas ni du prix planifié maintenu artificiellement bas, ni du prix du marché anormalement élevé dans la mesure où seule la fraction de l'offre non planifiée est confrontée à la demande. Ce modèle nécessite donc un environnement bien particulier fort différent de celui qui prévaut en Chine ; il suppose aussi que les règles du jeu soient clairement définies (droit des contrats, fiscalité, etc.), ce qui est en contradiction avec les traditionnelles pratiques de marchandage, toujours persistantes.

Enfin, ce système de prix a évolué dans deux directions. Si le marché est dominé par la demande, le prix libre tombe en dessous du prix officiel et les deux tendent tout naturellement à se confondre (cela a été constaté pour certains biens de consommation durables dont le planificateur ne garantissait plus les débouchés). Si, au contraire, la situation de pénurie persiste, l'écart entre les deux prix peut être important ; le producteur va alors s'efforcer d'écouler, au prix fort, la plus grande partie de sa production sur le marché, au détriment des quotas de livraison qui lui sont imposés.

Certaines entreprises réalisent ainsi des profits considérables (souvent mal utilisés) sans être incitées à réduire leurs coûts ni à chercher à innover. Quant à l'unité de production qui, à l'inverse, n'est pas en mesure de supporter la loi du marché, son déficit sera au contraire compensé sous des formes diverses (déductions fiscales, subventions, etc.). On comprend aisément que de telles pratiques, s'ajoutant à une politique monétaire mal contrôlée, aient entraîné une inflation qui a atteint en 1988 un taux record estimé à 18 % (en réalité bien supérieur dans les villes).

Pour faire face à cette situation, le Bureau politique du PCC a pris à l'automne 1988 un certain nombre de mesures qui visent à reprendre le contrôle des prix. Mais il est d'autant plus difficile de briser la dynamique du marché que la ligne de démarcation entre le secteur marchand et le secteur administré ne sépare pas des groupes d'agents économiques réellement autonomes, ni ne coïncide avec les formes de propriété. Cette frontière se situe en effet au sein même des entreprises, puisqu'il est habituel qu'une unité de production soit confrontée à ces deux types de régulation. L'interpénétration entre les deux sphères est donc telle que des interventions en contradiction avec la logique de l'une d'entre elles ne peuvent avoir que des effets antinomiques. Le pouvoir central s'est d'ailleurs déjà dessaisi de bon nombre de commandes qui lui permettraient d'orienter réellement le cours de l'économie, avant même d'avoir réussi à mettre en place les instruments d'une nouvelle politique.

Yves Citoleux

La délicate transition du système bancaire et financier

A l'image du système économique dans son ensemble, le système bancaire et financier a changé entre la fin des années soixante-dix et celle des années quatre-vingt : les autorités centrales ont perdu une partie considérable de leur capacité à mobiliser et redistribuer les ressources financières du pays, alors que les banques sont appelées à jouer un rôle décisif dans le financement de l'activité économique. De sérieuses tensions inflationnistes se sont fait jour au cours de cette phase de transition.

Jusqu'en 1978, le budget de l'État drainait la quasi-totalité des revenus des entreprises et, grâce à ces ressources, finançait l'essentiel des projets de développement dans l'industrie et les infrastructures du pays. Les réformes ont, au cours des années quatre-vingt, réduit son poids dans le financement de l'économie. Les entreprises conservent en effet désormais leurs bénéfices après impôts et les utilisent pour accroître les rémunérations du personnel ou financer leurs investissements et d'autre part, les banques dont les fonctions se limitaient jusqu'en 1979 à contrôler la régularité et conformité au plan des opérations des entreprises et à leur accorder des crédits de trésorerie, ont reçu le droit d'octroyer des prêts d'investissement.

En conséquence, le budget de l'État, qui couvrait en 1978 les trois quarts des investissements dans le secteur public, n'en finançait plus qu'un cinquième en 1986. L'autofinancement des entreprises et les crédits bancaires assurent ainsi l'essentiel des investissements publics. Leur orientation par secteurs comme leur répartition entre régions échappent désormais largement au contrôle des autorités centrales.

Le système bancaire a été réorganisé pour l'adapter à son nouveau rôle. Les fonctions de banque centrale et de banque commerciale qui étaient, jusqu'en 1983, cumulées par la Banque populaire de Chine ont été séparées : celle-ci conserve son rôle dans l'émission de monnaie, la définition de la politique de crédit, la tutelle des autres banques. Une Banque industrielle et commerciale a été établie pour gérer les dépôts des entreprises et leur accorder des crédits. Les institutions bancaires se sont diversifiées : la Banque de l'agriculture a été rétablie en 1979 et la Banque chinoise d'investissement en 1981 pour distribuer les prêts de la Banque mondiale ; la Banque de la construction gère les investissements budgétaires ; en 1986 a été créée la Banque des communications, première banque par actions dont le capital est détenu pour partie par l'État, pour partie par la municipalité de Shanghai. Par ailleurs, des corporations financières ont vu le jour (la plus connue est la China International Trust and Investment Company ou C I T I C), le plus souvent dans la mouvance des autorités locales et des banques ; leurs opérations s'apparentent à celles de banques d'affaires (emprunts, prêts, investissement, leasing).

L'émission d'obligations et d'actions offre aux banques, aux compagnies financières, et à certaines grandes entreprises les moyens de drainer l'épargne des ménages, grâce à des taux d'intérêt qui sont souvent le double de celui servi sur les dépôts d'épargne. Des embryons de marchés financiers existent dans certaines villes (Shanghai). Cette diversification des circuits financiers, dont une partie échappe au contrôle central, explique les difficultés que rencontrent les autorités pour contrôler le crédit et les investissements.

La décentralisation des ressources financières au niveau des entreprises et des autorités locales, les nouvelles possibilités de financement à crédit ont créé depuis 1978 des tensions inflationnistes permanentes.

L'augmentation des revenus de la population (surtout du fait des primes distribuées par les entreprises) entretient un décalage entre la demande et l'offre de biens de consommation, surtout lorsque, comme cela s'est produit en 1988, les ménages anticipent les hausses de prix et réduisent leur taux d'épargne. Les entreprises, elles, témoignent d'une propension permanente à sur-investir : sans règles comptables précises, sans contrainte financière rigide, sans réel risque de faillite, elles trouvent dans l'augmentation des productions et des emplois un objectif qui rejoint celui des autorités locales.

La réforme du système bancaire et financier trouve ainsi ses limites dans celle de la gestion des entreprises et des banques. Les instruments indirects de régulation de l'activité économique (taux d'intérêt, fiscalité) que le gouvernement tente de mettre en place se révèlent avoir peu de prise sur les comportements micro-économiques.

Françoise Lemoine

L'économie seconde, ou l'océan des illégalités

Depuis 1982, il ne se passe guère d'année sans qu'une campagne de « lutte contre les crimes économiques » ne soit orchestrée à grand renfort de publicité. Mais, indice de l'ampleur prise par la corruption et, plus généralement, l'*économie seconde*, le triomphalisme avait cessé d'être de mise dans celle lancée à la fin de l'été 1988. Symptomatique, par exemple, est le laxisme des mesures disciplinaires adoptées pour l'occasion à l'encontre des fonctionnaires concussionnaires : pour des malversations portant sur des sommes inférieures à 500 yuans, un simple avertissement ou, au pire, une rétrogradation.

Alors que l'on ne cache plus que les illégalités économiques de tous ordres sont devenues la norme occulte de la société, il eût été assurément irréaliste et hypocrite de paraître s'intéresser au menu fretin. C'est que, selon un sondage publié en juillet 1988, 64 % des directeurs d'usine estiment que le succès en affaires dépend de la qualité de ses « relations » (*guanxi*) et des « cadeaux » et « invitations » que l'on distribue. En revanche, 24 % d'entre eux seulement donnent la priorité à « la loi et la politique ». Ces légalistes exprimaient sans doute davantage un état d'esprit qu'un état de fait relatif à leur pratique professionnelle. Quoi qu'il en soit, tous les chefs d'entreprise interrogés étaient d'accord : le pot-de-vin et le dessous-de-table ne cessent de gagner en volume, en extension et en ostentation : ils ne sont plus seulement attendus, mais exigés et, dans leur composition, l'argent comptant et les appareils électroménagers ont détrôné les alcools et les cigarettes de luxe.

La collusion du bureaucrate et du marchand

A la source de ces abus, il y a la collision entre deux logiques économiques, celle de l'allocation administrative des ressources, autrefois d'application universelle, et celle du marché, qui a pénétré à présent tous les pores de la société (les réseaux d'échanges négociés entre entreprises représentaient, en 1987, plus de la moitié de la production industrielle). Ainsi, une même denrée renverra-t-elle couramment à deux prix, celui du marché et celui subventionné par l'État. Ces deux formes de la circulation des biens interférant l'une avec l'autre, les inconvénients du système « socialiste » s'ajoutent à ceux du système « capitaliste », pour constituer un cocktail inflationniste proprement explosif. S'exprimant par le canal du marché, la demande se trouve confrontée à une offre chroniquement déficitaire. Elle y engendre donc des prix très rémunérateurs, qui sont une incitation constante à distraire des biens distribués de façon planifiée et à les écouler par des circuits commerciaux. Ces derniers, en outre, se démultiplient à l'infini pour peu que, comme en 1988, l'économie traverse une période de surchauffe et de sur-investissement. Par exemple, une tonne de charbon mise en vente, alors, au prix de 17 yuans au Shanxi se retrouvait à l'arrivée, à Shanghai, facturée 100 yuans. Un autre cas bien documenté est celui des métaux non ferreux, dont la production, en 1988, est restée en permanence inférieure à la demande. Mais l'avidité des « compagnies » et autres « centres » gouvernementaux chargés de leur répartition a rendu leur prix si prohibitif que plus d'une usine, dont c'est la matière première, a été contrainte au chômage technique pendant plusieurs semaines. De source officielle, cette spéculation bureaucratique serait responsable des deux tiers d'une inflation dont on estime, tout aussi officiellement, qu'elle a été de 30 % pour les trois années 1986-1989 (mais, selon une autre évaluation, officielle bien que non publique, elle aurait été de 47 % pour la seule année allant d'octobre 1987 à octobre 1988).

Les détournements opérés par les « cadres » (*ganbu*), à titre privé (corruption) ou collectif (c'est-à-dire pour le compte des organismes locaux ou centraux qu'ils animent), se trouvent avoir ravivé cette collu-

sion du bureaucrate et du marchand qui avait contribué à affaiblir l'Empire mandchou à la fin du XIXe siècle et à discréditer le régime de Tchiang Kaï-chek pendant les années quarante. Sa nocivité, en outre, est comme accentuée par le fait que, à la différence de hier et d'avant-hier, la Chine de Deng Xiaoping est en proie à un capitalisme sans capitalistes, où les mêmes portent la casquette de l'entrepreneur et celle du fonctionnaire. Autre retour de la Chine au degré zéro de son histoire moderne, la spéculation bureaucratique a aussi déterminé une véritable féodalisation économique du Parti, dont les lignes de clivage principales ont, tout naturellement, épousé les contours des provinces.

Mélange des genres

La fraction réformiste de la direction tire argument de ces graves dérapages pour justifier la nécessité de sevrer non seulement l'État du Parti, mais aussi l'économie de l'administration. En effet, pour que la « compétition socialiste » et la course aux profits qui lui est associée puissent amorcer la spirale du développement, il faut que la distinction entre les capitaux publics, qui font l'objet d'une mise en valeur, et les fonds publics, qui correspondent à des dépenses de fonctionnement de l'État, soit solidement établie. Sinon, ce sont les fondements mêmes de l'économie qui risquent d'être sapés. Prenons une entreprise publique, tournée vers le marché et soumise à des contraintes techniques, commerciales et financières. En règle générale, elle se prolongera dans une « compagnie » tutélaire à caractère purement administratif et émargeant au budget de l'État. Cette imbrication du domaine de l'intérêt particulier (l'entreprise) et du domaine de l'intérêt général (l'administration) sert, bien sûr, de bouillon de culture à tous les abus possibles et imaginables : passe-droits faussant le jeu normal de la concurrence, détournement et des recettes publiques et des profits

BIBLIOGRAPHIE

FEWSMITH J., *Party, State and Local Elites in Republican China : Merchant Organization and Politics in Shanghai*, 1890-1930, University of Hawai Press, Honolulu, 1985.

GOLD Th., « After Comradeship : Personal Relations in China since the Cultural Revolution », *The China Quarterly*, n° 104, Londres, déc. 1985.

LIU Binyan, « Entre hommes et démons », *in* W. ZAFANOLLI (trad.), *La Face cachée de la Chine*, Éditions Pierre Émile, Paris, 1981.

MANN S., *Local Merchants and the Chinese Bureaucracy*, Stanford University Press, Stanford (Cal.), 1987.

WALDER A.G., « Wage Reform and the Web of Factory Interests », *The China Quarterly*, n° 109, Londres, mars 1987.

ZAFANOLLI W., « L'économie parallèle en Chine : une seconde nature ? », *Revue d'études comparatives Est-Ouest*, vol. 14, n° 3, Paris, 1983.

ZAFANOLLI W., « De la main visible à la main fantôme : la réforme chinoise à l'épreuve de l'économie parallèle », *Revue Tiers-Monde*, Paris, oct.-déc. 1986.

des entreprises à des fins purement spéculatives, etc. A la campagne, le pouvoir local demeure l'intermédiaire obligé permettant à la paysannerie de se procurer engrais, pesticides et équipements agricoles. Inorganisée et prise dans une relation paternaliste celle-ci est donc redevenue la victime désignée des exactions fiscales et commerciales qu'elle était autrefois.

Des années durant, le régime n'a voulu voir dans les phénomènes d'économie seconde qu'un problème de moralisation de la vie publique et il s'est essayé, en vain, à le résoudre par des opérations du type coups-de-poing idéologiques ou policiers. Mais, en 1988, on reconnaissait à Pékin qu'ils étaient de nature structurelle et qu'une réforme administrative, couplée à une refonte du système des prix, était la seule parade possible. A l'automne, cependant, un plénum du P C C (le 3e du XIIIe congrès) décidait un ajournement de la *perestroïka* chinoise et une recentralisation du pays, afin de juguler la crise qu'il connaît. Dans ces conditions l'avertissement lancé, à cette occasion, par Zhao Ziyang, secrétaire général du P C C donne bien la mesure de l'impasse où se trouve la réforme : « Tout en apprenant à nager dans la mer de l'économie de marché, nous devons prendre garde d'être engloutis dans le maelström de la corruption. » Après les tragiques événements du printemps 1989, la mise en garde a pris une valeur presque prophétique.

Wojtek Zafanolli

Le logement urbain en voie de privatisation

Tandis que le logement rural était essentiellement privé, le logement urbain est resté jusque dans les années quatre-vingt un bien non marchand, financé par les entreprises pour leurs salariés. Charge importante, puisque, de 1979 à 1987, la surface habitable est passée de 3,6 à 6,1 mètres carrés par tête avec la construction de 1,1 milliard de mètres carrés. Effort considérable mais inégalement réparti : les mal logés constituent toujours près d'un tiers de la population des grandes villes. A l'origine de cette situation, l'augmentation du nombre de citadins, due notamment au développement de l'industrie et des services, et le système de financement qui privilégie les salariés des grandes entreprises et institutions d'État.

Alors que l'essor de la construction rurale observable dans les années quatre-vingt repose sur une mobilisation sans précédent de l'épargne rurale (les dépenses en logement des ménages ont atteint 14 % en 1986 et le double dans les régions les plus riches comme Shanghai), la construction urbaine est financée entièrement à perte par les entreprises d'État. Les citadins ne consacraient que 2 % de leur budget au logement en 1986, soit une somme inférieure à leurs dépenses en cigarettes et boissons.

On estime généralement que 40 milliards de yuans sont affectés chaque année au logement urbain pour l'investissement et la maintenance, soit l'équivalent du quart de la masse salariale. Ces investissements/subventions bénéficient essentiellement aux 93 millions de salariés du secteur d'État, les entreprises collectives ne finançant pratiquement pas le logement de leurs 34 millions d'employés.

Le statut du logement renforce donc à la fois les écarts de revenus entre urbains et ruraux et les inégalités au sein des villes : les salariés du secteur collectif (entreprises gérées par les municipalités) constituent la majorité écrasante des mal logés. Ces disparités sociales sont accentuées par un système d'affectation du logement étroitement contrôlé par la hiérarchie bureaucratique. En 1985, alors que 20 % des familles occupaient plus de 10 mètres carrés par personne, 25 % d'entre elles devaient se contenter de moins de 4 mètres carrés. Inégalitaire dans son principe, le financement du logement urbain est un important facteur d'inflation : il réduit, par son ampleur, la marge bénéficiaire des entreprises d'État

(donc leurs investissements productifs) ou aggrave leurs déficits, imputés sur le budget de l'État.

Afin de corriger les effets pervers de ce système, les autorités ont expérimenté une réforme qui doit s'étendre à l'ensemble des villes entre 1988 et l'an 2000. Le principe général consiste à rentabiliser le domaine immobilier en privatisant massivement et de façon décentralisée les logements existants et à construire. Cette mesure pourrait concerner 1,2 milliard de mètres carrés. Dans le même temps, on entreprendrait un réajustement progressif des loyers, en fonction de leurs coûts réels, afin d'inciter les locataires à investir leur épargne dans l'accession à la propriété. Le loyer mensuel du mètre carré sera porté à 1 yuan, puis à 1,56 yuan. Les augmentations, compensées par l'émission de coupons-logement, ne pourront excéder localement le montant des subventions actuelles, soit 25 % de la masse salariale. Dans le cas où l'allocation de coupons serait supérieure aux besoins d'un ménage (trois salariés par logement ou logement trop exigu), les coupons pourront être épargnés en vue d'une acquisition ultérieure.

Cet important programme repose sur des bases fragiles : l'accession à la propriété dépend de la solvabilité des ménages, de la mise en place d'un circuit bancaire spécialisé octroyant des prêts à bas taux d'intérêt, du prix de revient des logements mis en vente et des garanties juridiques accordées aux acquéreurs potentiels. Les réactions à la réforme varient selon les situations des intéressés : les cadres y sont en général défavorables, dans la mesure où elle menace leurs acquis, les entrepreneurs privés la voient d'un bon œil, les salariés s'interrogent sur les modalités de son application et sur l'envol des prix de vente, qui ont doublé pour atteindre en 1989 plus de 1 000 à 2 000 yuans par mètre carré dans les grandes villes (logements neufs ordinaires). Les autorités centrales misent sur les effets déflationnistes de cette politique, qui permettrait de mobiliser l'épargne et de réduire la demande

BIBLIOGRAPHIE

LIN Zhiqun, « On the policy of housing commercialization », *Building in China*, n° 1, 1986.

LIU Jianjun, « Privatisation des logements urbains », *Beijing Information*, Pékin, 14.11.1988.

BARLOW M., *Urban Housing Reforms in China : A First Overview*, Working Paper, Banque mondiale, sept. 1988, 98 p.

FABRE G., *Le Financement du logement en Chine*, pré-étude, S C I C-A M O-D A E I, ministère de l'Équipement, Paris, juin 1988.

excessive en biens de consommation. Si elle peut remettre en cause les acquis sociaux de certains cadres et d'une partie des salariés, la réforme du logement ne contenait, au début 1989, aucun type de disposition visant à résoudre le problème des foyers mal logés à bas revenus, le souci principal des autorités étant d'asseoir l'effort de construction sur des bases financières saines.

Guilhem Fabre

Les «zones économiques spéciales»

Dans le cadre de sa nouvelle politique d'ouverture économique, le gouvernement chinois a décidé, au cours de l'année 1979, de créer quatre zones économiques spéciales (Z E S) pour servir de laboratoires aux opérations de coopération avec l'étranger. Elles sont toutes situées sur la façade maritime du pays, trois d'entre elles se trouvant dans la province de Canton, à proximité de Hong-Kong, la quatrième en face de Taïwan. Pour les mettre en situation d'attirer de l'étranger des capitaux et des technologies industrielles, pour les inciter à développer des activités exportatrices, les autorités ont pris une série de dispositions qui en ont fait des enclaves en territoire chinois : l'appareil administratif y a été allégé, la marge d'action des autorités locales accrue, et il y existe des possibilités étendues de dérogation par rapport aux réglementations en usage dans le reste de la Chine en matière d'embauche, de licenciement, de fixation des prix, etc. Les entreprises étrangères et les sociétés à capital mixte y jouissent d'avantages fiscaux. Les produits importés dans le cadre d'opérations internationales d'assemblage et de sous-traitance sont exemptés de droits de douane ; en outre, le gouvernement central laisse aux zones l'entière disposition de leurs revenus en devises.

L'activité de ces Z E S a connu des débuts difficiles et malgré des évolutions plus encourageantes, leurs résultats demeurent très en retrait des attentes des autorités chinoises. Éloignées des grands centres économiques du pays, dépourvues des bases industrielles et des infrastructures nécessaires, ces enclaves ont nécessité d'énormes investissements, accaparant, de 1979 à 1986, jusqu'au quart du budget d'investissement de l'État. Ces coûts sont loin d'avoir été compensés par les entrées de capitaux étrangers. Au cours de cette période, les Z E S ont accueilli pour environ 1,3 milliard de dollars d'investissements étrangers (leur montant total en Chine a été de 4,5 milliards) ; leur contribution à l'équilibre extérieur du pays demeure encore négative : bien que leurs exportations aient doublé entre 1986 et 1987, les Z E S représentent moins de 4 % des exportations du pays et enregistrent un déficit commercial de 400 millions de dollars. Leurs activités, dominées par le commerce d'entrepôt entre la Chine et les pays étrangers, par les opérations immobilières et touristiques, l'assemblage de produits électroniques, engendrent une forte demande d'importation.

L'essentiel (les trois quarts) de l'activité industrielle et commerciale des Z E S est en fait assurée par celle de Shenzhen, la plus grande en superficie et surtout la plus proche de Hong-Kong dont elle constitue l'arrière-pays. Ce sont en effet les sociétés de Hong-Kong qui sont à l'origine des trois quarts des investissements étrangers dans les zones économiques spéciales, comme dans l'ensemble de la Chine. Attirées par l'espace disponible et le bas coût de la main-d'œuvre, elles ont ainsi délocalisé dans la province limitrophe (celle de Canton) divers stades de fabrication de leurs industries manufacturières.

Un banc d'essai

Mais, pour les investisseurs étrangers, les conditions d'implantation se révèlent moins attractives que prévu : la main-d'œuvre y est peu qualifiée, alors que les salaires versés, rehaussés par des coûts cachés (assurances sociales et allocations diverses) atteignent deux à trois fois le niveau de ceux des régions voisines de Chine. Quant aux pesanteurs bureaucratiques, elles ont plutôt tourné au désavantage des Z E S où se retrouvent les antennes des multiples administrations locales et nationales.

En outre, les concessions fiscales et douanières offertes aux investissements étrangers dans ces zones tendent à devenir de moins en moins spécifiques. En effet, les zones économiques spéciales ont fait partie de la phase initiale d'ouverture de la Chine, et elles s'intègrent désormais à un dispositif plus vaste. Les autorités chinoises ont multiplié les zones à statut spécial : en 1984, quatorze villes côtières (dont les plus grands centres industriels du pays comme Tientsin, Pékin, Shanghai), ont été « ouvertes » et ont elles-mêmes créé leurs propres « zones de développement économiques et techniques » qui offrent aussi des conditions privilégiées aux investissements étrangers. Nombre d'entre elles ont l'avantage de disposer d'infrastructures industrielles, urbaines.

En février 1985, la décision a été prise d'« ouvrir » encore trois grandes régions (dont celle du delta du Yangsi autour de Shanghai, et du delta de la rivière des Perles autour de Canton). Après l'île de Hainan (août 1987), c'est en fait toute la façade maritime de la Chine qui est appelée, à terme, à fonder l'accélération de sa croissance économique sur l'intensification de ses relations commerciales et financières avec les pays étrangers, notamment ceux de la zone Asie-Pacifique.

Les quatre Z E S créées en 1979 ont amorcé l'ouverture. Elles ont en outre servi de bancs d'essais à des innovations, notamment dans la gestion des entreprises et la réforme foncière, qui ont ensuite été reprises au plan national.

Leur évolution rappelle ainsi celle qu'ont connue les zones franches d'exportation en Corée du Sud ou à Taïwan, qui ont eu un rôle marginal dans l'industrialisation mais qui ont constitué une expérience de libre-échange pour ces économies initialement très protégées ; elles ont perdu de leur dynamisme au fur et à mesure que le marché intérieur s'est développé et que l'économie s'est libéralisée. Un double processus dans lequel la Chine s'est engagée.

Françoise Lemoine

(Article paru dans L'état du tiers monde, *Éditions La Découverte, 1989.)*

RÉSURGENCE
DE L'ÉCONOMIE PRIVÉE

L'économie privée
dans les campagnes

La décollectivisation des terres et la libéralisation de l'économie rurale dans son ensemble (petites entreprises industrielles, commerciales, privées ou coopératives), introduites à partir de 1979, ont provoqué un véritable appel d'air dans les campagnes. La production s'est accrue, la diversification de l'économie rurale, déjà fortement engagée sous Mao Zedong, s'est épanouie, le marché du travail s'est élargi hors de l'agriculture.

Si désirables soient-elles, ces réformes ne pouvaient, à elles seules,
assurer *ad infinitum* l'essor de l'économie rurale. Depuis 1984, la production agricole de base plafonne, les importations de grains sont à nouveau en hausse. Si la nature a joué un rôle plutôt négatif entre 1985 et 1988, d'autres facteurs interviennent, impliquant les paysans aussi bien que les autorités.

La répartition des terres entre les familles se traduit par de très grosses variations de production et de revenu, compte tenu des surfaces disponibles localement, de la qualité des terres et de leur productivité, de la densité de population. Dans les montagnes et sur les plateaux du Nord et du Nord-Ouest, la taille relativement élevée des exploitations est trompeuse, car la nature impose de rudes contraintes à l'agriculture : hiver long et froid, pluies et neiges faibles, manque d'irrigation, érosion des sols.

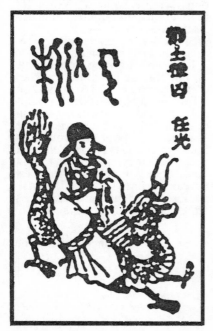

Contrastes régionaux

Ici, dans ce village sur les plateaux de Mongolie intérieure qui dominent le fleuve Jaune à 2 000 mètres d'altitude, chaque famille a reçu en moyenne 2,66 hectares de terre. Les rendements du blé n'ont guère varié depuis 1949. Moyennant des pluies généreuses, les paysans récoltent 750 kg/ha, chiffre qui peut tomber à 450 ou à moins en cas de sécheresse. Le long hiver interdit toute double récolte sur le même sol en une année. Le manque d'eau empêche ou réduit très fortement le recours aux engrais chimiques. Une famille de cinq personnes doit se contenter de 800 à 1 330 kg de blé par an, auxquels s'ajoutent quelques moutons et volailles. Une partie des hommes obtiennent un revenu complémentaire en ville, à 100 kilomètres, ou dans la construction des routes. Hommes et femmes vivent durement : vêtements rapiécés, habitat sommaire, nourriture tout juste suffisante, peu de biens semi-durables tels que bicyclette, transistor ou montre.

Là dans la plaine du Nord, au Hebei, dans un district typique des zones avancées, grâce à une bonne infrastructure (routes et électricité) et à l'irrigation (puits tubés à pompe) mises en place à l'ère Mao Zedong, le poids des hommes sur la terre (680 au kilomètre carré) se traduit par des exploitations de 0,4 à 0,5 hectare. Dans une famille de cinq personnes, grâce à l'irrigation et à un hiver moins long que plus au nord, ces paysans récoltent 1 400 kg de blé en juin, suivis par 2 000 kg de maïs en octobre. Autour de la maison, une dizaine de poulets et trois ou quatre porcs, dont deux vendus chaque année. Le père travaille à la morte saison comme porteur à la gare voisine. Parents et enfants jouissent d'une relative aisance : ils viennent de refaire leur maison, remplaçant les murs en pisé par la brique. Chacun dispose de plusieurs vêtements. On se passe la bicyclette commune et la mère répare les vêtements avec sa machine à coudre.

En Chine centrale et méridionale au climat plus doux et aux plus fortes pluies, les districts de plaine ont connu un fort développement du temps de Mao Zedong, grâce à l'irrigation par pompes notamment. Toutefois la pression des hommes sur la terre est lourde, de sorte que la taille des exploitations se situe entre 0,3 et 0,6 hectare (densité souvent de 500 à 700 au kilomètre carré). Deux belles récoltes successives de riz (décortiqué) assurent des rendements de 3 300 à 4 000 kg/ha par récolte, ce qui dégage un surplus vendu de l'ordre de 2 000 à 2 500 kg. S'y ajoutent les ventes de poulets et de quelques porcs. Ailleurs prédomine le coton (1 000 kg/ha de coton égrené) suivi par 3 000 kg/ha de blé, chiffres qui, même sur les petites surfaces disponibles, assurent un revenu relativement élevé. Les activités hors de l'agriculture jouent un rôle de plus en plus important : essor de la construction, petites entreprises de transport et de négoce avec un camion acheté d'occasion, petites industries de tout genre, dont certaines font de la sous-traitance pour des usines en ville.

Les progrès sont en revanche plus modestes dans les nombreuses régions montagneuses de Chine centrale et méridionale. Le rendement du riz baisse à 2 000 kg/ha ou parfois moins. Les activités hors de l'agriculture sont beaucoup plus limitées. Ainsi le revenu par tête tombe à 200-300 yuans par an, niveau précaire, contre 1 000 ou plus dans les districts de pointe [prix 1987].

Un échantillon révélateur des progrès à faire

De ce bref échantillonnage représentatif de la diversité des conditions de vie, il apparaît que les régions favorisées par la nature et qui avaient déjà connu un développement important sous le régime d'économie collective ont pu, grâce à la réforme, mieux utiliser leurs ressources humaines et naturelles. La production a augmenté sous l'aiguillon de l'intérêt personnel du paysan. En 1982, confiait un cadre dans un district du Guangdong, le repiquage collectif du riz prenait dix jours, contre quatre depuis le retour à l'exploitation privée. La diversification accélérée de l'économie rurale (petites industries, commerce, transports) a élargi le marché du travail, source de revenus additionnels. Ainsi, dans les districts avancés, la part de l'agriculture dans la production locale baisse en même temps que l'emploi hors de l'agriculture augmente, phénomène évident au niveau familial comme à celui, plus général, de l'économie locale. Lorsque ce schéma s'appuie sur une agriculture à haut, voire très haut rendement, malgré l'exiguïté des terres, le niveau de vie s'améliore de manière sensible.

La prospérité des districts avancés a des retombées non négligeables sur les districts plus pauvres, s'ils ne sont pas trop éloignés, notamment par l'attraction d'une partie de la main-d'œuvre. En revanche, cet effet « tache d'huile » connaît ses limites : zones reculées, mal équipées, défavorisées par la nature. C'est dans ces régions que se trouvent les quelque 70 millions de Chinois qui ne jouissent pas des rations alimentaires considérées comme minimales (200 kg brut de grain par an) : paysans en haillons, mendiants, familles subsistant tant bien que mal.

Depuis 1985, la situation est devenue délicate sous l'effet de l'inflation et du coût de la vie. Malgré diverses subventions, le paysan se plaint que les intrants indispensables à de hauts rendements (semences, engrais) sont devenus trop chers et que la part de son grain livré à l'État est achetée à un prix trop bas. Il a donc tendance à faire le gros dos et à rechercher des activités plus lucratives, notamment hors de l'agriculture, ce qui n'est pas possible partout.

Les paysans n'ont souvent pas les moyens de faire des investissements coûteux et à long terme, tels que remplacer une motopompe, acheter un nouveau tracteur (la plupart de ces équipements, collectifs à l'origine, ont été rachetés par eux à des conditions de faveur). De son côté, l'État, à la suite de la réforme de 1979, a beaucoup réduit ses investissements dans l'agriculture et dans les grands travaux hydrauliques.

Après une première étape réussie, les réformes du monde rural se heurtent donc à de sérieux problèmes technico-économiques. En 1988, le gouvernement a tenté d'augmenter les crédits aux paysans et les investissements dans l'agriculture, mais il manque d'argent. Des économistes préconisent aussi des regroupements d'exploitations, puisque certains paysans trouvent un emploi hors de l'agriculture et louent leur terre à d'autres : avec une surface de 1,3 hectare irrigué, l'exploitation serait mieux en mesure d'accroître ses investissements et sa production. Mais le problème de l'emploi rural devient à son tour préoccupant. L'arrêt de nombreux chantiers urbains en 1988 a renvoyé dans les campagnes les travailleurs venus en ville. Les mesures d'austérité vont en même temps restreindre l'essor des petites industries rurales. C'est toute la politique de rentabilité des exploitations familiales qui se trouve remise en cause, indirectement, par le freinage de la surchauffe de l'économie. Les conséquences des événements du printemps 1989 dans toute la Chine et les risques de retour à une période où l'idéologie du P C C reviendrait au premier plan ne peuvent qu'accroître l'inquiétude dans les campagnes.

Gilbert Étienne

La famille paysanne et l'entraide au cœur d'une autre économie

Le retour à l'exploitation familiale, qui a été le fait marquant des réformes agricoles engagées après 1979, a certes résulté d'une volonté politique mais il était aussi la manifestation éclatante d'une logique particulière à l'œuvre dans les campagnes, celle de l'économie paysanne.

Cette logique est étroitement liée

à la forte structure hiérarchique de la famille et à la solidarité qui unit ses membres par-delà les intérêts ou les conflits individuels. Le chef de famille, qui gère ordinairement le budget commun, est ainsi en position d'affecter des tâches particulières à chacun, sans que le travail donne lieu à une rémunération individualisée, tous participant à la distribution égalitaire des vivres et du vêtement opérée dans le cadre familial. C'est d'ailleurs le rôle de la belle-mère, dans le cas des familles étendues, de veiller jalousement à cette stricte égalité entre les ménages de ses belles-filles, et avec d'autant plus de parcimonie que celles-ci sont promptes à la jalousie et aux disputes.

Ce fonctionnement particulier de l'économie familiale permet ainsi de maximiser l'ensemble des ressources de l'exploitation par un meilleur partage des tâches et une affectation optimale des ressources, sans recherche individuelle de la part des membres de la maximisation de leur propre rétribution.

Les équipes de production avaient essayé autrefois de reprendre implicitement ce modèle, en voulant maximiser les récoltes ou le revenu commun, tout en pratiquant de fait une rémunération égalitaire par le biais des rations. Elles n'y ont point réussi, les groupes territoriaux que constituaient ces équipes étant incapables de susciter chez leurs membres ce renoncement des intérêts particuliers devant la communauté que l'on retrouve dans les groupes familiaux. Et c'est précisément sur la partie salariale (les points-travail) de la rémunération que les conflits n'ont cessé de se développer, menaçant l'équipe d'éclatement (comme avec les « contrats familiaux de production ») ou provoquant des reprises en main autoritaires, usant de la coercition politique.

La dissolution des équipes, observée pendant les réformes, était donc inscrite dans leur fonctionnement même, marqué des incompatibilités entre salariat, aussi partiel fût-il, et logique paysanne de l'économie. Mais cette impossibilité,

dans les villages, de substituer une solidarité communautaire supra-familiale aux intérêts particuliers des familles ne signifie pas individualisme forcené. Le développement des pratiques d'entraide dans les campagnes aujourd'hui décollectivisées le montre amplement.

L'entraide spontanée

Ces pratiques sont indispensables pour la bonne conduite des tâches agricoles et constituent de ce fait une dimension complémentaire essentielle de l'économie familiale. Une famille sur trois seulement disposant d'une bête de trait, des formules d'usage en commun se mettent en place. Certaines façons culturales, tels le repiquage ou la moisson, demandent à être faites rapidement et nécessitent plus de main-d'œuvre que n'en disposent les familles isolées. Des échanges de travail sont alors largement pratiqués. Les maisons qui se bâtissent un peu partout dans les campagnes exigent aussi l'aide des voisins pour le gros œuvre, les paysans ne pouvant payer que les matériaux de construction ou les services d'artisans spécialisés.

Les échanges qui sont alors pratiqués ne sont pas gratuits. Une journée de travail reçue devra être, tôt ou tard, rendue. Certes, entre bons voisins ou entre proches parents, les comptes ne seront pas aussi stricts qu'entre personnes éloignées : en fait, la fréquence et la variété des échanges ou menus services rendus impliquent à terme un équilibre global des prestations entre les partenaires de cette entraide de proximité. Mais toujours, que les comptes soient strictement équilibrés ou non, l'entraide, pour fonctionner, doit respecter une véritable réciprocité.

Cette entraide spontanée est de nature totalement différente de la coopération imposée naguère entre tous les membres de fait d'une équipe. Les partenaires se choisissent librement et le fonctionnement des échanges entre eux ne repose pas sur des règles explicites mais sur les « sentiments » (*ganqing*), sur la qualité des relations interpersonnelles qu'ils auront su développer. Les stratégies mises en œuvre dans la recherche de ces partenaires ne doivent en effet rien au hasard ou à la gratuité. Les bons « sentiments » devront avoir été cultivés de longue date par de menus cadeaux ou de petits services réciproques, entretenus par la sociabilité « chaude » de repas partagés (ainsi ces banquets offerts aux voisins venus aider à la construction de la maison…). De cette manière, le réseau de personnes ou de familles « obligées » ne saurait faire défaut le moment venu, sauf à perdre la face et s'exclure de la « communauté » des villageois. La fiabilité de ces réseaux d'échange est précisément mise à contribution dans les tonti-nes, ces sociétés informelles de crédit reposant sur la confiance réciproque et les obligations mutuelles existant entre leurs membres.

Cette sociabilité « médiate » (ne devant rien à l'immédiateté de relations spontanées), construite entre familles partenaires de multiples organisations d'entraide ou de coopération, fonde toute une économie informelle, capitale dans l'évolution que connaît le développement rural. Le rôle à nouveau prépondérant des familles dans ce développement trouve à la fois son dynamisme et ses limites : en effet, la modernisation n'implique-t-elle pas au contraire une formalisation, une impersonnalisation croissante des rapports économiques ?

Cheng Ying

Les tontines, une entraide pour le financement

Les tontines sont des associations de crédit mutuel et tournant. Leurs formes sont aussi diverses que leurs objets. Rudimentaires ou sophistiquées, on les trouve dans tous les pays d'Asie et d'Afrique. Elles participent au développement du secteur financier informel qui favorise un dualisme économique freinant la modernisation là où on n'a pas su les utiliser, les « bancariser » comme au Japon, en Corée du Sud ou à Taïwan.

Ces éléments expliquent la condamnation, aujourd'hui encore, en Chine de cette forme traditionnelle d'entraide (en 1965, des ouvriers pékinois organisateurs de tontines furent déportés). Associations de fait, elles agissent en dehors de toute réglementation et de tout contrôle. Associations financières, elles encouragent des entreprises pouvant s'opposer aux objectifs du Plan. L'accusation la plus étonnante, la plus injuste est de les assimiler à l'usure. Or, tontine et usure diffèrent fondamentalement. L'usurier est un prêteur, dernier recours des insolvables. Le tontinier est un emprunteur solvable, qui recourt à l'aide gratuite de ses pairs, lesquels deviendront successivement créditeurs, puis débiteurs. Si, à première vue, les taux d'intérêt semblent élevés, c'est oublier que la dette sociale du tontinier ne s'éteint pas avec la tontine ; il s'oblige à aider ses pairs en participant aux tontines qu'ils pourraient organiser dans l'avenir : chaque individu est alternativement tontinier et participant, secouru et secours : pertes et gains s'équilibrent donc *in fine*.

Dans des pays aussi développés que le Japon, la Corée du Sud et Taïwan, dotés de structures financières souples et diverses, nombre d'individus, faute de pouvoir/savoir en bénéficier, ont toujours re-

LE MÉCANISME D'UNE TONTINE						
Opérateur	Enchère retenue	Levée du tontinier	Levée n° 1	Levée n° 2	Levée n° 3	Levée n° 4
Tontinier	—	(400)	100	100	100	100
Participant n° 1	30	100	(310)	100	100	100
Participant n° 2	25	100	70	(350)	100	100
Participant n° 3	10	100	70	75	(390)	100
Participant n° 4	0	100	70	75	90	(400)

Les valeurs entre parenthèses représentent les montants perçus.

cours aux tontines. Une légende fait remonter à Wang Anshi (1021-1086) leur apparition. Ce réformateur, afin d'alléger les charges des paysans et lutter contre l'usure, instaura des prêts d'État à intérêt modique et des offices de prêts sur gages ; malgré cet effort, nombre de paysans ne purent bénéficier de ses réformes et auraient alors inventé les tontines. L'intérêt de cette légende est de mettre l'accent sur l'achoppement de toute réforme financière dans une économie dualiste : la réforme, en améliorant les canaux financiers, répond aux besoins des uns, mais oublie les autres ; en voulant moraliser certaines pratiques, elle ferme pour certains les possibilités d'accès au crédit et génère des pratiques encore moins « morales ».

Dans la formule la plus classique de tontine par enchères, le tontinier sollicite un prêt financé à parts égales par plusieurs participants qui versent leur apport lors de la réunion constituante. Lors des réunions suivantes commencent les remboursements du tontinier ; des enchères décident de celui qui est remboursé et qui bénéficie à son tour d'un prêt, et ainsi jusqu'à remboursement total de l'emprunt du tontinier. Dans le cas le plus courant, la somme levée par l'enchérisseur le plus offrant est égale au remboursement (égal à la mise initiale) du tontinier, auquel s'ajoute le remboursement (égal à la mise initiale) de chacun des participants ayant déjà levé la tontine, et le versement, par chacun des participants n'ayant pas levé la tontine, d'une somme égale à la mise initiale, déduction faite du montant de l'enchère personnelle de l'enchérisseur le plus offrant.

Les remboursements périodiques du participant qui lève la tontine seront égaux au montant de la mise initiale.

Les tontines avec enchères connaissent nombre de variantes. Les enchères, au lieu d'être déduites des versements, pourront s'ajouter aux remboursements. Le tontinier ne sera pas toujours l'initiateur de la tontine, ce sera un individu sollicité pour ses qualités, ou encore l'un des participants élu par ses pairs (il aura alors le même statut que les autres participants et enchérira au même titre qu'eux pour lever la tontine).

Thierry Pairault

LES SECTEURS CLEFS DE L'ÉCONOMIE

Les défis posés à l'agriculture

Le défi auquel l'agriculture reste encore confrontée est celui de nourrir une population très dense, toujours plus nombreuse, sur un terroir limité. Avec officiellement 96 millions d'hectares cultivés (en réalité 125 à 130 millions d'hectares d'après les photos prises par satellite), ce terroir n'occupe que 10 % de la superficie totale et il n'est guère extensible. En fait, il diminue même chaque année de quelque 500 000 hectares, les emprises des infrastructures, de l'habitat ou de l'industrie dépassant les gains marginaux des défrichements, opérés pour l'essentiel en Mandchourie.

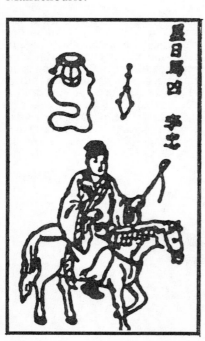

Pour nourrir ainsi environ dix personnes par hectare cultivé, cette agriculture est donc principalement céréalière : les « grains » (tubercules compris) occupent les trois quarts de la superficie récoltée totale et constituent encore 85 % de la ration calorique des Chinois (2 500 calories par personne et par jour, ce qui est satisfaisant). Ce niveau de l'alimentation est assurément une victoire pour une agriculture dont le croît des grains, depuis près de quarante ans, a été globalement supérieur à un croît démographique pourtant élevé (2,7 % par an en moyenne de 1952 à 1987 pour les grains, contre 1,8 % pour la population).

Il s'agit cependant d'une victoire récente. Au cours des vingt ans de la collectivisation, cette ration est restée stagnante autour de 2 000-2 100 calories, les disponibilités annuelles brutes de grains *per capita* n'arrivant guère à décoller au-delà des 300 kg (*voir tableau*). Le décollage date, en fait, de la décollectivisation qui a permis à la fois une forte élévation des disponibilités de grains, approchant maintenant des 400 kg *per capita*, et un doublement de la ration de viande (près de 15 kg de viande rouge par personne et par an en 1987).

Ce décollage reste toutefois fragile. Pour des raisons tenant essentiellement au niveau des prix [*voir article sur les réformes agricoles*], les récoltes de grains ont stagné autour de 400 millions de tonnes au cours de la seconde moitié des années quatre-vingt. Leur accroissement futur est-il assuré ?

Accroître les rendements

Le niveau apparemment élevé des rendements du riz (55 quintaux de paddy par hectare récolté, le riz constituant 45 % des récoltes de grains) ou de blé (30 quintaux par hectare, 20 % des récoltes) semblerait ne laisser guère l'espoir de progrès ultérieurs rapides. Cependant, ces chiffres officiels de rendements sont probablement surévalués du fait de la sous-estimation des surfaces cultivées, et des augmentations substantielles restent encore possibles.

Ce qui frappe en effet, c'est, indépendamment de leur niveau absolu, que la progression très rapide de ces rendements au cours de la révolution verte (doublement pour le blé, augmentation de 50 % pour le riz entre 1957 et 1978) ait été maintenue (croît de moitié pour le blé, du tiers pour le riz entre 1978 et 1987). Or les sources de progrès qui ont été celles de la révolution verte ne sont pas encore épuisées.

Avec environ 150 kg d'éléments fertilisants par hectare cultivé, en tenant compte du terroir réel, le niveau actuel de fertilisation chimique n'est pas très élevé comparé à celui du Japon (près de 400 kg). Il peut donc être encore augmenté et surtout amélioré : la moitié des engrais azotés, produits par de petites usines locales, sont de mauvaise qualité et pourront être avantageu-

LES INÉGALITÉS DANS L'AGRICULTURE

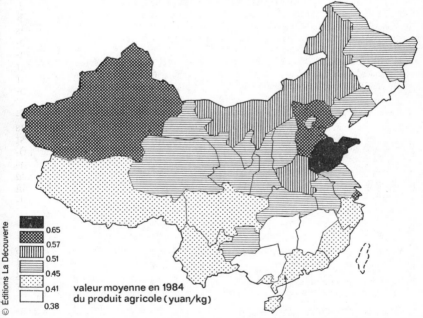

0.65
0.57
0.51
0.45
0.41
0.38

valeur moyenne en 1984 du produit agricole (yuan/kg)

Les résultats de l'effort des paysans, toutes productions confondues, se mesurent aujourd'hui, de plus en plus, en valeur. Il ne suffit pas de produire beaucoup, en poids, comme ce fut le cas jusqu'au début des années quatre-vingt pour la culture obligatoire des céréales, pour devenir riche. Cultures commerciales, cultures maraîchères, cultures d'oasis rapportent plus, dans la Chine d'aujourd'hui, que les cultures tropicales, ce qui fournit à la fois des indications générales sur la politique des prix agricoles et sur l'avantage décisif que possèdent les paysans qui sont proches des zones industrialisées et fortement urbanisées.

P.G.

sement remplacés par de l'urée ; le déséquilibre de la fumure par manque d'engrais phosphatés et de potasse devra être par ailleurs corrigé, le rééquilibrage pouvant ainsi compenser le rendement décroissant des applications sans cesse plus massives de la fumure chimique.

Dans le domaine des semences améliorées, la continuité retrouvée de la recherche agronomique offre les plus grands espoirs. Déjà les riz hybrides, qui occupent maintenant le tiers des rizières, ont pris le relais des variétés croisées, naines, qui ont fait le succès de la Révolution verte des années soixante et soixante-dix. Par ailleurs, les recherches qui ne concernaient essentiellement que les céréales hautement productives que sont le blé, le riz ou le maïs, commencent à être étendues aux céréales secondaires, aux tubercules et au soja où de forts potentiels de croissance pourront ainsi être développés.

Le facteur limitant demeurera certainement l'irrigation. Après la restauration des anciens réseaux d'irrigation dans les années cinquante et la mise en valeur ultérieure des eaux souterraines de la plaine du nord de la Chine (10 millions d'hectares irrigués gagnés par le creusement d'un million de puits tubés entre 1965 et 1975), le périmètre irrigué stagne depuis la fin des années soixante-dix (moins de la moitié de la superficie cultivée) et ne peut plus guère être augmenté. Sauf efforts gigantesques, tel le projet de dérivation vers le nord des eaux du Yangzi, qui ne sont pas prêts d'être réalisés, l'essentiel de la croissance céréalière devra donc être concentrée dans les zones irriguées actuelles, déjà privilégiées, accroissant d'autant les disparités régionales existantes.

Développer l'élevage

Or, la tâche de l'agriculture ne sera pas seulement de maintenir les disponibilités en grains à leur niveau actuel mais, plus encore, de les augmenter pour dégager les ressources fourragères nécessaires au développement de l'élevage. En effet, le fait nouveau dans l'alimentation a été le fort accroissement de la consom-

CROISSANCE DE L'AGRICULTURE CHINOISE 1957-1987			
	1957	1978	1987
Population totale (million)	647	963	1 081
Croît annuel moyen (%)		1,9	1,3
Grains récoltés (millions de t.)	191 [a]	305	405
Croît annuel moyen (%)		2,3	3,2
Grains réc./pers. [b] (kg bruts)	295	317	375
Riz, quantités récolt. (millions de t.)	87	137	174
Rendement (tonnes/ha réc.)	2,7	4,0	5,4
Blé, quantités récolt. (millions de t.)	24	54	88
Rendement (tonnes/ha réc.)	0,9	1,9	3,0
Coton, quantités récolt. (millions de t.)	1,6	2,2	4,2
Rendement (tonnes/ha réc.)	0,3	0,4	0,9
Ration calorique (cal./pers./jour)	2 000	2 100	2 500
Viande rouge (kg/pers./an)			
— Ration rurale	5	6	12
— Ration urbaine	8	16	22

a. chiffre corrigé (tubercules comptés au cinquième de leur poids ; b. en kg bruts.

Source : Bureau national statistique et estimations non officielles.

Paysans de quarante siècles

A la fin des années quatre-vingt, 80 % des Chinois vivaient encore dans les villages et les bourgs ruraux qui forment un semis dense dans les plaines, vallées et basses collines. Leur nourriture se composait à 60 % de céréales, tubercules et légumes. Civilisation du végétal, la Chine possède une économie agricole particulière, fondée sur la culture du champ (agriculture) : l'animal n'y apparaît que pour le trait ou le portage. La présence, dans chaque ferme, d'un ou plusieurs cochons, de poules et de canards, renforce ce caractère. Ce mode de vie où la terre est possession ancestrale, la richesse du sol objet de soins constants, a façonné les paysages en régions agricoles stables. C'est pourquoi, entre la carte de J.-L. Buck de 1937 et celle de Deng Jinzhen en 1963, il n'y a pas de différence majeure.

En 1988, après avoir été spoliées pendant la collectivisation (1958-1982) d'un héritage millénaire et des tombes de leurs ancêtres censées assurer la fertilité du sol, les familles paysannes ont retrouvé leur liberté de décision. Elles ont reconstruit les tombeaux de l'ancien temps, et adapté leurs cultures aux besoins variés des temps modernes. Mais, pour l'essentiel, la base de cultures céréalières n'a guère varié. Le gouvernement, qui a besoin des céréales pour assurer une vie décente aux populations et éviter les famines, y a particulièrement veillé, malgré les erreurs de gestion et une impopularité croissante.

L'agriculture, malgré quarante années de « modernisation » (1949-1989) demeure pour l'essentiel ce qu'elle fut, une grosse consommatrice de travail humain. La disparition des communes populaires en 1982-1984 a réactivé dans les campagnes les systèmes d'échanges traditionnels, marchés ruraux périodiques, petits bourgs, foires. De même, s'est reconstitué le fonctionnement des provinces en grands ensembles. La Chine de l'Est est naturellement divisée par les fleuves en neuf grandes régions dans lesquelles la topographie joue un grand rôle. Les zones planes, fluviales, lacustres, côtières, sont densément peuplées. Les chaînes de montagne constituent des limites « naturelles », dans le sens où elles se prêtent mal à l'installation en masse de paysans riziculteurs. Les grands ensembles regroupent sur les meilleures terres les hommes occupés à l'agriculture, leurs villages, les bourgs et les villes qui les organisent et assurent l'armature des transports et des investissements de la vie régionale, les capitales enfin qui concentrent richesse, pouvoir, et bases du développement.

Pour chacune des grandes régions où la plus grande fertilité et accessibilité des basses terres (donc en partie la topographie naturelle) a permis la production de richesses avec une meilleure productivité — cette productivité assurant la survie d'un nombre croissant d'hommes —, on peut distinguer un noyau central et une périphérie. Le relatif isolement dans lequel chacune des grandes régions a pu fonctionner au cours de l'histoire, même la plus récente, en unités non pas autonomes, mais ayant leur dynamique propre, a fait que les avancées des unes ont quelquefois correspondu au déclin des autres. Ainsi, au milieu du XIXᵉ siècle, la basse vallée du Yangzijiang était incomparablement plus adonnée au commerce et à l'artisanat, ainsi que la côte et même le Sud du pays, alors que le Nord et l'Ouest étaient bien loin en arrière. Tout ceci doit faire comprendre qu'il est très difficile de parler de l'économie et de la société de la Chine comme d'un tout.

Pierre Gentelle

La pêche : problèmes d'eau douce

Crustacés et poissons, traditionnellement, constituent un aspect important de l'alimentation, et servent à équilibrer le manque en protéines animales qui caractérise la diète chinoise, fondée sur les céréales. Vers 1975, la production aquatique dépassait les sept millions de tonnes. Une exploitation peu soigneuse des zones de pêche maritime et l'abandon des pratiques collectives dans les rivières et les lacs ont fait diminuer les prises de poissons libres. La pisciculture et l'aquaculture ont remplacé la pêche au naturel, mouvement engagé dès le début des années soixante par la sédentarisation forcée des familles spécialisées dans la pêche et vivant sur leurs sampans.

Le premier traité d'élevage des poissons de rivière date de 473 av. J.-C. Écrit par un certain Fan Li, il décrit nombre d'usages encore pratiqués aujourd'hui sur les 5 % des vingt millions d'hectares d'eaux continentales utilisables pour l'aquaculture. De 4 millions de tonnes en 1970, la production, après le pic de 1975, est tombée à 2,25 millions de tonnes en 1984, dont 1,8 obtenu artificiellement. La dégradation de l'environnement, la pollution généralisée des rivières et des lacs par une industrie pressée de produire sont les principaux responsables de cette baisse.

Pour la pêche en mer, toujours insuffisamment équipée en chalutiers et filets modernes, les prises ont lieu essentiellement tout près des côtes, qui sont aujourd'hui excessivement exploitées au point que de nombreuses espèces ont presque disparu des prises des pêcheurs. Le long des 5 770 kilomètres de côtes, les pêcheurs chinois, sur leurs chalutiers modernes ou leurs jonques motorisées, ont pêché 3,9 millions de tonnes en 1984, dont 0,6 dans les zones d'aquaculture.

Hong Yu

mation de viande, consécutif à l'augmentation des revenus. Si les paysans ont ainsi doublé leur ration carnée, son niveau n'est encore que moitié de celui des urbains [*voir tableau*]. Il est vraisemblable que cette consommation s'élèvera encore davantage.

La part des grains fourragers, qui représentent déjà près de 20 % des disponibilités totales de grains, est donc appelée à augmenter considérablement. Si l'on ajoute à cette augmentation celles provenant de la croissance démographique et si l'on tient compte de l'amenuisement des superficies cultivées, il faudra au minimum un croît moyen des rendements céréaliers de plus de 3 % par an d'ici l'an 2 000 pour obtenir à cette date une ration de viande de 30 kg par personne et par an. Or le croît des rendements des grains a été précisément de 3 % par an en moyenne de 1957 à 1987 : il n'est pas certains qu'un tel rythme de croissance puisse être maintenu, même si le problème des prix était résolu, et l'on ne peut donc exclure

à terme des importations massives de céréales ou d'aliments du bétail.

L'avenir, pour l'agriculture, sera peut-être de tourner cette contrainte céréalière par une diversification accrue des productions. Déjà des élevages industriels de poules et poulets, plus efficients que le porc pour la transformation des grains, commencent à compléter la part protéique des rations : on a consommé ainsi en moyenne, en 1987, 6 kg d'œufs ou de volailles par personne contre 2 kg seulement en 1977. La pêche et la pisciculture, que l'on peut développer encore davantage, ont apporté aussi plus de 5 kg de poisson par personne en 1987...

La diversification pourra consister aussi dans le développement de cultures de rapport pour l'exportation, fournissant les devises nécessaires à l'importation des céréales. Déjà les provinces méridionales du Fujian et du Guangdong produisent en abondance des fruits et agrumes, dont une partie non négligeable est exportée. Plus important encore, le coton, avec une politique de prix adéquate, pourrait augmenter immédiatement sa production de 50 % (retrouvant alors son niveau record de 1984) et satisfaire à la demande croissante de l'industrie textile qui génère déjà le quart des recettes à l'exportation.

En définitive, ce ne sont pas les contraintes physiques, pourtant considérables, pesant sur son terroir, qui seront déterminantes pour l'agriculture, mais bien plus les

aléas d'une politique incertaine et d'un système économique en pleine mutation. De ce point de vue, la crise qu'elle traverse actuellement avec le plafonnement de ses récoltes souligne, de façon négative, le rôle essentiel que devra jouer en effet une politique des prix et du crédit suffisamment habile pour stimuler les nombreuses ressources agricoles dont la Chine dispose encore.

Claude Aubert

De l'industrie lourde à l'industrie légère

L'héritage de l'implantation des puissances (occidentales et japonaises), entre 1840 et 1937, la mise en œuvre du premier plan quinquen-

nal (de type soviétique) par la République populaire de Chine (R P C) de 1953 à 1957 et la « politique d'ouverture » pratiquée à par-

INDUSTRIE LÉGÈRE ET INDUSTRIE LOURDE

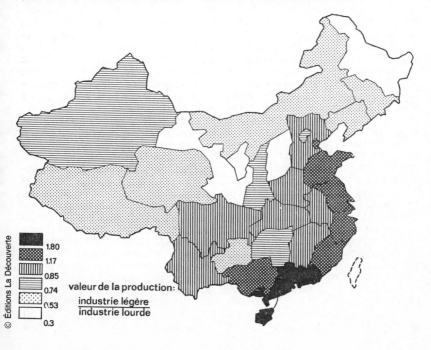

1.80
1.17
0.85
0.74
valeur de la production:
0.53
industrie légère
industrie lourde
0.3

tir de 1980 constituent des temps forts qui ont façonné la géographie industrielle du pays. L'héritage occidental et japonais s'est traduit par un déséquilibre excessivement marqué entre une immensité intérieure délaissée et une façade littorale concentrant activités industrielles, portuaires et ferroviaires ; Shanghai en était le fleuron qui a concentré 60 % des emplois industriels en 1948... La R P C, au cours du premier quinquennat, s'est efforcée de corriger un tel déséquilibre par l'industrialisation des capitales provinciales et surtout par l'équipement de « pôles industriels » fondés sur l'industrie lourde. Le goulet d'étranglement des transports, le caractère dogmatique de l'industrialisation lourde, le poids formidable de l'héritage littoral mais aussi les cataclysmes du Grand bond en avant puis de la « révolution culturelle » ont fait que, malgré des réalisations effectives, le déséquilibre primitif persistait encore au cours des années soixante-dix. Déséquilibre qui va alors *fonder* la nouvelle politique entreprise à partir de 1980 : s'appuyer précisément sur le développement de la façade littorale, pour induire un effet de « boule de neige » capable de « tirer » le pays dans son ensemble. Politique qui consiste également, les deux processus sont liés, à ouvrir aux investissements et implantations étrangers quatre « zones économiques spéciales » (Z E S, *jingji tequ*) littorales, dans un premier temps (1980) puis, en 1984, l'île de Hainan (devenue à la fois province et Z E S en 1988) et quatorze villes côtières, en 1985 les deltas du Changjiang, de la rivière des Perles et du triangle littoral Xiamen-Zhangzhou-Quanzhou au Sud-Fujian, enfin en mars 1988, la péninsule du Liaodong (province de Liaoning).

Ainsi, la géographie industrielle se caractérise par un devenir où dominent Shanghai, le centre du Liaoning et Pékin-Tianjin-Tangshan, trois foyers d'une façade littorale où s'élaborent par ailleurs des poches industrielles — les zones économiques spéciales et des pôles industriels — les principaux ports

— tandis que dans l'intérieur se dessinent deux grands axes industriels qui épousent le tracé du fleuve Jaune et du Changjiang et que se développent — inégalement — divers centres industriels dont l'origine remonte essentiellement au premier quinquennat.

Trois foyers industriels

Shanghai, le cœur du Liaoning et Pékin-Tianjin-Tangshan totalisaient, en 1986, 15 % des entreprises industrielles d'État et plus de 25 % de la valeur brute de la production industrielle nationale.

Shanghai, ses sept villes satellites et les villes de sa mouvance, Wuxi et Suzhou notamment, élaborent ensemble plus de 20 % de la valeur de la production industrielle et la valeur ajoutée par tête y est cinq à six fois plus élevée que la moyenne nationale. Foyer industriel majeur, Shanghai est aussi le plus diversifié du pays : sidérurgie sur l'eau, construite par le Japon, à Baoshan ; pétrochimie à Jinshanwei, avec la plus grande raffinerie de Chine ; électronique, ordinateurs, assemblage d'avions MD-82 (le plus important transfert de technologie en Chine) ; en valeur, le textile (18 %) vient en tête (comme au début du siècle...) suivi par les constructions de machines (14 %), les industries électriques et électroniques (12 %) et la chimie (11 %).

Le cœur du Liaoning constitue en revanche la base lourde du pays. C'est un héritage du Japon des années trente. Dans un rayon de 50 à 100 kilomètres autour de la capitale, Shenyang, grand centre de constructions mécaniques, sont implantés notamment le combinat sidérurgien d'Anshan, les charbonnages et la chimie lourde de Fushun, les charbonnages et la sidérurgie de Benxi, le premier complexe de fibres synthétiques de Liaoyang (réalisation française). Au total, sidérurgie et pétrochimie sont au premier rang en valeur : 13 % chacun.

Le troisième foyer est en cours

d'organisation. Tangshan en est la base lourde, Tianjin la ville portuaire dotée d'industries textiles (15 %), de constructions mécaniques (9 %) et Pékin le cœur dynamique où les fonctions tertiaires sont doublées d'activités industrielles, notamment les constructions mécaniques et automobiles (18 %), la pétrochimie (14 %) desservie par oléoduc en provenance de Daqing, et les industries textiles (coton et laine 8 %).

Pôles et poches d'industrialisation

Les autres ports principaux constituent des centres industriels secondaires. *Dalian*, à la pointe de la péninsule du Liaodong, le port le plus moderne de Chine, doté des chantiers navals les plus importants après ceux de Shanghai et équipé d'industries mécaniques et prétrochimiques (oléoduc de Daqing). *Qingdao*, sur la côte méridionale du Shandong, avec des installations portuaires en plein développement, des industries textiles et alimentaires (une bière fameuse), la construction de locomotives et de pneumatiques. *Canton*, la métropole du sud, souffre d'un site malcommode qui handicape fort sa fonction portuaire, et d'une pénurie régionale d'énergie. Toutefois, à ses activités traditionnelles — soie, industries alimentaires — sont venues s'ajouter pétrochimie et constructions automobiles (Peugeot). *Shenzhen* (327,5 kilomètres carrés) à la frontière de Hong-Kong, *Zhuhai* (15,16 kilomètres carrés) attenant à Macao, *Shantou* (22,6 kilomètres carrés) sur le port du même nom à l'est du Guangdong et *Xiamen* (131 kilomètres carrés) sur le port du même nom du Fujian, ces zones économiques spéciales créées en 1980 sont des éléments particuliers, « poches » et non centres ou foyers industriels puisqu'elles ont été conçues pour être ouvertes sur l'extérieur, recevoir capitaux et technologies étrangers et exporter

les produits finis et demeurer fermées au continent. Plus d'un milliard de dollars y ont été effectivement investis, de 1979 à 1985, dont 70 % à Shenzhen, capitaux originaires de Hong-Kong destinés aux fabrications textiles, électroniques de consommation, alimentaires et à l'immobilier.

Deux grands axes

Vers l'intérieur, les grands axes ferroviaires qui accompagnent le tracé du *fleuve Jaune* desservent de grandes et moyennes villes qui sont autant de centres industriels équipés dès le premier quinquennat ; d'aval en amont Jinan, capitale du Shandong (textiles et camions) ; Zhenzhou, capitale du Henan (textiles et matériel ferroviaire) ; Luoyang, antique capitale des Han, devenue producteur de tracteurs et de roulements à billes ; Xi'an, prestigieuse capitale des Tang, grand centre d'industries textiles, électroniques et aéronautiques ; Lanzhou, capitale du Gansu, pétrochimie et

Shanghai

© Éditions La Découverte

────── BIBLIOGRAPHIE ──────

Encyclopedia of New China, Édition en langues étrangères, Pékin, 1987.

GENTELLE P., *Géographie de la Chine*, PUF, Paris, 1980.

GENTELLE P., *Chine, un atlas économique*, Fayard-Reclus, Paris, 1987.

Phan NHAY , « Ouverture de la Chine : la troisième vague », *Le Courrier des pays de l'Est*, n° 330, Paris, juin 1988.

PAIRAULT Th., « Industrialisation : un nouveau dualisme », *Le Courrier des pays de l'Est*, n° 298, Paris, sept. 1985.

TROLLIET P., *La Chine et son économie*, A. Colin, Paris, 1981.

électrométallurgie (barrages du haut fleuve Jaune).

La magnifique artère fluviale du *Changjiang* constitue un autre axe privilégié où dominent les ports de Nankin, avec pétrochimie et industries mécaniques et électroniques, de Wuhan avec sidérurgie, industries mécaniques et chimiques.

Hors de ces deux axes, les industries de la Chine profonde sont domiciliées soit dans les principales capitales provinciales comme Chengdu (Sichuan) un des principaux centres d'industries électroniques du pays, Kunming (Yunnan) pour le traitement des métaux non ferreux, Taiyuan (Shanxi) pour la sidérurgie, la mécanique lourde et la chimie, etc., soit sur des sites surgis *ex-nihilo* mais pour lesquels la proximité de matières premières a permis l'édification de bases lourdes comme Baotou sur la bouche du fleuve Jaune, ou Dukou aux confins du Sichuan et du Yunnan.

Pierre Trolliet

Les transports, de la palanche à l'avion gros porteur

On sait depuis longtemps que les dimensions continentales de la Chine confèrent aux transports une importance particulière. On ne saurait sous-estimer cependant le fait que les transports reflètent on ne peut mieux le caractère bisectoriel de l'ensemble de l'économie : cohortes de femmes employées sous la palanche, charrois attelés d'équidés divers, motoculteurs convertis en tracteurs, mais aussi autocars climatisés importés du Japon, locomotives Alsthom dernier cri, flotte de Boeing de tous types. La mesure de l'économie des transports, qui ne s'applique qu'au secteur moderne, ne doit pas faire oublier tout le secteur traditionnel, dont l'importance *locale* est considérable, surtout depuis que la décollectivisation de l'agriculture et l'encouragement à l'initiative privée ont lancé sur les chemins et sur les routes une multitude de nouveaux « entrepreneurs de transports »…

Les *transports ferroviaires* tiennent la première place, sur un réseau engorgé, pourtant passé de 22 000 km en 1950 à 53 000 km en 1987 ; effort remarquable, mais insuffisant, qui a désenclavé l'intérieur, notamment le Sichuan et ses cent millions d'habitants et les immensités périphériques. Ce réseau ne compte que 4 400 km électrifiés (réseau montagnard du Sichuan surtout). Le rendement énergétique de la traction-vapeur étant faible, la vitesse moyenne est de 30 km/h. De plus, 20 % seulement du réseau est à double voie, ce qui n'améliore

Année	Passagers (milliards km) Rail	Fret milliards de tonnes/km			
		Rail	Voies d'eau	Route	Air
1977	102	457	276	25	0,10
1987	283	945	843	36	0,65

Source : *Annuaire statistique de Chine*, Pékin, 1988.

pas les cadences de croisement ! Enfin, une densité de six kilomètres de voies pour 1 000 kilomètres carrés (80 en France) achève de faire du réseau ferré chinois le réseau le plus engorgé du monde.

Dans ces conditions, les autorités ont accordé la priorité, d'une part, à la rénovation d'anciennes lignes sur des axes importants — achèvement du doublement de l'axe Pékin-Canton, et Canton-Shenzhen —, d'autre part à l'électrification des tronçons Zhengzhou-Baoji et Taiyuan-Datong (gisements houillers du Shanxi).

On peut difficilement mesurer l'importance des *voies d'eau* parce que les chiffres publiés confondent fret fluvial (30 %) et fret maritime (70 %). Or, la majeure partie de ce dernier concerne le commerce extérieur. Mais comme on y ajoute une part non précisée de cabotage, qui pallie l'engorgement du réseau ferroviaire, il est bien difficile de dresser un bilan précis. L'ouverture au commerce international a entraîné un fort accroissement de la capacité des ports maritimes (elle est passée de 198 millions de tonnes en 1978 à 380 millions de tonnes en 1986, dont 126 pour Shanghai) mais l'ensemble est à peine supérieur à la capacité du seul port de Rotterdam... Le retard accumulé depuis 1950 dans l'équipement portuaire est vertigineux : les équipements pour conteneurs desservent moins de 1 % du fret étranger et plus du quart des mouillages en eau profonde n'a été aménagé qu'après 1981. La navigation intérieure, quant à elle, disposait en 1987 de près de 110 000 km de voies navigables, dont 34 000 km de canaux (Jiangsu et Zhejiang essentiellement).

C'est bien peu par rapport au potentiel, cette navigation intérieure restant excessivement concentrée sur le seul bassin du Changjiang (80 % du trafic total). En revanche, le tiers à peine de l'ensemble du réseau intérieur admet des bateaux de plus de cinquante tonnes ; la batellerie reste traditionnelle, haute en couleurs, mais son parcours moyen n'excède pas 170 km...

Autant la navigation maritime et fluviale peut être rattachée à une haute tradition, autant le réseau et les *transports routiers* sont à l'état naissant. 30 000 km de routes de première et deuxième catégories sur un total de 980 000 km, d'où un trafic et un fret négligeables. On comptait 17 000 camions et bus privés en 1982, 220 000 en 1985 ; en outre, à cette date, deux millions de motoculteurs servaient de tracteurs, sans compter les innombrables charrois. Signe des temps, les premiers tronçons (20 à 30 km) autoroutiers sont en construction à la mi-1989 à Shanghai, Canton, Xi'an, Hefei (capitale de l'Anhui).

C'est assurément le *réseau aérien* qui a connu le développement le plus spectaculaire, en rapport avec la mise en valeur du prodigieux gisement touristique du pays. En 1989, la Chine était reliée à plus de trente villes des différentes parties du monde (sauf d'Amérique latine) tandis que le réseau intérieur passait de 40 000 km à plus de 200 000 km entre 1960 et 1988. La modernisation de la flotte a commencé en 1973-1974 avec l'acquisition d'une trentaine de Trident britanniques et de dix Boeing 707. En 1987, le parc comportait près de 200 aéronefs — Trident, Boeing, MD-80, Airbus, A 310, Tupolev 154, etc.

Mais ce réseau souffre du sous-équipement des aéroports — seuls Pékin et Shanghai disposent d'une couverture radar, par exemple — et d'une structure administrative paralysante — la *C A A C* (Civil Aviation Administration of China). La création de compagnies régionales, fin 1988, visait à améliorer les résultats.

Pierre Trolliet

BTP : une vitalité génératrice d'inflation

Par la diversité de ses champs d'intervention et ses effets d'entraînement bien connus sur le reste de l'économie, le secteur du bâtiment et des travaux publics (B T P) est un élément clé de l'expansion économique chinoise, qu'il s'agisse de la construction d'infrastructures énergétiques et de transports, d'équipements collectifs, ou du développement des capacités industrielles et du logement urbain et rural. De 1981 à 1986, la vitalité du B T P s'est traduite par le quasi-doublement du nombre de ses salariés fixes — de 9,8 à 18 millions, soit 4,5 % de la population active —, par l'augmentation de sa part dans le revenu national — de 5 à 6,3 % —, et par de nombreuses créations d'entreprises — de 57 000 à 88 000. Cette croissance spectaculaire, qui se reflète dans l'évolution des surfaces construites, dépassant le cap de 1 milliard de mètres carrés après 1984 (cf. tableau) a transformé le pays en un gigantesque chantier, changeant la face des villes comme celle des campagnes.

Mais l'expansion du B T P repose sur un effort d'investissement considérable — plus de 65 % de l'investissement global (cf. tableau) — qui reflète bien les déséquilibres du secteur et, au-delà, de l'économie nationale. Ce surinvestissement est lié à plusieurs facteurs : à mesure que l'État central délègue une partie de ses prérogatives économiques aux régions — les investissements sur fonds budgétaires ayant été réduits de 80 % à 15 % du total entre 1975 et 1986 —, les autorités provinciales et locales se lancent dans de multiples projets industriels et immobiliers sans évaluer rigoureusement leurs coûts et leur rentabilité. Malgré les injonctions répétées du gouvernement central, les régions persistent à trouver « tous leurs bébés adorables » dans un contexte général de dilution des responsabilités au sein des multiples chaînes hiérarchiques. Le surinvestissement endémique du B T P (+ 36 % en 1985 et + 20 % en 1986, sans tenir compte des hausses de prix) a pour effet direct de renchérir les matériaux de construction qui constituent de 60 à 70 % du coût d'un projet (le solde correspondant à la main-d'œuvre) et d'augmenter les importations d'acier japonais, un des postes particulièrement sensibles de la balance commerciale. A dater de 1985, les opérateurs se procurent la plus grande partie des matériaux aux

─────── **BIBLIOGRAPHIE** ───────

MAC KAY, « China's Construction Industry », *Intertrade*, juil. 1987.

FABRE G., « La Chine à l'épreuve des réformes : la question du logement », *Le Courrier des pays de l'Est*, n° 287, Paris, sept. 1984.

FABRE G., *La Production de logement à Shanghai, 1986-2000*, Rapport Institut Français d'Architecture, Ministère de l'Équipement, D A E I, Paris, nov. 1987.

B T P. ÉVOLUTION 1984-1986			
	1984	1985	1986
Investissements [a] (en milliards de yuans courants)	121,758	165,546	199,272
Progression (%)		36 %	20 %
Part dans l'investissement total	66 %	65 %	66 %
Nombre de m² construits (en milliards)	1,065	1,220	1,511
Progression (%)		14,5 %	24 %

a. Construction + installation d'équipements.

Source : Annuaire statistique de Chine, 1986, p. 441 ; 1987, p. 467.

prix du marché, qui représentent le double des prix planifiés. La croissance du B T P est donc un important facteur d'inflation. Le bâtiment est, par ailleurs, un secteur à forte intensité de main-d'œuvre. Sur 18 millions de salariés directs, dont près de la moitié viennent des campagnes, seuls 4 % disposent d'une formation technique, ce qui pose de sérieux problèmes de qualité du bâti.

Si les opérations immobilières prestigieuses sont souvent réalisées en coopération avec l'étranger, le niveau technologique du B T P demeure modeste. L'abondance de la main-d'œuvre ne favorise pas l'industrialisation, hormis dans les métropoles côtières. En terme de surface construite, les zones rurales connaissent un essor sans précédent. Sur les 1,5 milliard de mètres carrés contruits en 1986, 1 milliard leur revient. Le financement provient en majorité de l'épargne des ménages, la plupart des matériaux de construction sont produits localement, ou récupérés en ville, la technologie reste traditionnelle. Les 300 millions d'actifs agricoles consacreraient 5 % de leur temps à la construction, ce qui équivaut à 15 millions de travailleurs temporaires supplémentaires dans la construction.

Selon les projections effectuées par différents économistes chinois, les coupes opérées dans les programmes d'investissement à compter de septembre 1988 devaient se traduire par le « licenciement » de 6 millions de travailleurs en 1989.

Guilhem Fabre

De l'armée des « gueux de Mao » au complexe militaro-industriel

Finie, l'armée des « gueux de Mao », équipée de vieux matériels soviétiques, survivant grâce à l'élevage de quelques porcs et la culture de légumes. La Chine dispose maintenant d'un complexe militaro-industriel important, appelé à participer à l'effort économique du pays. Pour cela, il lui faut satisfaire aux besoins de l'Armée populaire de libération (A P L), produire des biens de consommation civils et chercher à exporter des matériels civils et militaires pour compenser les achats de technologie à l'étranger.

De 1979 à 1989, les dépenses mi-

─────── **BIBLIOGRAPHIE** ───────

« All-out Reorganisation », *China Aviation News*, vol. 2, n° 1, 15 oct. 1988.

« Civilian Production Gains Weight », *China Tech*, vol. 4, n° 1, juin 1988.

GALLACHER J.P., « China's Military Industrial Complex, its Approach to the Acquisition of Modern Military Technology », *Asian Survey*, vol. XXVII, n° 9, sept. 1987.

« Is a P L A Turning Civilian ? », *China Tech*, vol. 4, n° 3.

SZE A-lan, *High Technology Acquisition Procedures in the People's Republic of China*, Conmilit Press, Hong-Kong, 1985.

TAI Ming-cheung, « Shopping abroad », *China Trade Report*, vol. XXVI, nov. 1988.

litaires sont passées de 17,5 % à 8,2 % du budget officiel de l'État. Après la décision, annoncée par Deng Xiaoping le 4 juin 1985, de réduire de 25 % les effectifs d'une armée de plus de 4 millions d'hommes, les économies réalisées ont été reportées sur les équipements. En fait, c'est en 1984 que Deng Xiaoping a demandé à l'A P L de se conformer à la situation générale du développement du pays : « Comme l'industrie de la Défense nationale possède un bon équipement et une puissante capacité technique, il faut en faire profiter l'ensemble du pays, en développant l'industrie civile. » L'armée, mettant en pratique le principe « des canons et du beurre », a cherché à exporter et a commencé à reconvertir progressivement une large partie de sa production à des fins civiles. Les deux tiers de cette production étaient, en 1988, constitués de produits à double usage ou purement civils, comme des bicyclettes, des motocyclettes, des machines à coudre, des grues, des turbo-alternateurs hydrauliques, des machines à laver le linge, du lithium, etc. L'objectif est qu'un tiers des usines militaires soient complètement transformées en entreprises à production civile et que les autres soient mixtes à 100 %. Le secteur industriel de l'aéronautique qui ne travaillait pratiquement que pour la Défense s'est retrouvé très déficitaire, faute de commandes à partir de 1986. Il a dû se reconvertir dans l'industrie aéronautique civile, en relation avec des firmes étrangères (montage d'appareils importés, fabrication d'éléments

sous licence) et dans la production de produits civils divers. 75 % de sa production est maintenant civile.

La Chine dispose d'un complexe militaro-industriel assez complexe, composé de l'A P L proprement dite, en tant qu'utilisatrice ; des différents ministères, animant eux-mêmes des sociétés dont la production militaire est fixée par la Commission nationale (C N S T I N D). Le Département général des services de l'arrière (la logistique), le Département de l'État-major général et la C N S T I N D qui contrôlent tous leurs propres sociétés industrielles sont sous la coupe de la Commission des affaires militaires du Comité central.

Cinquième exportateur mondial d'armements

Le 13 juillet 1988 a été instauré le ministère de la Construction des machines et de l'Électronique, dont un des six bureaux est chargé de la recherche en haute technologie militaire. La société Norinco est affiliée à ce ministère, elle en reçoit délégation pour superviser l'industrie de défense. Le 24 septembre 1988, elle a absorbé plusieurs anciennes usines militaires dans un groupe qui compte maintenant 160 entreprises employant 700 000 personnes. La Great Wall Corp (Grande muraille), qui commercialise les satellites, et la *Xinxing Corp* (Étoile nouvelle), dont les activités incluent la fabrication et la vente d'armes, sont également de très grosses entreprises. Elles dépendent du Conseil des affaires d'État, mais comme leurs responsables principaux sont d'anciens officiers ou des fils de grands responsables militaires, elles échappent en fait à son contrôle. Poly Corp est une filiale de l'État-major général et n'est même pas sous le contrôle du Conseil des affaires d'État. L'essentiel de ses revenus provient d'achats et d'exportations d'équipements militaires.

Hormis dans certains secteurs critiques, la Chine évite d'acheter des systèmes d'armes complets qui sont trop coûteux. Les achats, connus, d'armement à l'étranger ont atteint un chiffre record de 300 millions de dollars en 1985 pour retomber à 160 millions de dollars l'année suivante. Pékin préfère de loin n'acheter que des systèmes partiels, et les adapter sur ses matériels anciens. Mieux encore, elle cherche, au moyen de ses grandes firmes d'armement, à créer des sociétés mixtes avec l'étranger.

En 1980 et 1987, la Chine aurait vendu pour 8 millions de dollars d'armement, devenant le cinquième exportateur mondial. Lors de la deuxième exposition d'armements qui se soit tenue en Chine (*Asiandex 88*), la Chine a exposé vingt-six matériels différents, dont six nouveaux types de missiles. Pékin fait remarquer qu'en comparaison avec les deux plus gros exportateurs, les États-Unis et l'URSS, ses ventes sont minimes.

Tandis que la base de l'armée cherche à améliorer son maigre ordinaire par de menus travaux, les militaires engagés dans l'industrie cherchent à s'enrichir. La corruption a atteint le dernier bastion de la pureté révolutionnaire. Lorsqu'il a été question de réduire la « surchauffe » de l'économie, la grogne des militaires a été telle, que Zhao Ziyang, alors premier vice-président de la Commission des affaires militaires du P C C a dû assurer solennellement aux chefs militaires que leurs intérêts ne seraient pas touchés.

Jacques de Goldfiem

Technologies de pointe : retards et lacunes

Les réussites spectaculaires dans l'espace ou l'armement nucléaire n'arrivent pas à masquer les retards importants existant dans la plupart des autres secteurs technologiques. Ces différences sensibles sont le résultat de choix délibérés opérés en faveur de la défense depuis la fin des années cinquante, et du manque de coordination entre la recherche et la production. La faiblesse de l'organisation et des moyens explique contrastes et lacunes. Y remédier, au moins partiellement, a été l'un des objectifs du VIIe plan quinquennal (1986-1990) afin de poser les nouvelles bases de la recherche et des industries de haute technologie des années quatre-vingt-dix.

Le secteur militaire de la recherche et des applications est longtemps resté privilégié, tout en demeurant coupé du secteur civil. Il faut attendre 1980 pour assister à une lente mais progressive ouverture de l'industrie de défense et à des transferts de technologie de pointe vers les industries civiles. La Chine fabriquait des avions militaires depuis 1957, mais elle n'a sorti son premier avion de ligne que trente ans plus tard ; elle a conçu et lancé ses propres satellites militaires, mais ses satellites de télécommunication sont encore expérimentaux ; elle maîtrisait l'arme nucléaire dès les années soixante, mais sa première centrale électrique nucléaire n'a été commencée qu'en 1987.

L'environnement bureaucratique est reconnu comme le principal obstacle au développement des technologies de pointe : le système des grandes entreprises étatiques et le nivellement des revenus sont particulièrement inadaptés. Cloisonnement industriel et concentrations verticales ont réduit les capacités de création ou de fabrication de systèmes. Ils aboutissent à des produits de médiocre qualité. Dans le secteur de la machine-outil, par exemple, moins de 1 % de la valeur de la production est affecté aux études. Dans ce même secteur, en 1986, à peine plus de 10 % des entreprises de grande et moyenne tailles disposaient d'un département recherche.

Les directives du VIIe plan quinquennal (1986-1990) relatives aux technologies de pointe, se sont situées dans un programme plus large, de transition jusqu'à l'an 2000, qui permettrait de rendre compétitives les industries de haute technologie et conduirait à des percées industrielles majeures. Ce programme a prévu également un accroissement sensible des ressources humaines, afin de réduire les faiblesses en personnels qualifiés et spécialisés.

Sept secteurs de recherches prioritaires ont été définis : *biotechnologies :* amélioration des espèces, progrès en médecine, vaccins, génétique, protéines ; *espace :* vols commerciaux ; *information :* intelligence artificielle, optronique, intégration des systèmes, acquisition et traitement de l'information ; *lasers, automation, robotique, énergie :* notamment l'utilisation du charbon et du nucléaire ; *nouveaux matériaux.*

La Commission d'État des sciences et des techniques (C E S T) est responsable de cinq de ces programmes tandis que la Commission des affaires scientifiques, techniques et industrielles de la défense nationale (C O S T I N D) garde l'espace et les lasers. La réalisation implique une coordination et une mobilisation des ressources, une coopération à tous les niveaux, autant de mesures et de comportements qui ont fait défaut jusqu'ici.

Parmi les premières mesures proposées en 1986 et rapidement adoptées, le programme 863 (de mars 1986) fixe deux objectifs pour 1990 : création de nouveaux centres de recherches en robotique, biotechnologie, nouveaux matériaux, ouverture de 50 nouveaux laboratoires. Depuis la fin de 1987 les fonds de la recherche sont attribués par des comités d'experts et non plus par les organismes financiers de l'État. L'Académie des sciences s'est vu confier un rôle moteur en favorisant les échanges entre instituts de recherche et entreprises associées incitées à trouver des applications industrielles.

En conformité avec les directives du plan, la C E S T a lancé, en août 1988, un programme de commercialisation des efforts de recherche. En trois ans, 100 000 chercheurs devront avoir quitté universités et instituts de recherche et rejoint 2 000 entreprises d'État ou collectives situées dans les régions côtières à vocation industrielle de haute technologie (Shanghai, Canton).

Ambitieux dans ses objectifs, le programme se heurte à la bureaucratie, au cloisonnement, à la faiblesse des ressources. Il risque de mettre l'accent sur l'approche commerciale au détriment de la recherche fondamentale. D'autres obstacles existent : faible compétitivité des entreprises d'État, insuffisances de production de l'industrie des circuits intégrés pour calculateurs et télécommunications.

Dans ces conditions, l'écart avec les pays occidentaux risque plutôt de s'élargir.

Michel Jan

CHINE(S)
ET CHINOIS

LES CHINOIS D

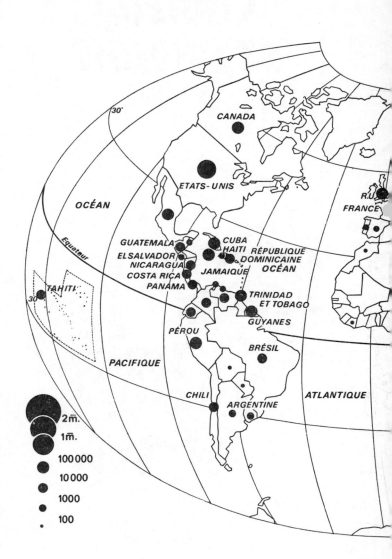

LA DIASPORA

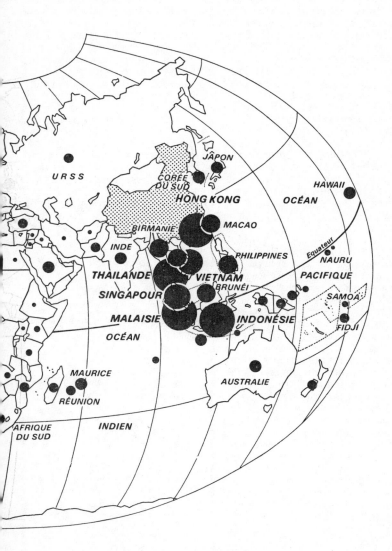

URSS

JAPON

CORÉE
DU SUD

HONG KONG

HAWAII

OCÉAN

BIRMANIE

MACAO

INDE

PHILIPPINES

Équateur

NAURU

THAILANDE

VIETNAM

PACIFIQUE

BRUNÉI

SINGAPOUR

SAMOA

MALAISIE

INDONÉSIE

FIDJI

OCÉAN

MAURICE

AUSTRALIE

RÉUNION

AFRIQUE
DU SUD

INDIEN

La Chine et le monde sinisé

Dans le monde chinois proprement dit, au cours d'une histoire plurimillénaire, une forme de civilisation particulière, s'est développée, qu'une expansion politique, culturelle ou démographique, a diffusée au-delà de l'aire géographique peuplée par la nation chinoise elle-même, — la nation han.

A la portée de cette diffusion répond, en étendue et en profondeur, la dimension de ce qu'on peut appeler le « monde sinisé » : celui des baguettes à table, de l'écriture traditionnelle en caractères, du bouddhisme du Grand véhicule, de la morale confucianiste, de la forte prégnance des rites sociaux. Le mone sinisé comprend les pays proprement chinois et les pays d'acculturation chinoise, ainsi que leur diaspora sur tout le reste du globe, monde composite, traversé par un faisceau d'affinités culturelles profondes. Ce qui le caractérise aujourd'hui c'est un processus de développement vers la civilisation avancée qui fait naître une *sinité nouvelle*, produit de la mutation radicale de la culture traditionnelle fertilisée par les ingrédients essentiels du changement venu d'Occident. Autrement dit, un puissant mouvement de modernisation, parti du Japon, rompt avec la tradition sans pourtant conduire à une occidentalisation pure et simple, et dessine une réinterprétation de la civilisation avancée dans l'esprit des valeurs les plus profondes héritées de la culture traditionnelle dépassée. Par là, les affinités qui relient le monde sinisé se revivifient, lui donnant une nouvelle cohésion malgré les différences de régime d'un pays à l'autre, effaçant les séquelles de l'éclatement au XIXe siècle de l'ancien univers sous influence chinoise. L'enjeu est considérable : le monde sinisé, aujourd'hui secteur le plus dynamique de la planète, pèsera demain le poids du quart de la production du globe, largement plus que l'Amérique du Nord. Formera-t-il alors un ensemble assez cohérent pour mettre en échec la prédominance de l'Occident ? On a pu voir la Chine, après l'expérience maoïste, se rapprocher étonnamment de deux pays sinisés pourtant capitalistes, mais développant le modèle de la sinité nouvelle : le Japon et, plus récemment, la Corée du Sud. En revanche, elle rompait avec le Vietnam et prenait ses distances vis-à-vis de la Corée du Nord, deux autres pays sinisés, eux socialistes, mais embarqués dans des socialismes réfractaires aux mêmes rapprochements. Tout porte à croire que cette réorientation chinoise ne fera que se confirmer. Dans ces conditions, il n'est pas impossible que la Corée du Nord de l'après-Kim II Sung tire de l'expérience du *Juche* (le « guide ») la même leçon que la Chine de l'expérience maoïste, et se mette à l'unisson du monde sinisé ; ce dont

─── **BIBLIOGRAPHIE** ───

HOFHEINZ R. Jr., CALDER K.E., *The East Asia Edge*, Basic Books, New York, 1982.

VANDERMEERSCH L., *Le Nouveau Monde sinisé*, PUF, Paris, 1986.

sortirait alors une forme ou une autre solution au problème coréen. Quant au Vietnam, déjà fortement désinisé par la colonisation française, il est vraisemblable que, même réglée la question cambodgienne, par défiance vis-à-vis de son trop puissant voisin, il s'efforce de se mettre plutôt sur l'orbite des pays du Sud-Est asiatique en accentuant sa désinisation. Ce qui renforcerait plutôt la cohésion des pays restés plus profondément sinisés. Par ailleurs la renaissance, entre la Chine et ses voisins non chinois mais fortement acculturés à sa propre tradition, d'une solidarité nouvelle que tissent de plus en plus de connivences, facilite grandement l'évolution des pays proprement chinois vers la réunification. En 1950, le triomphe du socialisme sur le continent créait un antagonisme apparemment irréductible entre la Chine et ses parties démembrées : Hong-Kong, Macao et Taïwan. Aujourd'hui, un processus de réintégration est vigoureusement engagé. Ses chances d'aboutissement dans de bonnes conditions — à la fin du siècle pour les deux territoires cantonais, à plus lointaine échéance pour la grande île —, après avoir semblé fort minces, se sont assez accrues pour que Taïwan et le continent s'ouvrent à une politique d'échange des personnes, des biens et des capitaux d'un bord à l'autre du détroit de Formose. Et l'on peut compter qu'appuiera dans ce sens la puissante diaspora chinoise, forte de quelque 25 millions d'immigrés sur tous les continents, auxquels il convient d'ajouter les 2 millions de Chinois de Singapour, seul îlot émergé de la masse diffuse des Chinois d'outre-mer. Ceux-ci, en outre, procurent à la Chine l'extraordinaire avantage de disposer, à peu près partout dans le monde, d'une interface avec ses partenaires, qui n'appartient qu'à elle.

Léon Vandermeersch

L'ÉTAT DE LA CHINE
LE MONDE SINISÉ

TAÏWAN, CHINE

Un dynamisme économique insolent

Les résultats exceptionnels et les limites de la réussite de l'économie taïwanaise depuis le début des années soixante-dix s'expliquent par certaines caractéristiques structurelles, fruit d'héritages déjà anciens ainsi que de facultés d'adaptation et de mutations remarquables.

L'essor économique s'est appuyé au départ sur un héritage important légué par la colonisation japonaise. La durée de l'occupation (1895-1945) et le rôle de grenier à riz du Japon dévolu à Taïwan ont assuré l'essor de l'agriculture par la création d'un vaste réseau d'irrigation, l'introduction importante d'engrais et la conquête de nouvelles terres cultivables. Cette intensification de l'agriculture s'est accompagnée du développement d'activités annexes et d'infrastructures (industrie des engrais, chimie, centrales électriques, routes et ports). Le développement de l'économie fut ensuite grandement facilité par l'importance de l'aide américaine, d'abord financière (1,5 milliard de dollars investis entre 1950 et 1968 pour l'importation de matières premières et de biens d'équipement), puis technique, avec l'envoi de très nombreux conseillers qui ont favorisé l'acquisition d'un savoir-faire moderne.

Les contraintes géographiques ont orienté le développement économique vers des activités à fort coefficient de main-d'œuvre. La forte densité de population sur une île dont seul le quart de la superficie est cultivable rendait nécessaire la poursuite de l'intensification de l'agriculture. La rareté des ressources minières a également orienté le développement industriel vers des

activités fondées avant tout sur l'exploitation de la main-d'œuvre. L'étroitesse du marché intérieur, liée au niveau de vie général, rendait enfin indispensable une orientation de l'économie vers les exportations.

Ainsi, dans les années qui suivirent la Seconde Guerre mondiale, les bases de l'essor économique de Taïwan étaient posées. Leurs particularités permettent de dégager trois des caractéristiques majeures du décollage ultérieur : rôle fondamental de l'agriculture et des industries lourdes ; dépendance vis-à-vis de l'aide étrangère et des marchés extérieurs ; économie fondée sur l'utilisation intensive de l'espace et de la main-d'œuvre.

Le moteur du développement, au moins jusqu'au milieu des années soixante, fut l'agriculture : il s'agissait là d'une activité assez efficace et à forte composante de main-d'œuvre. La modernisation supposait toutefois une transformation des structures foncières inégalitaires existantes. Une réforme agraire autoritaire a permis l'accession à la propriété d'une grande majorité de paysans (actuellement 92 % des exploitants) et la mise en place d'un mouvement coopératif important qui limite les risques liés à l'émiettement de la propriété. Cette refonte du système social dans les campagnes a eu plusieurs conséquences positives sur l'économie et la société : stabilité politique, amélioration des techniques agricoles et, par là même, augmentation du niveau de vie. Jusqu'en 1965, l'essentiel des exportations a reposé sur les produits agricoles. Depuis, le système a rencontré ses limites et a dû assurer un transfert impor-

TAÏWAN

PEUPLEMENT

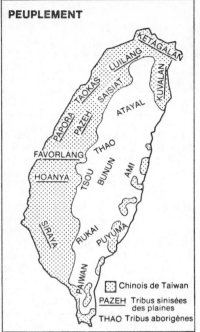

KETAGALAN
LUILIANG
PAPORA
TAOKAS
PAZEH
SAISIAT
FAVORLANG
THAO
ATAYAL
KUVALAN
HOANYA
TSOU
BUNUN
AMI
SIRAYA
RUKAI
PUYUMA
PAIWAN

[ ] Chinois de Taïwan
PAZEH Tribus sinisées
des plaines
THAO Tribus aborigènes

VILLES ET BOURGS

[ ] Zones urbanisées
en 1988

TAIPEI
Keelung
Région Nord
Hsinchu
Miaoli
Région de Hsinchu-Miaoli
Ilan
Région de Ilan
Région du Centre
Hualien
Région de Chiayi Yunlin
Chiayi
Région Orientale
Tainan
Région Méridionale
Taitung
Kaohsiung

PLUVIOMÉTRIE
moyenne annuelle

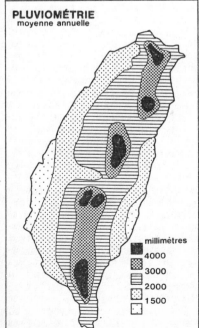

millimètres
[ ] 4000
[ ] 3000
[ ] 2000
[ ] 1500

UTILISATION DU SOL

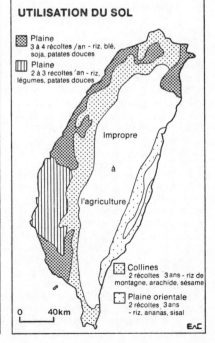

[ ] Plaine
3 à 4 récoltes / an - riz, blé,
soja, patates douces
[ ] Plaine
2 à 3 récoltes / an - riz,
légumes, patates douces

Impropre

à

l'agriculture

0   40km

[ ] Collines
2 récoltes 3 ans - riz de
montagne, arachide, sésame
[ ] Plaine orientale
2 récoltes 3 ans
- riz, ananas, sisal

EⲆC

BIBLIOGRAPHIE

BERGÈRE M.-C., « Taïwan après le miracle », *Vingtième siècle*, n° 18, Paris, avril-juin 1988.

DUMONT R., *Taïwan, le prix de la réussite*, La Découverte, Paris, 1987.

GODEMENT F., BOUTEILLER E., « Taïwan à la recherche de son avenir », *Problèmes politiques et sociaux*, n° 598, La Documentation française, Paris, 1988.

GOLD T.B., *State and Society in the Taïwan Miracle*, M.E. Sharpe, New York.

NADEAU J., *Vingt millions de Chinois « Made in Taïwan »*, Québec/Amérique, Montréal, 1988. (Diffusion pour l'Europe : Vander [Bruxelles].)

tant de population vers l'industrie. Autre caractéristique essentielle : la souplesse et la faculté d'adaptation de l'appareil industriel. Dans une première phase, le développement de l'industrie a surtout reposé sur les industries lourdes capables d'absorber le surplus de main-d'œuvre venu des campagnes ; les industries manufacturières légères, d'abord fortes utilisatrices de main-d'œuvre, ont rarement fait appel à des procédés de fabrication perfectionnés. L'objectif était de produire localement la majeure partie des produits jusqu'alors importés. Cette stratégie dite de substitution s'est accompagnée d'un arsenal de mesures protectionnistes.

Au lieu de créer une économie de petits producteurs repliés sur le marché intérieur, cette politique a favorisé l'ouverture vers les marchés mondiaux d'une multitude d'entreprises moyennes (agroalimentaire, textile, puis électronique). Aucun mécanisme économique connu ne laissait prévoir cette évolution. Il faut donc attribuer aux qualités particulières de l'entreprise familiale taïwanaise (donc chinoise) le dynamisme nécessaire à cette évolution. Peut-être faut-il attribuer à la puissance des relations familiales et des solidarités de clans et surtout au respect généralisé de la hiérarchie la flexibilité de l'emploi et la mobilité de la main-d'œuvre. Un système dans lequel toute entreprise qui ne réussit pas disparaît, mais en laissant à d'autres, plus fortunées, le soin de reprendre une main-d'œuvre qualifiée et docile, accorde au rôle des liens sociaux une place essentielle. Le taux élevé de l'épargne, lié à l'absence de couver-

ture sociale, est un autre signe de la puissance des solidarités familiales.

Dans les années soixante-dix, ce système a permis que les blocages de l'économie mondiale (crise de la construction navale, de la sidérurgie), autant que la révolution technologique dans les pays industrialisés, favorisent le développement de l'électronique, de l'ingénierie, des industries à haute valeur ajoutée. Tout comme à Hong-Kong, à Singapour, en Corée du Sud, pays du « monde sinisé », les multinationales ont trouvé dans le tissu industriel taïwanais les petites entreprises de sous-traitance dont elles avaient besoin. Le développement d'instituts de recherche autonomes, financés par les entreprises, le « piratage » industriel (informatique, notamment), l'emploi généralisé d'ingénieurs américains d'origine chinoise — ou d'ingénieurs locaux formés aux États-Unis — ont fourni les relais nécessaires à la constitution d'une économie massivement orientée vers l'exportation.

Les exportations sont passées de 3 milliards de dollars en 1972 à plus de 60 milliards en 1988. L'insuffisance du marché national a favorisé une politique « agressive », marquée par de nombreuses mesures incitatives : prêts spéciaux à l'exportation, exonérations fiscales, remboursement des droits de douane, création de zones franches (zones portuaires à fiscalité réduite, avec des conditions légales et réglementaires assouplies, des équipements de haut niveau...), taux de change préférentiels...

Le commerce international de l'île joue par ailleurs un rôle de reconnaissance internationale implicite de Taïwan. Il s'accompagne d'un développement des activités financières : l'île peut être considérée comme un véritable paradis pour investisseurs grâce à l'exonération d'impôt sur les gains boursiers. Fin septembre 1988, la capitalisation totale était égale à 135 % du PNB et plaçait la bourse de Taïpei en troisième position derrière New York et Tokyo.

Des risques de déséquilibre

Les offres d'emploi sont près de quatre fois supérieures aux demandes. A cette pénurie de main-d'œuvre s'ajoute un climat politique un peu plus libre qui favorise les revendications ouvrières : en 1988, la productivité a augmenté moins vite que les salaires. Une telle évolution touche de plein fouet l'économie de Taïwan : les petites entreprises n'ont pas les moyens d'automatiser leur production, puisque leur compétitivité provient du faible coût de la main-d'œuvre. Les multinationales ont tendance à rechercher des pays à moindres risques (Thaïlande, Malaisie).

D'autres déséquilibres existent, liés aux structures mêmes de l'économie : le taux d'épargne exceptionnel ne s'accompagne pas d'un réinvestissement suffisant dans le secteur industriel (il est inférieur à 20 %). De façon similaire, le souci d'indépendance nationale freine les emprunts à l'étranger qui permettraient la modernisation de certains secteurs. Malgré des efforts, la réorientation de l'économie vers les produits à forte valeur ajoutée se heurte à l'émiettement des industries, souvent dans l'impossibilité d'investir à long terme.

Le dernier danger, et non le moindre, est celui du protectionnisme naissant instauré depuis le début des années quatre-vingt par les pays industriels pour limiter leurs importations. Une diminution des échanges avec les pays industrialisés entraînerait non seulement une baisse des débouchés pour Taïwan, mais aussi une plus grande difficulté à obtenir les produits de haut niveau technologique indispensables à la poursuite de son développement.

Laurent Simon

De la dictature à la démocratie ?

Ancienne base coloniale du Japon, la province de Taïwan est redevenue chinoise en 1945 et, à partir de 1949, elle a servi de refuge au gouvernement de Jiang Jieshi (Tchiang Kai-chek), chassé du continent par les communistes. Pendant les années qui suivirent et jusqu'à la mort de Jiang Jieshi, en 1975, le système politique de Taïwan s'est identifié à la quasi-dictature de l'ancien président qui, se considérant comme le chef d'une République de Chine provisoirement réduite à une seule province, ne songeait qu'à reconquérir le continent. Instituée en 1949, la loi martiale interdisait toute activité d'opposition et n'autorisait qu'un

parti : le Guomindang. Au fil des décennies, l'autorité du régime s'est progressivement consolidée, grâce à une politique économique bien menée qui a permis à l'esprit d'entreprise taïwanais de s'épanouir. Les mandarins, réfugiés du continent, gouvernaient, la société locale s'absorbait dans la réussite matérielle.

Le fils et successeur de Jiang Jieshi, le président Jiang Jingguo, a eu le mérite de comprendre les aspirations d'une classe moyenne en plein essor et d'engager Taïwan sur la voie de la démocratisation en faisant lever la loi maritale (en juillet 1987). Il a également cherché à rapprocher la société du pouvoir en amorçant la « taïwanisation » de l'encadrement administratif et politique. Il a, enfin, adopté une politique d'ouverture à l'égard du continent en y autorisant les visites familiales.

Si Jiang Jingguo s'est fait l'interprète des nouvelles forces à l'œuvre dans la société, il n'en a pas moins régné seul. Sa disparition, en janvier 1988, risquait de créer un vide politique. Pourtant sa succession s'est opérée avec aisance : le vice-président Li Denghui a pris à la tête de l'État et, en dépit de son origine taïwanaise, il a également été porté à la direction du parti Guomindang.

Dès son arrivée au pouvoir, le nouveau président a manifesté son intention de poursuivre les réformes entreprises par son prédécesseur. Et le XIIIᵉ congrès du Guomindang, en juillet 1988, a approuvé les orientations de sa politique. Celle-ci demeure cependant très prudente, car Li Denghui doit affronter l'opposition d'une vieille garde demeurée fidèle aux idéaux de Jiang Jieshi, et à ses méthodes. En outre, la réforme se heurte à de graves obstacles institutionnels, dont le moindre n'est pas l'existence d'un Parlement élu dans sa presque totalité... en 1947-1948. L'impossibilité de procéder à des élections générales après la perte du continent a en effet conduit le régime à proroger indéfiniment le mandat des députés afin de maintenir le principe de légitimité et de représentativité nationales. La réforme est aussi freinée par la faiblesse de la demande de participation politique. La levée de la loi martiale a cependant permis le développement d'un parti d'opposition : le Parti démocratique progressiste (P D P). Mais, en proie aux rivalités de factions, le P D P est en permanence menacé d'éclatement et il est encore loin d'offrir une alternative gouvernementale.

La dispersion des forces de l'opposition représente pour le pouvoir une chance de conduire la libéralisation selon un processus défini et contrôlé par lui-même. Et la pru-

dence affichée par Li Denghui pourrait bien relever d'une stratégie complexe destinée à gérer les contradictions de ce néo-conservatisme. Mais elle s'explique aussi par la nécessité de ménager le continent.

Soutenu avec rigueur par les dirigeants de Taipei aussi bien que par ceux de Pékin, le vieux mythe de l'unité entre Taïwan et le continent est en train de s'effondrer, laissant place à une double réalité : un glissement progressif vers l'indépendance à Taïwan, une vigoureuse campagne pour la réunification, à Pékin. Le régime du Guomindang a singulièrement adouci la politique des « trois refus » (de tout contact, de toute négociation, de tout compromis avec le gouvernement de Pékin) qui a longtemps été la sienne. Les visites des résidents taïwanais sur le continent se sont multipliées, et les échanges commerciaux indirects ont atteint plus de 1,5 milliard de dollars américains en 1987. Mais, en même temps, les réformes engagées ont renforcé les aspirations indépendantistes. Lorsque les institutions parlementaires seront rénovées (soit à la suite d'une décision politique, soit par simple fatalité biologique), tous les sièges devront être pourvus par des députés élus à Taïwan : le fonctionnement du système représentatif ne pourra qu'y gagner. Mais le mythe de la représentation nationale à l'échelle de la Chine disparaîtra. Cela inquiète le gouvernement de Pékin, qui a fait savoir qu'il s'opposerait, au besoin par les armes, à une redéfinition du statut international de Taïwan. En attendant, il essaie de prendre de vitesse les responsables taïwanais en intensifiant la campagne de réunification qui a été lancée en 1981 sur le thème : « Un pays, deux systèmes », déjà employé à Hong-Kong. Appel aux sentiments patriotiques, aux intérêts économiques, à la nostalgie des vieux dirigeants d'origine continentale : les ouvertures de Pékin à Taïwan n'en recouvrent pas moins une menace implicite. La marge de manœuvre des réformistes taïwanais demeure très étroite.

Marie-Claire Bergère

HONG-KONG ET MACAO

On vend dans les boutiques de Hong-Kong des T-shirts *représentant un drapeau de la colonie britannique sur lequel déteint le rouge de l'emblème de la République populaire, qui doit récupérer ces deux petits confettis que sont Hong-Kong et Macao, le premier en 1997, le second fin 1999. Minuscules enclaves accrochées au flanc méridional du géant chinois, ces territoires administrés par l'étranger depuis les générations ont évolué différemment de la mère-patrie, même si leur population est identique à celle des régions voisines. Ils ont été les « poumons » de la Chine au moment de la guerre froide. Ils demeurent l'un des facteurs les plus dynamiques de la croissance et de l'ouverture vers l'extérieur impulsés par Pékin. Le resteront-ils une fois réunifiés à l'empire du Milieu ?*

Patrice de Beer

Macao, un métissage efficace

Macao est un petit territoire d'environ dix-sept kilomètres-carrés, situé au sud de la Chine, plus précisément au sud de la province de Canton, constitué d'une péninsule d'environ cinq kilomètre-carrés où se trouve la ville de Macao, et de deux îles, Taipa et Coloane.

Sous administration portugaise officiellement depuis 1557, Macao se trouve en période de transition pour être intégré à la Chine en 1999. Le traité de cession du territoire a été élaboré à la suite de celui que les Britanniques ont signé relativement à Hong-Kong en 1982. Les clauses du traité concernant Macao sont plus avantageuses pour la situation économique et sociale future du territoire, sauf en ce qui concerne certains aspects importants relatifs à la citoyenneté et aux droits des « Macaenses » (natifs de Macao). En effet, alors que Hong-Kong a été cédé aux Anglais à la suite de la « Guerre de l'Opium » (1839-1844), Macao a été occupé plus tôt et pacifiquement.

Semblable aux anciens ports de commerce européens, Macao a toujours été un entrepôt commercial, lequel a connu de grandes oscillations économiques au cours des quatre siècles d'histoire qui ont sui-

vi. En premier lieu, le développement de la cité, qui n'occupait que la partie sud de la péninsule, s'est fait très rapidement car le commerce avec le Japon était très rentable. Ce commerce reposait sur des denrées acquises dans les foires de Can-

―――― BIBLIOGRAPHIE ――――

AMARO A.M., *Filhos-da-terra*, Ed. Instituto Cultural de Macau, Macao, 1988.

ton, réexpédiées vers l'Europe *via* Malacca, Goa et le royaume du Portugal.

Après l'expulsion des Portugais du Japon, suite aux persécutions religieuses de 1638 à 1641, et après que le Portugal eut perdu son indépendance pour s'unir à la Castille avec quelques grandes places fortes d'Orient dont Malacca, le déclin de Macao fut très rapide. Les familles de la noblesse et les grands commerçants émigrèrent et firent place aux forçats expulsés du royaume, venus de Goa, et à divers aventuriers. Les naufrages et la guerre des corsaires découragèrent beaucoup de Portugais de poursuivre le rêve de gloire et de richesse qui les avait motivés le siècle précédent. Les autorités chinoises commencèrent à contrôler davantage le gouvernement de la cité, envoyant un mandarin résider dans la péninsule.

Suivit une période de dégradation et de misère, pendant laquelle l'économie locale, liée au commerce avec Timor et les Philippines, puis au trafic des *coolies*, aux monopoles de l'opium et du jeu, arriva à s'équilibrer. Au début du XXᵉ siècle, l'économie de Macao était encore en état de faiblesse. Les vieux modèles culturels demeuraient vivants, cependant, jusqu'au coup fatal que leur porta la guerre du Pacifique (1941-1945).

Macao fut toujours plus qu'une simple cité commerciale : un point de passage de missionnaires vers la Chine, après l'avoir été pour le Japon, et un port d'abri pour les réfugiés de Chine et d'autres nations qui venaient s'y abriter lorsque des convulsions de tous ordres agitaient le colosse voisin. Les institutions d'assistance, présentes dès la fin du XVIᵉ siècle — dont la Misericordia de Macao, fondée par l'évêque D. Melchior Carneiro — firent des miracles pour accueillir les réfugiés en nombre.

Avec les réformes administratives, commencées en 1961, l'essor économique des années quatre-vingt s'est appuyé sur la petite industrie et le tourisme. On connaît l'importance qu'y prend le jeu, avec ses casinos et diversions parallèles (courses de chiens, d'attelages, «Paris Crazy Horse»...). Dans ce petit territoire vivent actuellement trois groupes distincts, côte à côte, sous le drapeau portugais : des Européens, des Chinois et des «Macaenses» (Portugais métissés de Macao), groupe luso-asiatique mal connu, produit d'un mélange ethnique très riche, d'ascendance portugaise, asiatique, africaine et insulindienne. Par des mariages endogames ou préférentiellement européens, ce groupe a maintenu au cours des siècles une homogénéité bien marquée, soulignée par des modèles culturels spécifiques, hybrides où l'on retrouve des racines anciennes de traditions portugaises. Dans une période récente, les «Macaenses» se sont peu à peu tournés vers les Chinois ; les mariages entre ces deux groupes se sont multipliés, alors qu'ils étaient autrefois rejetés et vivement condamnés par la société locale. Que deviendront-ils dans l'intégration de Macao à la Chine ?

Ana Maria Amaro

Hong-Kong, 150 ans de pax britannica, et après ?

Britannique par accident, Hong-Kong constitue une entité originale qui s'est développée d'une manière autonome, au point de devenir une formidable place économique et financière. Suite à l'accord de 1984, passé avec la République populaire, Hong-Kong est entrée dans une phase de transition qui doit, le mardi 1er juillet 1997, à 0 heure, en faire une zone administrative spéciale (Z A S) sous souveraineté chinoise. Sur quoi le dynamisme actuel va-t-il déboucher ? Les Hong-Kongais, tout empreints qu'ils sont de culture britannique, à l'inverse des habitants de beaucoup d'anciennes possessions de la couronne, ne pourront pas copier le *british style*. La prospérité de la future Z A S pourrait se confirmer, mais sur des bases très différentes de celles qui font son succès actuel.

Ce « rocher stérile sans la moindre cabane » comme disait Lord Palmerston, a été attribué à la Couronne britannique, en 1842, à la suite de la guerre de l'Opium. Au rythme des conflits sino-britanniques, la colonie s'est progressivement étendue, en 1860 et 1898, à ce qui a été appelé les Nouveaux territoires, soit 1 065,02 kilomètres carrés. Alors qu'elle n'avait que 23 817 habitants en 1845, Hong-Kong s'est gonflée au rythme des troubles sur le « continent ». Les Britanniques ont profondément marqué, par leur système éducatif, administratif et judiciaire, ce lointain territoire. Des républicains comme Sun Yat-sen y découvrirent les théories de la démocratie.

A l'exception des quelques grèves nationalistes, rien ne troubla cette colonie si « *british* », qui comptait déjà 878 947 habitants en 1931, jusqu'à l'occupation japonaise en 1941. La victoire des communistes, en 1949, apporta un flot important de réfugiés, qui porta la population à 2,3 millions d'habitants. Parmi eux, beaucoup d'hommes d'affaires shanghaiens, qui allaient faire de Hong-Kong un nouveau phare pour l'Asie, destiné à remplacer celui qu'ils avaient perdu. La République Populaire de Chine (R P C), isolée du monde à partir de la guerre de Corée (1950), se contenta du *statu quo* avec le colonisateur, en raison des avantages substantiels qu'elle retirait du commerce indirect à travers Hong-Kong, devenue son véritable poumon.

Le bail des Nouveaux territoires arrivant à son terme en 1997, le chef du gouvernement britannique posa à Pékin, dès 1982, la question de l'avenir, mettant dans l'embarras ses interlocuteurs et semant la panique dans la colonie. Deux ans plus tard, l'accord de 1984 donnait un répit aux hommes d'affaires, relançant l'activité économique (en croissance de 10 à 12 % par an). Pour séduire les Hong-Kongais, qui n'ont pas eu, dans l'affaire, leur mot à dire, Deng Xiaoping a inventé la notion de « Un pays, deux systèmes » garantissant à Hong-Kong un régime capitaliste pendant cinquante ans.

La recherche frénétique du gain qui caractérise aujourd'hui Hong-Kong s'accompagne d'une inquiétude des élites, qui émigrent, ou poursuivent leurs affaires tout en préservant leurs arrières par l'achat de passeports étrangers, canadiens de préférence. Il est vrai que sept sur dix des 5,8 millions de Hong-Kongais ont fui la R P C ou sont parents de personnes qui l'ont fait. Beaucoup ne croient pas aux promesses de Pékin. Pour eux, les futures institutions devraient encourager la pratique de la démocratie, que les Britanniques pourtant ne leur ont jamais accordée, et éviter trop d'interférence de Pékin dans la politique et les affaires.

────── *BIBLIOGRAPHIE* ──────

BONAVIA D., *Hong Kong 1997*, South China Morning Post, Hong-Kong, 1983.

BEAUREGARD Ph. de, « La Chine, Hong-Kong... et Taïwan », *in La Politique asiatique de la Chine*, Fondation pour les études de défense nationale, Paris, 1986.

CHA L., *On Hong-Kong Future*, Ming Pao Daily News, Hong-Kong, 1984.

CHENG J., *Hong-Kong in search of a future*, Oxford University Press, Hong-Kong, 1984.

KARSWICK E. de, DOMENACH J.-L., « La question de Hong-Kong après l'accord sino-britannique du 26 septembre 1984 », *Problèmes politiques et sociaux*, n° 506, La Documentation française, Paris, 1985.

Pékin, sans vouloir donner plus de libertés individuelles que n'en avait accordé la colonie, cherche à ne pas tuer la poule aux œufs d'or. Une mainmise discrète sur les rouages de l'économie, source de profits immédiat, se veut la garantie d'une transition sans à-coup. Les Britanniques, peu présents économiquement, en comparaison des Américains et des Japonais, ne se maintiennent, provisoirement, que par quelques institutions. La population, nationaliste et pleine d'amertume, les regrettera d'autant moins que les plus anglicisés auront émigré.

L'importance économique croissante de cette région du monde assure cependant à la future ZAS, avec son capital humain, un rôle capital, à la porte de la Chine et à la croisée des grands axes économiques.

Jacques de Goldfiem

Hong-Kong 1997 : un os vidé de sa moelle ?

« Un pays, deux systèmes » : ce slogan, lancé par Pékin dans l'optique du recouvrement de Hong-Kong en 1997, vise, entre autres, à rassurer la population du territoire sur son sort au-delà de cette date fatidique. De fait, la « déclaration commune » signée entre Londres et Pékin sur Hong-Kong en 1984 stipule que les deux parties s'engagent à maintenir « la prospérité et la stabilité » du territoire, avant et après l'échéance du bail en 1997, et prévoit le maintien du système capitaliste pendant cinquante ans.

Mais cette assurance, et le comportement de Pékin vis-à-vis de Hong-Kong depuis 1985 ont apparemment échoué à rassurer ses habitants. En décembre 1987 — l'année moins dix du retour à la Chine —, le directeur du bureau de Hong-Kong de l'Agence Chine nouvelle, ambassadeur *de facto* de la République populaire dans la colonie britannique, a lancé à la population locale un appel explicite à ne pas émigrer et à ne pas avoir peur de l'avenir.

L'importance de ce phénomène d'émigration est difficile à chiffrer. D'après les statistiques officielles, le nombre de personnes ayant quitté Hong-Kong de 1984 à 1988 s'est élevé à plus de 100 000, sur une population totale évaluée à 5,5 millions. Mais des sources indépendantes faisaient état, en 1988, de près de 300 000 émigrés, pour lesquels le Canada et l'Australie constituaient les principaux pays d'accueil.

Cette tendance n'a rien d'étonnant si l'on considère que plus de la moitié de la population de Hong-Kong est composée de réfugiés ou de fils de réfugiés, qui ont quitté la Chine après l'arrivée au pouvoir des communistes, portés par des vagues d'émigration successives liées aux turbulences politiques du continent, notamment en trois occasions principales. 1949 : proclamation de la République populaire de Chine et fuite des « capitalistes nationaux » et des fonctionnaires du Guomintang ; 1962 : à la suite de la réapparition de la famine en Chine, conséquence du « Grand bond en avant » lancé par Mao, les autorités du Guangdong ouvrent la frontière ; 1966 : déclenchement de la « révolution culturelle », qui dégénère en guerre civile, provoquant l'afflux (illégal, cette fois, et sévèrement réprimé) des membres de factions de « gardes rouges » vaincues.

Si la tendance à l'émigration devait se poursuivre et s'amplifier au cours des années précédant l'échéance de 1997, elle serait d'autant plus dramatique que les émigrants sont ceux-là mêmes qui possèdent le savoir-faire capable de faire fonctionner cette mécanique sophistiquée nommée Hong-Kong (troisième place monétaire mondiale en 1988) : avocats, universitaires, médecins, techniciens et chercheurs de haut niveau, hauts cadres commerciaux, etc. La Chine risquerait alors, en 1997, de ne reprendre possession que d'un os vidé de sa moëlle.

Une émigration réversible ?

Certes, sur la signification du courant d'émigration, il convient de nuancer. En effet, beaucoup de ressortissants de Hong-Kong en quête d'un passeport déclaraient, à la fin des années quatre-vingt, qu'il s'agissait surtout pour eux de trouver « une protection » vis-à-vis d'un pouvoir communiste qu'ils redoutaient. Une fois détenteurs d'un passeport canadien ou des États-Unis, ils seraient, pensaient-ils, « couverts », risquant, au pire, l'ex-

pulsion et c'est à cette condition seulement — ne pas être traités comme des Chinois du continent — qu'ils envisageaient de revenir à Hong-Kong, leur véritable patrie, pour y investir et y travailler. La tendance à l'émigration pourrait donc être réversible.

Cette peur de l'arbitraire, après 1997, peut s'expliquer simplement en recensant le nombre de ressortissants de Hong-Kong arrêtés et emprisonnés dans les années quatre-vingt, sans jugement ou après une parodie de procès, alors qu'ils voyageaient en Chine. « Crime économique », « commerce avec des prostituées », « activisme trotskiste », les motifs d'arrestation étaient variés. Il n'existe pas à ce sujet de statistiques officielles, et pour cause : l'administration coloniale de Hong-Kong refuse d'en fournir, de peur de froisser la susceptibilité de Pékin. Il faut lire attentivement les revues de Hong-Kong pour s'informer sur ce sujet délicat.

Pour que l'émigration soit réversible, il faudrait que Pékin donne des gages de sa volonté de respecter les « règles du jeu » du système en vigueur à Hong-Kong. Force est de constater qu'en 1988 il n'en était rien. Cette année-là, sur un sujet aussi sensible que la liberté de la presse, Pékin a fait pression sur l'administration britannique locale pour qu'elle promulgue une ordonnance prévoyant des sanctions pénales contre « les diffuseurs de nouvelles fausses ou tendant à déformer la réalité », formule pour le moins vague, et que tous les intellectuels sans exception ont perçue comme le premier pas vers l'établissement d'une censure, alors que Hong-Kong est demeuré le seul lieu de l'espace chinois où règne une authentique liberté d'expression.

Autre mauvais augure : les efforts de Pékin pour empêcher toute tentative de démocratisation de la colonie et maintenir le *statu quo*, de façon à pouvoir reprendre en main une population aussi docile que possible. Sous la pression d'une opinion publique tardivement sensibilisée à la politique, l'administration britannique de Hong-Kong a

━━━━━━━━━ *BIBLIOGRAPHIE* ━━━━━━━━━

« Hong-Kong, Macao, Canton », *Autrement*, n° hors série, Paris, 1983.

tenté d'instaurer sur le territoire l'équivalent d'élections municipales. Or en juin 1986, le vice-directeur du Bureau des affaires de Hong-Kong et Macao, Li Hou, déclarait à une revue de Hong-Kong que des élections directes, à quelque degré que ce fût, violeraient la déclaration commune sino-britannique sur le retour du territoire à la Chine.

La molesse de la réaction britannique d'alors — un haut fonctionnaire de la colonie s'est contenté de qualifier les propos de Li Hou de « maladroits » — a consterné l'opinion de Hong-Kong. La revue *Zhengming*, dont l'influence est grande, non seulement sur place mais dans l'ensemble de la diaspora dénonçait en 1988 la « collusion » de Royaume-Uni et de la Chine lorsqu'il s'agit d'entraver tout développement d'une forme quelconque de démocratie sur le territoire.

Lorsqu'on sait que *Zhengming* a été fondée en 1977 par un ancien cadre du Parti communiste de Canton pour soutenir la politique réformiste de Deng Xiaoping, qui avait alors Hua Guofeng comme principal rival politique, on mesure le chemin parcouru et l'ampleur de la désillusion de ceux qui ont cru au slogan lancé par Pékin dès que le retour de Hong-Kong à la Chine a été décidé : « Que les gens de Hong-Kong gouvernent Hong-Kong ! »

Henri Leuwen

SINGAPOUR

Un État multinational, confucéen et anglophone

Peuplée à plus de 70 % par des Chinois, Singapour, la cité du lion (620 kilomètres carrés), située en plein cœur du monde malais, réunit parmi ses 2,7 millions d'habitants, de nombreuses minorités ethniques, culturelles et religieuses : Malais (15 %), Indiens (7 %), Européens, Eurasiens, Arabes et Juifs.

A la différence de tous les autres pays d'Asie du Sud-Est, où les Chinois locaux forment une minorité raciale et culturelle en position souvent délicate face à la population indigène majoritaire (Malais en Indonésie et Malaisie par exemple), Singapour donne l'image d'une cité avant tout chinoise, où les minorités asiatiques, ici malaises et indiennes notamment, doivent se conformer à un ensemble de normes sociales inspirées le plus souvent par la majorité.

Réussir à construire un petit État insulaire à prédominance chinoise, multiracial et stable, en plein cœur du monde malais, voilà l'un des plus grands défis que Singapour essaie de relever depuis les années soixante.

Chinois, Malais, Indiens...

Durant la première moitié du XIXe siècle, la communauté chinoise de Singapour se compose essentiellement d'hommes d'affaires, Chinois baba (c'est-à-dire parlant le malais et ouverts à la culture locale) venant de Malacca et Penang, et d'une première vague d'émigrés de Chine du Sud (paysans pauvres) travaillant dans l'agriculture et l'ar-

tisanat. La prospérité économique de Singapour renforcée, dans la seconde moitié du XIXe siècle, par l'exploitation coloniale de ressources naturelles très prisées en Malaisie (caoutchouc, étain, produits tropicaux) transitant par les entrepôts de l'île, a rendu nécessaire le recours à une main-d'œuvre étrangère immédiatement disponible, besogneuse et bon marché, que les Britanniques sont allés chercher via Hong-Kong et Canton en Chine du Sud (Hokkiens, Teochews, Cantonais, Hakkas parlant des dialectes différents et formant des clans socio-professionnels distincts). De cette seconde vague d'émigration chinoise particulièrement dense à et via Singapour (vers la Malaisie péninsulaire et orientale), jusque dans les années vingt-trente, est né un clivage difficilement surmontable entre Chinois des pôles urbains et commerçants (Singapour, Malacca, Penang, Kuala Lumpur,...) et Malais, surtout des campagnes, restés très largement ruraux, traditionnels et marqués par l'islam. A l'exception des Chinois baba de la première heure, les possibilités quasi inexistantes de mariages entre Chinois et Malais, et ce pour des raisons religieuses, ne pouvaient qu'accentuer le fossé, aggravé encore par l'ardeur au travail et la réussite matérielle rapide de ces émigrés chinois imposés par l'intervention du colonisateur dans les affaires indigènes. Enfin, au XXe siècle, cette fois, le réveil du nationalisme en Chine, puis l'arrivée des communistes au pouvoir à Pékin ont suscité dans les milieux malais un regain de défiance à l'égard des

─── *BIBLIOGRAPHIE* ───

BARBER N., *The Singapore Story : from Raffles to Lee Kuan Yew*, Fontana, Collins, 1978.

CLAMMER J., *Singapore : Ideology, Society, Culture*, Chopmen, Singapour, 1985.

JOSEY A., *Singapore : Past, Present and Future*, André Deutsch, Londres, 1980.

REGNIER Ph., *Singapour et son environnement régional, Étude d'une cité-État au sein du monde malais*, Institut univ. des hautes études internationales et P U F, Genève-Paris, 1987.

TALABOT M., *Singapour, troisième Chine*, Laffont, Paris, 1974.

Chinois d'outre-mer que l'état d'urgence anti-communiste à Singapour et en Malaisie (1948-1960) ne pouvait qu'exacerber à l'heure de la préparation du *self-government* (1959) puis de l'indépendance (1965).

Comme dans le reste de la péninsule, les Malais sont les habitants d'origine. Durant la période d'urbanisation de la cité portuaire puis, à partir de 1960-1965, de son industrialisation accélérée, les Malais, tout comme leurs frères en Malaisie, se sont mal adaptés, comparativement aux Chinois, à ce type de modernisation axée sur le développement matériel. Pour ces raisons d'ordre sociologique et religieux et aussi par manque d'éducation suffisante et d'esprit d'entreprise, les Malais occupent jusqu'à ce jour des fonctions le plus souvent de deuxième ordre ou subalternes dans la société singapourienne.

La majorité des Indiens vivant à Singapour sont des Tamouls dont la langue est l'une des quatre officielles de la cité-État. Comparés aux Malais, les Indiens forment un groupe assez hétérogène sur le plan religieux : hindouisme mais aussi islam, catholicisme, protestantisme, mouvements Baha'i, Ramakrishna et Sai Baba. Totalement étrangers au départ, comme la plupart des Chinois, mais mieux prédisposés culturellement peut-être à s'adapter, les Indiens semblent s'être mieux insérés dans la société singapourienne que les Malais plus nombreux ; ils sont très présents dans certaines activités comme le commerce de détail (textiles) et les professions libérales,

voire certains secteurs de la vie publique (droit, diplomatie...).

Tous les symboles de la nation insulaire affirment l'identité multiraciale de Singapour et cherchent à compenser, en faveur des minorités ethniques, le poids prépondérant des Chinois. Le drapeau national s'inspire des couleurs des pays voisins. Le Chef de l'État est alternativement malais, eurasien, indien et chinois (depuis 1985). Parmi les quatre langues officielles (anglais, malais, mandarin, tamoul), le malais est la langue *primus inter pares* dans la mesure où elle est celle de l'hymne national. Indiens et Malais sont délibérément sur-représentés dans certains corps de la fonction publique, diplomatie et carrières juridiques pour les premiers, police et sécurité pour les seconds.

En matière d'éducation, le bilinguisme a été introduit dans les écoles dès 1966. L'anglais, seule langue locale à n'afficher aucune couleur ethnique, domine afin de créer un instrument de communication entre tous et de perpétuer la vocation internationale de Singapour, mais la langue maternelle de chacun et son support culturel ne sont pas pour autant négligés afin de préserver l'identité de tous les groupes et de résister aux valeurs souvent jugées décadentes véhiculées à travers le monde par la langue anglaise.

Philippe T. Régnier

Un «petit dragon» économique

A la fin des années cinquante, l'avenir politique de Singapour apparaissait précaire, l'île surpeuplée, son infrastructure délabrée, le problème du logement explosif. Trente ans plus tard, la république insulaire distançait les principaux pays d'Asie du Sud-Est en termes de revenu *per capita*, et en matière de santé, éducation, espérance de vie et, surtout, par une répartition plus égalitaire. Que s'est-il passé dans ce petit pays (630 kilomètres carrés), habité par 2,7 millions de personnes dont les trois quarts sont des Chinois ? Alors que son économie se mondialisait, la cité-État a fait l'objet d'une révolution des fonctions dans les trois grands domaines de la production, la reproduction sociale et la circulation. Dès l'obtention de l'autonomie interne en 1959, plus encore depuis l'indépendance de 1965, la mise en œuvre d'une politique industrielle fut confiée à de puissantes régies d'État, dont l'une avait le mandat d'attirer les investissements étrangers par l'octroi d'avantages fiscaux et la formation des travailleurs. Six zones franches commerciales et une quinzaine de zones industrielles furent établies, dont celle de Jurong couvrant une superficie de 24 kilomètres carrés et employant plus de 100 000 personnes dans 1 700 entreprises. Entre 1960 et 1980, la part du produit intérieur brut d'origine industrielle est passée de 12 % à 35 %. Elle a quelque peu régressé depuis, alors que, tout en développant l'industrie lourde, Singapour a mis l'accent sur les hautes technologies et les services de pointe reposant sur l'utilisation d'une main-d'œuvre peu nombreuse mais qualifiée. L'encadrement de celle-ci constitue la deuxième grande réalisation de l'équipe de technocrates gérant le pays. Une croissance démographique maîtrisée, un contrôle idéologique omniprésent mais souple, de services sociaux de qualité, un urbanisme novateur, un taux d'épargne locale exceptionnel (plus de 40 %) sont autant de moyens utilisés pour assurer une reproduction sociale efficace. C'est aussi l'efficacité qui caractérise la forme ultime de cet encadrement : le logement social. Entre 1960 et 1990, dans le cadre d'un formidable programme de construction de centres d'habitation, la part de la population vivant dans des « HLM » est passée de 9 % à 90 %. Ces modifications furent accompagnées d'une amélioration du vaste domaine des communications et de la circulation. Cela concerne le port, composé de six grands terminaux et devenu l'un des plus importants au monde ; le secteur des télécommunications tout comme l'immense aéroport de Changi aménagé à même un terrain gagné sur la mer ; le secteur bancaire, Singapour étant le siège de l'*Asia*

BIBLIOGRAPHIE

DE KONINCK R., « Singapour », *in* M. BRUNEAU M., Ch. TAILLARD, *L'Asie du Sud-est, Géographie universelle Reclus*, Hachette, Paris, 1987.

GOLDBLUM Ch., « Singapour (1819-1986) : Émergence de la ville moderne et mythe rural », *Archipel*, n° 38, 1988.

KRAUSE L.B. *et alii*, *The Singapore Economy Reconsidered*, Institute of South east Asian Studies, Singapore, 1987.

MARGOLIN J.-L., *Singapour 1959-1987. Genèse d'un nouveau pays industriel*, L'Harmattan, Paris, 1989.

REGNIER Ph., *Singapour et son environnement régional*, PUF, Paris, 1987.

dollar, drainant l'argent des Chinois de la *diaspora*; l'essor du tourisme, étroitement associé à l'image d'une «Asie instantanée» et confortable. Enfin, la capacité d'adaptation du «petit dragon» au marché mondial repose sur celle des Singapouriens à gérer de façon imaginative un territoire réduit, notamment par une domestication de la nature qui a fait de leur cité-État l'une des grandes villes les plus verdoyantes au monde.

Rodolphe De Koninck

LES CHINOIS D'OUTRE-MER

Un «Commonwealth» chinois

Depuis des siècles, des Chinois ont émigré outre-mer. Leur nombre est actuellement estimé à plus d'une vingtaine de millions, peut-être vingt-cinq. On ne dispose pas de chiffres exacts, pour la bonne raison qu'il n'existe pas de recensement des Chinois d'outre-mer en tant que tels ; les définitions diffèrent selon les pays et les époques. Il existe dans le vocabulaire officiel en Chine populaire une distinction entre ceux qui ont gardé la nationalité chinoise et ceux qui ont adopté celle de leur pays d'accueil, respectivement les *Huaqiao* et les *Weiji huaren*. Ceux qui ont du sang chinois sont appelés *Huayi* (descendants de Chinois). Les habitants de Hong-Kong, de Macao et de Taïwan sont considérés comme des compatriotes (ou *tong bao*). Cette classification paraît à première vue simple et claire. Mais la réalité est bien plus complexe. La communauté chinoise d'outre-mer se reconnaît indistinctement sous le vocable de *Huaqiao*. La connaissance de la langue n'est même pas nécessaire. Beaucoup de *Huaqiao* ne parlent plus le chinois, certains ne conservent que le dialecte de leur province d'origine et d'autres, plus nombreux, ne lisent ni n'écrivent le chinois. Mais tous gardent un lien sentimental avec la lointaine mère-patrie.

Le début de l'émigration n'apparaît dans les annales qu'à partir de l'époque des Tang (618-907), qui signalent l'installation outre-mer de communautés dont le savoir-faire (paysans, artisans, marins ou commerçants) ont été en général appréciés. Les plus talentueux et les plus chanceux ont même occupé des positions officielles dans des cours royales (Siam ou Java) servant par-

fois d'intermédiaires entre ces dernières et l'empire du Milieu. Jusqu'à l'arrivée des Occidentaux, au XVIᵉ siècle, et l'instauration des régimes coloniaux dans la région, l'immigration chinoise ne semble pas avoir suscité de réactions hostiles ou de graves problèmes. Les Chinois adoptaient volontiers la langue et certaines coutumes du pays (les « Baba » de Malaka). Un très grand nombre de romans populaires chinois ont été traduits en thaï, en vietnamien ou en malais...

Le grand tournant de l'émigration chinoise se situe au milieu du siècle dernier. Les nouveaux émigrants étaient ces fameux *coolies* qui, chassés de leur village par la misère et séduits par la propagande des

recruteurs dans les ports de la Chine méridionale, se sont embarqués par dizaines de milliers chaque année pour aller travailler dans les plantations et les mines en Asie du Sud-Est ou sur les voies ferrées aux États-Unis. Quelques décennies plus tard, des femmes émigrèrent à leur tour. Ainsi des familles se sont-elles reconstituées sur des terres étrangères. Le développement d'écoles sur le modèle chinois et le réveil nationaliste suscité à la fin du XIXe siècle et au début du XXe par les réformateurs tels que Liang Qichao et les révolutionnaires comme Sun Yat-sen ont ravivé le sentiment d'identité culturelle et renforcé le particularisme des communautés *huaqiao* du début du siècle.

Des associations régionales *huiguan* réunissaient les gens de même district parlant le même dialecte, puisque les *Huaqiao* se partagent en cinq grands groupes : Hokkien de la province du Fujian, Cantonais, Teochiu, Hakka, Hainanais venus de la province du Guangdong. En l'absence de représentation diplomatique, ces organisations sont devenues des interlocuteurs officiels des autorités locales.

Un certain nombre de ces expatriés ont prospéré. L'idée s'est répandue que les communautés *huaqiao* sont difficilement assimilables, détenant des pouvoirs occultes en raison de leur richesse. Au lendemain de la Seconde Guerre mondiale, les pays de l'Asie du Sud-Est ayant accédé à l'indépendance, leurs jeunes États s'employèrent à résorber ces puissances. Une série de mesures plus ou moins similaires a été promulguée dans les différents pays du *Nanyang* : suppression des écoles chinoises, restriction d'accès à certaines professions, quotas d'entrée à l'Université, et surtout, choix de la nationalité. Beaucoup de *Huaqiao* n'étaient pas préparés à opter pour une citoyenneté « étrangère », celle de leur pays d'adoption. Mais, après l'instauration de la République populaire en 1949, rester Chinois fut interprété en Asie du Sud-Est comme un choix politique, et, en 1955, Zhou Enlai, Premier ministre chinois, dut encourager le *Huaqiao* à adopter la nationalité de leur lieu de résidence.

Des blanchisseurs aux hommes d'affaires

Après 1975, avec la victoire communiste dans les pays de l'ancienne Indochine, la montée de l'islam en Malaisie et en Indonésie, une deuxième vague d'émigration se produisit. Elle mena nombre de Chinois de l'Asie du Sud-Est en Amérique du Nord, en Europe ou en Australie. Ce fut une émigration de riches, souvent réalisée en deux temps : les familles aisées favorisent le départ de leurs enfants vers les universités anglo-saxonnes, aident à leur installation sur place, afin de pouvoir éventuellement les rejoindre. Un nombre croissant de ressortissants de Hong-Kong, dans la perspective du retour de la colonie britannique à la Chine en 1997, vient renforcer ce courant.

La diaspora a essaimé sur tous les continents et ses membres sont représentés dans toutes les couches de la société. Si l'armateur de Hong-Kong, sir Y.K. Pao passe pour l'un des hommes les plus riche du monde, tous les *Huaqiao* ne roulent pas sur l'or. Beaucoup continuent à trimer dans leur échoppe ou à s'échiner sur leur machine à coudre dans les « sweatshops » (usines à sueur) des *chinatowns*. On observe, cependant, chez eux une ascension sociale rapide qui passe généralement par l'éducation de la deuxième génération d'émigrés. Il n'est pas rare que des parents pauvres se saignent aux quatre veines pour permettre à leurs enfants ou au plus doué d'entre eux de poursuivre des études poussées. Ainsi, hommes d'affaires prospères, membres de professions libérales, professeurs d'université, artistes... viennent corriger l'image archaïque des blanchisseurs ou gargotiers chinois héritée du siècle dernier. La Chine est très fière de ses enfants et des enfants de ses enfants ayant réussi à l'étranger, dans le domaine des affaires, des arts ou

Les Huaqiao, une question essentiellement asiatique

Le terme de Chinois d'outre-mer englobe des situations juridiques et des réalités diverses. Même si sa politique à l'égard de la diaspora n'a pas toujours tenu compte de ces nuances, la République populaire de Chine distingue, d'une part, les « compatriotes » (tong bao) de Hong-Kong, Macao et Taïwan qui vivent en Chine, mais échappent provisoirement à l'autorité de Pékin, et d'autre part, les « Chinois d'outre-mer de l'intérieur ». Revenues vivre en Chine après des décennies, voire des siècles à l'étranger, ces familles connaissent un traitement différent des autres citoyens.

Quant à la diaspora à proprement parler, elle comprend les Huaqiao de nationalité chinoise et les Huayi, les ressortissants étrangers d'origine chinoise. Pour compliquer la situation, les Chinois d'outre-mer jouissent de statuts différents selon leur pays de résidence. On peut leur reconnaître cependant de fortes ressemblances dans les modes de vie et la culture.

Parmi les 25 millions de Chinois d'outre-mer de par le monde, 90 % vivent en Asie et plus précisément en Asie du Sud-Est (17 millions), la majorité d'entre eux ayant élu domicile dans les pays du Nanyang (Mer de Chine méridionale), 1,5 million vivent en Amérique du Nord et 500 000 en Europe.

En Asie, la situation de la diaspora varie considérablement d'un pays à l'autre. Mais, qu'ils soient au pouvoir comme à Singapour ou systématiquement brimés, comme en Indonésie, les Huaqiao n'en constituent pas moins dans toute la région des communautés particulièrement entreprenantes. Ce dynamisme économique leur est d'ailleurs passablement reproché.

De son côté, la Chine a toujours eu des attitudes fluctuantes à leur égard, passant de l'interdiction pure et simple d'émigrer à l'utilisation de la diaspora à des fins politiques et économiques. Depuis 1949, l'attitude de Pékin vis-à-vis des Chinois d'outre-mer est liée aux soubresauts des orientations politiques et à l'image que la RPC veut donner d'elle-même à l'étranger, en l'occurrence en Asie ; la question des Huaqiao étant essentiellement asiatique.

Dès les premières années de son existence, la Chine communiste opte pour une position dure : maintien du jus sanguinis (adopté en 1909) qui décrète de nationalité chinoise toute personne née d'un père chinois, quel que soit son lieu de naissance ; soutien aux mouvements insurrectionnels d'inspiration maoïste. Cette attitude ne fait alors qu'accroître la méfiance des États du Sud-Est asiatique et leurs craintes de voir apparaître la « Cinquième Colonne ». A partir de 1954, soucieuse de se rapprocher de ses voisins, la Chine infléchit sa position. En 1955, en marge de la Conférence de Bandung, elle signe avec l'Indonésie un traité sur la double nationalité que, pense-t-elle, elle pourra ultérieurement proposer aux autres États de la région. La « révolution culturelle » voue les Chinois d'outre-mer aux gémonies. Indésirables en Chine à cause de leur caractère « bourgeois », ils ne sont guère mieux lotis à l'étranger ; la politique prônée par Pékin accentue l'exaspération et l'inquiétude des régimes du Sud-Est asiatique.

Aujourd'hui, Pékin poursuit à l'égard des Chinois d'outre-mer un double objectif : redorer son image aux yeux des pays asiatiques et attirer les capitaux de la diaspora utiles au développement.

En matière économique, Pékin a obtenu des résultats notoires, les investissements des Chinois d'outre-mer en Chine continentale s'élèvent, bon an mal an, à un milliard de dollars américains. En revanche, malgré les encouragements de Pékin à se conformer aux usages des pays d'adoption et la renonciation au principe de la double nationalité, les communautés chinoises du Sud-Est asiatique font encore largement les frais des relations ambiguës et houleuses qu'entretiennent la Chine et les pays asiatiques.

Marion Calvo Platero

BIBLIOGRAPHIE

PURCELL V., *The Chinese in South-East Asia*, Oxford University Press, Londres, 1957 (rééd. mise à jour 1965).

KWONG P., *The New Chinatown*, Hill & Wang / Farrar, Straus Giroux, New York, 1988.

SALMON C. (sous la dir. de), *Traditional Chinese Fiction in Asia (17th-20th Centuries)*, International Culture Publishing Corporation, Pékin, 1987.

des sciences. Quand ils viennent en visite, ils sont reçus avec des honneurs d'autant plus grands qu'ils reviennent « investir au pays » (80 % des investissements étrangers en Chine sont constitués par des capitaux de Chinois vivant à l'étranger, Hong-Kong et Taïwan compris). Il est vrai que les relations qu'ils entretiennent entre eux et les liens qui les rattachent à la Chine facilitent les affaires. Le réseau chinois n'est pas un vain concept. Mais, de plus en plus, les descendants des émigrés, la deuxième ou la troisième génération, sont certes curieux de faire connaissance avec le pays d'où sont partis leurs parents, mais ne veulent pas devenir les « arbres à sapèques », version chinoise de l'oncle d'Amérique. Ils se considèrent non plus comme des Chinois vivant à l'étranger, mais comme des étrangers d'ascendance chinoise. Grâce à la diaspora, l'univers chinois s'est élargi aux dimensions du monde. Mais les liens des descendants des émigrants avec la mère patrie ressemblent de plus en plus à ceux qu'entretenaient les colons britanniques avec la vieille Angleterre, quand se créa le *Commonwealth* britannique. Les *Huaqiao* seraient-ils en train de devenir une troisième Chine, après celles de Pékin et de Taïwan ?

Brigitte de Beer-Luong

LA CHINE
ET LE MONDE

Politique étrangère : tradition et héritage révolutionnaire

La Chine est tout à la fois un État ayant une très ancienne tradition politique et un État remodelé par une révolution marxiste-léniniste. Ces deux données qui, intimement mêlées, font la Chine contemporaine, se retrouvent inévitablement dans sa politique étrangère.

Le thème de la Chine, empire du Milieu, est connu. Il résulte d'une vision confucéenne de l'univers qui organisait l'empire autour de l'empereur et le monde autour de l'empire. Dans un tel schéma, tout ce qui gravitait autour de ce dernier n'avait d'intérêt et, même, d'existence, que par les liens de vassalité qui l'unissaient à la Chine. Certes, les temps de telles relations sont définitivement révolus, mais la Chine actuelle n'en conserve pas moins le sentiment de jouer un rôle central dans les affaires mondiales. Ainsi, on n'hésite pas, à Pékin, à expliquer l'alliance des années cinquante avec l'U R S S par la nécessité qu'il y avait alors à contrecarrer l'« impérialisme » américain ; puis le conflit sino-soviétique par la nécessité de faire contrepoids à l'hégémonie de Moscou ; aujourd'hui enfin, la détente avec l'U R S S par le besoin de rétablir un équilibre mondial compromis par les ambitions de l'Amérique « reaganienne ». Dans tous les cas, on le voit, la Chine se donne le rôle de pivot central.

De la Chine confucéenne, la République populaire a également hérité cette tendance permanente à vouloir classer les États en catégories résultant de la vision proprement chinoise du monde. Hier, classement en non-tributaires et tributaires, et les tributaires en réguliers et irréguliers. Aujourd'hui, classement en États révolutionnaires ou réactionnaires, frères ou amis, hégémonistes ou non hégémonistes, marxistes-léninistes ou révisionnistes, etc. Vis-à-vis de cha-cune de ces catégories, la Chine, théoriquement tout au moins, observe un comportement spécifique, entretient une relation particulière, qui rappelle directement les « cinq relations » que le confucéen entretient avec le père, le fils, l'ami, le voisin et l'« autre ».

Sur ces résurgences du passé, la confrontation avec les puissances occidentales depuis un siècle et demi, puis les deux révolutions de 1911 et 1949, sont venus se plaquer des explications et des comportements certes, entièrement nouveaux, mais qui n'ont pas totalement oblitéré la tradition.

La Chine entre les « hégémonies »

Dès qu'elle a été proclamée, la République populaire de Chine (R P C) s'est alliée à l'U R S S (1950). Intégrée au camp socialiste, elle a dû s'aligner sur les conceptions soviétiques de politique étrangère. C'est dire qu'à compter de cette date, Pékin, selon la thèse officielle du Kominform, a défendu l'idée que le monde était coupé en deux : d'un côté, le camp socialiste progressiste, dirigé par l'U R S S, de l'autre, le camp impérialiste réactionnaire, dirigé par les États-Unis. En se ralliant à cette thèse soviétique, qui devait dominer toute la période de la guerre froide, la R P C, en fait, renonçait à toute doctrine propre en matière de politique étrangère.

Son conflit avec l'U R S S, à partir de 1959-1960, fut l'occasion de développer une vision neuve des relations internationales. Reprenant une idée maoïste datant de la fin du second conflit mondial, la R P C s'orienta vers une explication entiè-

LES ACCÈS À LA CHINE

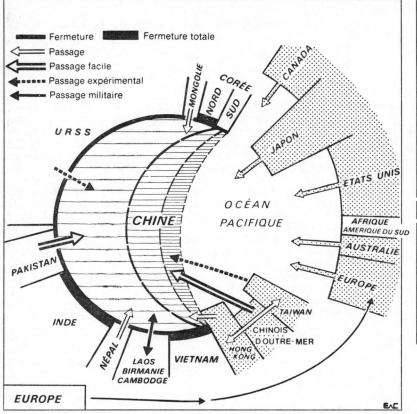

La Chine peut être représentée symboliquement aujourd'hui comme un œil gigantesque atteint de la cataracte, soumis brutalement depuis 1980 aux rayons que dardent vers lui les astres de la réussite économique. Œil ouvert sur ces émi-nences de ce qu'on appelle le « capitalisme », la Chine voudrait limiter à quatre (agriculture, industrie, technologie, armée) les modernisations qu'elle en attend.

Elle est adossée à des voisins continentaux qu'elle considère globalement comme hostiles, peu dignes d'elle ou attardés. Il se trouve que ses relations avec eux sont marquées de nos jours plutôt par la fermeture, avec des tentatives fluctuantes de normalisation. Entre ces voisins et la Chine proprement dite, les immenses territoires occupés par les peuples non chinois font écran. Ils constituent des ré-serves de matières premières et leur développement n'est pas jugé prioritaire.

La Chine du centre est conçue comme une bande méridienne où le progrès technique doit être diffusé dans la population chinoise pour rattraper les retards internes en matière de technologie et d'utilisation rentable et performante des ressources humaines. C'est une Chine de second rang, en particulier hors des grands axes de liaison.

La mince bande de Chine côtière, avec ses zones ouvertes aux divers degrés à l'étranger, est le lieu d'accueil privilégié de tous les progrès possibles (sauf la démocratie qui n'en serait pas un), de l'emploi des investissements extérieurs, de l'acquisition de richesses, de la transformation des productions en produits commercialisables. Sa partie mériodionale est particulièrement active en raison de la proximité du « monde chinois extérieur ».

P.G.

─── *BIBLIOGRAPHIE* ───

BARNETT A.D., *The Making of Foreign Policy in China*, I.B. Tauris, Londres, 1985.

JOYAUX F., *La Nouvelle Question d'Extrême-Orient* (3 tomes), Payot, Paris, 1985 (t. I), 1988 (t. II). Tome III à paraître.

JOYAUX F., *La Politique extérieure de la Chine populaire*, PUF « Que sais-je ? », Paris (à paraître).

rement nouvelle des rapports internationaux, celle des « zones intermédiaires ». Le monde, selon Pékin, n'était plus divisé en deux blocs antagonistes, mais dominé par deux puissances aux tendances hégémonistes, URSS et États-Unis. Entre elles, s'étendait une immense « zone intermédiaire » (1963), ou plus exactement « deux zones intermédiaires » (1964) : la première comprenait tous les pays dominés, c'est-à-dire le tiers monde, tandis que la seconde comprenait tous les États qui étaient à la fois dominés et dominateurs : Europe occidentale, Japon, Afrique du Sud, Israël et autres. La Chine, bien évidemment, appartenait à la première zone intermédiaire. C'est dire qu'elle ne reconnaissait plus l'existence d'un camp socialiste et qu'elle-même, en matière internationale, se définissait plus comme un État du tiers monde que comme un État socialiste. Schéma qui présentait, entre autres avantages, celui de ne plus placer la Chine en position dépendante vis-à-vis de l'URSS, à l'intérieur du camp socialiste, mais en position indépendante, au cœur, voire au centre du tiers monde.

En ce domaine comme en tant d'autres, la « révolution culturelle » entraîna de profonds bouleversements. Dès lors, la doctrine officielle, à partir de 1965-1966, fut celle d'un monde divisé en « villes », c'est-à-dire en pôles industrialisés, isolées au milieu de « campagnes » immenses et pauvres, en fait le tiers monde, qui les encerclaient. La Chine, bien évidemment, était au cœur de ces « campagnes » qui constituaient la véritable force révolutionnaire mondiale et qui finiraient par engloutir les « villes », fiefs de la réaction et du conservatisme.

Comme dans les années trente et quarante, les masses rurales chinoises, guidées par le PCC, avaient fini par investir les villes tenues par les nationalistes du Guomindang. La chute de Lin Biao, en 1971, jeta le discrédit sur cette ligne révolutionnaire, bientôt qualifiée de « gauchiste ». Mais, une fois encore, la place de la Chine et de l'expérience chinoise, dans la doctrine, était significative.

La thèse des « trois mondes »

Passée la période la plus dure de la révolution culturelle, apparut en 1974, dans un discours prononcé par Deng Xiaoping à l'ONU, la thèse dite des « trois mondes ». Elle demeure la référence officielle en matière de politique étrangère.

Les États sont répartis en trois catégories. Le « premier monde » est constitué des superpuissances hégémoniques, en réalité les seuls États-Unis et URSS, dont l'unique ambition serait de dominer le monde. A l'autre extrême se trouve le « troisième monde », celui des dominés ; en d'autres termes, le tiers monde défini en termes politiques plutôt qu'économiques. La Chine bien sûr reste au centre de ce troisième monde. Entre les deux, le « deuxième monde », c'est-à-dire l'ex-« seconde zone intermédiaire », est constitué d'États souvent dominés par le premier monde, mais parfois hégémoniques eux-mêmes, occupant par conséquent une place ambiguë dans les relations internationales.

Depuis le début des années quatre-vingt, la Chine, fuyant visible-

Qui dirige la politique étrangère ?

En Chine, comme dans la plupart des pays, la politique étrangère a toujours été l'affaire d'un nombre très restreint de dirigeants. Alors que le Premier ministre Zhou Enlai exerça jusqu'à sa mort en 1976 une influence déterminante sur la diplomatie, les décisions stratégiques de politique étrangère ont constamment été prises par Mao Zedong lui-même. Bien que régulièrement informé par les services du ministère des Affaires étrangères et du département de liaisons internationales du PC, Mao Zedong préférait débattre des questions internationales avec les généraux de la Commission des affaires militaires (CAM) du Comité central qu'il présidait et dont les membres lui étaient plus fidèles. Apparue au grand jour en 1958, la CAM est devenue, à la faveur de l'approfondissement des divisions au sein de la direction du Parti, un centre maoïste de pouvoir, non seulement en matière de défense et de politique étrangère, mais aussi, à partir de la « révolution culturelle », pour toutes les questions politiques d'importance.

Après 1976, Hua Guofeng, le nouveau président de la CAM, s'efforça sans succès de maintenir son emprise sur la politique étrangère. Dès 1978, Deng Xiaoping, alors vice-président de cette instance, parvint à y trouver le soutien nécessaire pour prendre le contrôle de ce dossier essentiel dans la politique des réformes. Président de la CAM à compter de l'hiver 1980-1981, Deng, tout comme Mao autrefois, est resté, en dépit de son grand âge et d'une santé précaire, le principal artisan de la stratégie extérieure. Toutefois, la stabilisation et la relative institutionnalisation du régime ont quelque peu élargi le cercle des décideurs.

Depuis 1984, un groupe dirigeant du Comité central est chargé de la politique étrangère. Dirigé jusqu'en décembre 1987 par le président de la République, Li Xiannian, et, ensuite, par le Premier ministre Li Peng, composé des responsables des principales administrations concernées (ministère des Affaires étrangères, Département de liaisons internationales, ministère des Relations économiques et commerciales avec l'étranger), ce groupe constitue sans aucun doute une instance rivale de la CAM dans la définition de la politique étrangère. En effet si un des vice-présidents de la CAM, Yang Shangkun, y siège également, ni Deng, ni, jusqu'en juin 1989, lorsqu'il était encore secrétaire général du PCC et premier vice-président de la CAM, Zhao Ziyang, n'en ont fait partie. En outre, l'influence décroissante des militaires dans la politique tend à transférer en partie le pouvoir de décision en politique étrangère de la CAM au Comité permanent du Bureau politique, l'actuel noyau dirigeant du PC.

Jean-Pierre Cabestan

ment les idéologies, semble n'avoir plus guère de ligne officielle en matière de réflexion sur les affaires du monde. Toutefois, on le constate, pendant trois décennies, la RPC s'est constamment efforcée de replacer sa politique étrangère dans un cadre idéologique rigide. Celui-ci, bien évidemment, n'avait, en lui-même, rien à voir avec les conceptions traditionnelles en matière de rapports extérieurs. Mais bien traditionnel et bien confucéen, en revanche, était ce besoin de situer les relations internationales de l'État dans un système d'idées censé donner une explication globale du monde.

François Joyaux

LA CHINE, GRANDE PUISSANCE

Une défense de «grande puissance faible»

La Chine populaire est — pour des années encore — une « grande puissance faible ». Elle a de grandes vulnérabilités et des ressources limitées. Depuis 1980, sa politique de sécurité repose sur la modernisation de ses forces « à l'économie », sur une composante diplomatique importante et même sur des concessions discrètes, calculées pas à pas.

La Chine a d'abord choisi la sécurité dans le camp socialiste. Le traité d'amitié et d'alliance conclu avec Moscou le 14 février 1950 concrétisait à la fois le choix du mo-

dèle soviétique et l'engagement dans un camp contre l'autre. Mais à partir de 1960, elle donna la priorité à l'indépendance, à son appartenance au tiers monde et prétendit s'opposer à la fois aux deux superpuissances, URSS et États-Unis. Nouveau changement dix ans plus tard : dès décembre 1970 Mao envoyait une première offre de rapprochement au président Richard Nixon, que le Premier ministre Zhou Enlai s'employait à exploiter : voyage secret de Henry Kissinger en Chine (juillet 1971), visite du président Nixon et « communiqué de Shanghai » (février 1972). Non seulement Zhou ouvrait largement la voie aux futures relations sino-américaines et sino-japonaises, mais, entre 1972 et 1975, il faisait de même avec une cinquantaine de pays (dont tous les grands pays occidentaux jusqu'alors à l'écart) et avec les principales organisations internationales.

1978-1979 fut une année de reclassement pour toute l'Asie orientale : entrée du Vietnam dans le Conseil d'assistance économique mutuelle (CAEM, ou COMECON) en juin 1978, signature du traité de paix sino-japonais en août, du traité d'alliance soviéto-vietnamien en novembre, accord sino-américain sur la normalisation complète des relations bilatérales en décembre. Suivent des événements plus tragiques, l'occupation du Cambodge par les Vietnamiens en décembre 1978-janvier 1979, l'attaque limitée (et coûteuse) menée par la Chine au Nord-Vietnam en février-mars 1979, enfin l'invasion de l'Afghanistan par les forces soviétiques en décembre 1979. En décidant d'employer la force pour donner une « leçon » au Vietnam au début de 1979, la Chine, comme emportée par un élan, acceptait un niveau de tension et de risque international qu'elle refuse depuis lors. De même, certains dirigeants chinois (et américains) semblent s'être laissé porter par une certaine euphorie en 1979 et en 1980, en misant sur une stratégie de « quasi-alliance », rejetée aujourd'hui par les deux pays.

Une stratégie plus cohérente prend forme à partir de décembre 1978. Le choix essentiel est la priorité donnée pour longtemps au développement économique, clé de la puissance future de la Chine. La volonté de modernisation entraîne l'ouverture vers les pays les plus avancés, dont Pékin attend contacts, formation, aide et multiplications des échanges de toutes sortes. L'ouverture est recherchée à l'ouest et à l'est, certes, mais dans une proportion de 70 à 80 % vers États-Unis, Japon, Europe et... Chinois d'outre-mer qui jouent un rôle important.

Rigidités de principe, concessions de fait

La priorité économique et l'ouverture impliquent deux autres choix qui orientent toute la politique de sécurité. Pékin veut désormais s'assurer un environnement pacifique durable, tout en réduisant ses dépenses de défense. Il est clair que la défense est la dernière des « quatre modernisations » (modernisations de l'agriculture, de l'industrie, du domaine scientifique et technique, de la défense, un slogan datant de Zhou Enlai, 1975). Peut-être influencés par l'exemple japonais, les Chinois ont, depuis 1979, plafonné leur budget de la défense en valeur absolue, ce qui le diminue régulièrement en pourcentage du budget de l'État. La modernisation de l'Armée de libération populaire (A L P) est axée sur des préalables peu coûteux et sur quelques priorités essentielles. La Chine n'a pas les moyens de prendre une initiative stratégique décisive contre les forces soviétiques, ni même contre celles du Vietnam, de Taïwan ou de l'Inde.

Il en résulte une politique complexe et des concessions de fait. Des « consultations » sino-soviétiques se tiennent régulièrement au printemps et à l'automne, à Pékin ou à Moscou, au niveau des vice-ministres des Affaires étrangères. Il ne s'agissait pas, de 1982 à 1988, d'une négociation ayant un terme, mais d'un canal de communication permanent. Ce canal est un élément important de la politique de sécurité chinoise : il permet de ralentir le jeu, de prévenir les tensions dangereuses et d'évaluer le moment où une concession devient indispensable. Malgré les « trois obstacles » (aide soviétique à l'occupation vietnamienne du Cambodge, déploiements militaires en Sibérie, invasion de l'Afghanistan) une normalisation *de facto* s'est installée entre les deux grands pays communistes, notamment après le discours de Mikhaïl Gorbatchev à Vladivostok (28 juillet 1986). Le discours de Krasnoïarsk (16 septembre 1988) a confirmé et encouragé la détente sino-soviétique. Cette évolution a abouti au sommet sino-soviétique tenu en mai 1989 à Pékin, au milieu des émeutes d'alors. La tendance au rapprochement s'est par la suite accentuée parmi la nouvelle direction chinoise.

De même peut-on considérer comme des concessions de fait la renonciation chinoise à faire pression par la force sur Taïwan ou sur le Vietnam. Sur le premier point, alors qu'aucun gouvernement ne peut renoncer à l'idée d'une réunification complète du pays, Pékin en est réduit à miser sur un espoir à long terme (l'exemple de la réunification avec Hong-Kong et Macao en 1997 et en 1999) et à promettre toutes les concessions politiques et économiques possibles en cas d'accord de principe de Taïpei. En Indochine, la Chine populaire s'est opposée avec constance depuis 1950, mais finalement sans succès, à tout hégémonisme sur son flanc suc, qu'il ait été français, américain, soviétique ou vietnamien. Pour faire plier Hanoi, Pékin a dû s'appuyer sur des mouvements de résistance cambodgiens aux capacités limitées. Les Chinois ont gardé un mauvais souvenir de la « leçon », donnée péniblement au Vietnam en février-mars 1979. Toujours fermes sur la revendication des îles Spratly et Paracel, ils admettent depuis 1985 l'existence de bases soviétiques à Cam Ranh et à Da Nang. Et, dans la perspective d'un règlement de ce conflit, les Chinois ont réduit leur appui diplomatique aux Khmers rouges : ils demandent la constitution d'un gouvernement et d'une armée « quadripartis » dans le Cambodge futur et ont contribué, par leur fermeté sur ce point, à l'échec de la Conférence de Paris d'août 1989.

La réflexion stratégique s'attache maintenant à l'hypothèse d'un conflit limité aux frontières. Pékin a peu à peu glissé du principe maoïste de la « guerre populaire » à celui, plus adapté, de la « guerre populaire dans des conditions modernes ». Au-delà des mots, il s'agit de combiner les différentes armes, en les modernisant au moindre coût, pour une sorte de défense de l'avant. En complément, les milices et les réserves créées à partir de 1980 continueraient à défendre les villes et à mener la guerre des masses dans les zones peuplées. La capacité de résistance du cœur du pays est ainsi globalement dissuasive. Mais on peut émettre des doutes sur l'aptitude de l'A L P à se mesurer sur les frontières nord à des unités soviétiques. De son côté, la marine souhaiterait avoir les moyens d'étendre efficacement son contrôle sur toutes les îles de la mer de Chine du sud. La mise en service d'un porte-avions n'est pas concevable à court terme.

Une certaine capacité de dissuasion nucléaire s'ajoute désormais aux moyens de l'A L P. La première explosion atomique chinoise date de 1964, la bombe thermonucléaire de 1967. Des missiles de grande portée ont été développés en petites séries. Les forces nucléaires sont globalement du même ordre de grandeur que celles de la France ou du Royaume-Uni quoique moins avancées sur le plan technique. En revanche, la puissance nucléaire de l'Union soviétique et des États-Unis est de vingt à cinquante cent fois supérieure. Cela n'empêche pas un effet de dissuasion du faible vis-à-vis du fort, mais limité dans le cas de la Chine par certaines vulnérabilités et par des conditions géographiques défavorables. Faute de disposer d'une véritable capacité de frappe en second, les responsables chinois jugeraient trop risqué de passer les premiers le seuil nucléaire. Ils ne se croient donc pas capables de « dissuader » complètement l'Union soviétique, mais seulement de la faire hésiter sérieusement à employer elle-même ses armes de destruction massive. En outre, les sous-marins nucléaires lanceurs d'engins (S N L E) chinois devront probablement patrouiller dans l'océan Pacifique et ils n'auront, dans l'avenir prévisible, qu'un impact régional, limité à l'Extrême-Orient.

Cet effort nucléaire et la lente modernisation de la défense semblent devoir se poursuivre si le climat de détente entre grandes puissances se généralisait.

Henry Eyraud
et Michel Jan

Chine-États-Unis, la fascination réciproque

Après plus de vingt ans de quasi-vide diplomatique, la visite du président Richard Nixon à Pékin en 1972, puis le rétablissement des relations diplomatiques, en 1979, ont ouvert la voie à une période de coopération croissante entre les États-Unis et la République populaire de Chine (R P C). Face à un hégémonisme soviétique qualifié de « menace principale » par Pékin, les Américains ont pu croire que les Chinois étaient prêts à accepter une alliance avec eux. Cependant, depuis le milieu des années quatre-vingt, les dirigeants chinois ont procédé à une réévaluation de l'équilibre des forces mondiales. Ils considèrent que l'U R S S est désormais entrée dans une période de repli, alors que les États-Unis sont perçus comme plus agressifs, particulièrement dans les domaines économique et idéologique. A Moscou, l'arrivée au pouvoir en 1985 de Mikhaïl Gorbatchev a favorisé un rapprochement avec Pékin. Les États-Unis ont perdu beaucoup de leur importance stratégique. Néanmoins, entre Chine et États-Unis, le rapprochement a été continu.

De 1979 à 1988 les échanges entre Pékin et Washington se sont multipliés dans les domaines économiques, commerciaux, technologiques et culturels. En 1988, le commerce sino-américain atteignait plus de 10 milliards de dollars, plaçant les États-Unis au troisième rang des partenaires commerciaux de la R P C après le Japon et Hong-Kong. A la fin de la même année les investissements américains en Chine s'élevaient à 3 milliards de dollars, soit plus de 13 % du total des investissements étrangers en Chine, après Hong-Kong, mais devant le Japon. Dans le même temps, la coopération culturelle s'est considérablement développée. En 1988, plus de 30 000 Chinois étudiaient ou poursuivaient des recherches dans une université américaine.

« Trois obstacles »

Cependant, en dépit de ces progrès indéniables, des difficultés ont surgi, freinant, selon les Chinois, le développement futur des relations américano-chinoises. L'obstacle présenté par Pékin comme le plus important reste celui des relations entre les États-Unis et Taïwan, que Washington ne reconnaît plus comme « République de Chine ». Pékin a dénoncé avec vigueur le *Taïwan Relation Act*, signé le 10 avril 1979, qui définissait le cadre des nouvelles relations entre Taïpei et Washington. Les dirigeants chinois se sont également opposés à la poursuite par les États-Unis des livraisons d'armes défensives au gouvernement républicain. Enfin, Pékin souhaitait que les États-Unis usent de l'influence qu'ils ont conservée sur le Guomindang, parti au pouvoir à Taïwan, pour pousser ce dernier à accepter plus chaleureusement les propositions des dirigeants communistes.

Le second obstacle soulevé par les Chinois à la fin de l'année 1988 a été celui des échanges commerciaux et technologiques. Les mesures protectionnistes adoptées par le Congrès américain à l'encontre des produits textiles importés d'Extrême-Orient ont inquiété la Chine. De même, Pékin souhaiterait que les investisseurs américains multiplient leurs efforts et cessent de douter de la politique de réformes économiques et d'ouverture sur l'étranger prônée par la direction chinoise. Enfin, les obstacles mis par les États-Unis à l'exportation vers la R P C de technologie pouvant servir à des fins militaires a constitué un sujet de frictions permanent entre Pékin et Washington.

Le troisième obstacle soulevé par les Chinois a été celui de « l'ingérence de certains » dans les affaires intérieures de la Chine. Une partie du Congrès s'était en effet émue du non-respect des droits de l'homme en Chine et particulièrement au Tibet. Mais le Département d'État, soucieux de ménager le gouvernement chinois en cette période de rééquilibrage des forces dans le monde, a hésité à faire de cette question des droits de l'homme un objet incontournable de discussion.

Depuis 1979, et peut-être plus encore depuis 1985, il est impossible de dissocier les relations sino-américaines des relations sino-soviétiques. Pékin n'a pu compenser son faible poids militaire et économique qu'en tentant de jouer un pôle du triangle Moscou-Pékin-Washington contre l'autre. Mais la dépendance dans laquelle se trouve la Chine vis-à-vis des États-Unis pour mener à bien une politique vitale de développement économique ne permet pas d'imaginer une remise en cause radicale du rapprochement entre les deux pays.

Valérie Niquet

La Chine et la mer, une vocation tardive

La Chine apparaît à tous comme un État essentiellement continental. Et pourtant, à certaines périodes de son histoire, l'empire connut une réelle avance en matière de navigation et fut une grande puissance navale. Mais depuis le XVIIᵉ siècle, au moins (dynastie mandchoue des Qing), cette tradition avait été totalement perdue. Après 1911, la République, déchirée par ses luttes internes, et confrontée au Japon, n'avait jamais pu se tourner vers la mer.

Les premières décennies du régime communiste ne furent pas favorables non plus à une grande politique de la mer. La ligne économique des années cinquante et soixante était surtout axée sur l'industrialisation de l'intérieur du pays ; les échanges commerciaux étaient orientés vers l'URSS. L'échec du Grand bond en avant, puis la « révolution culturelle » ne permirent pas à la Chine de s'intéresser à la mer. A la fin de la « révolution culturelle », en 1976, le RPC ne se plaçait qu'au dix-huitième rang mondial pour sa marine marchande, et au soixante-sixième pour la pêche en mer (par habitant).

Ce ne fut qu'avec les années soixante-dix et quatre-vingt que le pays commença réellement à se tourner vers la mer. Dès 1973, avait été lancé un plan de modernisation des neuf principaux ports. La création des zones économiques spéciales (ZES) en 1980, l'ouverture de quatorze ports aux investissements étrangers en 1984 et la transformation de l'île de Hainan en une nouvelle province chinoise en 1988, prolongèrent cet effort. Parallèlement, la RPC a cherché à développer sa flotte marchande : elle se situait en 1988 au neuvième rang mondial. Et la Chine est désormais exportatrice de bateaux marchands et militaires. Elle a également développé ses activités de pêche (encore que la pêche en eau douce augmente beaucoup plus vite que celle en mer).

Sur un plan international, la RPC a fait porter ses efforts sur deux secteurs : la défense de son domaine maritime et le développement de sa flotte de guerre. Après avoir été parmi les premiers États à étendre ses eaux territoriales à

BIBLIOGRAPHIE

BARNETT A.D., *Us Arms Sales : The Chine-Taïwan Tangle*, Brookings Institution, Washington D C, 1982.

JONES J.A., « The United States and the Chinese, the Need for Continuing Clarity », *Crossroads* (25), 1987.

JUE S., « US-P R C Relations : From Hostility to Reconciliation to Cooperation ? », *Issues And Studies*, Tapei 23 (4), 1987.

ROSS R.S., « International Bargaining And Domestic Politics U S-China Relations Since 1972 », *World Politics*, 38 (2), 1986.

douze mille (dès 1958), la Chine s'est avérée durant les années soixante-dix et quatre-vingt, être l'un des défenseurs les plus actifs des revendications du tiers monde quant à la refonde du droit de la mer. Dans le domaine militaire, les efforts des années quatre-vingt ont également été nombreux : accélération des constructions navales, premiers exercices lointains, dans le Pacifique sud en 1980, dans l'Océan indien en 1985, lancement d'un sous-marin nucléaire en 1981, etc.

Au total, les années quatre-vingt ont donc été marquées par un réel renouveau de l'intérêt porté à la mer. Mais les résultats en sont encore très limités, tant sur le plan marchand que sur le plan militaire, en rien comparables, par exemple, à ceux de Taïwan depuis vingt ans. Et si jamais le pays, à la suite des événements de mai-juin 1989, devait se refermer sur lui-même, les quelques acquis de cette décennie d'efforts seraient probablement très vite réduits à néant.

François Joyaux

La Chine
et les organisations internationales

La République populaire de Chine (R P C), durant de nombreuses années, n'appartint à aucune organisation internationale importante. Par souci d'indépendance, elle demeura hors des grandes organisations propres au camp socialiste. C'est ainsi qu'elle ne fit jamais partie du pacte de Varsovie, alliance militaire d'États socialistes créée en 1955, il est vrai de nature essentiellement européenne. Mais plus significatif encore, elle n'adhéra jamais au Conseil d'aide économique mutuelle (C A E M ou C O M E C O N) fondé en 1949 et dont certains pays socialistes asiatiques sont membres, la Mongolie depuis 1961-1962 et le Vietnam, depuis 1978.

D'autre part, la R P C fut dès ses origines maintenue hors de l'O N U.

La République de Chine ayant été membre fondateur de l'Organisation, ce fut elle qui, après 1949, alors qu'elle ne contrôlait plus que Taïwan, continua à représenter la Chine à l'Assemblée générale comme au Conseil de sécurité. Cette situation s'expliquait essentiellement par le contexte de la guerre froide qui régnait lorsque la République populaire fut proclamée et par l'intervention militaire de cette dernière en Corée, contre les troupes américaines qui agissaient sous couvert de l'O N U (1950-1953).

Mise à part, en 1950-1951, une participation éphémère à l'Union postale universelle (U P U), qui est une agence de l'O N U, il fallut attendre 1971 pour que la République populaire remplaçât Taïwan au sein de l'Organisation mondiale. Et ceci tant à l'Assemblée générale qu'au Conseil de sécurité dont elle est l'un des cinq membres permanents, jouissant d'un droit de veto. Cette entrée à l'O N U permit, *ipso facto*, à la R P C d'adhérer à toutes les agences qui en dépendent : citons parmi les plus importantes l'Organisation pour l'éducation, la science et la culture (U N E S C O), l'Organisation pour l'alimentation et l'agriculture (F A O) et l'Organisation internationale de l'aviation civile (I C A O) dès 1971, ou l'Organisation météorologique mondiale (O M M), l'U P U, l'Organisation mondiale pour la Santé (O M S), l'Organisation consultative maritime intergouvernementale (O M I) et l'Union internationale des télécommunications (U I T) en 1972.

A une date plus récente, l'ouverture économique entamée par la Chine vers 1979 lui permit d'entrer dans un certain nombre d'organisations financières internationales : par exemple, en 1980, le Fonds monétaire international (F M I), la Banque internationale pour la recons-truction et le développement (B I R D), ou l'Agence internationale pour le développement (A I D). Dans le même ordre d'idées, la R P C est devenue membre de l'Agence internationale pour l'énergie atomique en 1983 et, en 1984, lui a été accordé le statut d'observateur à l'Accord général sur le commerce et les tarifs douaniers (G A T T) dont Taïwan avait été exclue dès 1971.

A noter enfin que la R P C appartient à quelques organisations intergouvernementales auxquelles adhère également Taïwan. C'est notamment le cas depuis 1985 de la Banque asiatique de développement (B A D), dont Taïwan, appelé « Chinese Taïpeh » est membre fondateur. Une réunion a eu lieu à Pékin en mai 1989, à laquelle Taïwan était représentée par son ministre des Finances. Cela semble traduire une évolution tout à fait nouvelle de la R P C comme de Taïwan sur la question de la représentation chinoise dans les organisations internationales.

François Joyaux

Du «bon usage» des relations culturelles

La Chine présente tous les caractères d'un pays ouvert aux échanges culturels internationaux : on ne dénombre plus les manifestations artistiques sur l'ensemble du territoire chinois, et chacun peut constater la présence de groupes importants d'étudiants chinois sur les principaux campus d'Asie et d'Occident. Pékin participe désormais activement aux grands colloques internationaux dans les principales disciplines scientifiques, y compris en sciences humaines. En bref, la Chine semble avoir recouvré les attributs d'un acteur culturel international et effacé le triste souvenir des années maoïstes, durant lesquelles « l'intelligence au pouvoir » avait réduit au silence les intellectuels de ce pays.

Mais cette ouverture demeure à bien des égards fragile, tant il est vrai que la Chine et ses dirigeants — de quelque horizon qu'ils proviennent — héritent d'une tradition culturelle qui demeure réservée à l'égard du monde non chinois.

Une culture sûre de ses valeurs

La Chine n'a su dans le passé, et semble ne pouvoir encore concevoir ses rapports culturels avec l'extérieur qu'en termes de « sinisation », d'absorption dans le creuset *han* des influences relevant d'autres civilisations. D'échanges à proprement parler, il n'y en eut point avant le milieu du XIXᵉ siècle. La prise de conscience brutale par l'intelligentsia lettrée mandarinale que l'autonomie de son système de valeurs culturelles avait en réalité paralysé le développement du pays en le coupant des mouvements d'idées qui, ailleurs, avaient précipité la révolution industrielle et commerciale, ne s'est effectuée qu'à l'aube du XXᵉ siècle.

La Chine ne s'est encore pas tout à fait relevée de ce drame psychologique. Le fondement même de sa culture étant ébranlé par les certitudes technologiques occidentales, c'est l'ensemble de la société chinoise qui dut, quasiment du jour au lendemain, apprendre qu'il existait en dehors d'elle-même des civilisations encore plus dynamiques et créatives.

L'enfantement a été cependant trop douloureux pour une large fraction de l'élite chinoise qui, dès le début du XXᵉ siècle, a rapidement associé mentalement « ouverture » et « colonialisme », et a trouvé refuge dans les idées révolutionnaires, rejetant d'un même coup aussi bien sa propre tradition (mouvement du 4 mai 1919) que le cosmopolitisme de la Belle Époque. Pour Mao Zedong et les communistes chinois, la dignité de la Chine exigeait un nouvel isolement des influences « perverses » du monde occidental.

Ce comportement, qui a conduit en quelques années aux violences de la « révolution culturelle », a laissé des cicatrices encore profondes. Pour beaucoup d'intellectuels chinois, il existe une contradiction entre l'ouverture sur les cultures étrangères et la capacité de la Chine à survivre en tant que mode de civilisation indépendant. Si un consensus existe sur la nécessité d'acquérir les nouveaux savoirs, les Chinois sont divisés sur l'appréciation de l'environnement culturel dans lequel ces savoirs peuvent se développer.

Par conséquent, il n'existe pas de politique culturelle extérieure unifiée. Plusieurs administrations centrales se disputent la coopération : dans le domaine de l'enseignement, la Commission d'État de l'éducation et la Commission d'État des sciences et des techniques ; dans le domaine culturel, le ministère de la Culture et le ministère de la Radio, Télévision et du Cinéma. Mais la réalité des échanges est le fait d'autres institutions sur lesquelles le Parti et le gouvernement ont de moins en moins d'emprise politique, même s'ils tiennent toujours les cordons de la bourse : pour l'éducation, ce sont les universités qui, fascinées de longue date par l'exemple américain, cherchent à conquérir leur autonomie et à nouer des relations directes avec l'étranger ; pour la culture et la communication, ce sont les associations professionnelles ; les théâtres, les conservatoires, les chaînes de télévision et de radio commençaient également à se dégager de leurs administrations de tutelle, jusqu'en mai 1989. Le résultat est un tableau quelque peu anarchique où les différents acteurs se contredisent fréquemment et sur lequel le pouvoir central tente depuis juin 1989 de rétablir son contrôle.

Une politique culturelle extérieure ambiguë

Il n'en demeure pas moins que le gouvernement a, depuis 1979, recherché activement des coopérations culturelles de longue durée avec ses principaux partenaires. Ses objectifs sont de deux ordres :

— former dans les pays développés l'élite qui lui fait cruellement défaut ;

— acquérir, au travers des échanges de personnes et de transferts de matière grise, des connaissances modernes, susceptibles de soutenir le développement économique national.

On peut estimer que la Chine a atteint largement ces objectifs. Près de 30 000 étudiants se trouvent aux

États-Unis, 15 000 environ en Europe occidentale et au Japon. Ceux-ci poursuivent pour l'essentiel des études scientifiques et techniques de haut niveau. Mais une partie non négligeable entreprend des études en sciences sociales, en particulier en sciences administratives et économiques. De plus en plus d'étudiants chinois sont ainsi reçus dans les grandes écoles commerciales internationales. Le séjour moyen d'un étudiant chinois à l'étranger est de trois à cinq ans. Beaucoup ne rentrent pas immédiatement en Chine, soit parce qu'à l'issue de leur scolarité ils ont trouvé un emploi, soit parce qu'ils souhaitent approfondir leurs études. Il est vraisemblable qu'après les événements du « printemps de Pékin 1989 », certains s'installeront hors de Chine. Le gouvernement, inquiet de cette évolution, avait édicté en 1987 des dispositions contraignantes pour les candidats au départ : l'autorisation de séjour à l'étranger est conditionnée par un engagement contractuel du demandeur vis-à-vis de l'État chinois comportant des sanctions financières en cas de non-retour.

Mais ceux qui rentrent ne sont pas forcément mieux lotis : faute d'avoir réformé au fond le système éducatif et administratif, les autorités chinoises ne parviennent pas à leur fournir les conditions d'emploi et de rémunération adéquates. D'une certaine façon, le séjour dans un pays développé est considéré comme un bénéfice en soi. Il n'est pas accordé de promotion ou de mutation spécifique à un diplômé d'une université étrangère. Cela entraîne un gâchis certain de compétences et de bonne volonté, et limite encore davantage les retours des élites en Chine. Ce n'est pas la moindre contradiction du système que de former à grands frais à l'étranger ses élites sans essayer d'utiliser à plein leur savoir-faire au retour.

Sur le plan strictement culturel, la position chinoise reste tout autant ambiguë : si, d'un côté, la Chine accueille largement les missions et les spectacles du monde entier, elle continue de pourfendre avec constance la « pollution spirituelle occidentale » au mieux considérée comme un mal nécessaire (« quand on ouvre la fenêtre, on ne peut empêcher les moustiques d'entrer », explique-t-on), au pire comme une conspiration occidentale visant à renverser le système politique, selon les aléas de la situation intérieure. De fait, la Chine éprouve de grandes difficultés à accepter que la culture englobe un champ plus large que le politique. La conscience de l'identité nationale est à ce point forte que la tendance à l'exclusion de toute forme de culture autre que « chinoise » est en permanence sous-jacente dans le discours officiel. Cela a d'ailleurs provoqué depuis quelques années un débat interne sur la nature de cette « identité chinoise » par rapport aux autres expressions culturelles, les uns avançant des concepts de valeurs culturelles transnationales communes à toute l'humanité, les autres prêchant en faveur de la défense active des valeurs traditionnelles chinoises. Ce débat divise profondément la communauté intellectuelle, car il est, en réalité, lié à un débat politique au plus haut niveau de l'État entre les partisans de la démocratisation du régime (multipartisme à l'occidentale) et ceux d'un « néo-autoritarisme » de type confucéen (à la coréenne ou à la taïwanaise).

Quelle que soit l'issue de ce débat le mouvement de fond qui se dessine depuis le début des années quatre-vingt va vers l'autonomie croissante des milieux culturels par rapport au monde politique, entraînant de ce fait à la fois plus d'échanges avec l'extérieur et une plus grande confusion quant à la politique générale suivie par les autorités.

Y. B.

Politique commerciale : entre la peur et l'envie

Les relations commerciales de la Chine avec l'étranger se fondent sur une longue et double tradition : une tradition commerciale ancienne qui, par la Route de la soie, a conduit les Chinois à commercer, dès l'Antiquité, avec des pays lointains ; et une tradition de contrôle du commerce extérieur par l'État, donc de centralisme. Il faut ajouter à ces deux éléments le souvenir, toujours présent à l'esprit des Chinois, de l'impérialisme des puissances occidentales pendant la première moitié du XXᵉ siècle.

Trente ans de fermeture quasi totale pendant l'ère maoïste (1949-1978), auxquels a succédé « l'ouverture » en 1979, ont semé une certaine confusion. En effet, la pratique du commerce extérieur ne s'improvise pas, et la Chine s'est trouvée projetée au début des années quatre-vingt sur un marché international dont elle ne connaissait pas encore les règles, mais avec une forte volonté de réussir. En réalité, la Chine y est entrée moins dans l'intention d'y prendre une place immédiate, qu'avec la préoccupation de financer son propre développement. La « Chine de l'ouverture », en effet, est un pays, sur certains plans, arriéré. Ses dirigeants soucieux de modernisation ont adopté un certain nombre de mesures, dont la plus importante a été la création de zones expérimentales (les zones économiques spéciales, ou ZES), où devraient être développées à une échelle maîtrisable les différentes réformes et évolutions permettant de conduire l'ensemble du pays, par diffusion progressive, vers un essor économique rapide. Les laboratoires que constituent ces zones offrent l'avantage d'un terrain d'observation où les méthodes adoptées peuvent être maintenues ou abandonnées sans grandes conséquences pour l'ensemble du pays. Ils présentent en revanche l'inconvénient de freiner la mise en place d'une stratégie globale.

Outre l'expérience acquise au contact de partenaires étrangers dans ces zones, expérience dont la Chine avait grand besoin en raison du manque de formation de ses cadres, les ressources ainsi créées ont pour but le financement à terme du développement économique de l'ensemble du pays. La forme de coopération proposée le plus couramment est la société mixte (*joint-venture*), cadre dans lequel les avantages cités précédemment peuvent être les mieux développés : apport de technologies et de financement étrangers, exportation dans ce cadre également des produits de la société mixte, les partenaires chinois bénéficiant, pour leur part, d'une formation complète, et n'ayant à apporter que le terrain, la main-d'œuvre, et des avantages fiscaux importants. Une réglementation appropriée a été progressivement mise en place pour donner un cadre juridique à ces initiatives.

Sans représenter un succès ni un échec significatif sur le plan économique, l'expérience des ZES a certainement contribué et contribuera d'ici l'an 2000, à faire évoluer à la fois les mentalités chinoises et occidentales, en donnant l'occasion à des hommes de cultures différentes de travailler ensemble.

Après une période marquée par la signature de grands contrats, la politique commerciale a évolué à partir de 1986, et certaines options ont été reconsidérées mais le principe de l'ouverture n'a pas été remis en cause. Toutefois, des effets de surchauffe de l'économie s'étant fait sentir (augmentation trop rapide de la production industrielle, 17,7 % entre 1987 et 1988, déséquilibres de croissance d'une province à l'autre, inflation galopante), les pouvoirs publics ont dû naviguer entre la crise et la réforme, l'accélération et les coups de freins, avec des résultats parfois excellents : entre 1986 et 1987 le déficit du commerce extérieur a été ramené de 12 à 4 milliards de $.

Pour les entreprises étrangères, il est nécessaire de comprendre que l'accès au marché chinois demande patience et persévérance. Sauf pour quelques rares produits prioritaires dont les Chinois ont besoin pour leur consommation intérieure, et qu'ils ne peuvent se procurer qu'en les important, la grande majorité des firmes se voient proposer des formes de coopération, avec une perspective très faible de rentabilité à court ou moyen terme. La plupart tentent l'aventure pour la référence que cela représente, et aussi pour se trouver présents et connus des Chinois dans un avenir qui pourrait être prometteur.

Laure Mellerio

Sympathies politiques pour la construction européenne

La Chine populaire a sans doute été la première grande puissance à reconnaître très tôt l'importance du processus de l'unification européenne, qu'elle a toujours apprécié davantage en termes politiques que strictement économiques.

A cela plusieurs raisons qui expliquent le poids considérable des affaires européennes dans les préoccupations actuelles des dirigeants chinois :

— pour Pékin, la construction de l'Europe est une condition *sine qua non* de l'avènement d'un monde plus équilibré et libéré de la tutelle des deux superpuissances ;

— une Europe unie serait, à n'en pas douter, le premier partenaire politique, culturel et commercial d'une Chine dont l'indépendance vis-à-vis des États-Unis, du Japon ou de l'Union soviétique est au cœur du débat de politique intérieure depuis la fondation du régime communiste ;

— l'Europe ne constitue pas une menace pour la Chine, ni en ce qui concerne sa défense nationale, ni pour ce qui est de ses intérêts commerciaux ;

— enfin, l'Europe ne manquerait pas de soutenir la Chine dans la promotion du dialogue entre les pays développés et les pays en voie de développement que Pékin ne désespère pas de voir aboutir. Les dirigeants chinois accordent plus particulièrement leur attention aux liens tissés par la C E E avec le tiers monde (Convention de Lomé) et aux rapports anciens existant entre certains États de la communauté et les P V D (France-Afrique, France-Moyen-Orient, Espagne-Amérique latine).

D'une certaine façon, la Chine a devancé la construction politique de l'Europe en établissant dès 1975 une mission diplomatique à Bruxelles. Mais il fallut attendre plus de dix ans pour que les Européens installent leur représentation permanente à Pékin, en 1987. Les rapports entre institutions européennes et gouvernement chinois sont substantiels : la Communauté a établi en son nom propre un important Centre de formation des cadres économiques chinois. L'aide européenne au développement des échanges scientifiques et techniques est considérable et en accroissement constant. Les médias chinois couvrent avec sympathie les développements de la construction européenne.

Il est fréquent d'entendre dire à Pékin que la Chine est l'Europe de l'Asie. Contrairement à leurs voisins américains, soviétiques et japonais, les Chinois voient d'un bon œil les perspectives ouvertes par la signature de l'Acte unique ; ils se sont clairement dissociés de la propagande anti-européenne menée par certains pays sur le thème de la « forteresse », et se sont prononcés en faveur d'un accroissement des échanges de toute nature avec le futur « grand marché » de 1993.

Pékin est également attentif aux questions de sécurité sur le continent européen et voit dans l'attitude des pays membres de l'Union de l'Europe occidentale (UEO) les prémices d'une Europe véritablement autonome à l'égard des États-Unis.

Ces convergences manifestes masquent, il est vrai, des difficultés plus prosaïques : la Chine est souvent plus européenne que l'Europe elle-même. La vague porteuse de 1993 semble lui donner raison, mais les États-membres ont encore un comportement peu communautaire dans leurs échanges propres avec la Chine ; au mieux, ils recherchent à Bruxelles des financements complémentaires à des projets nationaux, au pire ils ignorent les programmes CEE-Chine. Des tentatives modestes se font jour pour mieux coordonner l'action des États-membres, dans le domaine des rencontres politiques ou des échanges culturels.

Y. B.

LA CHINE ET LES COMMUNISTES «OCCIDENTAUX»

Chine - URSS, des relations d'un nouveau type

Le « sommet » qui a réuni en mai 1989 Deng Xiaoping et Mikhaïl Gorbatchev, plus que par ses résultats concrets, minces au demeurant, a été remarqué comme une date charnière dans les relations entre la Chine et l'URSS, consacrant une évolution en cours depuis une bonne décennie et laissant la voie libre — plutôt que l'ouvrant — au plein épanouissement de rapports d'un nouveau type entre deux grands États communistes.

C'est la Chine qui, dans ces tumultueux échanges allant de l'étroite amitié au conflit armé, a eu, pour l'essentiel, l'initiative — suivant d'ailleurs avec une assez remarquable constance deux principes fondamentaux de sa diplomatie. Le premier : l'affirmation de son indépendance ; le second, qui en découle, la recherche de liens privilégiés avec celle des grandes puissances qui lui paraît la plus faible à un moment déterminé et, de ce fait, la menace le moins.

Les facteurs idéologique, stratégique et économique jouent tour à tour des rôles de premier plan dans cette problématique, mais sans que varient dans leur nature les données géopolitiques retenues par Pékin. Un indispensable retour en arrière permet de saisir, dans ses grandes lignes, la logique de ce comportement et, de là, d'entrevoir les perspectives qui peuvent se dessiner.

1950 : la République populaire sort, exsangue, de la guerre civile dans un monde dominé par la toute-puissance américaine. Mao Zedong a toutes les raisons de se méfier de Staline qui a joué un jeu ambigu avec les communistes chinois et il semble acquis qu'autour de lui, certains — Zhou Enlai ? — n'exclueraient pas un rapprochement avec les États-Unis. C'est pourtant vers Moscou que se tourne le Grand Timonier, pour un long et difficile voyage d'où sort en février 1950 un traité « d'amitié, d'alliance et d'assistance mutuelle ». Ce n'est pas une lune de miel. Le ver est déjà dans le fruit, dans la mesure où Staline considère la Chine comme une partie de l'empire qu'il entend régenter, vision diamétralement opposée à celle de Mao. Il faudra attendre 1985 pour que l'U R S S affirme de façon crédible son abandon des visées staliniennes.

De la grande brouille au « chacun pour soi »

Que se passe-t-il entre-temps ? La grande brouille, d'abord, une fois Staline mort. La Chine n'en fait qu'à sa tête. Non seulement elle se lance dans l'aventure du « Grand bond en avant » — un raccourci vers le développement, observé avec suspicion en U R S S —, mais elle critique la politique de Nikita Khrouchtchev, qui ne croit plus la guerre inévitable entre les camps socialiste et capitaliste. C'est d'ailleurs dans ce contexte que Moscou décide unilatéralement de cesser toute aide à Pékin en matière nucléaire (1957).

Qu'à cela ne tienne ! La Chine, quoi qu'il lui en coûte, se dotera seule de l'arme atomique. Elle procède à sa première explosion expérimentale au mois d'octobre 1964 et elle n'interrompt à aucun moment son effort dans cette direction, puisque sa première bombe H explose en 1967 et que ses capacités en matière de missiles balistiques sont démontrées dès le milieu des années soixante-dix par le lancement — et la récupération — de plusieurs satellites.

Dans un pays encore largement sous-développé, que traduit ce souci acharné de disposer des mêmes armes que les plus grands, sinon une volonté prioritaire d'indépendance ? Dans ses aspects extérieurs, la période de la « révolution culturelle » procède d'ailleurs de la même psychologie, la Chine ne se reconnaissant aucun modèle et se sentant libre de tenter, à son bénéfice et à celui d'autres peuples, toutes les expériences.

Il est surprenant que dans cette atmosphère exacerbée, les affron-

tements armés avec le voisin soviétique aient été aussi limités et aussi brefs. On se bat — sauvagement, mais à effectifs réduits — au printemps 1969 sur l'Oussouri et l'été suivant au fond du Xinjiang. Mais dès septembre, Alexeï Kossyguine et Zhou Enlai se rencontrent à l'aéroport de Pékin. La guerre n'aura pas lieu et un fragile mécanisme de contacts est même mis en place pour éviter que la tension ne s'aggrave.

Un jeu triangulaire

Mais le vent, déjà, change. Alors que l'U R S S alterne propositions de paix et menaces — Leonid Brejnev semble bien avoir envisagé une attaque nucléaire préventive — la Chine des gardes rouges commence à sortir de son isolement et se trouve en position d'entrer dans un jeu triangulaire où intervient désormais Washington. Les États-Unis tentent de se dégager du bourbier vietnamien. Face à l'« expansionnisme » de L. Brejnev, Pékin se tourne tout naturellement vers un Richard Nixon qui bat en retraite : en juillet 1971, Henry Kissinger se rend secrètement à Pékin.

Temps mort : la Chine renoue les contacts avec le monde occidental, et pas seulement avec les États-Unis, mais refuse toute idée de rapprochement avec Moscou. La mort de Mao Zedong en 1976 ne change rien à cette attitude et l'on descend même encore d'un degré dans les relations sino-soviétiques avec l'entrée des troupes chinoises au Vietnam en février 1979, trois mois après que Hanoi a conclu avec l'U R S S un traité d'amitié comportant des clauses d'assistance militaire.

Vers une normalisation

Paradoxalement pourtant, c'est à la même époque que se créent les conditions qui, à terme, vont permettre la normalisation des relations entre les deux pays. Le jour même — le 30 avril 1979 — où la

── BIBLIOGRAPHIE ──

BABY J., *La Grande controverse sino-soviétique, 1956-1966*, Grasset, Paris, 1966.

FONTAINE A., *Un Seul lit pour deux rêves. Histoire de la « détente », 1962-1981*, Fayard, Paris, 1981.

JACOB A., *Un Balcon à Pékin, le nouveau pouvoir en Chine*, Grasset, Paris, 1982.

Chine annonce qu'elle ne veut pas renouveler le traité conclu en 1950 avec l'U R S S, elle se dit prête à des négociations « pour la solution des problèmes en suspens et l'amélioration des relations entre les deux pays ». Offre confirmée le 5 mai sur demande soviétique, suivie d'une série de rencontres bilatérales, sans résultats, mais sans acrimonie. Parallèlement, le différend idéologique s'apaise. Il devait inévitablement perdre de son acuité avec la remise en cause de l'héritage maoïste entreprise par Deng Xiaoping. Un pas décisif est franchi à cet égard le 2 avril 1980 lorsque le *Quotidien du peuple* juge « contestables » les « neuf commentaires » par lesquels le P C chinois avait fait, de septembre 1963 à juillet 1964, le procès du « révisionnisme » soviétique.

L'invasion de l'Afghanistan par l'U R S S (décembre 1979) repousse jusqu'à l'arrivée au pouvoir de Mikhaïl Gorbatchev, en 1985, la manifestation d'un nouveau dynamisme dans les relations sino-soviétiques. Le point de départ le plus visible en est le discours prononcé en juillet 1986 à Vladivostok par le « numéro un » du Kremlin, et surtout l'accueil favorable qui lui est accordé à Pékin. Les décisions concrètes prises par le nouveau secrétaire général du P C soviétique, de l'Afghanistan au Cambodge en passant par la réduction des forces aux frontières, vide de son contenu le contentieux entre les deux pays, même si l'évacuation de l'Afghanistan, par exemple, est davantage destinée à donner des gages aux États-Unis qu'à la Chine.

Plus spécifique aux relations sino-soviétiques — et moins connu — est un tournant discrètement intervenu dans les négociations entre les deux pays depuis l'arrivée au pouvoir de Mikhaïl Gorbatchev concernant la tradition soviétique des « traités ». Les diplomates chinois expliquent à qui veut entendre qu'il n'est nullement dans la tradition de l'empire du Milieu de se lier par des traités bilatéraux, qui ont plutôt laissé de mauvais souvenirs, et risquent d'entraver sa liberté d'action.

Ce langage est compris à Moscou, aux dépens des habitudes un peu « notariales » de la diplomatie russe. Cela permet, en toute liberté, à M. Gorbatchev et Deng Xiaoping de s'adresser l'un à l'autre en tant que « camarades » — c'est-à-dire, accessoirement, de consacrer aussi le rétablissement de relations entre partis. Au reste du monde d'en tirer les conclusions : la Chine n'est plus l'ennemie de personne ; elle n'entend certainement pas être la cliente de quiconque.

Alain Jacob

Relations changeantes avec les communistes européens

De la fondation de la République populaire de Chine en 1949, jusqu'à l'époque la plus récente, ses relations avec les États socialistes de l'Europe de l'Est et les partis communistes d'Europe de l'Ouest ont été essentiellement déterminées, de multiples façons, par le sens et les fluctuations de ses rapports avec l'URSS. L'histoire de ces relations ne commence à prendre un caractère spécifique qu'avec la remise en question par la Chine de l'autorité absolue de l'URSS dans le mouvement communiste international.

Lors de la déstalinisation de 1956, la Chine prit une attitude ambiguë : mesurée quant au rôle de Staline, décidément réformiste quant aux leçons pratiques à tirer de ses «abus de pouvoir». Dès 1956, Pékin invente le thème des *Cent fleurs*, et celui de la «normalité» de l'existence des contradictions entre États socialistes et de la nécessité de les résoudre en évitant le «chauvinisme de grande puissance». La conception chinoise du monde communiste est alors très proche de celle qu'élaborent au même moment Palmiro Togliatti et le Parti communiste italien qui préconisent «l'unité dans la diversité». Sur cette base, la Chine, comme la Yougoslavie, va soutenir Gomulka et ce qu'on a appelé la «révolution d'octobre 1956» en Pologne et Imre Nagy pendant la première phase de l'insurrection hongroise de 1956. Ainsi, durant la première moitié de 1957, la Chine continue de représenter, avec la Pologne, la Yougoslavie et le PC italien, le pôle réformiste du monde communiste.

L'échec catastrophique de la campagne des *Cent fleurs* en Chine même entraîne un renversement anti-«révisionniste», gauchiste et volontariste. Lors de la Conférence internationale des partis communistes de novembre 1957, au nom de la nécessité de serrer les rangs autour de l'URSS, Mao favorise une conception plus centraliste du camp socialiste, critique les positions de la Yougoslavie et de la Pologne, et le PCI lui-même taxé de «révisionnisme». Il se pose en défenseur de l'héritage de Staline. En 1958, pour purifier les rangs du camp socialiste, le Parti chinois prend la tête d'une campagne pour une nouvelle expulsion de la Yougoslavie, «incarnation même du révisionnisme». L'Allemagne de l'Est, la Tchécoslovaquie et les partis communistes occidentaux, qui ont mal accepté la déstalinisation, applaudissent. L'Albanie, qui craint, depuis la réconciliation soviéto-yougoslave de 1955, d'être absorbée par la fédération yougoslave, comme elle faillit l'être en 1947-1948, s'enthousiasme alors totalement pour la nouvelle politique de Mao.

Khrouchtchev déçoit Mao

Mais l'URSS de Nikita Khrouchtchev ne correspond pas à ce que Mao et la direction du Parti chinois attendent d'elle, une «lutte accrue contre l'impérialisme américain». La Chine en appelle aux autres partis pour contraindre les Soviétiques à être moins «révisionnistes», notamment en avril 1960. La Roumanie profite de la contestation chinoise pour desserrer la pression soviétique sur son territoire. N. Khrouchtchev tente en 1964 de faire expulser la Chine du camp socialiste. Non seulement la Pologne, le PCI, la Yougoslavie s'y opposent, mais aussi Cuba, la Corée du Nord et le Vietnam. A son tour, pour «éviter la contagion révisionniste», dès 1965, et ensuite pendant la «révolution culturelle», la Chine exige de tous une dénonciation totale de l'URSS. Seule, l'Albanie continue de la suivre. Avec elle, la Chine entreprend alors de constituer pratiquement *ex nihilo* un nouveau mouvement communiste international, «authentiquement marxiste-léniniste», en favorisant la formation de nouveaux partis en Europe. Ce faisant, elle se met d'elle-même à l'extérieur du monde communiste, ce dont l'URSS va largement tirer avantage.

Au début des années soixante-dix, ayant complètement échoué dans sa tentative de constitution d'un nouveau mouvement communiste, en état de guerre larvée avec l'URSS depuis 1969, la Chine se tourne vers les États-Unis pour briser son isolement international. Contrecarrer partout la puissance de l'URSS en stimulant et encourageant tout ce qui peut jouer un rôle à cet effet devient pratiquement la seule préoccupation internationale de la Chine. Pour soutenir et renforcer sa volonté d'indépendance à l'égard de l'U R S S, elle renoue en 1971 avec la Roumanie. Pour les mêmes raisons, des contacts sont établis avec la Yougoslavie, autrefois considérée comme l'archétype du révisionnisme. Pour affirmer leur indépendance à l'égard de l'U R S S, les partis eurocommunistes espagnol et italien cherchent alors à rétablir les relations avec la Chine. Celle-ci refuse cependant ces ouvertures pour des raisons où l'idéologie n'entre plus beaucoup en considération. On estime à Pékin que la participation des eurocommunistes au pouvoir pourrait affaiblir la présence américaine en Europe de l'Ouest, alors que la Chine cherche au contraire à promouvoir le renforcement de l'Alliance atlantique.

Ce nouveau tournant de la politique chinoise entraîne à partir de 1975 un conflit avec le seul véritable allié communiste de la Chine, l'Albanie. Ce conflit apparaît comme une étonnante et caricaturale réédition du conflit sino-soviétique. L'Albanie accuse la Chine de pratiquer une politique extérieure opportuniste, qui ignore la lutte des classes et abandonne toute perspective révolutionnaire. Elle la taxe de révisionnisme et cherche à mobiliser contre elle les groupuscules maoïstes qui existent encore à travers le monde et que néglige Pékin. De son côté, la Chine répond en retirant ses conseillers d'Albanie et en lui coupant son soutien économique.

La répudiation du « maoïsme »

Au début des années quatre-vingt commence une nouvelle phase, caractérisée par la réinsertion progressive de la Chine dans le mouvement communiste international, pour légitimer son système politique, après la répudiation du maoïsme. Jusqu'en septembre 1976, à la mort de Mao, et depuis plus de quinze ans, la politique extérieure de la Chine avait été complètement dissociée de sa politique intérieure. Après 1978, avec le pragmatisme qui s'installe à l'intérieur, les sources de légitimation, pratiquement inexistantes à l'extérieur, deviennent de plus en plus diffuses. C'est en partie pour répondre à ce problème que le Parti chinois renoue en 1980 avec les partis eurocommunistes et les partis les plus indépendants de l'U R S S. Italien, espagnol, grec dit « de l'intérieur », hollandais, belge. A partir de 1982, la réconciliation avec les partis communistes occidentaux se fait moins sélective. Même si les relations avec l'U R S S sont encore bien mauvaises, la Chine commence alors à dédramatiser le conflit sino-soviétique. Ce contexte favorise la visite officielle de Georges Marchais à Pékin en 1982, en dépit du fait que le Parti communiste français ait quitté les rangs de l'eurocommunisme et se soit réaligné sur la politique extérieure soviétique. Même le parti portugais, indéfectiblement pro-soviétique, sera invité à son tour à Pékin. Dans son rapport au XIIᵉ congrès du P C C, en septembre 1982, le secrétaire-général Hu Yaobang définit son parti comme une « composante du mouvement communiste international ». La Chine manifeste ainsi de plus en plus clairement sa volonté de normaliser ses relations avec l'U R S S, mais à des conditions strictes et très exigeantes pour Moscou. En même temps, elle cherche à développer ses relations économiques, en particulier avec la Hongrie, et aussi à rétablir des relations politiques avec les autres partis communistes de l'Europe de l'Est, ce que l'U R S S freinera efficacement jusqu'en 1985.

Après l'arrivée au pouvoir de Mikhaïl Gorbatchev, la perspective soviétique change. M. Gorbatchev estime qu'une pleine normalisation des relations entre la Chine et l'Europe de l'Est favorisera en fin de compte l'amélioration des relations sino-soviétiques et il se montre disposé à accepter le défi du pluralisme et de la multipolarité dans le monde communiste. Au-delà de son sens politique, le développement des rapports économiques n'est pas négligeable pour la Chine, en raison des difficultés qu'elle éprouve à exporter sur les marchés occidentaux (manque de devises). Comme le commerce avec l'Europe de l'Est se fait pratiquement sur une base de troc, il constitue un complément avantageux.

Dans le domaine politique, c'est certainement avec les partis italien et yougoslave que la Chine partage le plus large éventail de conceptions communes. Néanmoins, c'est au fait qu'elle a rétabli des liens normaux avec plus de quatre-vingts partis communistes que la Chine doit d'avoir obtenu de la direction soviétique la tenue d'une rencontre au sommet en mai 1989.

Jacques Lévesque

LA CHINE EN ASIE-PACIFIQUE

Les échecs de la Chine en Indochine

L'Indochine (Vietnam, Laos, Cambodge) constitue pour la Chine un ensemble géographique de première importance. En effet, ces trois pays totalisent approximativement 80 millions d'habitants, dont près de 70 millions de Vietnamiens qui appartiennent culturellement au monde sinisé ; ils comptent une importante communauté chinoise qui, avant 1975-1978, se chiffrait à deux millions d'individus ; et surtout, ils commandent la sécurité du flanc sud de la Chine. Cette dernière, pour ces diverses raisons, a toujours accordé, sous tous les régimes, une grande importance à l'Indochine.

Lorsque la République populaire (R P C) a été proclamée, en 1949, l'Indochine, depuis trois ans, était déjà plongée dans son premier conflit (1946-1954). Sans intervenir directement dans celui-ci comme elle le fit, à la même date, en Corée, la Chine n'en aida pas moins puissamment le Viet-Minh contre la France, tant sur le plan politique (elle reconnut la République démocratique du Vietnam dès 1950), que sur le plan logistique. Ce fut cette aide qui, d'ailleurs, donna au conflit sa dimension internationale et permit au Viet-Minh de l'emporter militairement à Dien Bien Phu en 1954. Toutefois, depuis le conflit sino-vietnamien des années soixante-dix et quatre-vingt, ce dernier point, souvent rappelé à Pékin, a été très contesté par Hanoi.

Le règlement du premier conflit d'Indochine obtenu à la conférence de Genève, en juillet 1954, avait donné pleinement satisfaction à la Chine. Le péril d'une intervention américaine semblait écarté ; l'influence résiduelle de la France n'était pas gênante ; la division du Vietnam en deux États — « Nord-Vietnam » et « Sud-Vietnam » — qui s'équilibraient, les indépendances réaffirmées du Laos et du Cambodge, paraissaient même créer dans la péninsule un équilibre que la R P C considérait comme une source de paix.

Le rebondissement de la crise, cette fois au Laos, en 1960, l'inquié-

La Corée du Nord, objet de rivalité entre Moscou et Pékin

La visite du ministre des Affaires étrangères de Corée du Nord Kim Yong Nam en République populaire de Chine (RPC) au mois de novembre 1988 n'a sans doute pas permis d'effacer les différends qui opposent Pékin et Pyongyang. Avec ses 800 000 « volontaires » tués ou blessés au cours de la guerre de Corée en 1950, la République populaire de Chine a longtemps entretenu des relations privilégiées avec la République populaire démocratique de Corée (RPDC). Pyongyang cependant a toujours cherché à conserver un certain équilibre entre ses deux grands voisins. Ainsi, en 1961, en plein conflit sino-soviétique, la Corée du Nord signait simultanément avec Pékin et Moscou un traité d'amitié, de coopération et d'assistance mutuelle. Comme dans les années cinquante, la Chine reste le second partenaire commercial de la Corée du Nord, derrière l'URSS, lui fournissant à des tarifs préférentiels des matières premières telles que le naphte ou le pétrole. Mais cette aide commerciale ne peut masquer le fait que, depuis le début des années quatre-vingt, Pékin a opéré un rapprochement avec la Corée du Sud, multipliant les contacts et les relations non officielles avec Séoul.

En dépit de l'amélioration des relations sino-soviétiques, la Corée du Nord reste un objet de rivalité entre Pékin et Moscou. Si officieusement Pékin semble plutôt favorable à une réduction des tensions dans la péninsule coréenne et au maintien du statu quo, les Chinois prennent soin de rappeler officiellement leur vigoureux soutien aux multiples plans de paix et de réunification des deux Corée proposés par Kim Il Sung.

Si, dans les années soixante, il a pu apparaître une certaine identité de vue entre l'idéologie maoïste et le principe du Juche Sasang (compter sur ses propres forces) de Kim Il Sung, depuis la mort de Mao Zedong et le lancement d'une politique de réformes économiques en RPC, le Parti communiste chinois ne possédait plus qu'une influence très faible sur les orientations du Parti du travail coréen. Les dirigeants chinois n'étaient guère favorables au culte de la personnalité exacerbé qui règne en Corée du Nord, ni à l'instauration d'une « dynastie des Kim » avec, en 1984, l'intronisation de Kim Jong Il, fils de Kim Il Sung comme futur « Grand leader ». Louvoyant entre sa volonté de réduire les tensions dans la péninsule coréenne et celle de ne pas rejeter la Corée du Nord dans les bras de Moscou, Pékin attend sans doute avec intérêt la crise de succession qui pourrait suivre la mort de Kim Il Sung.

Valérie Niquet

ta vivement. Mais une seconde conférence de Genève, en 1961-1962, parut ramener la paix en neutralisant plus complètement le royaume. Une fois encore, ce fut à la satisfaction de la Chine.

En revanche, quand les États-Unis commencèrent à intervenir massivement dans le conflit, en 1964, les craintes et surtout l'embarras chinois furent à leur comble. Un vif débat divisa les dirigeants de Pékin durant toute l'année 1965, débat qui préfigurait déjà les luttes de la future « révolution culturelle ». Les militaires modérés préconisaient l'intervention pour aider le Vietnam du Nord, socialiste, qui servait d'État-tampon ; les radicaux, à l'inverse, derrière le maréchal Lin Biao, se refusaient à toute intervention, probablement soucieux d'utiliser l'armée à d'autres fins, intérieures celles-ci. Finale-

BIBLIOGRAPHIE

DE BEAUREGARD P., CABESTAN J.-P., DOMENACH J.-L., GODEMENT F., DE GOLD-FIEM J., JOYAUX F., *La Politique asiatique de la Chine*, Fondation pour les études de défense nationale (FEDN), Paris, 1986.

GREEN E.E., «China and Mongolis Recurring Trends And Prospects For Change», *Asian Survey*, 26 (12), déc. 1986.

JOYAUX F., *La Nouvelle Question d'Extrême-Orient*, Payot, Paris.
Tome I. *L'ère de la guerre froide* (1945-1959), 1985.
Tome II. *L'ère du conflit sino-soviétique* (1959-1978), 1988.
Tome III. *L'ère de l'ouverture chinoise* (1979-1989), à paraître.

YUFAN HAO, «China and the Korean Peninsula», *Asian Survey*, 27 (8), août 1988.

ment, la Chine s'en tint à une aide militaire et économique réduite qui obligea progressivement le gouvernement de Hanoi à chercher à Moscou les fournitures dont il avait besoin. Là réside une des explications de l'alignement du Vietnam du Nord sur l'URSS, qui fut interprété par la Chine comme un encerclement par l'hégémonisme soviétique. Lorsque, en 1968, Hanoi décida finalement d'ouvrir des négociations avec Washington contre l'avis de Pékin, la RPC se trouva encore plus isolée, ne jouant un rôle déterminant ni dans l'effort de guerre vietnamien, ni dans la recherche d'une solution négociée.

Le coup d'État cambodgien, en mars 1970, qui amena le prince Sihanouk à se réfugier à Pékin, permit à nouveau à la Chine de jouer un rôle plus actif dans la crise indochinoise. Un «gouvernement royal d'union nationale du Kampuchea» (GRUNK) fut immédiatement constitué dans la capitale chinoise, entre éléments sihanoukistes et «Khmers rouges» (communistes); une «conférence de solidarité des peuples d'Indochine» fut organisée dès avril à Canton. Il fallait donc compter avec la Chine en Indochine.

L'accord de cessez-le-feu conclu à Paris en janvier 1973, entre Américains et Nord-Vietnamiens, donnait également satisfaction à Pékin dans la mesure où il écartait définitivement la menace américaine et où il préservait l'équilibre entre les deux Vietnam. Mais ce devait être le dernier.

Dès 1974, la Chine comprit que le Vietnam s'orientait vers une réunification rapide du pays par la voie militaire. Ainsi se profilait un État vietnamien réunifié puissant qui, à terme, imposerait inévitablement son influence sur le Laos et le Cambodge : schéma radicalement opposé à ce qu'était la politique chinoise traditionnelle dans la péninsule.

La «leçon» de 1979

Dès lors, les pressions de la Chine sur le Vietnam du Nord se multiplièrent : occupation de certaines îles contestées dans la mer de Chine du Sud, encouragements donnés aux éléments Khmers rouges antivietnamiens, arrêt de l'aide militaire, etc. Rien de tout cela ne détourna pourtant le Vietnam de son objectif : en avril 1975, les troupes nord-vietnamiennes entraient au Sud et réunifiaient le pays. En décembre, le royaume du Laos faisait place à une République populaire et démocratique pro-vietnamienne. Dans ce basculement général de l'Indochine, le seul fait «positif» pour Pékin était la victoire des Khmers rouges à Phnom-Penh, en mai 1975. Il était clair que désormais, les éléments d'un troisième conflit d'Indochine étaient en place.

La RPC, à partir de 1975, allait enregistrer en Indochine échec sur échec : génocide perpétré au Cambodge par les Khmers rouges qu'elle avait soutenus (et continué à soutenir), expulsion des descendants d'émigrés chinois du Vietnam, entrée de ce dernier dans le Conseil d'assistance économique mutuelle

Normalisation avec la Mongolie

La signature à Pékin, le 28 novembre 1988, d'un traité sur la solution des problèmes frontaliers entre la République populaire de Chine (RPC) et la République populaire de Mongolie (RPM) a marqué le point fort du rapprochement qui s'est amorcé entre les deux pays, dans le sillage de l'amélioration des relations entre Pékin et Moscou.

Partie intégrante de l'Empire chinois jusqu'en 1911, la Mongolie « extérieure » n'a pu conquérir son indépendance, en 1924, que grâce au soutien de l'Armée rouge. Il fallut attendre 1946 pour que le gouvernement nationaliste de Nankin, sous la pression conjuguée de Roosevelt et de Staline, reconnaisse la République populaire de Mongolie. Après la fondation de la RPC, en 1949, les relations sino-mongoles ont suivi les fluctuations de l'amitié sino-soviétique. Elles seront au plus bas en 1969 lorsque les Mongols, à la suite de violents incidents sur l'Oussouri entre l'Armée rouge et l'Armée populaire de libération, acceptèrent le stationnement de plusieurs dizaines de divisions soviétiques sur leur territoire. S'il s'est réjoui de la détente survenue dans les relations entre ses deux seuls voisins, le ministre des Affaires étrangères de Mongolie, Tserenpil Gombosouren, déclarait au mois de novembre 1988 que le gouvernement mongol était seul habilité à décider du moment et de la portée du retrait des troupes soviétiques promis par Mikhaïl Gorbatchev. Cependant, les échanges de délégations entre la RPC et la RPM se sont multipliés, les relations économiques se sont développées. Le commerce frontalier est passé de 412 000 dollars en 1985, année de la reprise des échanges, à 1,5 million de dollars à la fin de l'année 1987. La visite de Tserenpil Gombosouren en RPC en 1989, première visite de ce type depuis plus de trente ans, devait permettre d'entériner la normalisation des relations d'État à État entre les deux pays, dans l'attente d'une reprise des relations de parti à parti.

Valérie Niquet

(CAEM ou COMECON), et surtout conclusion d'un traité d'amitié soviéto-vietnamien (octobre 1978). Fortes des garanties que leur apportait ce pacte, les troupes vietnamiennes entraient au Cambodge en décembre 1978 et y renversaient le régime pro-chinois des Khmers rouges.

La Chine répliqua par une vaste opération militaire en février-mars 1979. Destinée à « donner une leçon » au Vietnam et à contraindre ce dernier à se retirer du Cambodge, l'opération n'atteignit aucun de ses objectifs. Bien au contraire, elle coûta assez cher à la Chine : 50 000 morts, blessés et disparus, plus une crise politique intérieure. Désormais, les rapports sino-vietnamiens étaient bloqués pour des années. L'URSS en profita pour s'implanter militairement au Vietnam. Il fallut attendre le début de 1989, pour que, dans le sillage du dégel sino-soviétique, s'amorce une détente sino-vietnamienne.

C'est dire, au total, que ces quarante ans de politique chinoise en Indochine ont été une suite presque ininterrompue d'échecs. Alors qu'en 1954, le Vietnam du Nord était un État très étroitement lié à la Chine, aujourd'hui, celle-ci ne dispose plus en Indochine que d'une seule carte, très faible : la résistance khmère rouge. Quel que soit le point de vue duquel on se place, celui de la puissance régionale asiatique ou celui de l'État socialiste, c'est là un piètre résultat, sans commune mesure avec celui qu'a obtenu l'URSS dans la même région.

François Joyaux

La Chine et l'épineuse question des Khmers rouges

En prenant la direction du Parti communiste cambodgien clandestin en 1963, Pol Pot engageait en fait le Cambodge sur la voie d'une « révolution culturelle » trois ans avant la grande tourmente en Chine. Une révolution qui allait plonger dans le chaos ce pays de sept millions d'habitants et attiser les dissensions entre la Chine et le Vietnam autour des enjeux indochinois. Le dirigeant khmer rouge confortait sa position prochinoise en effectuant, en 1968, une visite en Chine où il fut reçu par Mao.

Le coup d'État de mars 1970, réussi par la faction pro-américaine de l'armée contre le prince Norodom Sihanouk, accéléra la mise en orbite de Pol Pot. Au lendemain des accords de Paris sur le Vietnam, en 1973, les Khmers rouges affichent de plus en plus nettement leur différence avec Hanoi. Les embuscades des partisans de Pol Pot contre les combattants nord-vietnamiens, pourtant leurs alliés, se multiplient dans les sanctuaires le long de la frontière khméro-vietnamienne. Hanoi s'en inquiète auprès de la Chine. Ces démarches restent quasiment sans réponse. Le choix de Pékin, en faveur des « patriotes » cambodgiens contre le Vietnam, se manifeste officiellement à la fin du deuxième conflit indochinois (au début de 1975). Les dirigeants chinois se félicitent de la victoire des hommes de Pol Pot lors de la chute de Phnom Penh alors que l'entrée des troupes communistes nord-vietnamiennes à Saigon est minimisée.

A peine terminée, la guerre contre les pro-Américains de Phnom Penh et de Saigon, les régimes communistes cambodgien et vietnamien vont bientôt ouvrir les hostilités. Toutes les données d'un troisième conflit indochinois, cette fois entre « frères », sont réunies. Les premières escarmouches commencent à la mi-mai 1975, soit deux semaines après la victoire du Nord-Vietnam sur le Sud. Les divergences sur le tracé des frontières entre les deux pays en sont le prétexte. En fait, c'est l'avenir des relations khméro-vietnamiennes qui est en question, et, au-delà, le rôle de la Chine dans la région indochinoise. Les Khmers rouges s'appuient totalement sur la Chine pour se lancer à l'assaut de l'armée nord-vietnamienne, la troisième du monde. Parallèlement, la dégradation des relations entre Pékin et Hanoi est étalée publiquement. Chacun des camps fourbit ses armes. Hanoi lance ses troupes contre Phnom Penh à la fin de 1978. Pour concrétiser son soutien aux Khmers rouges, Pékin se doit « d'infliger une leçon » au Vietnam. Au moins 200 000 soldats chinois défient l'armée vietnamienne en février 1979.

Quelques mois avant la chute du régime khmer rouge (cette même année 1979), les experts militaires chinois avaient aidé leurs alliés cambodgiens à préparer une résistance armée à l'envahisseur vietnamien en organisant des caches d'armes sur le terrain. Le soutien militaire et diplomatique de la Chine à Pol Pot allait être sans faille malgré le bilan hallucinant de près de quatre ans de régime khmer rouge : au moins un million de morts.

La rencontre entre le prince Norodom Sihanouk, qui préside le gouvernement de coalition tripartite du Kampuchea démocratique depuis l'accord passé entre les mouvements de résistance (sihanoukistes, « nationalistes » de l'ancien Premier ministre Son Sann et Khmers rouges) et Hun Sen, l'homme fort du régime pro-vietnamien de Phnom Penh, en décembre 1987, a bousculé la répartition des cartes. Pékin, tout en étant pris à contrepied par l'initiative de l'ancien chef d'État du Cambodge, n'a aucunement envisagé de remettre en cause son aide aux Khmers rouges. Mais cette rencontre entre les deux dirigeants cambodgiens n'en a pas moins représenté un tournant dans ce conflit.

Les contours d'un accord politique se sont précisés au fur et à mesure de nouvelles rencontres entre Norodom Sihanouk et Hun Sen et à l'occasion de négociations élargies à l'ensemble des pays de la région. Le processus de réconciliation entre la Chine et l'URSS consolidé par le sommet Mikhaïl Gorbatchev-Deng Xiaoping à la mi-mai 1989, l'annonce du retrait définitif des forces vietnamiennes du Cambodge au 30 septembre 1989 ont davantage isolé les hommes de Pol Pot. D'autant que le nouveau Premier ministre thaïlandais Chatichai Choonhavan a redéfini la politique de Bangkok à l'égard de l'Indochine selon cette formule : transformer «en zone de commerce cette zone de conflit».

Dès lors pour la Chine se posait la question : Que faire des Khmers rouges ? Pendant sa tournée en septembre 1988 en Thaïlande, en Australie et en Nouvelle-Zélande, le Premier ministre Li Peng a laissé entendre que Pékin avait tourné la page dans ce dossier. Mais le retour à l'orthodoxie en Chine, après la répression (juin 1984) contre le « printemps de Pékin », pouvait tout aussi bien conduire les dirigeants chinois à poursuivre leur aide aux Khmers rouges.

James Burnet

Méfiance et rivalité avec le Japon

L'histoire pèse lourdement sur les relations entre la Chine et le Japon. Une méfiance tenace, léguée par la guerre sino-japonaise (1931-1945), et la rivalité régionale constituent l'arrière-fond des rapports entre les deux grands de l'Asie. La normalisation des relations diplomatiques, en septembre 1972, et la conclusion du traité de paix et d'amitié, en août 1978, n'ont pas fondamentalement changé cette situation. Les Chinois sont exaspérés par le fait que certains dirigeants japonais d'aujourd'hui cultivent sciemment les valeurs impériales d'avant-guerre.

Dans le domaine économique, ils se plaignent de l'extrême réticence japonaise à effectuer des investissements directs et des transferts de technologie en Chine. Pour leur part, les Japonais reprochent aux Chinois de manipuler le contentieux selon leurs intérêts du moment et les rapports de forces au sein de l'équipe dirigeante. En outre, ils expliquent leur manque d'enthousiasme en matière d'investissements directs par les pesanteurs de la bureaucratie et l'insuffisance d'infrastructures en Chine.

Cependant, la visite officielle en Chine du Premier ministre japonais, Takeshita Noboru, du 25 au 30 août 1988, a marqué un nouveau départ dans les relations sino-japonaises. La conjoncture internationale s'y prêtait. La détente amorcée entre les deux superpuissances pouvant entraîner le retrait progressif des forces américaines de l'Asie et la diminution de la menace soviétique, l'équilibre des forces entre les deux grandes puissances asiatiques aura une signification plus importante que dans le passé pour la stabilité de la région. C'est ce que voulait dire le Premier ministre japonais, lorsqu'il déclara qu'un des axes de la politique extérieure du Japon est le maintien et le développement de l'amitié avec la Chine. Il s'agit donc d'une reconnaissance réciproque, d'une recherche d'entente sur fond de rivalité pour l'hégémonie régionale.

Les relations économiques ont

Avec la Corée du Sud : d'abord l'économie

Avec la Corée du Sud, la Chine ne connaît aucun problème d'ordre psychologique, mais une barrière idéologique demeure, bien que les deux peuples ressentent l'un pour l'autre un réel sentiment amical. L'absence de tout échange de personnes et de marchandises pendant quarante ans fait que la reprise des échanges commerciaux intervenue dans les années quatre-vingt s'effectue encore aujourd'hui de façon indirecte, par l'intermédiaire de Hong-Kong et du Japon. Mais cette formule contraignante devrait être abandonnée. Le volume des échanges a atteint 1,5 milliard de dollars en 1987 et 3 milliards en 1988, soit l'équivalent des échanges sino-soviétiques. Tous les grands groupes sud-coréens sont engagés dans les affaires avec la Chine.

Pékin cherche à tirer plusieurs avantages du développement de ses relations économiques avec la Corée du Sud : l'accès à la haute technologie et aux produits de qualité à prix modéré lui permet de réduire sa dépendance à l'égard du Japon et des États-Unis ; la perspective des investissements sud-coréens en Chine a pour effet d'inciter les Taïwanais à investir sur le continent. Pour Séoul, outre les avantages économiques évidents, le rapprochement avec la Chine s'insère dans le cadre de sa politique d'ouverture vers les pays socialistes, politique qui pourrait élargir sa marge de liberté dans ses relations avec les États-Unis et le Japon.

Bertrand Chung

été dans les années quatre-vingt un des sujets les plus épineux du contentieux sino-japonais. Devenus officiels en 1972, les échanges commerciaux entre les deux pays se sont développés rapidement, si bien que le Japon est devenu le premier partenaire de la Chine. De 1975 à 1984, ces échanges ont été relativement équilibrés. En 1985, l'ouverture chinoise a entraîné une explosion de ses achats de biens japonais de consommation durables, et le déficit chinois est passé à 6 milliards de dollars, soit le double du déficit cumulé de 1975 à 1984. Marche arrière, en 1987. La Chine a réduit à 900 millions de dollars son déficit. C'était la première fois qu'un important partenaire commercial du Japon réussissait à renverser la tendance par une politique de restriction délibérée de ses achats.

Le Japon a compris le message. Lors de sa visite en Chine, en août 1988, Takeshita a accordé un programme de prêts pour la période 1990-1995 d'un montant de 800 milliards de yens (environ 6 milliards de dollars), soit le total cumulé des deux précédents programmes d'aide (1978-1983 et 1984-1989). Mais l'événement le plus important de cette visite a été la signature d'un accord sur la protection des investissements directs japonais en Chine. Aux termes de cet accord, la Chine consent aux Japonais un « traitement national » en concédant aux entreprises nippones qui s'implantent en Chine le même statut que celui de leurs homologues chinoises en ce qui concerne les matières premières, la main-d'œuvre, les prêts bancaires, etc.

L'amélioration de la structure d'accueil, le bas coût de la main-d'œuvre chinoise suffiront-ils à faciliter le transfert de technologie, qui est l'intérêt central des Chinois ? On peut en douter.

Bertrand Chung

Les relations avec l'ANSEA, un enjeu politique

Le 8 août 1967, cinq pays d'une ancienne marche de l'empire du Milieu — Thaïlande, Malaisie, Singapour, Indonésie, Philippines — constituaient l'Association pour la coopération régionale en Asie du Sud-Est qui deviendra l'Association des nations du Sud-Est asiatique (ANSEA). D'abord hostile à ce regroupement, Pékin révisa si bien son attitude que, dans les années quatre-vingt, la solidarité entre la République populaire de Chine (RPC) et l'ANSEA était devenue l'élément clé de sa politique en Asie du Sud-Est.

L'hostilité initiale était le fruit d'une méfiance réciproque. En 1967, la « révolution culturelle » était au paroxysme de la violence et la lutte contre la « double hégémonie » (URSS, États-Unis), l'âme de la diplomatie de Pékin. Au Sud-Vietnam, Thaïlandais et Philippins combattaient aux côtés des Américains. En Indonésie, une répression sauvage s'exerçait contre les communistes, d'origine chinoise bien souvent. Reconnue en 1957, la Malaisie n'avait pas fait le geste réciproque. Singapour affichait un anticommunisme militant. Enfin, aucune des capitales de l'ANSEA n'oubliait le soutien de la RPC aux insurrections déclenchées dans la région depuis 1945, le poids des Chinois d'outre-mer dans l'économie, ni les prétentions de Pékin sur des îles des mers de Chine du Sud. Ainsi s'explique le verdict prononcé par la RPC en 1967 : « L'ANSEA est une alliance antichinoise et anticommuniste manigancée par l'impérialisme américain et la clique dirigeante du révisionnisme soviétique. »

Pendant plusieurs années, les événements qui se déroulaient dans le Sud-Est asiatique confortèrent Pékin dans ses convictions. Washington encourageait l'ANSEA, tandis que Moscou menait une offensive de charme dans la région et proposait de « mettre à l'ordre du jour la tâche de créer en Asie un système de sécurité collective » (7 juin 1969). Et, surtout, avec les négociations de Paris sur le Vietnam, Pékin tenait la preuve de la collusion américano-soviétique : l'URSS lâchait le Vietnam ! Ainsi, et de toute évidence, l'ANSEA s'affirmait comme le maillon manquant de la « pleine lune », l'encerclement de la Chine. D'où la riposte : Pékin prônait au Vietnam la guerre populaire et s'associait aux activités insurrectionnelles des communistes en Thaïlande et en Malaisie, alimentant la méfiance de l'ANSEA. Incidents violents en Indonésie (1967) et sanglantes émeutes en Malaisie (1967 et 1969) reflétèrent l'exacerbation des passions. Le Premier ministre malais résumait en 1968 la situation : « Même si la Chine n'était pas communiste, elle continuerait à représenter un danger pour les États dans le Sud-Est asiatique. »

Cependant l'hostilité céda rapidement la place à un processus de détente. Alors que les Américains se désengageaient, l'URSS affirmait ses ambitions asiatiques et devenait « l'ennemi principal ». Une révision de la politique s'imposait. Pékin exprima la volonté d'entamer un dialogue de « peuple à peuple » et d'accroître les échanges commerciaux, sans cesser ses encouragements aux révoltes armées. Si la démarche restait ambiguë, elle contribuait à remodeler les rapports de force dans la région. C'est alors que les cinq de l'ANSEA se déclarèrent « déterminés à faire de la région une zone de paix, de liberté et de neutralité » (27 novembre 1971) (ZOPFAN) et que le président philippin estima « la coexistence possible avec la Chine ». La RPC

BIBLIOGRAPHIE

CAYRAC-BLANCHARD F., « L'A N S E A et la crise indochinoise : de la diversité dans l'unité », *Revue française de sciences politiques*, Paris, juin 1982.

DE GOLDFIEM J., *Sous l'œil du dragon*, Fondation pour les études de défense nationale (F E D N), Paris, 1988.

KHAW Guat Hoon, *An Analysis of China Attitudes Towards A S E A N, 1967-1976*, I S E A S, Singapour, 1977.

MARTIN E.W., *Southeast Asia and China : the End of Containment*, Westview Press, Boulder, 1977.

RICHER Ph., *Jeu de quatre en Asie du Sud-Est*, P U F, Paris, 1982.

réagit favorablement à ce projet que sous-tendait l'idée de neutralité (1972). A l'exception de l'Indonésie, les membres de l'Association choisirent dès lors d'entreprendre des démarches dont le terme serait l'établissement de relations diplomatiques.

Les pions, en réalité, allaient se déplacer rapidement. Victoire progressive des pragmatiques à Pékin, négociations puis signature des Accords de Paris (27 février 1973), retrait confirmé des États-Unis accélèrent le mouvement. « S'il ne se produit pas d'incidents fâcheux, prédit Lee Kuan Yew, Premier ministre de Singapour, la R P C sera représentée dans les pays d'Asie du Sud-Est » (31 mai 1974). Effectivement, la Malaisie et la Thaïlande établirent des relations diplomatiques avec une Chine qui n'hésitait plus à déclarer souhaitable la création de la Z O P F A N.

Avec la victoire des Khmers rouges (17 avril 1975) et la réunification *de facto* du Vietnam (30 avril 1975), Pékin suggéra même que la suppression des bases américaines dans la région serait prématurée. Tout concourait pour donner aux rapports A N S E A-R P C une stabilité confiante dans la neutralité.

Par leur occupation du Cambodge (commencée en décembre 1978-janvier 1979), les Vietnamiens assignèrent aux uns et aux autres un objectif commun. Désormais unis, sinon alliés, Chine et A N S E A réclamèrent à Hanoi son retrait du Cambodge. Pour Pékin, seules de fortes pressions militaires et une saignée à blanc de son économie, pouvaient faire reculer Hanoi. Et la Chine devait un soutien constant aux Khmers rouges. L'A N S E A, qui conservait de fortes réticences à l'égard de ces derniers, rencontrait plus de difficultés pour maintenir la ligne de fermeté initiale. De l'un à l'autre de ses membres, l'origine et la force de la menace varièrent. Bangkok persistait à redouter le Vietnam, mais pour Jakarta, dès 1984, celui-ci « n'était plus une menace ». L'Indonésie, toujours méfiante, craignait surtout la puissance d'une Chine engagée sur la voie de la modernisation.

Tout au long des années quatre-vingt, la diplomatie de Pékin consista donc, sans retirer son appui aux Khmers rouges, à soutenir la Thaïlande et les propositions communes aux pays de l'Association, en espérant, le plus souvent avec raison, que Hanoi s'y opposerait. Chaque année, la solidarité Chine-A N S E A se vérifiait lors du vote sur la résolution présentée par l'A N S E A aux Nations unies pour réclamer le retrait des Vietnamiens. De 1980 à 1988, la voix de la R P C ne fit jamais défaut, alors même qu'elle entourait son vote d'objections. Il était difficile pour Pékin de s'écarter d'un regroupement « économique » au départ et qui, au fil des ans, s'était hissé au premier rang sur la scène politique. Cependant, l'attitude adoptée ne lui avait pas permis de venir à bout des soupçons. En 1989, la R P C n'avait toujours pas d'ambassade à Jakarta, ni à Singapour, ni à Brunéi (membre de l'A N S E A depuis 1984).

Philippe Richer

Chine, Inde, Pakistan : peurs, conflits, prudence

A la suite de la visite du Premier ministre indien à son homologue chinois en décembre 1988 — la première depuis celle de Nehru en 1954 — l'Inde et la Chine ont semblé tenter d'avancer sur la voie d'un rapprochement. Des liens étroits avaient été tissés lors de la conférence de Bandoung en 1955, au cours de laquelle l'Inde et la Chine avaient présenté conjointement les cinq principes de la coexistence pacifique devant régir les relations entre États : respect mutuel de la souveraineté et de l'intégrité territoriales : non-agression mutuelle ; non-ingérence dans les affaires intérieures respectives ; égalité et profit mutuel.

Mais la stratégie de l'Inde, visant à ancrer la Chine au sein du mouvement des pays non alignés, tout en militant pour son accession à l'ONU, avait été mise à mal lors du conflit frontalier de 1962. La déroute de l'armée indienne devant l'attaque chinoise sur la frontière himalayenne entre les deux pays, avait eu de profondes répercussions sur l'Inde et le mouvement des non-alignés. Le conflit, légué par l'histoire, selon Pékin, qui n'a jamais reconnu la ligne Mac-Mahon, frontière entre le Tibet et l'Inde tracée sur carte en 1914 par les Anglais et adoptée par l'Inde indépendante en 1947, est au point mort aujourd'hui. Mais une volonté de règlement est sous-jacente de part et d'autre de la frontière. Le communiqué conjoint publié le 23 décembre 1988 a fait état de la constitution d'un groupe de travail appelé à tenter de régler ce conflit qui empoisonne les relations des deux pays, dans un esprit de profit mutuel et de réciprocité.

Sur le plan économique et commercial, une commission conjointe sera chargée de mettre en œuvre les différents accords conclus tant sur le plan des échanges commerciaux, culturels et scientifiques, que technologiques. L'Inde n'a pas, comme elle le souhaitait, réussi à subordonner le développement des relations bilatérales à un règlement préalable du contentieux frontalier.

Il est significatif que les fondements de la coexistence pacifique soient remis à l'ordre du jour après les violations flagrantes de ces principes par les deux pays. En décembre 1986, lorsque le gouvernement de Pékin a dénoncé l'accession unilatérale au statut d'État de l'Union indienne de l'Arunachal-Pradesh, aux confins de l'Inde, de la Birmanie et du Tibet, territoire revendiqué aux deux tiers depuis trente ans par Pékin, en violation de l'intégrité et de la souveraineté territoriales chinoises, cette réaction a immédiatement été taxée ingérence inacceptable dans les affaires intérieures indiennes.

La crainte d'un encerclement

En fait, l'Inde, avec l'élargissement de la route du Karakoram qui relie la Chine à son allié pakistanais (adversaire constant de l'Inde depuis sa création en 1947) craint manifestement une tentative d'encerclement et s'inquiète ouvertement des avancées diplomatiques de la Chine vers le Bangladesh, le Népal et Sri-Lanka sur lesquels la prééminence indienne semblait acceptée par Pékin.

Par ailleurs, l'étroitesse des relations entre l'Inde et l'URSS (soutien de l'Inde au régime cambodgien et neutralité face à la situation en Afghanistan) inquiète la Chine, car elle consolide les désaccords politiques et le contentieux sino-

BIBLIOGRAPHIE

DE BEAUREGARD P., CABESTAN J.-P., DOMENACH J.-L., GODEMENT F., DE GOLD-FIEM J., JOYAUX F., *La Politique asiatique de la Chine*, Fondation pour les études de défense nationale (F E D N), Paris, 1986.

MOHANTY M., « Les relations sino-indiennes », *India Quarterly*, New Delhi, vol. XVI, 1, janv.-mars 1985.

indien. Un rapprochement sino-soviétique changerait assurément les données du problème... Un élément propre à brouiller les cartes a été l'attitude d'attentisme et de quasi-neutralité de l'Inde lors de l'annexion du Tibet par la Chine en 1959. L'Inde a rarement utilisé les troubles qui secouent régulièrement le Tibet pour faire pression sur Pékin.

Sur le plan des relations économiques et commerciales, un grand potentiel de coopération entre les deux pays en développement est reconnu implicitement. Le volume des échanges commerciaux est passé de 2 à 330 millions de dollars entre 1977 et 1983, mais ils restent inférieurs à ceux existant entre la Chine et le Bangladesh. Un accord commercial sino-indien signé en 1984 supprime tout quota à l'import-export. Les exportations de l'Inde sont malgré tout un peu déséquilibrées par rapport à celles de la Chine, puisqu'elles répondent directement aux besoins chinois en

équipements pour l'extraction du pétrole, en produits chimiques, engrais, insecticides et fibres synthétiques tandis que la Chine s'est engagée à exporter de la soie, des perles et de la fonte. Une commission conjointe suivra le déroulement de l'application de cet accord (renouvelé en 1988) : trois accords sur la coopération culturelle, scientifique et technologique, et un quatrième sur l'aviation civile, complètent ce volet de coopération entre les deux pays.

Selon Deng Xiaoping, le siècle prochain sera celui de l'Asie Pacifique. Cette affirmation ne pourra se réaliser que si l'Inde et la Chine renforcent leurs économies respectives. On peut penser que les enjeux de développement régional seront plus forts que les querelles frontalières du passé, mais rien ne laisse présager un règlement rapide du conflit sino-indien.

Agnès Foucault

Le Pacifique sud, partenaire diplomatique et économique

La politique chinoise dans le Pacifique s'applique selon trois cercles. Le premier correspond, sur sa frange maritime, à son souci séculaire de sécurité et englobe les pays riverains de la mer de Chine méridionale. Le troisième cercle, encore inaccessible à une action politique marquée, est constitué des rives américaines du grand océan. Le second cercle inclut les pays du Pacifique sud, avec lesquels la Chine partage les préoccupations politi-

ques majeures et parmi lesquels elle a trouvé deux partenaires économiques importants : l'Australie et la Nouvelle-Zélande.

L'engagement des gouvernements australien et néo-zélandais auprès de Washington a, pendant une vingtaine d'années, interdit tout développement des relations politiques et économiques avec Pékin. Le revirement américain qui aboutit en 1972 a libéré cet interdit, et les deux alliés ont établi des rela-

Quatre archipels revendiqués

Très tôt, la République populaire de Chine (RPC) a montré l'intérêt qu'elle portait aux archipels et îlots de la mer de Chine du Sud. Dès le début du nouveau régime, le gouvernement de Pékin avait protesté quand le traité de paix japonais, signé à San Francisco en 1951, avait omis de restituer à la Chine les deux archipels des Spratly et des Paracel situés au large des côtes vietnamiennes. A compter de cette période, les cartes géographiques publiées en RPC avaient toujours inclus la mer de Chine du Sud dans le domaine maritime chinois : la limite de ce dernier, à partir de la côte est de Taïwan, longeait les Philippines, puis l'actuelle Malaisie orientale (Bornéo), pour finalement remonter le long des côtes vietnamiennes.

En 1958, lorsque la RPC, en pleine crise de Taïwan, étendit ses eaux territoriales de trois à douze milles, elle prit soin de réaffirmer sa revendication sur les Spratly et les Paracel (comme le faisait d'ailleurs le gouvernement de Taipei de son côté). Au fil des années, les prétentions chinoises se précisèrent. Elles portent en définitive sur quatre archipels : les Paracel (Xisha) et Spratly (Nansha) déjà mentionnées, mais aussi les Pratas (Dongsha) au large de Canton et les Macclesfield (Zhongsha) au large des Philippines. Importance et situation de ces quatre ensembles sont très diverses.

Pratiquement, l'archipel des Pratas, de dimension tout à fait réduite, situé à moins de 200 milles du continent chinois, proche de la ligne des 200 mètres de profondeur, ne peut guère être revendiqué que par la RPC et Taïwan — ce qui est effectivement le cas — et renvoie donc au problème de l'unité de la Chine. Actuellement, les Pratas sont contrôlées par Taïwan.

L'archipel des Macclesfield constitue un cas très particulier puisqu'il est composé de récifs pour la plupart immergés. Ici, la Chine se heurte à des revendications philippines. L'intérêt de cet archipel est surtout de lier ensemble les zones d'exploitation exclusive des Spratly et des Paracel, ce qui permettrait à Pékin de contrôler ainsi la majeure partie de la mer de Chine du Sud.

Les deux cas des Paracel et des Spratly sont beaucoup plus importants. Jusqu'en 1974, c'était le Vietnam du Sud qui occupait les Paracel. A la suite d'une opération navale menée en toute sécurité grâce à la neutralité américaine, la RPC, à cette date, occupa la totalité de l'archipel. Le Vietnam du Nord protesta, mais ne put s'opposer à cette occupation par un « pays-frère ». Depuis 1975, le Vietnam réunifié n'a cessé de revendiquer ces îles : c'est devenu l'un des éléments importants du contentieux sino-vietnamien. Le cas des Spratly est plus complexe encore puisque cet archipel est revendiqué en totalité par le Vietnam et les deux Chine, mais aussi, en partie, par les Philippines. Dans les faits, certaines îles sont occupées par Hanoi, d'autres le sont par Taipei et Manille. Depuis 1988, quelques îlots sont occupés par Pékin. C'est dire que l'imbroglio est total.

L'évolution du droit de la mer explique pour une très large part la multiplication de ces revendications. Toutefois, dans le cas précis de la mer de Chine du Sud, les revendications de la RPC semblent aller assez nettement au-delà des simples mesures conservatoires prises par les Etats voisins. Cette politique chinoise s'explique probablement par la volonté de faire pression sur le Vietnam et de contrecarrer l'URSS qui est désormais militairement présente en Indochine. Elle n'en comporte pas moins un caractère particulier que certains pays de la région jugent expansionniste.

François Joyaux

——— BIBLIOGRAPHIE ———

« Peking-Canberra Tales : Unfinished Deals... But Lots of Hoopla », *Business China*, 9, juin 1986.

JOHNSON R., « The Australia-China Council », *Australian Foreign Affairs Record*, Canberra, vol. 54, n° 4, avr. 1983.

RICHARDSON M., « In Race to launch Australian Satelites, the China Bargain », *International Herald Tribune*, New York, 31 mars 1988.

ZHANG Yu'an, « Sino-australian trade reaches record high », *China Daily*, Pékin, 11 févr. 1988.

tions diplomatiques avec la République populaire de Chine (R P C), presque le même jour, en décembre 1972. Les autres petits États, Fidji (1975), Samoa occidental (1975), la Papouasie-Nouvelle-Guinée (1976), ont été suivis par Kiribati (1980) et le Vanuatu (1982). Quelques micro-États, comme Nauru, Tonga ou les îles Salomon ont conservé des relations diplomatiques avec Taïwan.

Ils ne sont, malgré tout, pas indifférents au soutien apporté par Pékin aux positions de leur « Forum du Pacifique sud », organisation commune regroupant l'Australie, la Nouvelle-Zélande, et les micro-États du Pacifique sud.

Pékin trouve à Canberra et à Wellington des gouvernements qui partagent ses préoccupations dans le Sud-Est asiatique. Comme eux, la Chine s'est inquiétée de l'avancée soviétique vers les petits États du Pacifique sud, après les accords de pêche signés par Kiribati en août 1985, puis par le Vanuatu. Bien que Pékin ait un faible très marqué pour David Lange, Premier ministre néo-zélandais, c'est avec l'Australie qu'elle a trouvé un partenaire à sa mesure. Par la concertation sur les grands problèmes régionaux, ils peuvent agir en commun pour maintenir cette zone en dehors des affrontements entre les grandes puissances et la démilitariser au maximum. Ils surveillent ensemble le poids croissant du Japon sur les économies locales et la montée en puissance de ses forces armées. Autre avantage pour les deux pays blancs, Pékin n'est pas encore en mesure de contester leur suprématie sur les micro-États.

Ces pays, aux dimensions minuscules, aux populations peu nombreuses à l'exception de la Papouasie-Nouvelle-Guinée, ne sont pas pour autant négligés par la diplomatie chinoise. Lors de la grande

offensive de charme menée dans la région en 1985, le secrétaire général du Parti, Hu Yaobang, s'est rendu non seulement en Australie et en Nouvelle-Zélande, mais également à Fidji et en Papouasie-Nouvelle-Guinée. Le président de Kiribati a été reçu en Chine comme un grand chef d'État, en 1985. Il a été suivi par ceux du Vanuatu et de Fidji (décembre 1987). La Chine a toujours soutenu les actions du Forum du Pacifique sud. Elle s'est empressée de parapher en 1988 les protocoles du traité de Rarotonga qui vise à faire de la région une zone dénucléarisée. Il s'agissait, certes, d'une attitude permanente de sa diplomatie, mais aussi — et surtout, de ne pas laisser à l'U R S S le monopole d'être la seule puissance visée par le texte à en accepter les termes.

Les deux grands pays de la région sont également des partenaires économiques importants. L'Australie, avec un montant de 1,67 milliard de dollars en 1987, est au huitième rang pour le commerce avec la Chine, laquelle est son quatrième client et pourrait devenir le premier à l'horizon 2000. Le fer et l'aluminium ont progressivement remplacé le blé. La Chine, qui vend surtout des textiles, investit en Australie. Une coopération spatiale s'est amorcée en 1988. Si, avec 358 millions de dollars en 1987, la Nouvelle-Zélande est à un rang plus modeste, la Chine n'en est pas moins son premier client pour la laine (25 % des exportations).

Partenaire important de la diplomatie et du développement économique de la R P C, il n'est pas étonnant que ce soit dans le Pacifique sud que Li Peng, Premier ministre chinois, ait effectué, en novembre 1988, son premier voyage à l'étranger.

Jacques de Goldfiem

LA CHINE ET LE TIERS MONDE

Solidarité avec le troisième monde

« Zone intermédiaire », « zone des tempêtes », « troisième monde », telles sont les expressions que les communistes chinois ont successivement utilisées pour désigner le tiers monde.

Au lendemain de la Seconde Guerre mondiale, Pékin a une vision simple de la planète : « Les États-Unis et l'Union soviétique sont séparés par une zone très vaste, qui englobe de nombreux pays capitalistes, coloniaux et semicoloniaux » (1946). Dans cet ensemble, « les pays indépendants et les pays en lutte pour l'indépendance en Asie, en Afrique et en Amérique latine » forment une « première zone intermédiaire ». L'approche chinoise est politique et idéologique. Longtemps, Pékin niera l'existence d'un « pseudo tiers monde », dont l'unité viendrait de son sous-développement.

Après leur victoire, les communistes chinois se préoccupent, en premier lieu, des pays qui, dans cette première zone intermédiaire, se trouvent être leurs voisins. Leur tâche consiste à défendre ceux qui ont déjà rejoint le camp de la révolution. Ainsi une importante aide est apportée au Viet-Minh, qui s'oppose aux Français (1949-1954) et le 15 octobre 1950, des « volontaires » traversent le Yalou, frontière sino-coréenne, pour défendre la Corée du Nord.

Défendre son camp, mais aussi l'élargir dans cette zone intermédiaire, notamment en Asie du Sud-Est où les Chinois décèlent dans les mouvements de libération « une grande affinité » avec leur propre campagne de libération. Il ne s'agit pas d'intervenir directement. Il suffit de soutenir tous ceux qui ont déclenché la lutte armée, en Malaisie, en Birmanie, aux Philippines. A ces combattants, le modèle chinois doit servir de référence. Cet appui va de pair avec la dénonciation violente des dirigeants nationalistes. En eux, qu'ils soient indiens ou indonésiens, Pékin ne voit que « chiens courants de l'impérialisme ».

Des échanges avec tous les pays latino-américains

Oubliant ses positions militantes et charismatiques d'antan, la Chine cherche, aujourd'hui, par la diplomatie et l'arme économique, à se rallier ces pays du tiers monde, sans distinction de type de régime, tout en grignotant les derniers appuis diplomatiques de Taïwan.

Évitant de se prononcer dans les conflits internes à la région, la Chine prend le contre-pied des positions de Washington, soutenant l'action des groupes de Cartagène et de Lima, proclamant l'égalité des petits pays avec les grands, les soutenant dans leurs problèmes d'endettement face aux pays riches et y cherchant des partenaires pour une coopération Sud-Sud exemplaire.

Grâce à une aide économique, en 1988, la Chine a établi, avec l'Uruguay, des relations diplomatiques. En 1985, elle avait, par les mêmes moyens, réussi à prendre, à Managua, la place de Taïwan, qui entretenait avec cette capitale des relations contre-nature à grand renfort de dollars. Les échanges existent avec tous les pays, même sans relations diplomatiques. Ils totalisent environ 2 milliards de dollars par an, soit 1 % du commerce extérieur de l'Amérique latine et 3 % de celui de la RPC, dont près de la moitié avec le seul Brésil. La Chine accepte, pour des raisons politiques, d'être dans la région très déficitaire.

Jacques de Goldfiem

Mais, très vite, les Chinois sont convaincus que la zone intermédiaire n'est pas ce que leur théorie envisage. Elle ne bascule pas ; elle résiste. Dès 1952, le soutien aux rébellions dans le Sud-Est asiatique est mis en sourdine, tandis que la Chine choisit de participer aux règlements pacifiques internationaux des problèmes.

Une politique de « coexistence pacifique »

Le moment est venu de poser les règles d'une nouvelle politique. Les cinq principes de la coexistence pacifique qui seront présentés conjointement en 1955 à Bandoung par la Chine et l'Inde vont en former l'ossature. Dès avril 1954, la Chine les met au cœur de ses relations avec l'Union indienne, puis avec la Birmanie. Elle propose de les étendre à tous ceux qui les feraient leurs. Cette attitude conciliante lui donne accès à la Conférence de Bandoung (1955). Là, Zhou Enlai, ministre des Affaires étrangères chinois, réussit à convaincre presque tous ses interlocuteurs d'Asie et d'Afrique que la République populaire de Chine (RPC) ne nourrit à leur égard que des intentions pacifiques.

La coexistence n'est pas un simple slogan. Pékin se rapproche des pays de la zone intermédiaire. Les échanges de personnalités et de missions (culture, journalisme, économie) s'amplifient. La Chine tisse avec nombre d'États d'Asie et d'Afrique des liens commerciaux. En outre, la nouvelle démarche apporte à Pékin la reconnaissance de pays du Moyen-Orient (Égypte, Syrie et Yémen en 1956, Irak en 1948, Soudan en 1959). Avec ceux du Maghreb, le commerce permet les premiers contacts, tandis que s'ouvre largement la porte du continent noir. Zhou Enlai sera reçu chaleureusement dès 1964 au Mali, au Ghana et en Guinée. Enfin, le ralliement de Fidel Castro au communisme permet à la Chine de mettre un pied en Amérique latine. Dès septembre 1960, Pékin se lie avec le régime de Cuba par une série d'accords. De là, l'action chinoise s'étend en Amérique latine, d'abord

BIBLIOGRAPHIE

ADIE W.E., « Zhou Enlai on Safari », *The China Quarterly*, n° 18, Londres, avr.-juin 1964.

BRIMMEL J.H., *Communism in South East Asia*, Oxford University Press, Londres, 1959.

CONTE A., *Bandoung, tournant de l'histoire*, Laffont, Paris, 1965.

DOMENACH J.-L., RICHER Ph., *La Chine 1949-1985*, Imprimerie nationale, Paris, 1987.

HALPHERN A.M., *Policies toward China : Views from six Continents*, Mac Graw Hill, 1955.

HINTON H.C., *Communist China and World Politics*, Hounghton Mifflin Company, Boston, 1966.

HEVI E., *The Dragon's Embrace : The Chinese Communist in Africa*, Pall Mall Press, Londres, 1967.

JOYAUX F., *La Nouvelle question d'Extrême-Orient, l'ère de la guerre froide*, (1945-1959), Payot, Paris, 1985.

RICHER Ph., *La Chine et le tiers monde*, Payot, Paris, 1971.

TRAEGER F.N., *Marxism in South East Asia*, Stanford University Press, Stanford, 1959.

ZAGORIA D., « Sino-Soviet Frictions in Underdeveloped Areas », *Problems of Communism*, n° 2, mars-avr. 1963.

sous la forme d'émissions radiophoniques, puis par un va-et-vient de journalistes, de syndicalistes, de boursiers qui font connaître la Chine et ses « réalisations ».

Dans le tiers monde de l'après-Bandoung (1956-1965), la R P C s'affirme en outre comme un pourvoyeur important d'aide économique et technique. Jusqu'en 1956, la Chine n'avait accordé de prêts et de dons qu'à des pays communistes (Mongolie, Corée du Nord, Vietnam). Désormais, la liste des bénéficiaires s'allonge en Asie au profit des États « neutralistes » (Birmanie, Indonésie, Ceylan, Cambodge) et, hors d'Asie, au bénéfice des États « progressistes » (Cuba, Guinée, Tanzanie, République centrafricaine). Désormais, le rôle de la Chine ne peut plus aller qu'en grandissant dans le tiers monde. C'est sans compter avec l'exacerbation de la rivalité sino-soviétique et la « révolution culturelle », deux facteurs qui en décideront autrement.

Alors que, au début des années soixante, l'U R S S prône une politique de détente avec l'Occident, la Chine met l'accent sur ce qui, à ses yeux, est le point faible du dispositif ennemi. Elle rappelle que l'objectif des États-Unis a toujours été de dominer la zone intermédiaire. Elle affirme que c'est dans les vastes régions d'Asie, d'Afrique et d'Amérique latine que convergent les différentes contradictions du monde contemporain. C'est là que se situe la « zone des tempêtes ». Partant, la Chine reproche à l'U R S S son attitude négative à l'égard des peuples opprimés. Elle dénonce la trahison soviétique dans les instances afro-asiatiques et s'efforce d'en convaincre les dirigeants du tiers monde. Dans l'ensemble, ceux-ci évitent de prendre position, sans que la Chine leur en tienne rigueur. Du moins jusqu'au moment où la « révolution culturelle » entraîne une nouvelle ré-vision du monde.

De la « zone intermédiaire » à la « zone » des tempêtes

A compter de 1966, la Chine s'érige en « bastion du socialisme». «Arsenal de la révolution», elle veut entraîner les «campagnes» contre la «ville», les prolétaires contre les bourgeois, autre manière de dire les pauvres contre les riches. En Asie, où la diplomatie «garde rouge» diffuse l'esprit de la «révolution culturelle», les résultats ne tardent pas : rupture avec l'Indonésie ; tensions graves avec le Népal, la Birmanie, Ceylan et le Cambodge. Les conséquences sur la réputation internationale de la RPC semblent irréparables. Ce qui est vrai en Asie, l'est aussi en Afrique : si la «révolution culturelle» y recueille quelques échos favorables (Mali, Mauritanie, Zanzibar, Guinée), les chefs d'État africains, dans l'ensemble, ne cachent pas leurs appréhensions. Un coup d'arrêt a été donné à la progression de l'influence chinoise. Cette dégradation est-elle irréversible, alors que se met en place un nouvel équilibre mondial des forces dont, dès 1972, le rapprochement sino-américain est un signe éclatant ?

A nouvelle époque, nouvelle thèse. Deng Xiaoping expose aux Nations unies, en 1974, celle de la division des trois mondes. Dans le premier, se retrouveraient les États-Unis et l'URSS ; dans le second, les pays développés ; dans le troisième, les pays socialistes et les pays opprimés (du tiers monde) auxquels la Chine ne prétend plus proposer de modèle. L'ambition de Pékin est plutôt d'être un des porte-parole de ce troisième monde.

Pour atteindre ce but, Pékin ne laisse en friche aucun des champs d'action qui, au cours des années quatre-vingt, s'offrent à une puissance d'importance : appui aux Palestiniens, dénonciation du racisme et de l'*apartheid*, opposition aux *contras* au Nicaragua, chaque événement est utilisé pour réaffirmer la «solidarité étroite» de la Chine et du troisième monde. Solidarité politique et, comme depuis Bandoung, économique. Cette dernière se manifeste par le maintien d'aides de diverses natures, quoique la Chine insiste souvent sur la faiblesse de ses moyens. En outre, dans les grandes conférences économiques internationales, la Chine se range résolument aux côtés des pays qui s'efforcent de créer de meilleures conditions de développement pour le «Sud». Force est bien de reconnaître qu'à la fin des années quatre-vingt, le «troisième monde» des Chinois ne diffère plus guère du «tiers monde».

Philippe Richer

La Chine et le Moyen-Orient

Nulle part la politique extérieure de la Chine n'a connu, depuis 1949, autant de variations qu'au Moyen-Orient.

Jusqu'en 1955, la Ligue arabe maintient des liens avec Taïwan. «Le peuple de Chine et son gouvernement» proclament donc à Pékin qu'ils sont «des grands amis d'Israël et du peuple juif». L'établissement de liens commerciaux et diplomatiques avec Tel Aviv paraît imminent.

Mais après Bandoung (1955), une évolution radicale s'amorce. Quels que soient les régimes : nassérien en Égypte, fasciste en Syrie, royaliste au Yémen, démocratique et pro-occidental au Liban, Pékin s'efforce de nouer avec eux des liens. Cependant, devant les oppositions inter-arabes, le maintien d'une telle ligne s'avère délicat, d'autant que la Chine cherche à faire partager par ses partenaires son hostilité à l'Union soviétique qui, «depuis toujours, dit-elle, est en collusion avec Israël». Elle ne

─── BIBLIOGRAPHIE ───

HARDING H., «China and the World», *Problems of Communism*, mars-avr. 1983.

HINTON H.C., *Communist China and World Politics*, Houghton Mifflin Company, Boston, 1966.

JOYAUX F., «La Chine et le Moyen-Orient», *Politique internationale*, n° 10, Paris, hiver 80-81.

RICHER Ph., *La Chine et le tiers monde*, Payot, Paris, 1971.

YOFDAT A.Y., «China and Middle East», *New Out-Look*, Tel Aviv, mai-juin 1979.

convainc guère et son militantisme, renforcé au temps de la « révolution culturelle », l'exclut du jeu — provisoirement.

A Pékin, qui dénonce le « Munich au Moyen-Orient » que prépareraient l'U R S S et les États-Unis, une seule voie reste ouverte : celle d'un rapprochement avec l'Organisation de libération de la Palestine (O L P) dont la Chine est le premier des pays non arabes à pousser à la reconnaissance. Ahmed Choukeiry, premier président de l'O L P, reçu à Pékin (1965), passe un accord avec Zhou Enlai. En échange d'armes légères et d'une instruction militaire, l'O L P diffusera des slogans favorables aux thèses maoïstes. Le soutien que lui accorde Pékin s'accroîtra après la guerre des Six jours (1967).

Contrecarrer l'influence soviétique

En 1970, la « révolution culturelle » a pris fin. Certes, Yasser Arafat, chef de l'O L P, est accueilli avec solennité à Pékin, mais l'axe de la politique chinoise a déjà commencé à se déplacer. Jusqu'à la mort de Mao (1976), la R P C n'apporte plus qu'un soutien verbal aux « révolutionnaires ». Son objectif est désormais de reprendre sa politique d'entente avec les régimes existants. Là où l'U R S S subit des échecs, l'influence de la Chine prospère. N'approuvant pas les méthodes terroristes de l'O L P, elle s'en éloigne. A compter de 1973, elle s'abstient même de voter aux Nations unies des résolutions condamnant Israël. L'écart ne fait que grandir après 1976. Le rapprochement sino-égyptien prend une allure spectaculaire avec la signature d'un accord militaire. La dérive de la politique extérieure chinoise, toujours préoccupée de contrecarrer l'influence soviétique, se poursuit. Ignorant l'hostilité de l'O L P et des pays arabes, la Chine apporte un soutien prudent mais non ambigu aux accords de Camp David (1979). Et c'est ostensiblement qu'à compter de 1976, le régime impérial de Téhéran est tenu pour ami.

Cependant, les réactions hostiles du « Front de la fermeté » (qui regroupe certains pays arabes) et de l'O L P au traité de paix israélo-égyptien, la crise afghane ouverte en 1979, le conflit irano-irakien qui commence, lui aussi, en 1979, contraignent la Chine à infléchir, une nouvelle fois, sa politique. Son objectif, difficile à atteindre, est de préserver des liens minimaux avec les États de la région et d'encourager leur union contre l'U R S S. Pour cela, tout en continuant d'apporter son appui aux pays « conservateurs », en qui la R P C voit le môle de résistance à l'U R S S, Pékin concentre ses attaques (verbales) sur Israël et saisit chaque occasion de se démarquer des actions américaines dans la région.

Puis le souci de contrecarrer l'influence soviétique s'estompe. Désormais, Pékin se préoccupe d'abord de donner satisfaction au plus grand nombre de partenaires. La manifestation la plus remarquable en est un rapprochement nouveau avec l'O L P. Dès 1980, les dirigeants chinois affirment que le « gouvernement et le peuple chinois ont toujours soutenu le peuple palestinien ». En 1981, 1983 et 1984, Y. Arafat est reçu à Pékin. Le maître de la Libye, le colonel Kadhafi, s'intercale en 1982. Pendant toutes ces années, se combinent condamnations de la politique américaine au Moyen-Orient, développement des rapports avec les régimes prosoviétiques (Yémen du Sud, Syrie), propagande contre l'Irak et soutien initial de l'Iran — avant une prise de position en faveur d'une solution négociée du conflit avec l'Irak (1983). En revanche, la R P C n'admet pas l'existence à Kaboul d'un régime prosoviétique, se prononce régulièrement pour le retrait des troupes soviétiques mais ne fournit qu'une aide limitée aux résistants afghans.

Une stratégie indépendante ?

En fait, se met en place, à compter de 1984-1985, une stratégie indépendante. Il faut éviter de créer l'impression d'un alignement. Au fur et à mesure de l'évolution des dialogues qu'elle entretient avec Washington et Moscou, la Chine y arrive progressivement. Favorable dès 1984 à l'idée d'une Conférence internationale sur le Moyen-Orient, qui consacrerait son rôle de grande puissance dans la région, la R P C agit en tant que telle. Curieusement, un des canaux qu'elle n'hésite pas à emprunter est celui de la vente d'armes. Certes il n'a pas fallu attendre 1988 pour que la Chine devienne un des marchands d'armes préférés des pays de la région, notamment l'Iran, mais, en procurant en 1987 et 1988 des missiles « ver à soie » à l'Iran, puis à l'Arabie saoudite, en élargissant ensuite sa clientèle à l'Irak, elle a dévoilé un nouvel aspect de sa politique. Est-ce pour stabiliser la situation dans la région ? En 1988, comme suite à une visite d'un haut fonctionnaire du ministère des Affaires étrangères israélien, une délégation commerciale chinoise s'est rendue en Israël (octobre). Rencontres qui n'ont pas empêché la Chine de se prononcer pour la reconnaissance de l'État palestinien dont, à la même époque, l'O L P proclamait la constitution. Ainsi à la fin des années quatre-vingt, ayant réussi à ne pas s'investir trop directement dans les querelles du Moyen-Orient, la Chine pouvait se féliciter d'être admise par tous comme une puissance, qui, pour être extérieure à la région, y a néanmoins son mot à dire.

Philippe Richer

LA CHINE ET LA FRANCE

Un laborieux décollage

La France et la Chine occupent, aux deux extrémités de l'Eurasie, des positions stratégiques analogues et symétriques par rapport à l'URSS et aux États-Unis depuis la fin de la Seconde Guerre mondiale. Ce sont, en outre, les deux seules puissances moyennes qui ont ouvertement rejeté les « deux hégémonies » et se sont dotées à cette fin d'une force de dissuasion nucléaire autonome depuis le début des années soixante. Il était donc naturel qu'elles se rencontrent en vue de nouer entre elles des relations privilégiées. Ce fut bien dans cet esprit que la première décida de reconnaître la seconde, en 1964. Il est patent, cependant, que les relations qu'elles entretiennent l'une avec l'autre

depuis lors n'ont été privilégiées que dans les discours officiels. Sans être jamais vraiment mauvaises, les quelques moments de mésentente qui les ont affectées ayant été très brefs ou liés à un contentieux d'importance secondaire, elles n'ont jamais non plus été réellement bonnes, jusqu'en juin 1989 ; et se sont ensuite franchement détériorées.

On entend souvent dire, à Pékin comme à Paris, que les relations franco-chinoises sont excellentes sur le plan politique, qu'elles sont convenables sur le plan culturel et que ce n'est finalement que sur le plan économique qu'elles souffrent d'un grave défaut de richesse et de qualité. La vérité, sans être exactement inverse, est assez différente.

Comment se fait-il qu'en dépit d'un nombre respectable d'échanges de visites « au plus haut niveau », il n'y ait eu depuis 1964 aucune concertation sérieuse entre la France et la Chine sur les grands problèmes que l'évolution de la situation internationale leur posait de façon pressante, aux mêmes moments et dans les mêmes termes ? Comment se fait-il qu'elles ne se soient jamais jugées l'une l'autre réellement crédibles en tant qu'acteurs de la vie internationale ? Comment se fait-il que, pas plus que la France n'a réussi à définir une politique pour l'Extrême-Orient et par conséquent pour la Chine, la Chine ne soit pas parvenue à mettre au point une politique pour l'Europe de l'Ouest et par conséquent pour la France ?

Les difficultés intérieures auxquelles elles n'ont cessé de se heurter, l'une comme l'autre, les ont bien entendu conduites à cesser de prétendre jouer un rôle mondial, à

Rapports politiques : parier sur l'avenir ?

La France a été le premier pays occidental à établir des relations diplomatiques avec la Chine populaire, en 1964. Se fondant sur des positions similaires concernant les grands principes qui commandent les relations internationales : refus de la politique des blocs, attachement à l'indépendance et volonté de la préserver, souci d'assurer sa défense en comptant d'abord sur ses propres forces, les deux pays ont entretenu depuis lors des rapports politiques privilégiés.

Les multiples visites, celles des présidents Pompidou, Giscard d'Estaing et Mitterrand à Pékin, respectivement en 1973, 1980 et 1983, et du président Li Xiannian à Paris en 1987, ainsi qu'aux niveaux ministériels et techniques, avaient permis d'entretenir un dialogue substantiel et vivant.

En outre, les rencontres périodiques à l'ONU entre les deux ministres des Affaires étrangères, proposées par Roland Dumas en 1984, avaient conféré à ce dialogue une grande régularité.

Les entretiens officiels de M. Qian Qichen à Paris en janvier 1989 avec les plus hauts responsables politiques français et notamment Roland Dumas avaient permis de dresser ce qui était à l'époque un bilan positif des relations franco-chinoises, tant dans le domaine bilatéral que pour souligner la convergence de vue sur les grands problèmes de politique internationale (désarmement, règlement du problème cambodgien, Afghanistan).

Toutefois, sur le plan économique, les autorités françaises avaient fait part à leurs homologues de leurs préoccupations quant à l'évolution des échanges commerciaux, marqués par un accroissement rapide, depuis trois années, du déficit aux dépens de la France. À partir d'une situation excédentaire en 1985, puis équilibrée en 1986, ce déséquilibre avait atteint 1,6 milliard FF en 1987, puis 3 milliards en 1988. Parallèlement, le taux de couverture s'était dégradé, passant de 77 % en 1987 à 64 % en 1988. La France est, en 1989, le douzième partenaire seulement de la Chine.

Dans le domaine des contrats, les entreprises françaises avaient eu à déplorer une série d'échecs. A la suite de la perte en 1988, au profit de la RFA, du contrat de construction du métro de Shanghai, les entreprises françaises n'avaient pu remporter celui de la rénovation du métro de Pékin, donné aux Britanniques.

Ce climat peu porteur avait certes influé sur l'ensemble des relations politiques. L'ancienneté des liens diplomatiques franco-chinois ne suffisait plus à assurer des relations privilégiées entre Paris et Pékin.

Le massacre de la nuit du 3 au 4 juin, puis la répression qui l'a suivi, n'ont fait qu'accélérer cette tendance. La France a été l'un des premiers pays à marquer officiellement sa consternation et son indignation devant l'écrasement sanglant du mouvement démocratique chinois. Les autorités françaises ont décidé de geler leurs relations avec la Chine dans les domaines politique (annulation de visites et contacts à haut niveau), économique et financier de même que dans celui de la coopération culturelle et scientifique. Enfin, des mesures ont été adoptées en faveur des étudiants chinois désireux de prolonger leur séjour en France, par peur des persécutions s'ils rentraient au pays.

La France, en donnant refuge à des dirigeants du mouvement étudiant, a pris un pari sur l'avenir, au cas où l'équipe conservatrice actuellement au pouvoir céderait la place à des dirigeants plus jeunes et plus ouverts.

Alexandre de Massue

se replier sur elles-mêmes et sur leurs grandes régions respectives (l'Extrême-Orient pour la Chine, l'Europe pour la France) et, par suite, à se priver de la possibilité de s'entraider vraiment. Elles ont obéi, autrement dit, à un réflexe aussi ancien que regrettable. Et il est patent qu'au niveau des gouvernements, elles ont eu de plus en plus de mal à se comprendre l'une l'autre après le printemps 1989.

La France ayant réservé au dalaïlama un accueil chaleureux, Pékin avait aussitôt protesté auprès de Paris, à la fin d'avril 1989 ; pour mineur qu'il avait été, l'incident fut assez désagréable. Et après le massacre du 4 juin 1989 et le déferlement de la vague de répression totalitaire dont il a été le point de départ, rien n'est plus allé, dans le domaine du politique, entre Paris et Pékin, Paris ayant affiché sans équivoque ses sympathies pour les victimes dudit massacre et de ladite répression.

Des relations culturelles peu crédibles

Convenables, les relations franco-chinoises sont assurément encore bien loin de l'être sur le plan culturel. L'Extrême-Orient en général, et la Chine en particulier, occupent toujours dans l'enseignement que l'on dispense aux Français, dans leur culture générale, dans leurs organes d'information et dans leurs soucis, une place bien trop modeste. Beaucoup de Chinois n'ont qu'une idée excessivement vague de ce que la France peut bien être ou entretiennent l'illusion que la langue maternelle de ses ressortissants est l'anglais. Et si l'enseignement du chinois en France se porte toujours bien, on ne saurait en dire autant de l'enseignement du français en Chine, qui continue à reculer, au profit de l'anglais essentiellement, de celui du japonais et de l'allemand ensuite.

Il n'en reste pas moins vrai que de très réels progrès avaient été accomplis, du début de 1984 au début de 1989, en fait d'échanges d'artistes, de gens de théâtre, de musiciens, de chercheurs en sciences de la nature et en sciences de l'homme, d'écrivains, etc. De même, un gros effort de traduction des romans populaires traditionnels chinois et des œuvres les plus marquantes de la « nouvelle littérature chinoise » (celle d'après 1976) avait été consenti en France, un effort parallèle de traduction des « classiques » français d'hier et d'aujourd'hui avait été engagé en Chine, de bons films chinois étaient enfin projetés en France, le nombre des touristes français qui allaient en Chine augmentait continuellement et celui des jeunes Chinois qui venaient faire des études en France s'accroissait régulièrement. Mieux : les principaux organes d'information des Français « couvrent » maintenant la Chine et tout ce qui s'y passe de façon presque acceptable, réaliste, parfois même relativement fine ; ils en ont fourni une preuve éclatante pendant toute la durée du mouvement populaire anti-bureaucratique d'avril-mai 1989, puis au moment de l'écrasement impitoyable de ce mouvement par les chars de l'Armée dite « populaire de libération ». Bref, l'ouverture de la France sur la Chine et celle de la Chine sur la France ont quand même fini par se faire, culturellement parlant. Il ne reste plus qu'à élargir la brèche, que cela plaise ou non aux détenteurs du pouvoir dans les deux pays.

Le commerce franco-chinois n'est même plus à la hauteur du commerce italo-chinois, en valeur. Il ne représente pas 2 % du total du commerce extérieur chinois, en 1989. Plusieurs erreurs dues à la légèreté des opérateurs français ont assombri le processus d'exécution de certains des « gros contrats » passés entre la Chine et les firmes françaises. Et sans doute est-ce là l'une des raisons pour lesquelles la France s'est laissé souffler par la RFA la réalisation du métro de Shanghai, en 1988. Le nombre des entreprises mixtes franco-chinoises est encore dérisoire. Présentes dans la première des trois régions-pilotes de l'économie chinoise, celle de Canton et du Guangdong, les entreprises françaises sont toujours presque absentes de la seconde, celle du Shandong, et surtout de la troisième, celle de Shanghai et des bouches du Yangzi. Tout cela est exact. Il n'est pourtant pas moins vrai qu'un véritable redressement de la situation des relations économiques francochinoises était en cours, au début de 1989. La façon dont se déroulaient les travaux de construction de la centrale nucléaire de Daya Bay en était un signe éloquent ; mais ce n'en était que l'un des signes. La France n'aura pas été, après tout, plus mauvaise en Chine qu'au Japon et sur tous les autres marchés « difficiles » du monde de la fin des années soixante-dix à la fin des années quatre-vingt. Son fléchissement commercial relatif en Chine n'aura été que l'une des manifestations du recul général de la compétitivité de son économie. Mais le redémarrage de l'économie française avait beau n'être qu'amorcé, il n'était pas illusoire. Et l'on était par suite en droit d'espérer que cela ne tarderait guère à se faire sentir sur le théâtre chinois de la guerre économique mondiale en cours, jusqu'en juin 1989. Mais que va-t-il advenir du fameux « marché des onze cents millions d'hommes », maintenant que le voilà réencadré par les champions de l'immobilisme politique le plus décourageant ? Il y a de fortes chances pour qu'il cesse de compter beaucoup, pour la France comme pour les autres « démocraties industrielles », aussi longtemps qu'il demeurera sous la coupe de despotes aussi éclairés que les Yang Shangkun et les Li Peng.

C'est dans une large mesure parce que les relations politiques entre Paris et Pékin n'ont guère dépassé le stade des politesses réciproques que leurs relations économiques et culturelles ont été aussi décevantes, durant les deux dernières décennies. Mais sans doute faut-il maintenant prendre le problème par l'autre bout. Jouer la carte des relations entre les peuples *avant* de jouer celle des relations entre les États : telle est, plus que jamais, la règle qu'il convient de se préparer à observer.

Claude Cadart

CHINE, MODE D'EMPLOI

GUIDE DES GUIDES

En langue française

• **Chine. Guide Bleu Hachette.** 1988, 880 p.

Un *Guide Bleu* classique apportant un maximum d'informations historiques et culturelles en un petit volume (grâce à sa nouvelle présentation : pages très fines et résistantes).

Une bonne introduction au pays : histoire, civilisation, arts...

Des itinéraires proposés et des indications pour organiser son voyage.

Un guide alphabétique des villes, sites et monuments extrêmement détaillé.

• **Chine. Guide Arthaud.** 1988, 527 p.

Une présentation générale du cadre humain historique...

De nombreux renseignements culturels et pratiques. La Chine de A à Z : de Alcool à Zones économiques spéciales.

Un guide par régions avec des cartes et des plans, parfois un peu succints mais utiles, des adresses d'hôtels et des informations sur les moyens de transports.

Plus lisible et pratique que le précédent, précieux pour le voyageur individuel.

Dans la même collection : *Pékin et ses environs* ; *Tibet*.

• **Chine. Guide M.A.** Paris. 1987, 794 p.

Une bonne présentation du pays avec neuf chapitres généraux : économie, pensée, histoire... et plus original, la Chine dans la littérature française.

Des sujets politiques, culturels, historiques propres à la Chine abordés en 70 questions, par ordre alphabétique : Acupuncture, Ancêtres, Révolution culturelle, Yin et Yang etc.

40 villes présentées de façon détaillée.

Malgré une présentation austère, un ouvrage à lire pour pénétrer la culture chinoise. Peu de renseignements pratiques.

• **Chine. Insider's guide.** Berne : Kummerly + Frey, 1re éd. 1987, traduction française : 1988, 236 p. (225 illustrations et cartes).

Une introduction intéressante sur la vie quotidienne, le pays, l'histoire.

Un guide par régions indiquant pour chaque ville des hôtels de toutes catégories.

Attrayant, avec de belles photos en couleurs. La découverte du pays à travers le regard curieux d'un voyageur qui n'hésite pas à parler de tout ce qu'il a vécu, y compris des problèmes rencontrés. Un bon rapport qualité-prix.

Dans la même collection : *Hong-Kong*, 202 p., 190 illustrations et cartes.

• **Chine. Guide Nagel.**

Une nouvelle édition entièrement révisée de ce guide volumineux mais très complet quant aux informations culturelles était prévue pour 1989.

• **La Chine. Guide Nouvelles frontières.** 1987 (2e éd.), 219 p.

Un inventaire de la vie administrative, politique et sociale de la Chine de 1978 à 1987.

Une trentaine de villes à visiter, avec des renseignements pratiques.

Une partie consacrée à la description des circuits de l'agence de voyages Nouvelles frontières.

• **La Chine aujourd'hui.** Éditions J.a (du jaguar). 1987 (3ᵉ éd.), 255 p.
Une introduction au pays accordant une large place à la culture et à la vie politique.
20 villes ou régions décrites assez succinctement, hormis Pékin, Canton et Shanghai qui bénéficient d'une présentation plus détaillée.
Pour admirer de belles photos et se renseigner agréablement sur la vie en Chine avant de se rendre dans le pays en voyage organisé.

• **Chine. Maxi-guide Berlitz.** 1987 (3ᵉ éd.), 256 p.
Un guide de petit format, de nombreuses photos en couleurs, un texte poétique pour un premier aperçu du pays : quelques généralités, les principales villes et leurs attraits touristiques.
S'adresse plutôt à ceux qui prévoient un petit voyage organisé.

• **Chine. Guide poche voyage : Marcus.** 1988, 76 p.
Un tout petit guide qui présente une vingtaine de villes par ordre alphabétique avec une partie sur Pékin et donne quelques renseignements sur le pays.

• **Tourisme. Collection Connaissance de la Chine.** Éditions en langues étrangères de Beijing, 1985.
Donne des informations sur l'espace chinois avec un découpage par régions.
Les renseignements « pratiques » sont dépassés et visent surtout à vanter l'efficacité de l'agence de tourisme chinoise...

Villes et régions

• **A Pékin et en Chine.** Guide Hachette visa. 1988, 206 p.
Une partie documentaire assez importante sur le pays : géographie, histoire, Chine d'aujourd'hui. Un gros chapitre sur Pékin et ses environs. Recommandation de certains sites et liste d'hôtels de toutes catégories. Une petite partie sur les autres régions.

Plus agréable et facile à lire que le Guide Bleu Hachette mais moins complet. Davantage adapté si l'on prévoit la majeure partie de son séjour à Pékin.

Dans la même série :
A Hong-Kong, Macao et Singapour, 1988, 126 p.
Des renseignements présentés de façon très claire, sous forme de carte d'identité de chaque ville. Des informations pratiques, de A à Z : arrivée, change... Photos en noir et blanc et couleurs.

• **Shanghai. Guide Olizane.** Genève 1989, 142 p.
Dans la même collection : *Beijing* ; *Hong-Kong* ; et, en préparation, *Xi'an* ; *La route de la soie* ; *Le fleuve Jaune.*
Des livres agréables et modernes, un papier de qualité, de belles photographies en couleurs. Des informations historiques, culturelles et pratiques.

• **Pékin. Autrement.** Numéro hors-série de la revue *Autrement*, n° 17, avril 1986, 195 p.
Également dans cette collection : *Shanghai* et *Hong-Kong* (sept. 1987), 221 p.
Une compilation d'articles et de témoignages plutôt qu'un véritable guide de voyages. Un très bon aperçu de la société et de la vie quotidienne chinoises qui s'éloigne volontiers de l'image officielle que l'on a souvent de la Chine.

• **Pékin. Petite Planète.** 1981, 125 p.
L'histoire de la ville et des principaux sites. Ce n'est pas un guide à proprement parler, mais un bon ouvrage documentaire.

• **Hong-Kong, Macao et Formose.** Mini-guide pour mini, moyen, maxi budget. 1989, 85 p.
Une présentation peu attrayante mais de nombreux renseignements pratiques et très à jour, en un petit format et à bas prix.

• **Hong-Kong. Insight guide.** Hong-Kong, 1984, 338 p.

• **Singapour. Insight guide.** Hong-Kong, 1984, 338 p.

Des guides très volumineux, dépassés pour les informations pratiques, mais avec de belles photographies.

• **Tibet. Guide Artou.** Éd. Olizane, Genève, 1988, 443 p. [Traduction de : *The Tibet Guide*, Wisdom, Londres].

Un gros livre offrant de nombreuses informations sur la géographie physique et humaine, l'histoire, la religion de cette région. Des renseignements pratiques prudents, mais des conseils utiles. Photographies essentiellement en noir et blanc.

Autres ouvrages de collections déjà citées

• **Pékin et ses environs. Guide Arthaud.** 1986, 184 p.

• **Tibet. Guide Arthaud.** 1987, 288 p. [Traduction de : *Tibet, a Travel Survival Kit*, Lonely Planet, 1986].

• **Hong-Kong. Insider's guide.** 1988, 202 p.

• **Singapour. Hachette Guide Bleu.** 1986, 128 p.

• **Singapour. Guide Berlitz.** 128 p.

• **Hong-Kong. Guide Berlitz.** 128 p.

A signaler

Des chapitres sur Hong-Kong, Taïwan et Singapour dans plusieurs guides, notamment :
• **Le grand guide de l'Asie.** Gallimard, collection « Bibliothèque du voyageur ».
• Guide « Pour mieux voyager ». Éd. Vilo, Paris.

La revue mensuelle *Voyage en Chine* (Hong-Kong, China Tourism Press, depuis 1984).

Dans chaque numéro : une ou deux régions, un site, un article de fond sur un thème précis (les fêtes tibétaines, les cerfs-volants...).

En langue anglaise

• **China : a Travel Survival Kit.** Australie, Lonely Planet, 1988, (2e éd.), 820 p.

Le guide le plus complet au niveau des renseignements pratiques pour les voyageurs individuels soucieux de leur budget : tous les moyens de transports, des cartes et des plans nombreux, des détails sur les hôtels et des conseils pour faciliter les démarches.

Une petite introduction sur le pays, des données générales pour organiser au mieux son voyage puis un guide touristique par régions, très complet.

• **China on your own. Plus : The Hiking guide to China's Nine Sacred Mountains.**

A do it yourself guide for the budget traveller. Vancouver : Open Road Publishers, 1986, 240 p.

Bien que moins complet que le précédent, un bon guide pour le voyageur individuel au budget limité. Propose des itinéraires de vingt à trente jours en fonction de ce que l'on recherche : jardins, palais impériaux, plages... Les villes sont répertoriées par ordre alphabétique et, pour chacune d'elles, l'hôtel moins cher est indiqué.

Le supplément consacré aux montagnes est original et intéressant ; il sera utile à ceux désirant découvrir ces lieux sacrés.

• **Collins Illustrated Guide to all China.** Londres, Collins, 1988, 272 p.

Un ouvrage agréablement présenté : papier glacé, nombreuses photographies en couleurs, notamment de personnes et de scènes de la vie quotidienne. Les villes sont classées en plusieurs catégories : capitales culturelles, villes modernes, villes traditionnelles... Une partie importante est réservée aux régions reculées : Mongolie, route de la soie, Tibet, et une autre à Hong-Kong.

Particulièrement axé sur la vie culturelle : opéra, calligraphie, peinture, etc.

Dans la même collection :

• **Collins Illustrated Guide to Fujian**, 1988, 144 p.
• **Collins Illustrated Guide to Guilin, Canton and Guangdong**, 1988, 208 p., 120 F.

• **The Rough Guide to China.** Londres, Routledge and Kegan Paul, 1987, 595 p.

Un aspect un peu rébarbatif pour ce gros guide assez complet composé d'informations pratiques pour toutes catégories de touristes, d'un guide touristique par régions, y compris Hong-Kong et Macao, de données générales sur le pays et d'une bibliographie importante de livres en anglais sur tous les domaines.

• **China. Hildebrand's Travel Guide.** Francfort, Karto + Grafik Verlagsges, 1985, 330 p.

Date un peu trop pour porter un jugement sur les renseignements pratiques. Des récits de voyage, une introduction essentiellement culturelle au pays : la médecine, les arts martiaux, etc.

Quelques cartes. Dans la même collection : Hong-Kong, 1989, 152 p.

• **The Official Guidebook of China.** China Travel and Tourism Press, 1986, 360 p.

Date un peu et vante surtout les mérites de l'agence de tourisme chinoise.

• **Hotel Directory of China.** China Travel and Tourism Press, 1985, 438 p.

Les bons hôtels des grandes villes. Anglais-chinois.

Villes ou régions :

• **A guide to Hangzhou and the West Lake**
— **Nanjing, Suzhou and Wuxi**
— **Peking**
— **Canton and Guilin**
— **Shanghai**
— **Hong-Kong**

Hong-Kong, *guides series*, environ 75 p. chacun.

De petits livres bien illustrés et agréables à lire pour en savoir un peu plus sur certaines villes ou régions.

• **China City Guide Series.** China Travel and Tourism Press, environ 80 p. chacun.

De petits ouvrages sur de nombreuses villes : Fuzhou, Changsha, Dalian, etc. et un regroupant Pékin, Shanghai, Canton, Guilin et Xian. D'un aspect plus rébarbatif que les précédents.

• **Hong-Kong, Macau and Canton. A Travel Survival Kit.** Australie, Lonely Planet, 1986, 255 p.

• **Taiwan. A Travel Survival Kit.** Australie, Lonely Planet, 1987, 252 p.

• **Tibet. A Travel Survival Kit.** Australie, Lonely Planet, 1986, 255 p.

Trois guides sur le même principe que le guide Chine, avec énormément de renseignements pratiques et donc particulièrement recommandés aux voyageurs individuels.

Du même éditeur, signalons des chapitres sur : la Chine, Hong-Kong, Macau et Taiwan dans l'ouvrage *North-East Asia on a Shoestring*.

Pour voyager dans ces divers endroits ainsi qu'en Corée et au Japon avec un seul guide.

• **The Tibet Guide.** Londres, Wisdom pub., 1987, 466 p. (préface du dalai lama).

• **A Guide to Tibet.** Londres, Collins, 1986, 220 p.

Deux beaux livres avec des photographies en couleurs et de nombreuses informations.

Corinne Martin

Bibliothèques, centres de documentation, instituts de recherche

En France, les documentations de quelque ampleur sur la Chine sont essentiellement centralisées à Paris. Malgré cela, leur accès reste malaisé en raison de leur dispersion dans des institutions et bibliothèques le plus souvent thématiques (population, agriculture, commerce, etc.). Les arts, les lettres, les sciences humaines, le droit, le commerce, la politique étrangère, les archives, etc. se trouvent dans divers fonds dont souvent la richesse est insoupçonnée. Faute de place, de crédits d'achat, de personnel, bien des centres de documentation et bien des bibliothèques sont «fermés», c'est-à-dire réservés à des lecteurs autorisés. Si chacun des centres ou des laboratoires de recherche du Centre national de la recherche scientifique ou de l'École pratique des hautes études concernés par la Chine possède sa propre documentation (CNRS, 15, quai Anatole-France, 75007 Paris; tél. 47 53 15 15), (EPHE, 11, rue Pierre-et-Marie-Curie, 75005 Paris; tél. 43 54 83 57), les bibliothèques universitaires sont en général incomplètement fournies et dans l'impossibilité de suivre le rythme d'acquisition que nécessiterait l'actualité. La coupure regrettable entre sinologie classique (Chine ancienne) et sinologie moderne (Chine moderne et contemporaine) est également préjudiciable à une approche intégrée du monde chinois. Faute d'un endroit accessible à toutes les personnes intéressées, qui rassemblerait ne serait-ce que les références des ouvrages et des articles de revue, on ne peut ici que proposer un signalement non exhaustif des lieux où sont conservés les ouvrages essentiels et augmentées d'année en année les séries de publications périodiques.

- *Banque mondiale*, 66, avenue d'Iéna, 75016 Paris (tél. 47 23 54 21).
- *Bibliothèque de documentation internationale contemporaine (BDIC)*, Université Paris X, 92000 Nanterre.
- *Bibliothèque des langues orientales*, 2, rue de Lille, 75007 Paris (tél. 42 86 93 48).
- *Bibliothèque du Musée de l'homme*, 1, place du Trocadéro, 75116 Paris (tél. 47 04 53 94).
- *Bibliothèque nationale*, 3, rue Vivienne, 75002 Paris (tél. 47 03 81 26).
- *Bibliothèque du Ministère des Affaires étrangères*, 37, quai d'Orsay, 75007 Paris (tél. 45 55 95 40).
- *Bibliothèque du Musée national des arts asiatiques*, 6, place d'Iéna, 75116 Paris (tél. 47 23 61 65).
- *Centre de développement de l'OCDE*, 94, rue Chardon-Lagache, 75016 Paris (tél. 45 24 82 00).
- *Centre d'études prospectives et d'informations internationales (CEPII)*, 9, rue Georges-Pitard, 75015 Paris (tél. 48 42 68 00).
- *Centre français du commerce extérieur (CFCE)*, 10, avenue d'Iéna, 75116 Paris (tél. 47 23 61 23).
- *Centre des hautes études sur l'Afrique et l'Asie modernes (CHEAM)*, 13, rue du Four, 75006 Paris (tél. 43 26 96 90).
- *Centre d'études et de recherches internationales (CERI)* de la Fondation nationale des sciences politiques (FNSP), 6, rue de Chevreuse, 75006 Paris (tél. 45 49 50 50).
- *Centre de documentation et de recherche sur la Chine contemporaine (CDRCC)* de l'École des hautes études en sciences sociales (EHESS), 54, boulevard Raspail, 75006 Paris (tél. 49 54 20 00).
- *Documentation Française*, 29-31, quai Voltaire, 75007 Paris (tél. 42 61 50 10).
- *Fondation nationale des sciences po-*

litiques *(FNSP)*, 27, rue Saint-Guillaume, 75006 Paris (tél. 45 49 50 50).
• *Institut d'Extrême-Orient*, 22, boulevard Wilson, 75116 Paris (tél. 43 53 73 01).
• *Institut français des relations internationales (IFRI)*, 6, rue Ferrus, 75014 Paris (tél. 45 80 91 08).

• *Institut national des langues et civilisations orientales (INALCO)*, 2, rue de Lille, 75007 Paris (tél. 42 60 34 58).
• *Institut du Pacifique*, musée de la Marine, Palais de Chaillot, 75116 Paris.
• *Institut Ricci*, 70, rue de la Tour, 75116 Paris (tél. 45 03 00 04).
• *Musée Cernuschi*, 7, avenue Vélasquez, 75008 Paris (tél. 45 63 50 75).

Revue des revues

Un quotidien en anglais, des hebdomadaires et de nombreuses revues spécialisées, en français et en anglais, sont consacrés à la Chine, au moins en partie.

Quotidien

• *China Daily* (en anglais), Pékin, Londres.

Hebdomadaires

• *Beijing Information* (en français), Pékin.
• *China News Analysis* (en anglais), Hong-Kong.
• *Far Eastern Economic Review* (en anglais), Hong-Kong.

Mensuels, bimestriels et trimestriels

• *Asian Survey* (en anglais), Berkeley.
• *Asian and African Studies* (en anglais), Londres.
• *Asian Bulletin* (en anglais), Taipei.
• *Aujourd'hui la Chine* (en français), Paris.
• *Australian Journal of Chinese Affairs* (en anglais), Canberra.
• *Bibliography of Asian Studies* (en anglais), Ann Arbor (Mich.).
• *Bulletin bibliographique de sinologie* (en français), Paris.

• *Bulletin de sinologie* (en français), Hong-Kong.
• *China Business Review* (en anglais), Washington.
• *China Quarterly* (en anglais), Londres.
• *Chinese Sociology and Anthropology* (en anglais), New York.
• *China Aktuell* (en allemand), Hamburg.
• *China Report* (en anglais), New Delhi.
• *Chine en construction* (en français), Pékin.
• *Contemporary China* (en anglais), Columbia University.
• *Courrier des pays de l'Est* (en français), Paris.
• *Eastern Horizon* (en anglais), Hong-Kong.
• *Économie et commerce* (en français), Paris.
• *Études chinoises* (en français), Paris.
• *Extrême-Orient, Extrême-Occident* (en français), Paris.
• *Far Eastern Affairs* (en anglais), Moscou.
• *Harvard Journal of Asiatic Studies* (en anglais), Cambridge (Mass.).
• *Inside China Mainland* (en anglais), Taipei.
• *Issues and Studies* (en anglais), Taipei.
• *Journal of Asian Studies* (en anglais), Ann Arbor (Mich.).
• *Jetro China's Newsletter* (en anglais), Tokyo.
• *Littérature chinoise* (en français), Pékin.
• *Modern China* (en anglais)

- *Pacific Affairs* (en anglais).
- *Problèmes politiques et sociaux*, série Extrême-Orient (en français), Paris.
- *Problems of Communism* (en anglais), Washington.
- *T'oung Pao* (en français ou anglais), Lede.

Librairies spécialisées

- *L'Asiathèque*, 6, rue Christine, 75006 Paris.

- *Le Phénix*, 72, boulevard de Sébastopol, 75003 Paris.
- *Librairie orientale Samuelian*, 51, rue Monsieur-le-Prince, 75006 Paris.
- *Maisonneuve Adrien*, 11, rue Saint-Sulpice, 75006 Paris.
- *Maisonneuve et Larose*, 15, rue Victor-Cousin, 75005 Paris.
- *Sud-Est Asie*, 17, rue du Cardinal-Lemoine, 75005 Paris.
- *You Feng*, 45, rue Monsieur-le-Prince, 75006 Paris.

P.G.

Sélection bibliographique

Parmi les meilleures synthèses de niveau international, on lira avec profit :

BALAZS E., *La Bureaucratie céleste* (trad. de l'anglais), Gallimard, Paris, 1968.
BIANCO L., *Les Origines de la révolution chinoise*, Gallimard, Paris, 1967.
BILLETER J.-F., *L'Art chinois de l'écriture*, Skira, Paris, 1989.
CHENG F., *L'Espace du rêve, mille ans de peinture chinoise*, Phebus, Paris, 1980.
DUMONT R., *Révolution dans les campagnes chinoises*, Le Seuil, Paris, 1956.
ELISSÉEFF D. et V., *La Chine classique*, Arthaud, Paris, 1979.
GERNET J., *Le Monde chinois*, Armand Colin, Paris, 1986.
GRANET M., *La Pensée chinoise*, Albin Michel, Paris, 1950.
GUILLERMAZ J., *Le Parti communiste chinois au pouvoir*, 2 vol., Payot, Paris.
HINTON W., *Fanshen*, traduit de l'américain, Plon, Paris, 1971.
LARRE C., *Les Chinois*, Éditions Lidis, Paris, 1981.
LEYS S., *Les Habits neufs du Président Mao*, Champ libre, Coll. « 10-18 », Paris, 1971.
PIRAZZOLI-t'SERSTEVENS M., *Chine, architecture*, Office du livre, Fribourg, 1970.
SCHRAM S., *Mao Tsé-toung*, traduit de l'anglais, Armand Colin, Paris, 1972.
STEIN R., *La Civilisation tibétaine*, Paris, 1962.
VAN GULIK R., *La Vie sexuelle dans la Chine antique*, trad. de l'anglais, Gallimard, Paris, 1971.
TOYNBEE A., (éd.), *L'Autre moitié du monde* (trad. de l'anglais), Elsevier-Sequoia, Bruxelles, 1974.
WATSON W., *L'Art de l'ancienne Chine*, Mazenod, Paris, 1979.

Pour une recherche plus approfondie cependant, il est indispensable de remonter aux sources anglaises et américaines, dont on peut regretter que les ouvrages fondamentaux, au nombre de plusieurs centaines et si souvent utilisés, ne soient pas traduits en français. Quelques titres parmi les meilleurs :

ANDERSON E.N., *The Food of China*, Yale U.P., New Haven, 1988.
BODDE D., *Essays on Chinese Civilization*, Princeton U.P., Princeton, 1981.
BRAY F., *Agriculture*, in *Science and Civilization of China*, vol. VI.2, Cambridge U.P., Cambridge, 1984.
BUCK J.-L., *Land Utilization in China*, Chicago U.P., Chicago, 1937.
CHANG KWANG-CHIH, *The Archaeology of Ancient China*, Yale U.P., Newhaven, 1986.
CREEL H.G., *The Origins of Statecraft in China*, Chicago U.P., Chicago, 1970.
CRESSEY G., *Land of Five hundred Million*, Aldine, Chicago, 1955.
EBERHARD W., *Lokalkulturen in Alten China* (2 vol.), Brill, Leiden, 1943.
EBERHARD W., *A history of China*, Univ. of California Press, Berkeley, 1987.
ELVIN M., *The Pattern of the Chinese Past*, Methuen, Londres, 1973.
FAIRBANK J.-K. (ed.), *The Cambridge History of China*, Cambridge U.P., Cambridge (plusieurs volumes parus, d'autres en préparation).
FEI HSIAO-TUNG, *Peasant Life in China*, Routledge and Kegan Paul, Londres, 1939.
FEI HSIAO-TUNG, *China's Gentry*, Chicago U.P., Chicago, 1953.
FITZGERALD C.P., *The Tower of Five Glories*, Londres, 1941.
FREEDMAN M., *Study of Chinese Society*, Stanford U.P., Stanford, 1979.
HO PING-TI, *Studies on the Population of China (1368-1953)*, Harvard U.P., Cambridge (Mass.), 1959.
HO PING-TI, *The Cradle of the East*, Chicago & Hong-Kong U.P., Chicago & Hong-Kong, 1975.

HOMMEL R., *China at Work*, M.I.T. Press, Cambridge (Mass.), 1937.
KEIGHTLEY D., (ed.), *The Origins of Chinese Civilization*, Univ. of California Press, Berkeley, 1983.
LATTIMORE O., *Inner Asian Frontiers of China*, American geographical Society, New York, 1940.
LEWIS W., (ed.), *The City in Communist China*, Stanford U.P., Stanford, 1971.
MACFARQUHAR R., *The Origins of the Cultural Revolution*, vol. 1 : Oxford U.P., Oxford, 1974, vol. 2 : Columbia U.P., New York, 1983.
MALLORY W., *China : Land of Famine*, American geographical Society, New York, 1926.
MOSELEY G.V.H., *The Consolidation of the South China Frontier*, Univ. of California Press, Berkeley, 1973.
NEEDHAM J., (ed.), *Science and Civilization in China*, Cambridge U.P., Cambridge, plusieurs volumes parus, d'autres en préparation.
PERKINS D., *Agricultural Development in China 1368-1968*, Aldine, Chicago, 1969.
PERKINS D., (ed.), *China's Modern Economy in Historical Perspective (1368-1968)*, Harvard U.P., Cambridge (Mass.), 1975.
PERKINS D., YUSUF S., *Rural Development in China*, The John Hopkins U.P., Londres, 1984.
PORKERT M., *The Theoretical Foundations of Chinese Medicine : Systems of Correspondance*, M.I.T. Press, Cambridge (Mass.), 1974.
SCHAFER E.H., *The Golden Peaches of Samarkand*, Univ. of California Press, Berkeley, 1963.
SCHAFER E.H., *The Vermilion Bird*, Univ. of California Press, Berkeley, 1967.
SCHURMANN G., *Economic Structures of the Yuan Dynasty*, Harvard U.P., Cambridge (Mass.), 1956.
SCHURMANN F., *Ideology and Organization in Communist China*, Univ. of California Press, Berkeley, 1971.
SKINNER G.W., (ed.), *The City in Late Imperial China*, Stanford U.P., Stanford, 1976.
TAWNEY R., *Land and Labour in China*, George Allen & Unwin, Londres, 1932.
WHEATLEY P., *The Pivot of the Four Quarters*, Edinburgh U.P., Edinburgh, 1971.

P.G.

Index général thématique

LÉGENDE

- **402** : référence du *mot clé*.
- **326** : référence d'un *article* ou d'un *paragraphe* relatif au mot clé.
- **124 et suiv.** : référence d'une *série d'articles* ou d'un *chapitre* relatif au mot clé.
- «Marcher sur deux jambes» : slogan ou proverbe.
- *La Peinture blessée*, de Cheng Conglin : titre d'œuvre (et auteur).

Fenxiang (Institution du partage de l'encens), 73, 80, 268.
Fête des dragons, 169.
Fête des lanternes, 169, 170.
Fête des morts (qingmingjie), 75, 169.
Fête du printemps (chunjie), 169.
Fête nationale (1er octobre), 169.
Fêtes, 81, 144, **169**.
Fêtes votives, 82.
Fiançailles, 75.
Fiançailles d'enfants, 72.
Fidji, 420.
La Fille aux cheveux blancs, 217.
Films, **218**.
Financement, **344**.
Fleuve Bleu : voir Yangzi.
Fleuve Jaune, 24, 40, 260, 353.
Flotte de guerre, 392, 394.
FMI (Fonds monétaire international), 322.
Force nucléaire : voir Arme nucléaire.
Forêts, 40.
Formation, **293**.
Formose : voir Taïwan.
Forum du Pacifique sud, 420.
Foyers à leur compte (geti hu), 319.
Foyers industriels, **352**.
France, 408, 422.
Fruits d'automne, 189.
Fu Sinian, 186.
Fujian, 31, 36.
Fushi, 65.

_____ *G* _____

Gaige (révolution réformatrice), 115, **116**.
Gan, 57.
Ganbu : voir Cadres.
Gansu, 36.
Gao Gang, 284.
Gao Xiaosheng, 189.
Gaoshang, 52.
Garde-robe, 66.
Gardes rouges, 112, 120, 125, 133, 232, 237, 375.
Gaspillage de ressources, 38.
Gastronomie, 64, **136**, **138**.
Gâteaux de riz (niangao), 66.
GATT (Accord général sur les tarifs douaniers et le commerce), 396.
Gauchisme, 119, 120.
Gelugpa : voir Bonnets jaunes.
Généalogies, 73.
Général, vous ne pouvez agir ainsi, de Ye Wenfu (1979), 188.
Générations, 129.
Génie des voies ferrées, 133.
Géographie, **22 et suiv.**.
Géomancie (fengshui), **71**, 79, 128.
Geti hu : voir Foyers à leur compte.

Gingembre, 65, 139.
Gingko, 64.
Glasnost, 262.
Goa, 372.
Golmud, 35.
Gomulka, Wladislaw, 405.
Gong'an ju : voir Sécurité publique.
Gongnongqu : voir Région agro-industrielle.
Gorbatchev, Mikhaïl, 20, 224, 258, 262, 263, 391, 393, 402, 404, 406, 411, 413.
Gouvernements locaux, **245**.
Gouvernement royal d'union nationale du Kampuchea (GRUNK), 410.
Grades militaires, 243.
Grains, **348**.
Grand bond en avant (1958), **110**, 117, 119, 232, 236, 284, 314, 352, 375, 394.
Grand Timonier, 232, 402. Voir aussi Mao Zedong.
Le Grand Tremblement de terre de Tangshan, de Qian Gang, 192.
Grand Véhicule (Mahayana), 91.
Grande-Bretagne, 373.
Grande brouille (sinosoviétique), 403.
La Grande Fission entre le yin et le yang, de Su Xiaokang, 192.
Grande Muraille, 26, 97, 260.
« Grande marmite commune », 329.
Grande révolution culturelle prolétarienne : voir Révolution culturelle.
Gravure sur bois, 206.
Great Wall Corp. (Grande Muraille), 358.
Greffier des enfers : voir Pan Guan.
Grève des cours, 262.
Groupes ethniques, **50**.
Gu Hua, 189.
Guan Gong (dieu de la guerre et du commerce), 70.
Guan Yin (donneuse d'enfants), 70.
Guangdong, 31, 36.
Guangxi, 29, 72.
Guanxi (relations familiales ou amicales, réseaux informels), 56, 106, 284.
Guanyin, 95.
Guerre civile (1945-1949), **108**, 392.
Guerre de l'opium, 83, 97, 102, 371, 373.
Guerre du Pacifique (1941-1945), 108, 372.
Guerre sino-japonaise (1937-1945), **108**, 413.
Guinée, 424, 425.
Guixing, du Boisseau du Nord, 70.
Guiyang, 34.
Guizhou, 31.
Guo Moruo (1892-1978), 178, 231.

Guomindang, **105**, 107, 108, 111, 369, 370, 374, 393.
Guowuyuan : voir Conseil des affaires d'État.

_____ *H* _____

Habillement, **66**, 141.
Habitat, **124**, **128**, **336**.
Haikou, 31.
Hainan, 30, **31**, 339, 352, 394.
Hainanais, 382.
Hakka, 57, 382.
Han, **22**, 27, 29, 31, 36, 52, 57, 60, 61, 269, **285**, 286, 288.
Han Shaogong, **177**, 187, 190.
Hani, 52, 61.
Hanyu (ensemble des langues du groupe chinois), 60.
« Haut du Salon » : voir Tangshang.
He Shang/Sacrifice pour un fleuve, 256, **259**, 260.
Hebei, 31, 37, 341.
Hégémonisme, 386, 388.
Hégémonisme soviétique, 393, 410.
Heilongjiang, 32, 40, 317.
Hemudu, 22, 24.
Hezhe, 52.
Hiérarchie sociale, **273**.
Hindouisme, 378.
Histoire, **101 et suiv.**
Histoire littéraire, **198**.
Hmong, 61.
Hoabinhien, 24.
Hokkiens, 377, 382.
Holothuries, 66, 231.
Homosexualité, **149**.
Hong Qi/Drapeau Rouge (revue), 117, 298.
Hong Shen (1894-1955), 214.
Hong Xiu (1814-1864), 71.
Hong-Kong, 27, 35, 72, 120, 312, 338, 365, 368, 370, 371, **373**, **374**, 376, 377, 381, 382, 383, 384, 391, 393, 414.
Hongrie, 17, 255, 406.
Hongniang : voir Marieuse.
Hooliganisme, 251
Hôpitaux, 163.
Horoscopes, **82**.
Horticulture, 62.
Hu Bei, 284.
Hu Feng, 119, 232.
Hu Jingde, 68.
Hu Qili, 237.
Hu Shi (1891-1962), 186.
Hu Yaobang, 114, 116, 117, 120, 121, 143, 235, 238, 239, 258, 259, 261, 266, 267, 283, 304, 406, 420.
Hu Yizhou, 134.
Hua Guofeng, **114**, 115, 116, 120, 238, 239, 240, 246, 264, 376, 389.
Huang Chao (874-880), 71.
Huangpu, 41.
Huaqiao, 36, **381**, **382**.
Huayi (descendants de Chinois), 381, 383.

451

LA DÉCOUVERTE

Répondre aux attentes de ceux — les jeunes en particulier — qui veulent comprendre le monde et son histoire, qui refusent les injustices et les violences que recouvrent trop souvent les ordres établis à l'Ouest comme à l'Est, au Nord comme au Sud ; aider à découvrir des auteurs — français et étrangers — qui réfléchissent, travaillent et créent hors des sentiers battus des idées à la mode : tels sont les objectifs des Éditions La Découverte.

● Ouvrages didactiques

Apporter à un large public une information à la fois accessible et rigoureuse sur les grands problèmes du monde contemporain (économie, société, religion, histoire...) : telle est l'ambition des titres publiés dans les collections « L'état du monde » et « Repères ».

● Essais et documents

Il s'agit là de livres de réflexion et d'intervention sur les évolutions politiques, économiques et sociales en France et dans le monde (collection « Cahiers libres », coéditions avec le journal *Le Monde*, collection « Enquêtes ») ; d'ouvrages de vulgarisation scientifique et de livres qui « interrogent » la science dans ses rapports avec la société.

● Sciences humaines et sociales

L'histoire, la philosophie, la géographie et la géopolitique, l'économie, l'anthropologie, sont présentes dans notre catalogue avec les collections « Textes à l'appui », « Fondations », « Armillaire », « Agalma ».

● Littérature et poésie

Notre collection « Romans » privilégie désormais les romans étrangers. La collection « Voix » accueille la poésie française et surtout étrangère. La collection « La Découverte » présente les écrits des grands voyageurs du xvie siècle à nos jours.

● Guides pratiques

Les guides de la Confédération syndicale du cadre de vie (CSCV) apportent aux consommateurs des conseils pratiques dans des domaines très divers. Ceux du GISTI présentent différents aspects des droits des étrangers en France.

● Dessins de presse

Le dessin de presse est une autre façon de découvrir le monde, souvent plus efficace — et à coup sûr plus drôle ! — que de longs discours : les recueils de Batellier, Cabu, Cardon, Siné, Plantu, Wiaz en témoignent.

Si vous désirez être tenu régulièrement au courant de nos parutions, il vous suffit d'envoyer vos nom et adresse aux Éditions La Découverte, 1, place Paul-Painlevé, 75005 Paris. Vous recevrez gratuitement notre bulletin trimestriel À La Découverte.

Photocomposition Charente-Photogravure
Imprimerie SEPC - Dépôt légal : 4e trim. 1989
ISBN : 2-7071-1877-X - N° d'imprimeur : 2153